HANS REISS · GOETHES ROMANE

WITHDRAWN

HANS REISS

GOETHES ROMANE

*Die Geheimnisse der Lebenspfade darf und
kann man nicht offenbaren; es gibt Steine des
Anstoßes, über die ein jeder Wanderer stolpern
muß. Der Poet aber deutet auf die Stelle hin.*

GOETHE

FRANCKE VERLAG BERN
UND MÜNCHEN

MEINER MUTTER

Noch ein Goethebuch — wird man bekümmert denken — gibt es deren nicht genug? Es ist schwer, die Veröffentlichung eines neuen Buches über Goethe und die Aspekte seiner Werke überzeugend zu rechtfertigen. Man ist versucht, der Arbeit eine Apologie vorangehen zu lassen. Für den Verfasser zwar liegt die Berechtigung in der Begegnung, denn jede Vertiefung in Goethes Werk wird ergiebig sein. Diese persönliche Reaktion also, für den Interpreten selbst von Interesse, gibt ihm aber kaum das Recht, seine Arbeit der Öffentlichkeit vorzulegen. Man muß seiner selbst sehr sicher sein, um sich allein aufgrund der Begegnung mit Goethe das Recht anmaßen zu wollen, diese Wirkung auch mitzuteilen. Doch lassen sich andere Gründe für eine Betrachtung seiner Romandichtung anführen. Goethes Romanwerk ist als Ganzes nur einmal — und das vor nunmehr sechzig Jahren (von Robert Riemann in *Goethes Romantechnik*, 1902) [1] — gewürdigt worden, und selbst damals wurde nur ein einzelner Aspekt betrachtet. Seitdem hat sich die Goetheforschung wesentlich gewandelt. Grundlegende Überlegungen zum Roman haben unsere Auffassung vom Wesen dieser Gattung vertieft, Romane des zwanzigsten Jahrhunderts haben die Perspektiven unserer Deutung geändert. Eine Gesamtwürdigung der Romane — entsprechend dem heutigen Stand der Forschung — schien immerhin noch möglich, vielleicht sogar zeitgemäß. Nur darf man nicht mit allzu hochgespannten Erwartungen an ein derartiges Unternehmen herantreten. Es kann heute kaum Aufgabe sein, eine revolutionäre Wendung in der Goetheforschung herbeizuführen. Wahrscheinlich wären derartige Versuche beim heutigen Stand der Forschung verfehlt. Nur zu oft stellen sich neue Ansichten als aufgebauschte Banalitäten oder unhaltbare Irrtümer heraus. Es ist eher notwendig, auf dem Boden der Forschung weiter zu bauen und die allgemein akzeptierten Ansichten zu überprüfen, abzuändern und, wenn möglich, zu verfeinern. Die Forschung vermag nichts Endgültiges festzustellen. Es gilt, Hypothesen umzustoßen, zu modifizieren oder sich bewähren zu lassen; in diesem andauernden, nie endenden Prozeß besteht ihre Aufgabe. Darin findet man Rationalität, und das rechtfertigt die erneute wissenschaftliche Beschäftigung mit denselben bedeutenden Problemen [2].

Ein Buch hat andere Funktionen als ein wissenschaftlicher Aufsatz. Manches darin muß der Forschung bekannt erscheinen. Aber die Wissenschaft, die sich mit der Dichtung, einem allgemein zugänglichen Phänomen, befaßt, wird ihrer Aufgabe untreu, wenn sie nicht von Zeit zu Zeit ver-

sucht, über die Fachkreise hinaus sich an den nicht-spezialisierten, gebildeten Leser zu wenden. Dazu eignet sich ein Buch am ehesten. Das muß
keineswegs ein Absinken in den Journalismus bedeuten; es genügt, wissenschaftliche Auseinandersetzungen mit Sekundärliteratur aus dem Text
in die Anmerkungen zu verbannen, soweit man sie nicht überhaupt der
Diskussion in Fachzeitschriften überläßt. Aber das Vertrauen, an ein ge-
bildetes Lesepublikum herantreten zu dürfen, sollte man doch nicht aufgeben. Es gilt immer wieder zu versuchen, mit Hilfe von Büchern dieses
Publikum zu schaffen. Ein derartiger Versuch fordert vor allem eine verständliche, gepflegte Sprache. Die Schriften Emil Staigers zur deutschen
Dichtung, besonders seine dreibändige Goethe-Monographie[3], müssen hier
als ein für unsere Epoche kaum erreichbares Vorbild betrachtet werden;
denn Staiger verbindet Eleganz der Sprache mit Verständlichkeit des Ge-
dankens und Tiefe der Deutung. Sein großes Ansehen als Literaturwissen-
schaftler wird ihm gerade durch den Stil seiner Werke zuteil, die in
Goethes Sinne Einklang von Form und Gehalt darstellen. Ein außerhalb
des deutschen Sprachbereiches lebender Literarhistoriker leidet zwar darunter, daß er dem deutschen, österreichischen oder schweizerischen Kultur-
leben nicht unmittelbar durch tägliche Kontakte verbunden ist, doch gewinnt er vielleicht dadurch auch an kritischer Distanz. Wenn außerdem
im Zuge der geistigen Bemühungen in angelsächsischen Ländern die vor-
liegende Arbeit weniger spekulativ anmutet als manche deutsche Schriften
zur Literatur, so ist das doch wohl in Goethes Sinn; denn hat er nicht
Heinroth zugestimmt, der behauptete, «daß mein (Goethes) Denkver-
mögen gegenständlich tätig sei, womit er (Heinroth) aussprechen will:
daß mein Denken sich von den Gegenständen nicht sondere[4]». Wenn diese
Arbeit eher gegenständlich und beschreibend erscheint, als metaphysisch
und abstrakt, so wird versucht, den Hinweisen zu folgen, die Goethe in
seiner gegenständlich beschreibenden Auslegung der eigenen Dichtung
gab[5]. Der Abstand in Sprache und Einsicht zwischen dem, was der Dichter
selbst in seinen Betrachtungen erreicht und was der Literarhistoriker zu
erreichen vermag, ist zu offenbar, als daß man den Leser noch speziell
darauf hinzuweisen brauchte.

In dieser Arbeit ist versucht worden, von Sprache und Struktur, also
vom Stil her, in die Thematik einzudringen und so den Roman zu betrachten. Die Themen sollen dabei aber nicht als abstrakte Gebilde, sondern als
Funktionen des Werkes verstanden werden. Die Ausführung allein kann
die Methode der Betrachtung rechtfertigen.

Nach Obigem kann kein Zweifel bestehen, wie sehr sich diese Arbeit
der Goetheforschung verpflichtet fühlt. Ohne das Frühere wäre sie unmög-

lich gewesen. Von einer bibliographischen Erfassung dieser Forschungen habe ich abgesehen, da die betreffenden Bände der Hamburger Ausgabe (Bd. 6, 7, 8, 14)[6], Goedecke[7], die von Hans Pyritz[8] herausgegebene Goethe-Bibliographie sowie andere wohl bekannte Nachschlagewerke ein vollständiges Verzeichnis der Sekundärliteratur enthalten. Wenn die eine oder andere Arbeit unerwähnt blieb, so bedeutet dies nicht, daß sie nicht zur Kenntnis genommen oder unnütz war. Dem Beispiel anderer Goethe-forscher folgend, habe ich mich darauf beschränkt, nur diejenigen Arbeiten in den Anmerkungen zu erwähnen, bei denen ich mir einer unmittelbaren Anregung bewußt war.

Ohne Hilfe und Anregung meiner Londoner Kollegen wäre dieses Buch nie geschrieben worden. Hier sind die Goetheforschungen von L. A. Willoughby und Elisabeth M. Wilkinson wertvolle Vorbilder gewesen. Beide haben mich immer wieder ermutigt, meine Arbeit weiterzuführen. Anderen Londoner Kollegen — Edna Purdie, Christopher Middleton und William Rose † — verdanke ich manche Anregung und manchen Rat. Gespräche mit deutschen und Schweizer Kollegen, besonders mit Fritz Martini, Walter Müller-Seidel und Emil Staiger, waren außerordentlich wertvoll und hilfreich. Die Kritik der einzelnen Formulierungen meiner Ansichten durch meine Freunde Armin Arnold und Max Heinrich Fischer hat viele Unklarheiten behoben und meine Ausführungen wesentlich vereinfacht und geglättet. Ihnen gebührt für ihre selbstlose Arbeit besonderer Dank. Meinem Montrealer Kollegen Alexander Fischer bin ich für seine freundliche Durchsicht der Arbeit verpflichtet. Die finanzielle Unterstützung des McGill University Research Fund und des Deutschen Akademischen Austauschdienstes haben mir ermöglicht, deutsche Bibliotheken aufzusuchen. Der McGill University Research Fund hat außerdem die Publikation durch einen großzügigen Zuschuß zu den Druckkosten erleichtert.

Für alle Mängel und Irrtümer bin ich allein verantwortlich.

McGill University, Montreal   H. S. REISS

Im Frühjahr 1962

Der Roman hat Goethe fast sein ganzes schöpferisches Leben hindurch beschäftigt. Als Fünfundzwanzigjähriger errang er 1774 Weltruhm mit *Die Leiden des jungen Werthers*. Keine drei Jahre vor seinem Tode, 1829, veröffentlichte er mit der zweiten Fassung von *Wilhelm Meisters Wanderjahre* das letzte Werk dieser Gattung; es gab wenige Jahre während dieses halben Jahrhunderts, in denen er nicht an der Vollendung eines seiner vier Romane — *Werther, Wilhelm Meisters Lehrjahre, Die Wahlverwandtschaften, Wilhelm Meisters Wanderjahre* — arbeitete. Der Roman ist zwar keineswegs die einzige Gattung der erzählenden Prosa, in der er seine Kräfte versuchte. Auch in anderen Formen — auf dem Gebiet der Autobiographie, der Novelle, der Geschichte der Wissenschaft — hat er Maßgebliches geleistet. Überhaupt ist seine Prosa — ob sie diejenigen der Tagebücher oder Briefe, des autobiographischen Berichtes oder der Erzählung sei — für die Entwicklung der deutschen Prosa bestimmend gewesen. In seinem Werk wurde eine einmalige Höhe der deutschen Dichtung — sprachlich und formal — erreicht[1].

Im Roman schuf Goethe Prosawerke, deren Wirkung — in Breite und Tiefe am größten — weit über die Grenzen unseres Sprachbereiches drang. Mit Ausnahme von *Faust* sind *Werther* und die *Lehrjahre* die einzigen Werke, die, Goethes Forderung Genüge leistend, in der Weltliteratur Aufnahme gefunden haben; der Lyrik und den Dramen ist dies trotz ihres hohen Ranges nicht gelungen. Das mag ganz einfach daran liegen, daß die erzählende Prosa in der Übersetzung unmittelbarer und weniger verfälscht vermittelt werden kann.

Goethe hat, gleich Schiller, dem Roman nie dieselbe poetische Bedeutung zugemessen wie dem Drama, dem Versepos oder der Lyrik; trotzdem wandte er einen großen Teil seiner schöpferischen Energie und Zeit der Vollendung von Romanen zu, so daß diese Werke zweifelsohne einen wesentlichen Teil seiner Dichtung darstellen. Worin liegt dieser Zwiespalt begründet? Das Studium der einzelnen Romane kann uns einer Antwort auf diese Frage näherbringen.

Der Roman bietet gewisse Schwierigkeiten für die Analyse, welche in Lyrik und Drama so nicht zutage treten. Gerade weil in der Prosa «die Form den Stoff nicht völlig vertilgt zu haben scheint[2]», setzt die Analyse leicht am falschen Platz ein; man ist versucht, den Gehalt unmittelbar erkennen zu wollen. Dann wird man dem Gehalt nicht gerecht, nimmt einzelne aus dem Zusammenhang gelöste Teile heraus, analysiert ohne ein Gefühl für das Ganze und kommt so zu einer irreführenden Deutung des Werkes. Es ist nicht leicht, dieser Gefahr zu entgehen. Selbst der begabteste Interpret könnte hier vom Wege abirren. Es liegt aber auch daran: Der Roman besitzt keine festen Grenzen wie das Drama, so daß es schwer ist, seinen Organismus als solchen richtig zu würdigen. Er droht dem Betrachter bei der Untersuchung zu zerfließen. Eine Analyse bleibt immer problematisch. Percy Lubbock, einer der bedeutendsten Theoretiker des Romans, hat dieses Problem in *The Craft of Fiction* scharf formuliert:

«Das Buch verschwindet, wenn wir es ergreifen wollen. Jedes Wort, das wir darüber äußern, jeder Satz ist ungenau, nähert sich nur etwas mehr, etwas weniger der Wahrheit. Wir können das Ziel nicht genau treffen; oder wenn wir es treffen, können wir dabei nicht sicher sein ... es gibt Zeiten, da fühlt ein Literaturkritiker: wenn es nur eine einzige greifbare, meßbare Tatsache über ein Buch gäbe — und man es wie eine Statue wiegen oder wie ein Bild messen könnte —, so würde dies eine Stütze in einer Welt von Schatten sein[3].»

Der Begriff «Roman» umschließt außerordentlich heterogene Elemente; spricht man doch auch beim Versepos wie bei der Prosaerzählung von Roman. Dichter haben sich wiederholt über diese Gattung beklagt. Goethe und Schiller nannten ihn eine unreine Form, und in unserem Jahrhundert hat der bedeutende englische Romandichter E. M. Forster in seinem grundlegenden Buch *Aspects of the Novel* von dessen Unzulänglichkeit gesprochen[4]. Am radikalsten war wohl Kafkas Auffassung, der ja auch Max Brod bat, seine Romane nach seinem Tod zu vernichten[5]. Zweifelsohne ist die Auffassung Goethes und Schillers berechtigt: der Roman ist eine unreine Form. Er kann Lyrik, dramatische Szenen, Monologe, Briefe, Tagebucheinträge enthalten; sogar ausgesprochene Fremdkörper, wie Zeitdokumente, Broschüren, Aufsätze und Exkurse mögen darin Teile des künstlerischen Organismus werden. Die Grenzen des Erzählens selbst sind nicht klar bestimmt, die Biographie, Autobiographie, ja selbst die Geschichte kann als Roman aufgefaßt werden, ohne deswegen ihrem besonderen Charakter prinzipiell untreu zu werden. So könnte *Dichtung und Wahrheit* als Roman bezeichnet werden. In der vorliegenden Arbeit allerdings sind die Grenzen des Romans etwas enger gefaßt. Diese konventionelle Ansicht wird dadurch bestätigt, daß Goethes Autobiographie doch sehr von den allgemein als Roman bezeichneten vier Werken abweicht.

Ein weiterer Faktor ist der Umfang, den ein Roman annehmen kann, so daß es schwer ist, allgemeine strukturelle Gesetze zu konstatieren und oft kein Schema, kein fester Plan vorzuliegen scheint. Goethes vier Romane — trotz vieler gemeinschaftlicher Züge in der Anlage sehr verschieden — lassen sich bezüglich der Form klar unterscheiden. Von allen ist *Werther* bei weitem der kürzeste. Deshalb ist dieser Jugendroman Goethes am ehesten zur ersten Begegnung mit Goethes erzählender Darstellung geeignet.

Goethe war vierundzwanzig Jahre alt, als er 1774 seinen ersten Roman innerhalb weniger Wochen verfaßte. Dieses Werk, in dem er mit der sicheren Hand eines begnadeten Genies unbewußt zum Sprecher einer Generation wurde, begründete sofort seinen Weltruhm, der nie wieder erlöschen sollte. Mit dem Erscheinen *Werthers* begann auch die moderne deutsche Literatur ihren provinziellen Charakter zu verlieren und internationale Bedeutung zu gewinnen[1]. Man weiß, in welchem Maße der Roman auf Goethes eigenem Erleben, vor allem auf seiner Liebe zu Charlotte Buff in Wetzlar und seiner anschließenden Neigung für Maximiliane La Roche in Frankfurt, beruht. Ebenso ist bekannt, daß dieser Stoff, den er wohl längere Zeit in sich getragen hatte, plötzlich durch den Selbstmord des Wetzlarer Studenten Jerusalem, des Sohnes eines der populärsten Prediger der Aufklärung, Gestalt gewann, und daß ihm der Selbstmord Jerusalems für eine Geisteshaltung symptomatisch erschien, der er selbst, besonders in seiner Wetzlarer Zeit, nahegestanden hatte. Gerade die Briefe Kestners, des Ehemanns der Lotte Buff, der ihm die Einzelheiten über die letzten Tage Jerusalems mitteilte, enthüllten für Goethe, wie nahe er Jerusalem geistig und seelisch gewesen. Er hat in *Dichtung und Wahrheit* aufgezeichnet, wie die Gestalt des Romans plötzlich vor ihm stand.

Nach einigen Ausführungen über den Selbstmord im allgemeinen, über sein eigenes Spielen mit diesem Gedanken und seine Versuche, sich darüber in dichterischer Sprache zu äußern, was ihm aber nicht gelang, bemerkte er, «es wolle sich nicht gestalten, es fehle ihm eine Begebenheit, eine Fabel, worin sich das verkörpern könne»; dann aber fährt er fort:

«Auf einmal erfahre ich die Nachricht von Jerusalems Tod und, unmittelbar nach dem allgemeinen Gerüchte sogleich die genaueste und umständlichste Beschreibung des Vorgangs, und in diesem Augenblick war der Plan zu Werthern gefunden, das Ganze schoß von allen Seiten zusammen und ward eine solide Masse, wie das Wasser im Gefäß, das eben auf dem Punkte des Gefrierens steht, durch die geringste Erschütterung sogleich in ein festes Eis verwandelt wird[2].»

Die biographische Forschung hat die Beziehungen zwischen Goethes eigenem Erleben und dem Roman, die vom Dichter hier selbst angedeutet wurde, eingehend untersucht, so daß kaum noch etwas wesentlich Neues darüber ausgesagt werden dürfte.

Goethes eigene Worte aus *Dichtung und Wahrheit*, daß er seinem Jugendroman «alle die Glut einhauchte, welche keine Unterscheidung zwischen dem Dichterischen und dem Wirklichen zuläßt[3]», hat die Neigung zu biographischer Betrachtung gefördert, wodurch oft der Weg zur Dichtung versperrt wurde. Gerade weil so viel biographisches Material vorlag, wurde der Blick des Betrachters getrübt; doch hat die Goetheforschung in den letzten Jahrzehnten dieses Versäumnis zum großen Teil aufgeholt[4], so daß man jetzt viel unbefangener und nicht allzusehr durch eine starre Betonung des Biographischen oder der geistesgeschichtlichen Beziehungen beschwert an den Roman herantreten und ihn als Kunstwerk würdigen kann. Eine derartige Interpretation verlangt zunächst eine kritische Betrachtung des Textes; von hier aus kann man die weiteren geistesgeschichtlichen und biographischen Perspektiven ergründen. Nun liegen allerdings zwei Fassungen vor, die erste von 1774, mit der Goethe die literarische Welt eroberte, und die zweite von 1787, an der er Änderungen zunächst wohl aus Rücksicht auf Kestner vornahm, der die Schilderung der Charaktere (Albert und Lotte) mißbilligt und an der Beziehung Lotte — Werther Anstoß genommen hatte. Goethe ist aber nur in geringem Maße auf Kestners Wünsche eingegangen. Die Hauptveränderungen sind vor allem auf seine eigene Reife zurückzuführen, die er während des inzwischen verflossenen Jahrzehntes durch dichterische und praktische Tätigkeit in Weimar erworben hatte. Auch mochte er erkannt haben, daß er sich als Verfasser von einer Identifizierung mit dem Helden distanzieren müsse; denn die Wirkung des Romans, der von vielen als Rechtfertigung des Selbstmordes aufgefaßt wurde, hatte ihn geradezu bestürzt[5]. Die Version von 1787 ist die Fassung, in der die Welt heutzutage *Werther* liest, die Fassung, der Goethe selbst durch die Aufnahme in seine gesammelten Werke, besonders in der Ausgabe letzter Hand, autoritative Geltung zugemessen hat. Wir sind deshalb berechtigt, den folgenden Betrachtungen hauptsächlich diese reife Fassung zugrunde zu legen, die trotz aller Änderungen keineswegs das Werk aus der Sturm-und-Drang-Epoche heraus in die Weimarer Zeit transponierte.

Die erste Fassung ist zwar die lebendigere. Von ihr ging die gewaltige Gärung aus, in die der Roman die Welt versetzte. In einem nicht abgesandten Abschnitt eines Briefes an den Verlag Weygand[6] hat Goethe rückblickend im Jahre 1824 die besondere Wirkung dieser Fassung beschrieben:

«Der erste Abdruck seiner heftigen Unbedingtheit ists eigentlich der die große Wirkung hervorgebracht hat; ich will die nachfolgenden Ausgaben nicht schelten aber sie sind schon durch äußere Einflüsse gemildert geregelt und haben denn doch nicht jenes frische unmittelbare Leben[7].»

Wer der *Sturm und Drang* Zeit Goethes eine genauere Untersuchung widmen will, wer den Gründen der unmittelbaren Rezeption des Romans

nachspüren will, der muß sich der ersten Fassung zuwenden; wem es aber
darum geht, den Roman als Kunstwerk und die Leistung Goethes als
Romandichter zu würdigen, dem muß die zweite Fassung maßgebend sein;
denn Goethe ist es gelungen, die Absicht auszuführen, die er in einem
Brief an Kestner aussprach:

«Ich habe in ruhigen Stunden meinen Werther wieder vorgenommen und
denke, ohne die Hand an das zu legen, was so viel Sensation gemacht hat, ihn
noch einige Stufen höher zu schrauben. Dabei war unter andern meine Intention, Alberten so zu stellen, daß ihn wohl der leidenschaftliche Jüngling, aber
doch der Leser nicht verkennt[8].»

*

Eine Untersuchung des Romanes als Kunstwerk verlangt zuerst, daß man
sich dem Bild zuwendet, das der Leser von dem Roman als Ganzem erhält.
Hier erleichtert die Knappheit der Darstellung und die Konzentration auf
das innere Erleben eines einzelnen die Fixierung der Betrachtung, die bei
einem umfangreicheren Roman sonst leicht verloren geht. Erschwert wird
diese Aufgabe höchstens durch die Fülle der Bilder, durch Reichtum und
Lebendigkeit der Sprache, die den Betrachter durch ihre Gewalt mitreißt
und von einer distanzierten Analyse abhält. Aber gerade in der Sprache
und ihren Bildern liegt die innere Einheit verborgen, die von dem äußeren
Schema des Romans zwar sichtbar gemacht, aber auch verdeckt wird.

Die Einteilung in zwei Bücher ist es, was dem Leser zuerst bei einer
Betrachtung der Struktur des Romans auffallen dürfte. Die Zweiteilung
ist von wesentlicher Bedeutung. Das erste Buch bildet die Vorbereitung
zum tragischen Geschehen; es enthüllt den Charakter Werthers; die innere
Bedrohung wird offenbar, aber es kommt weder zur eigentlichen Krise
noch zum tragischen Ende. Zwischen den beiden Büchern liegt eine Zäsur;
Werthers Abwesenheit von Wahlheim, die in den ersten Briefen des
zweiten Buches geschildert wird, unterbricht die Entwicklung der tragischen Handlung. Die Entfernung beruhigt aber Werthers Leidenschaft
nicht, im Gegenteil, sie schürt weiter und zwingt ihn zur Rückkehr nach
Wahlheim, wo sich eine Intensivierung dieser Leidenschaft vollzieht, so
daß er jetzt unentrinnbar in dem von seinen Gefühlen geschaffenen
Labyrinth gefangen ist. Werther vermag dieser Leidenschaft nicht mehr
Herr zu werden; er wird durch sein eigenes Wesen in den engen Kreis
seines Fühlens zurückgetrieben. Das ist seine Tragödie, auf die Sprache
und Struktur des Romans deutlich hinweisen. Der erste Eindruck läßt
keinen Zweifel, der Kern des Romans ist das seelische Erleben Werthers;
sein Erleben aber ist gefühlsbestimmt. Werthers eigene Sprache beweist

dies. Hier gibt es Sätze, die oft explosiver Art sind; im Stile des Sturm und Drangs ist es oft ein Gestammel; Ausrufe oder halb ausgeführte Sätze, die einander folgen, beherrschen das Feld. Der Roman enthält ausgesprochen lyrische Elemente. Es sind vorwiegend lyrische Ergüsse, die den Gang der Erzählung unterbrechen, andererseits aber gerade Art und Charakter dieser Erzählung ausmachen und also organisch zu ihr gehören.

Die Leiden des jungen Werthers sind ein Briefroman. Dies war die Modeform des europäischen Romans der Zeit[9]. Aber es ist ein Briefroman, der sich von seinen unmittelbaren Vorgängern, Richardsons Pamela und Rousseaus Nouvelle Héloise unterscheidet[10]. Er ist viel kürzer und geschlossener und wirkt deshalb um so eindringlicher. Indem die Briefe eines einzelnen wiedergegeben sind, ist das Scheinwerferlicht auf diesen einzelnen konzentriert. Werther hat keinen eigentlichen Gegenspieler. Der Leser kann viel tiefer in seine Seele eindringen, als es ihm bei den anderen Charakteren möglich ist. Wir gewinnen zwar ein Bild von Albert, von Lotte und Wilhelm, aber das Seelen- und Gefühlsleben dieser Charaktere bleibt fast völlig im Dunkeln. Es ist müßig zu fragen, ob Werther ein Briefroman oder ein Tagebuchroman ist. Genau gesehen, ist er keines von beiden: der Herausgeber hat das letzte Wort an entscheidenden Stellen; es läßt sich aber nicht leugnen, daß diese Briefe oft ein tagebuchartiges Wesen haben. Doch sind es Briefe, die auch Rede und Antwort stehen; aber es sind äußerst intime Briefe, sie sind ich-bezogen. Das Du, an das Werther sich richtet, ist nicht nur Wilhelm, sondern oftmals sein eigenes Herz[11]. Er ist mehr mit seinem eigenen Erleben als mit der Wirkung jener Ergüsse auf den Briefempfänger beschäftigt. Doch sind die Briefe nicht nur Tagebuch, sondern auch Beichte[12]. Es ist ein Ich-Roman[13], solange Werther schreibt. Er schreibt im Augenblick des Erlebnisses und erlangt nie Distanz. Er schreibt auf dem Höhepunkt des Erlebens, und so bewegt er sich von Gipfel zu Gipfel[14]. Es sind also Gipfelpunkte, die der Leser erblickt, aber sie weisen auf in der Tiefe verborgene Abgründe der Seele hin. Sie geben ein unmittelbares Erlebnis wieder. Doch wenn Werther nur zur Feder greift, um die Höhepunkte seiner Existenz zu beschreiben, so gewinnt der Roman an Wucht und Geschlossenheit, er nähert sich dem Drama, der Tragödie; denn in der geschlossenen Form des Dramas beschränkt sich äußeres und inneres Geschehen auf Höhepunkte, auf das Wesentliche; in einem viel engeren Rahmen als im Roman. Werther steht halbwegs zwischen dem breitangelegten Roman der europäischen Literatur und der knapperen, aber wuchtigeren Form des europäischen Dramas. Zwar trägt alles zur Entwicklung der inneren Handlung bei; jedes Geschehen und Erleben ist wesentlich; doch besitzt der Roman keineswegs dieselbe genau präzisierte Struktur wie die Dramen der europäischen Hochklassik. Allerdings gibt es parallele Momente zwischen dem ersten und zweiten Buch. Man könnte das erste Buch in drei Epochen «von jeweils ungefähr 40 Tagen» gliedern. Die Zeit von Werthers erster Bekanntschaft mit Lotte vom 4. Mai bis zum 16. Juni 1771, die glückliche Zeit seiner Freundschaft mit ihr bis zum 30. Juli, dem Tag der Ankunft Alberts, und die Zeit der Versuche einer Freundschaft mit beiden bis zu Werthers Abfahrt am 10. September 1771[15] sind die drei Epochen im ersten Buche. Auch dem zweiten Buch liegt eine ähnliche Dreigliederung zugrunde. Etwa: das halbe Jahr, das Werther am Hof verbringt, dann die Reise in seine Heimat und schließlich die Zeitspanne zwischen der Rückkehr nach Wahlheim und seinem Tode. Diese äußeren Parallelen lassen sich mit inneren verknüpfen. Die Zeit, die Werther vor seiner Bekanntschaft mit Lotte in Wahlheim verbringt, ist, wie die Zeit bei der Gesandtschaft, ein Zustand der Erwartung und der inneren Entwicklung ohne stürmischen äußeren Anlaß. Ähnlich nimmt der Abschied von Lotte seinen späteren Abschied auf immer vorweg. Doch darf man keine weiteren Parallelen ziehen, denn diese würden äußerst problematisch. Dieser Art wäre z. B. der Vergleich zwischen der Klopstockszene im ersten Buch und der Ossianszene im zweiten: zwei Stellen, wo Gefühlsmomente durch eine Dichtung hervorgehoben werden.

Der Einteilung in die zwei Bücher entspricht ein Schnitt in Werthers seelischer Entwicklung. Denn obwohl sich Werthers Leiden innerhalb von zwei Jahren abspielen, liegt die eigentliche Betonung auf dem einen Jahr, das Frühling und Sommer von Werthers entflammter Leidenschaft, Herbst und Winter seines Untergangs umfaßt[16]. Die erzählende Zeit ist beschränkter als die erzählte. So wird die Tragödie Werthers noch viel stärker hervorgehoben, und nicht nur der Titel und das Vorwort des Erzählers, sondern auch die ersten Briefe, ja Sätze Werthers lassen keinen Zweifel an der tragischen Grundstimmung des Romans. Werther trägt von Anfang an den Samen einer Krankheit zum Tode in sich, die bei genauerer Untersuchung schon erkennbar ist, noch bevor sie nach außen bricht; denn Werther ist seiner eigenen Gefühlsschwäche verfallen, noch bevor er der Leidenschaft für Lotte verfällt. *Werther* ist die Geschichte des kranken, todgeweihten Menschen. Es wird mit Ironie, Distanz und doch mit Lebensnähe die Geschichte eines Unterganges, einer Selbstvernichtung erzählt. Goethe mußte diese außerordentliche, für die erzählende Kunst unerhörte Geschichte eines Selbstmordes psychologisch begründen. Es war seine dichterische Aufgabe, Werthers Ende als unvermeidliches Geschehen zu gestalten.

*

Die Geschichte, von der Goethe durch einen Erzähler berichten läßt, handelt, wie der Titel besagt, von den Leiden des jungen Werther; denn Werthers Einstellung zum Leben erlaubt ihm nicht, viel Freude zu erleben; selbst seine Freuden sind nur noch ein weiterer Grund zum Leiden. So empfiehlt der Herausgeber dem Leser, mit Bewunderung und Liebe, aber auch mit Tränen nicht zu sparen; es ist ein Buch, das als Freund und Trost für Seelen gedacht ist, die wie der Held empfinden. Es wäre falsch, Werther als didaktisches Werk zu deuten. Das Vorwort an den Leser ist nicht didaktisch, sondern erinnert daran, daß es sich um eine Erzählung handelt. So wird von Anfang deutlich: die Aktualität des Werkes, die es durch die Datierung der Briefe erhält, ist nur Schein. Obwohl diese Briefe angeblich in den Jahren 1771 und 1772 geschrieben sind und sich also auf ein Geschehen beziehen, das nur einige Jahre vor ihrem Erscheinen stattgefunden hat, ist *Werther* das Werk eines Dichters, und als solches gehört es der Welt der Dichtung an, in der andere Gesetze als die des täglichen Lebens herrschen.

Von dem Augenblick an, wo seine eigene Stimme im Roman erklingt, besteht kein Zweifel über die Art der Problematik, der Werther gegenübersteht; denn gleich der erste Brief führt mitten in diese Problematik hinein. Das Stichwort ist mit dem Worte «Herz» gegeben, einem Wort, das in vielen Nuancen im Werk hervortritt[17].

Die ersten Sätze Werthers: «Wie froh bin ich, daß ich weg bin! Bester Freund, was ist das Herz des Menschen! Dich zu verlassen, den ich so liebe, von dem ich unzertrennlich war, und froh zu sein[18]!» weisen vor allem auf eines hin: auf die Tendenz Werthers, sein Gefühl zu betrachten und sein Gefühl in eine subjektive Anschauung und diese subjektive Anschauung darauf in eine Verallgemeinerung zu verwandeln[19].

Werther sieht die Welt ausschließlich von seinem eigenen Standpunkt. So ist das eigene Gefühl für ihn das Maß des Menschlichen. Aber er kann nicht lange in der Betrachtung der Menschheit verharren. Er muß zu sich selbst zurückkehren; die Aussagen über die Menschheit sind für ihn nur eine Betonung des eigenen Empfindens. Aber dieses erweist sich keineswegs als gleichmäßig, es entpuppt sich immer wieder als ungeeignet zum Wegweiser durch das Leben.

Für Werther ist das eigene Ich wichtiger als die äußere Welt. Die Wiederholung des Wortes «ich» bestätigt uns diese Tendenz, die das ganze Werk durchzieht. Er ist durchaus ein Ich-Mensch; und wie für viele Ich-Menschen ist die eigene Vergangenheit ihm wichtiger als die Gegenwart anderer. Seine Versprechungen, sich zu bessern, klingen nicht überzeugend; man glaubt ihm nicht, wenn er schreibt: «Ich will, lieber Freund, ich verspreche dir's, ich will mich bessern, will nicht mehr ein bißchen Übel, das uns das Schicksal vorlegt, wiederkäuen, wie ich's immer getan habe. Ich will das Gegenwärtige genießen, und das Vergangene soll mir vergangen sein. Gewiß, du hast recht, Bester: der Schmerzen wären minder unter den Menschen, wenn sie nicht — Gott weiß, warum sie so gemacht sind — mit so viel Emsigkeit der Einbildungskraft sich beschäftigten, die Erinnerungen des vergangenen Übels zurückzurufen, eher als eine gleichgültige Gegenwart zu ertragen [20].» Im selben Brief noch lesen wir auch von den Tränen, die er dem abgeschiedenen Grafen von M. aus Rührung über sein fühlendes Herz nachweint. —

Ebenso läßt sich sein Urteil in praktischen Fragen anzweifeln. Zwar schreibt er mit Überzeugung, er würde die Angelegenheiten seiner Mutter aufs beste betreiben; aber er gibt uns keinen Beweis dafür. Auch seine Tante schätzt er eigentlich nur dem Gefühl nach:

«Ich habe meine Tante gesprochen und bei weitem das böse Weib nicht gefunden, das man bei uns aus ihr macht. Sie ist eine muntere heftige Frau von dem besten Herzen [21].»

Vor allem ist die praktische Seite des Lebens für ihn von minderer Bedeutung; er will nicht darüber schreiben. «Kurz, ich mag jetzt nichts davon schreiben, sage meiner Mutter, es werde alles gut gehen [22].» Grundsätzlich will er sich also nur über seine Gefühle äußern, und diese sind kaum oder gar nicht auf praktische Dinge bezogen.

Was zuerst bedenklich stimmt, ist der Eindruck, den er von der Natur gewonnen hat. Zwar erfährt das Herz einen seiner besten Tage, aber seine Haltung ist nicht fest und bestimmt; er wünscht vielmehr, sich ganz dem Eindruck des Augenblicks hinzugeben.

«Die Einsamkeit ist meinem Herzen köstlicher Balsam in dieser paradiesischen Gegend, und diese Jahreszeit der Jugend wärmt mit aller Fülle mein oft schauderndes Herz. Jeder Baum, jede Hecke ist ein Strauß von Blüten, und man möchte zum Maienkäfer werden, um in dem Meer von Wohlgerüchen herumschweben und alle seine Nahrung darin finden zu können [23].»

Hier führt der innere Wille zur Hingabe ins Uferlose, wie auch Werther seiner Liebesleidenschaft, die er bis zur religiösen Unbedingtheit übersteigert, keine Grenzen setzt [24]. Nicht eine feste Ordnung, nur eines ist der Maßstab für das Handeln: es gilt, dem Gefühl bedingungslos zu folgen.

So empfindet Werther auch einen unbedingten Drang nach Schönheit, die, wie er glaubt, die Natur gewähren wird; denn die Stadt erscheint ihm als unangenehm. Nicht dort, sondern in der Natur findet er einen Lieblingsplatz, wo er sich seinen Gefühlen hingibt. Hier wird angedeutet, was erst später klar hervortritt, daß Werther in der Umgebung, in der er tätig sein kann, unzufrieden ist, daß er aus dieser Umgebung fliehen will; denn die tätige Gegenwart innerhalb einer Gemeinschaft befriedigt ihn nicht.

Diese Anzeichen verdichten sich in den nächsten Briefen. Die Macht des Gefühls beherrscht Werthers Tun und Denken. Er ist weder in der Lage, noch macht er einen Versuch, seine Gefühle zu meistern. Den Brief vom 10. Mai fängt er mit den folgenden Worten an: «Eine wunderbare Heiterkeit hat meine ganze Seele eingenommen, gleich den süßen Frühlingsmorgen, die ich mit ganzem Herzen genieße[25].» Er ergibt sich völlig haltlos dem Gefühl der Heiterkeit, so daß es kaum noch Heiterkeit ist, die er empfindet. Er hat keinen Rückhalt: sein ganzes Herz ist dem Gefühl aufgeopfert, er ist darin «versunken[26]» und erreicht niemals jene Distanz, wie sie allein durch Klarheit des Geistes und Festigkeit des Herzens erworben werden kann. Seine ganze schwärmerische Auffassung von der Natur bestätigt dies: er fühlt sich als Künstler, als Maler; aber er vergißt, daß es nicht Fühlen, sondern Schaffen und Leistung ist, was einen Menschen zum Künstler macht. So kann er dieses Gefühl nur im Briefe ausdrücken. Sein Künstlertum besteht nicht im Malen, sondern im Briefeschreiben. Er fühlt zwar die Nähe der Natur, aber tatsächlich versperrt seine Einstellung zu Gott, Natur und Kunst ihm den Weg in ein realistisches Verhältnis gegenüber diesen Mächten. Er erkennt weder Gott, noch Natur, noch Kunst klar und ungetrübt. Die Sprache verrät es uns; der Mensch, der sich zu sehr auf die Gefühle verläßt, sieht alsbald Welt und Himmel mit einer Leidenschaft, als ob es die Gestalt des Geliebten sei; er sieht sie nicht mit einem vom Verstand bestimmten und geschulten Blick. Gerade das Bild des Spiegels, das Werther selbst als Gleichnis anwendet, verrät seine Unzulänglichkeit. So verkennt er das Wesen der Kunst, Gottes, der Natur. Kunst ist nicht Spiegel der Seele, noch ist die Seele der Spiegel des unendlichen Gottes. Gerade weil er sich nicht distanzieren, weil er nicht zum Künstler werden, weil er die Welt und den Himmel nicht in einem Spiegel erfassen und umschaffen kann, kommt es zu dem Aufschrei, mit dem der Brief schließt:

«Mein Freund, — Aber ich gehe darüber zugrunde, ich erliege unter der Gewalt der Herrlichkeit dieser Erscheinungen[27].»

Im nächsten Brief vom 12. Mai werden diese Themen weiter entwickelt. Obwohl Werther gefühlsbestimmt ist, ist er imstande, seine Gefühle mit gewaltiger Eindringlichkeit, ja mit Klarheit zu schildern. So kann er das Illusorische seiner Vorstellung beschreiben; denn die Welt außer ihm erscheint ihm unwirklich, und er fragt sich, ob dies durch täuschende Geister oder warme himmlische Phantasie in ihm herbeigeführt wird. Die

Stärke des Empfindens ist auch hier der Maßstab, wonach er andere mißt. So übermannt ihn das Gefühl, wenn er die Mädchen sieht, die am Brunnen Wasser holen; denn für ihn wird diese Szene gleich zum Bilde eines patriarchalischen Daseins; weil er dies so tief empfindet — obwohl es ihm an einer realistischen Anschauung mangelt, wie es das Wort «schweben[28]» andeutet, — verlangt er eine ähnliche Empfindung auch von anderen; sein Ausruf erhält beinahe moralisches Gewicht.

Da nun sein Gefühl der Maßstab ist, den er an alle Geschehnisse legt, will er es auch vor allem äußeren Einfluß schützen. Die Gedanken anderer Menschen, die ihn leiten, ermuntern, anfeuern wollen, lehnt er ab. Kritik ist ihm unbequem, daher unerwünscht. So erwartet er von Homer eine Beruhigung seines Gefühls. Er weiß, wie unstet seine Gefühlsbewegung ist; denn er schreibt: «So ungleich, so unstet hast Du nichts gesehen als dieses Herz[29]»; aber er will seine innere Unruhe nicht heilen, nur einlullen. Er hält es wie ein krankes Kind, er behandelt sich selbst nicht wie einen erwachsenen und gesunden Menschen. Die Variation der Worte betont das Ausmaß jener Verwirrung, die durch die Unbeständigkeit des Herzens, d. h. des Gefühls, charakterisiert ist. Durch die Wucht seiner Empörung ist Werther andauernd verschiedenen Stimmungen ausgeliefert.

So wenig Werther geneigt scheint, sich selbst in normale Lebensgewohnheiten einzufügen, so ist er auch nicht bereit, die Welt auf traditionelle Weise zu sehen. Seine radikalen Ansichten sind aus seiner Jugend, aus seiner Zeit verständlich — doch daneben besitzt er eine Liebe zum Alter, zu patriarchalischem Wesen. So bekämpfen sich zwei entgegengesetzte Tendenzen, die er nicht miteinander vereinigen kann. Daher sind die Briefe vom 13. und 15. Mai von verschiedenen, ja einander entgegengesetzten Stimmungen beherrscht. Wiederum wird diesen Stimmungen sofort der Rang von allgemeingültigen Lebensregeln und -bedingungen gegeben, weil für Werther persönliches Leben immer zum Sinnbild der ganzen Welt wird. Wie sehr er diesen Stimmungen unterworfen ist, wie sehr diese Stimmungen widerspruchsvoll sind, zeigt sich in seiner ganzen Auffassung vom menschlichen Dasein, die seine Haltung zu anderen und zu sich selbst deutlich widerspiegelt. Die Welt dünkt ihm dann einförmig und eingeschränkt; die Menschen erscheinen der Freiheit nicht würdig — «Ach, das engt das ganze Herz so ein[30]», so schreibt er im Brief vom 17. Mai. Noch ausdrücklicher betont er im nächsten Brief vom 22. Mai, daß jene Rückkehr zu sich selbst, für ihn nicht fruchtbar, nicht schöpferisch sei; wirkt doch die Welt auf ihn wie ein Traum; seine Sinne sind nicht klar, er sieht nicht genau und deutlich, alles schwimmt vor seinen Augen. Trotzdem glaubt er, die anderen seien es, die sich täuschen, während er zu denen gehöre, die in Demut erkennen, worauf alles hinausläuft. Er glaubt nämlich, daß er bei aller Eingeschränktheit des äußeren menschlichen Daseins die innere Freiheit bewahrt habe, die darin besteht, daß er den Mut hat, die Welt zu verlassen, während die anderen am Leben kleben. So glaubt er, er könne stolz auf das Dasein der meisten anderen Menschen von erhabener Warte aus herunterblicken, «er zeigt dabei eine ihm kaum zustehende Haltung».

Doch gerade er, dem die Welt einförmig erscheint, der verzweifelt, weil die tätigen Kräfte des Menschen so beschränkt sind, vertritt im nächsten Brief (vom 26. Mai) schon wieder eine andere Ansicht, die zwar mit der vorigen nicht völlig unvereinbar, ihr aber doch fast entgegengesetzt ist. Hier ist ihm die Einschränkung seines Daseins willkommen, und das Sinnbild der Hütte — für Goethe immer Beschränkung in der Häuslichkeit und im engen Kreis [31] — drückt dies unzweideutig aus. Doch schon zeigt er im selben Brief, wie sehr er sich täuscht, wie weit er von einem Wirken im stillen Kreise entfernt ist. Dies läßt sich an seiner Einstellung zur Natur deutlich ermessen; er verwirft zwar alle Regeln zugunsten der Natur; vergißt aber, daß die Natur ihre eigene Ordnung hat, von der die Regeln nur ein Abglanz sind. Dasselbe glaubt er vom gesellschaftlichen Leben, dem Leben mit anderen. Er will der Natur, der Liebe folgen, aber hier gehorcht er weder der Natur, noch der Liebe, sondern einer gewaltigen, zur höchsten Potenz erhobenen Verbindung dieser beiden; einer Leidenschaft, welche die Bedingungen des gesellschaftlichen Lebens, ja des menschlichen Lebens «zerstören muß». Seine Darstellung der Auffassung, die der Philister von der Liebe hat, ist eine Karikatur; sie verdeckt, daß unbedingte Leidenschaft pathologisch ist. Doch das Bild des Stromes, das er am Ende gebraucht, ist ein Sinnbild der Urgewalt, über deren Ausmaß Werther sich täuscht. Ein Strom kann zwar über die Ufer treten, Beete und Gärten vernichten, aber dann ist er unmäßig angeschwollen; denn beim gewöhnlichen Gang der Natur verändert ein Strom — gemächlich dahinfließend — sein Bett nur durch langsame Erosionen. Die katastrophale Veränderung ist Ausnahme, nicht Regel. So werden die Uferlandschaften vom Flusse — in Europa mindestens — meist nicht zerstört, sondern befruchtet.

Genau wie Werther sich selbst und seine Einstellung zur Natur nicht konsequent sieht, so geht es ihm auch in seinen Beziehungen zu anderen Menschen. Er behauptet, «wenn meine Sinne gar nicht mehr halten wollen, so lindert all den Tumult der Anblick eines solchen Geschöpfes, das in glücklicher Gelassenheit den engen Kreis seines Daseins hingeht, von einem Tag zum andern sich durchhilft, die Blätter abfallen sieht und nichts dabei denkt, als daß der Winter kommt[32]». Gleich darauf aber fügt er hinzu, daß es die Leidenschaften, die simplen Ausdrücke des Begehrens, sind, die ihn ergötzen, im deutlichen Gegensatz zu der vorher geschilderten Ruhe. Werther bemerkt bei anderen Menschen immer das, was bei ihm selbst ausgeprägt ist. So sieht er — wie seine eigenen Worte verraten — in der Liebe des Bauernburschen seinen eigenen Liebeswunsch verkörpert. Er spürt darin eine Reinheit, die er sich selbst wünscht, und nie zeigt sich der Abstand zwischen ihm und einem Dichter mehr, als wenn er schreibt: «Ich habe heut eine Szene gehabt, die, rein abgeschrieben, die schönste Idylle von der Welt gäbe, doch was soll Dichtung, Szene und Idyll? Muß es denn immer gebosselt sein, wenn wir teil an einer Naturerscheinung nehmen sollen[33]?»

Für Werther ist die Empfindung eines Geschehens so stark, daß er sich nicht davon wie ein Dichter distanziert. Er sieht alles einseitig, wie er es will, nur darauf bedacht, den selbstgewonnenen Eindruck zu bewahren. Er vergißt, daß er auf diese Weise sich selbst einer wahren Anschauung beraubt. Wer sich nämlich darauf beschränkt, die Welt so zu sehen, wie man es mit den Augen der Leidenschaft sieht, der sieht nicht klar und deutlich. Die Außenwelt muß die innere Einbildungskraft berichtigen und regeln. Er sieht die Bäuerin nur durch die Augen des Bauernburschen und überlegt sich weder, ob dessen Erzählung den Tatsachen entspricht, noch versucht er, diesen Bericht aus eigener Anschauung zu überprüfen. So schreibt er: «Ich will nun suchen, auch sie ehstens zu sehn, oder vielmehr, wenn ich's recht bedenke, ich will's vermeiden. Es ist besser, ich sehe sie durch die Augen ihres Liebhabers; vielleicht erscheint sie mir vor meinen eigenen Augen nicht so, wie sie jetzt vor mir steht, und warum soll ich mir das schöne Bild verderben[34]?»

So steht Werther vor uns, bevor er Lotte begegnet. Sein ganzes Wesen ist geschildert; alle Anlagen sind vorhanden, die es unabänderlich machen, daß die Leidenschaft Werther zum tragischen Ende führt. Werther ist als Mensch durch seine Ausdrucksweise gekennzeichnet; Worte verraten die Anlage seines Charakters, noch ehe er Lotte gesehen. Diese Anlage, die zur Katastrophe führt, zeichnet sich nicht nur durch Motive und Anzeichen ab, die sich auf den Tod beziehen oder seine Anfechtung andeuten, sie tritt auch in der Verwirrung des Geistes, in Unklarheit und Verschwommenheit des Sehens, Uneinigkeit des Entschlusses, in dem unwiderstehlichen Drang nach Absolutheit hervor. So entpuppt sich Werther als kranker Mensch. Dieser Krankheitsprozeß bewirkt es, daß Werther sich weigert, die Außenwelt zu betrachten, wie sie ist, und sich in der scheinbaren Fülle seines Inneren verliert. Um so größer wird der Gegensatz zwischen seinem inneren Leben und dem Dasein der äußeren Welt, ein Kontrast, an dem er letztlich zerbricht.

Die Anlagen für die spätere Entwicklung, die zur Katastrophe führt, sind da, aber sie sind erst nur keimhaft vorhanden. Denn für die Außenwelt, für Wilhelm, den Freund, dem Werther sein Inneres enthüllt, ist er ein zwar leidenschaftlicher, aber keineswegs krankhafter Mensch. Wilhelm dürfte die Briefe kaum mit dem kritischen, psychologisch geschulten Auge des modernen Lesers beurteilt haben. Werther selbst glaubt, daß sein Leben richtig geführt ist. Wilhelm, der verständige Freund, sieht zwar Fehlschlüsse in Werthers Denken, behandelt ihn aber keineswegs als einen Kranken. Auch ist es nicht schwierig für Werther, in die bürgerliche Gesellschaft aufgenommen zu werden. Der Amtmann, ein erfahrener, verständiger Mann, heißt ihn in seinem Hause willkommen; später beruft ihn sogar der Minister, eine welt- und menschenkundige Persönlichkeit, in den Staatsdienst. Auch der Fürst behandelt ihn mit Wohlwollen. Werthers Krankheit ist vorläufig nur potentiell, noch nicht real; dies ist eigentlich im ganzen ersten Jahr des Romangeschehens der Fall, mindestens aber in der Zeit, ehe er Lotte begegnet. Erst als sich ihm alle anderen Auswege im eigenen Innern verschließen, bricht seine seelische Krankheit voll aus, so daß am Ende auch andere langsam zu vermuten anfangen, er sei seelisch krank, wenn es ihnen auch nie deutlich wird. Das Verharren in einer beschränkten Geisteshaltung führt zur Katastrophe, die allerdings im Rückblick den Schein der Notwendigkeit, wie ihn große Dichtung allein vermittelt, mit sich führt.

Was Werther zugrunde richtet, ist, daß er sich nicht aus seiner einseitigen, verfehlten Geisteshaltung heraus entwickelt und sich nur immer mehr in sich selbst und seine Schwächen vertieft. Er läßt die Außenwelt nicht auf sich einwirken, noch ist er bereit, daraus zu lernen; im Gegenteil, indem er sich auf sein Inneres verläßt, gräbt er sich sein eigenes Grab.

*

Goethe hat für Werthers inneren Kampf eine angemessene Form gefunden. Er hat ihn zunächst durch die Lebendigkeit der Sprache charakterisiert, die mit den lebhaften Ausrufssätzen vom ersten Brief Werthers bis zum letzten Brief typisch für Werthers Briefstil ist. Dies gibt dem Leser die Möglichkeit, ja zwingt ihn beinahe dazu, sein eigenes Gefühl mit dem Werthers zu identifizieren. Gleichzeitig aber erlaubt ihm die Sprache des Herausgebers, Distanz zu wahren.

Die Sprache des Romans ist keineswegs eine homogene; vor *Werther* war die Sprache der Romandichtung eine andere. Man braucht den Stil in *Werther* nur mit dem Stil der großen Romane Wielands, des Meisters der deutschen Erzählkunst vor Goethe, zu vergleichen. Wielands Stil in *Don Sylvio von Rosalva, Agathon* und *Der goldene Spiegel* bewegt sich in engeren Schranken als der Stil Goethes. Weder der tragische noch der lyrische Stil haben in großen Romanen Platz gefunden, die Wieland vor Goethes Jugendroman schrieb. Wielands Sprache ist eine gehobene Prosa; es ist die Ausdrucksform eines Meisters der deutschen Sprache; aber sein Stil verläßt nie den Boden des Rokoko-Klassizismus. Eine subtile Kunst hat ihn geprägt; ihr Ausmaß ist unbestritten und enthüllt sich erst vollends dem Kenner, der nach längerem Lesen einsehen muß, wie meisterhaft Wieland Scherz, Ironie und tiefere Bedeutung in seiner Sprache verbindet. Wielands Wortschatz ist aus dem Pietismus gespeist; es sind die Worte der Empfindsamkeit, die er hier zu weltlichen Zwecken verwendet; Gefühl und Herz gewinnen nie die Oberhand; sie sind immer noch durch den Verstand geregelt. Witz und Herz halten sich die Waage, es gibt keine Spannung; ein harmonischer Stil herrscht vor, dessen Ironie einen Höhepunkt der Kultur darstellt und eine Kulturphilosophie versinnbildlicht. Wieland schreibt einen kultivierten Stil, und gerade diese Gepflegtheit der Sprache spiegelt seine Lebenshaltung wider, die eine Erziehung zu einem gebildeten, hochkultivierten Lebensstil erstrebte[35]. Aber trotz allen Könnens erweckt Wieland nie eine spontane Gefühlsreaktion im Leser; sein Erzählen richtet sich weit mehr an den Verstand als an unser Gefühl.

In *Werther* ist es anders. Goethe wendet sich auch an eine Gesellschaft; denn wie jeder Roman ist auch sein Jugendroman gesellschaftsverbunden; aber die Gesellschaft, an die er sich wendet, ist eine viel weitere. Sie ist keineswegs homogen, obwohl *Werther* die Wünsche und Hoffnungen einer Generation, der Jugend in den siebziger Jahren des achtzehnten Jahrhunderts darstellt. Doch darüber hinaus wendet er sich an alle, die fühlen, das heißt an alle Menschen; gibt es doch nur wenige, die sich nicht auf irgendeiner Stufe ihres Lebens dem Gefühl verpflichtet haben, für die nicht die Möglichkeit besteht, daß ihnen die Leidenschaft in einer diesseitig bestimmten Welt zum beherrschenden Erlebnis wird.

Die Sprache des Romans ist ganz anders als die Sprache früherer deutscher Romane, weil sie durch die tagebuchartige Briefform eine viel unmittelbarere Beziehung zwischen dem Helden des Geschehens und dem Leser herstellen kann. Ist bei Wieland der Erzähler immer gegenwärtig, so weilt er hier in den Kulissen, um nur gelegentlich, dann aber um so sichtbarer, die Bühne zu betreten. Denn es gibt, von der Ossian-Übersetzung abgesehen, zwei Hauptstile im Roman*, erstens den Erzähler, welcher mit sachlicher Ruhe und souveräner Überlegenheit erzählt, und zweitens den Stil des Werther selbst, der durch einen leidenschaftlichen Ton gekennzeichnet ist. Was der Herausgeber von der Geschichte Werthers sagt: «Sie ist einfach ... Was bleibt uns übrig, als dasjenige, was wir mit wiederholter Mühe erfahren können, gewissenhaft zu erzählen [36].» ließe sich auch auf den Stil anwenden. Denn Sprache und Weise des Erzählens zeichnen sich durch Knappheit aus. Der Herausgeber beschränkt sich auf das Wesentliche. In seinem Stil gibt es nichts Überflüssiges. Nur im Augenblick höchster Bewegung wiederholt er Worte, um die Erregung zu vermitteln, oder variiert seine Sprache durch Anhäufen von rhetorischen Fragesätzen und Ausrufen. So schreibt er in der Szene, in welcher Werther und Lotte durch Ossian erschüttert werden:

«Sie fühlten ihr eigenes Elend in dem Schicksal der Edlen, fühlten es zusammen, und ihre Tränen vereinigten sich. Die Lippen und Augen Werthers glühten an Lottes Arme; ein Schauer überfiel sie; sie wollte sich entfernen, und Schmerz und Anteil lagen betäubend wie Blei auf ihr. Sie atmete sich zu erholen, und bat ihn schluchzend fortzufahren, bat mit der ganzen Stimme des Himmels! Werther zitterte, sein Herz wollte bersten, er hob das Blatt auf und las halb gebrochen [37].»

Diese Stelle bereitet den Höhepunkt der Szene vor; doch selbst hier bleibt der Erzähler schlicht und einfach: die Sätze sind abgewogen; kaum dürfte man einen langen oder gar schwerfälligen finden. Lottens innere Kämpfe werden durch eine Reihe von Fragen und ihre entsprechende Formulierung erhellt.

Dieselbe Knappheit bestimmt auch die Erzählung von Werthers Umherirren nach der leidenschaftlichen Szene mit Lotte und der Beschreibung seines Todes. Nur das Allernötigste wird berichtet. Die letzten Sätze, die der Nachricht seines Todes folgen, könnten kaum ausdrucksvoller und knapper sein. Sie besagen mehr als der längste Bericht. In dieser sachlichen Knappheit des Herausgebers liegt Wesentliches verborgen. Hier haben wir, wie auch im Briefstil, eine Darstellungsart, die unmittelbares Geschehen überzeugend wiedergibt. Denn die Knappheit der Darstellung weist beinahe auf einen amtlichen Bericht hin.

Lottens Unruhe wird vom Herausgeber durch eine Intensivierung der Sprache gekennzeichnet, die aber keineswegs — bei völliger Ausgeglichen-

---

* Die stilistischen Bemerkungen gelten auch für die erste Fassung, nur ist dort die viel größere Unruhe Lottes bei Alberts Rückkehr hervorgehoben. So wird ihr Gefühl für Werther — das hier viel stärker ist als in der zweiten Fassung — und die sich daraus ergebende Entfremdung von Albert deutlich. Die Sätze enthalten dann zugleich Anklänge, wenn auch nicht sehr merkliche, an Werthers Briefstil.

heit — die Satzstruktur selbst verändert. Was der Sprache erhöhte Intensität verleiht, ist eine Anhäufung von Ausruf- und Fragesätzen, die oft nur rhetorischer Art sind[38]. Das gibt dieser oder jener Stelle eine gewisse Atemlosigkeit; aber nie verliert die Sprache dabei, was sie völlig von Werthers Briefstil unterscheidet, Distanz und Souveränität.

Werthers Briefstil ist ganz anders. Unmittelbarkeit und direkter Bezug auf Geschehen und Erlebnis sind seine wichtigsten Kennzeichen. Der erste Satz in Werthers erstem Brief (4. Mai 1771) ist hier bezeichnend; er bestimmt den Ton für viele Sätze. Es ist ein Ausrufssatz, ein Satz also, der auf eine explosive Äußerung des inneren Erlebens schließen läßt. («Wie froh bin ich, daß ich weg bin[39]»). Es gibt viele Sätze dieser Art in Werthers Briefen, in denen aufgestautes Gefühl ausbricht und sich in Sprache verwandelt. Die Ausrufesätze sind nur ein Teil dieses aufgelockerten Stils. Nach dem ersten dieser Art folgt noch ein kurz eingeschobener Satz, der eine ruhige Überlegung, eine Art «Einschiebung» des Verstandes in der Form eines Aussagesatzes («Ich weiß, du verzeihst mir[40]») ausdrückt, worauf dann ein Fragesatz folgt. Dieser Satz, als rhetorische Frage, zeigt eine andere Sprachmöglichkeit an. Werthers innere Bedrängnis wird hier sichtbar. Dieser Wechsel von Fragesatz und Ausrufssatz belebt den Stil Werthers. Es gibt zunächst wenige längere hypotaktische Sätze. Fast alles ist parataktisch angeordnet. Lange Perioden fehlen. Aber diese drei Satzarten schaffen ein Sprachbild, das Werthers steigende Unruhe wiedergibt. Es geschieht durch Wiederholung; Wiederholung einzelner Worte, sogar einzelner Sätze. Werther schreibt: «Und doch war ich unschuldig», um kurz darauf zu sagen: «Und doch — bin ich ganz unschuldig[41]?» Diese fast wörtliche Wiederholung in anderer Satzstellung bringt Werthers innere Unruhe zur Geltung. Aber sie hebt die Wiederholung: «Hab' ich nicht[42]», eine durch die Fragestellung schon etwas angezweifelte Bekräftigung seines inneren Ichs, hervor. Wenn schließlich die vierfache Wiederholung von «Ich will[43]» seine Willensanstrengung bezeugt, so erklingt es, als ob er mit aller Kraft die inneren Zweifel an sich selbst übertönen möchte. Diese Art des Schreibens wiederholt sich andauernd. Dazu gesellt sich eine ihr verwandte Art, die aber doch anders ist, besonders im zweiten Teil des Romans. Gegen Ende treten immer wieder Sätze auf, die, durch Ausrufe unterbrochen und nicht zu Ende geführt, Werthers Behauptung, er liebe den Gedankenstrich nicht, widerlegen. Auch diese Sätze sprechen eine innere, leidenschaftliche Bewegung aus. Das Satzgefüge bricht in das Stakkato kürzerer, hart geschnittener Glieder auseinander. Sie laufen nicht hintereinander, sondern drängen sich neben- oder gar über- und ineinander, in Ausruf- und Fragesätzen, in Wiederholungen;

manchmal sogar brechen sie plötzlich und wild ab. So enthüllen sich die Ursprünge von Werthers Krankheit, denn es ist ein Sprechen, das aus dem Gefühl und nicht aus dem Denken entspringt. Es ist spontan und nicht reflektierend. Es tritt in unmittelbarer Rede hervor, was andeutet, daß Werther ohne vorherige Disposition und Überlegung schreibt. Hier wird ein gewaltsames Hervortreten des inneren Erlebnisses geschildert, das in die äußere Welt einbricht und das zunächst Sprachbrocken aus dem brodelnden Vulkan des Unbewußten hervorspeit, die dann, was diese Art der Wiederholungen aufzeigt, einer gedanklichen Überprüfung unterstellt werden. Bei der anderen Art der Wiederholung, beim Betonen von Worten wie «ich will» verharrt Werther in demselben Gefühlston, was beinahe einer Fixierung des Gefühls gleichkommt. Das Gefühl kann sich hier kaum befreien; mehrere Atemstöße sind nötig, um endlich Luft zu schaffen. Werther kann in solchen Situationen keine Befreiung finden, bevor er nicht Worte, ja Sätze hervorgestoßen hat. Für ihn gibt es keine wohlgerundeten Sätze, die überlegte Ruhe und Distanz verraten würden.

Eng verwandt, wenn auch streng differenziert, ist eine weitere Form der Satzbildung, welche die andere Seite von Werthers Charakter enthüllt. Diese herrscht zuerst im Brief vom 13. Mai vor, obgleich es schon Anklänge im ersten Brief gibt. Es sind Sätze, die, wie die zwei Gewichte einer Waage, sich gegeneinander ausbalancieren. Es sind zwei parataktisch verbundene Satzteile, wie überhaupt der ganze Satz einen rhythmischen Gleichklang hat. Was zeigen nun diese Sätze vor allem an? Zunächst erläutert ihre Antithese den Gegensatz zwischen Außen- und Innenwelt, woran Werther am Ende zugrunde geht. Den Anforderungen und dem Geschehen der äußeren Welt stellt Werther zunächst die Bedingungen seines eigenen Innern gegenüber. Gegen eine Anfrage Wilhelms «Du fragst, ob du mir meine Bücher schicken sollst[44]» protestiert Werther mit Wucht: «Lieber, ich bitte dich um Gottes willen, laß mir sie vom Halse[45].» Die Gewalt dieses Protestes wird dann durch die drei ohne Konjunktion aneinandergeketteten Verben weiter ausgebaut: «Ich will nicht mehr geleitet, ermuntert, angefeuert sein», worauf die Eigenmächtigkeit des Herzens betont wird: «... braust dieses Herz doch genug aus sich selbst[46].» All das, womit die Außenwelt auf ihn einzuwirken sucht, wird mit dem Hinweis auf das eigene Herz abgelehnt. Für sein Gefühl hat er eine eigene Lösung gefunden in einem Wiegengesang bei Homer, mit dem er dann sein empörtes Blut zur Ruhe lullt. Er ist beinahe stolz auf die Unstetigkeit seines Herzens, wie durch zwei Adjektive betont wird: «... denn so ungleich, so unstet hast du nichts gesehen als dieses Herz[47].» — Werther besitzt volle Klarheit über das Umschwenken seiner

Gemütsstimmungen, das tief in seinem Wesen verwurzelt ist, so daß es, seinem Freund wohlbekannt, etwas beschwerlich wird, «der du so oft die Last getragen hast, mich vom Kummer zur Ausschweifung und von süßer Melancholie zur verderblichen Leidenschaft übergehen zu sehen[48]». Dem Trieb des Herzens antwortet Werther mit der Nachgiebigkeit seines Willens: «Auch halte ich mein Herzchen wie ein krankes Kind, jeder Wille wird ihm gestattet[49].» Der Gefahr des Mißfallens mag Werther dadurch begegnen, daß er, wie er in den letzten Sätzen dieses Briefes zugibt, sich durch Abschließen von der Außenwelt schützen will.

Hier hält sich aber Werther doch noch in einem — allerdings gefährdeten — Gleichgewicht von Gefühl und Sitte, von innerem Erleben und äußerer Notwendigkeit. Aber dieses Gleichgewicht dauert nicht an; in den späteren Briefen des Jahres 1772 fehlt es fast völlig. Zwar gibt es auch parataktisch verbundene, ausgeglichene Sätze in dem verzweifelten Brief vom 21. Dezember 1772, aber hier ist der eine Satz, der ähnlich angeordnet ist, doch anderer Art; denn der Satz: «Tausend Anschläge, tausend Aussichten wüteten durch meine Seele, und zuletzt stand der da, fest, ganz, der einzige Gedanke: ich will sterben[50]», steht allein inmitten von einer sonst ununterbrochenen Reihe fast explosiver Sätze; auch verrät er in sich durch Wiederholung und Aufzählung genügend Anzeichen von innerer Erregung. Darüber hinaus berührt Werther hier nicht den Gegensatz von Innen- und Außenwelt, sondern alles ist aufs Innere gewaltsam konzentriert, so daß, wenn er aus dieser Innenwelt ausbricht, sein Schritt in die Außenwelt zu einem Gewaltakt, zum Selbstmord werden muß.

Dieser Darstellung steht ein ganz anderer Typus gegenüber. Es sind lange Perioden, die durch Nebensätze eingeleitet werden, die oft mit „wenn" beginnen. Der Brief vom 10. Mai bringt den ersten Fall dieser Satzbildung. Auch dieser Typus wird durch ein tiefbewegendes Gefühl gekennzeichnet; aber es wird auf andere Weise ausgedrückt. Der Vordersatz überschattet den Hauptsatz fast völlig, dessen Demütigung schwerlich weitergetrieben werden könne[51]. Ein gewaltiger Drang treibt die sprechende Stimme immer vorwärts über die zahlreichen, scharf markierten, jeweils zum Ende drängenden Kola, in die sich wiederum jene «Wenn-Sätze» gliedern. Solche Spannung scheint sich einer wahrhaftigen Explosion entgegenzusteigern. In dem Ausruf «Ach, könntest du das wieder ausdrücken ...[52]», will sie sich entladen. Aber dieser Ausruf beginnt sich alsbald von neuem zu steigern, zu spannen. Er wächst in einem scharf und rasch ansteigenden Duktus empor zu dem erneuten Ausruf, der freilich wohl eher als Aufschrei zu vernehmen sein wird: «Mein Freund[53]», dann brechen Satz, Bewegung und Stimmungskurve plötzlich ab in die

Wortlosigkeit einer Erschöpfungspause. An dieser Stelle scheint das Wort von der gewaltigen Höhe plötzlich herabzustürzen; aus der Tiefe dringt ein erschöpftes Ächzen: «Aber ich gehe darüber zugrunde, ich erliege der Gewalt der Herrlichkeit der Erscheinungen[54].» Dieser monströse Satz ist trotz seiner Ausdehnung kein Versehen, sondern ein Ganzes. Die syntaktische Einheit ist ein physiognomischer Zusammenhang; dieser Satz ist «ein wahrhaftiges Diagramm der Leidenschaft[55]». Werthers Sehnsucht, dem Drängen seines Gefühls nach Erfassen der Natur, seine Leidenschaft, das Absolute im Unendlichen zu erfassen, das All in sich zu bergen, gewinnt Wucht und Größe, als sein Gefühl sich mit aller Macht entlädt. Ja, dieses Gefühl widerspricht eigentlich seiner Behauptung, daß er eine Heiterkeit der Entsagung, eine ruhige Freude am Aufblühen der Natur habe; denn ihm ist eine leidenschaftliche Trunkenheit beim Erlebnis der Natur eigen. Das Gefühl ist so stark, daß es aus dem Unbewußten emporsteigt; sein «Ich» kann sich nicht wehren; denn selbst als er zu einem Hauptsatz ansetzt «dann sehne ich mich oft und denke[56]», wird dieser gleich wieder mit einem elementaren Ausbruch zerrissen. Am Ende ist Werther dieser Macht erlegen; hier sieht man, wie er schon auf dem Wege ist, von seinem inneren Drang völlig zugrunde gerichtet zu werden, wie es Länge und Eindringlichkeit, die Wiederholung und Wucht des Vordersatzes ausdrücken. Werthers Wille und Verstand unterliegen seinem Gefühl, wie der Hauptsatz dem Vordersatz; ebensowenig kann sein Verstand sich distanzieren oder dem Gefühl ein Gleichgewicht entgegensetzen, wie es später in Goethes klassischer Periode grundsätzlich der Fall[57].

Auch der Dialog im Roman, gelockert wie er ist, wirkt durch seine Einfachheit und Direktheit natürlich. Der erste Dialog, im Brief vom 15. Mai, ist ein typisches Beispiel dieser Art. Hier herrschen einfache Sätze vor, die erkennen lassen, wie unmittelbar die Wirkung der Umwelt auf Werther ist. Auch die andere Art des Dialogs, wie wir sie in der Auseinandersetzung mit Albert kennen lernen, zeigt an, wie wenig Werther Widerspruch ertragen kann, wie sehr er aus dem Gefühl heraus lebt und auf Einwände anderer nur durch Übersteigerung des Gefühls, das während des Argumentierens unsäglich anschwillt, erwidert.

Diese Art des Sprechens ist allerdings nicht die einzige, die Werthers Briefstil kennzeichnet; es gibt noch eine andere stilistische Eigenart, die am besten als episch bezeichnet wird. Dieser epische Stil herrscht in den großen Szenen, wie etwa in der Ballszene, die im Brief vom 16. Juni beschrieben ist, vor. Hier ist die Sprache nicht erregt; der Ton ist vielmehr gelassener und ruhiger. Lange Nebensätze, die den Hauptsatz als unwich-

tig erscheinen lassen, fehlen. Parataktische Sätze beherrschen das Sprachbild; doch auch hier wird die Sprache nie behäbig. Kurze Sätze, Unter-
brechungen, ja sogar Sätze ohne Prädikat, Einschiebungen von Dialogen
machen sie außerordentlich lebendig. Diese Lebendigkeit entspringt aus
Werthers eigener Anteilnahme am Geschehen. So beschreibt Werther im
Brief vom 1. Juli 1771 nach einigen knapp gefaßten Sätzens Lottens
Wirkung auf andere. Der folgende Satz ist für diesen Stil charakteristisch:
«Als wir [Werther und Lotte] in den von zwei hohen Nußbäumen über-
schatteten Pfarrhof traten, saß der gute alte Mann auf einer Bank vor der
Haustür, und da er Lotte sah, war er wie neu belebt, vergaß seinen
Knotenstock und wagte sich auf, ihr entgegen[58].» Hier sieht man, wie
Werther und Lotte in den Pfarrhof eintreten; es zeigt sich Lottes Wirkung
auf den Pfarrer, der ihr sogar ohne Stock entgegengeht. Diese Wirkung
wird durch die parataktisch gegliederten Hauptsätze, denen ein Nebensatz
vorangeht, gestaltet. Sie wird hier durch den Nebensatz intensiver, als es
das im Hauptsatz geschilderte Geschehen rechtfertigt. Auch der nächste
Satz: «Sie lief hin zu ihm, nötigte ihn sich niederzulassen, indem sie sich
zu ihm setzte, brachte viele Grüße von ihrem Vater, herzte seinen garsti-
gen, schmutzigen, jüngsten Buben, das Quakelchen seines Alters[59]» enthält eine Reihe von Hauptsätzen, die nur einmal von einem Nebensatz
unterbrochen werden. Er beschreibt sachlich Lottens Verhalten. Aber Werther bleibt nicht in dieser Stimmung. Seine Leidenschaft bricht durch. Er
ist von der Szene, die sich ihm darbietet, derartig gerührt, daß er wünscht,
auch Wilhelm hätte diese Szene gesehen; die Erregung Werthers wird
durch die Anhäufungen von Nebensätzen geschildert, denen ein Hauptsatz, der die Kraft eines Ausrufssatzes besitzt, vorangeht.

«Du hättest sie sehen sollen, wie sie den Alten beschäftigte, wie sie ihre
Stimme erhob, um seinen halb tauben Ohren vernehmlich zu werden, wie sie
ihm von robusten Leuten erzählte, die unvermutet gestorben wären, von der
Vortrefflichkeit des Karlsbades, und wie sie seinen Entschluß lobte, künftigen
Sommer hinzugehen, wie sie fand, daß er viel besser aussähe, viel munterer
sei als das letzte Mal, da sie ihn gesehn[60].»

Hier enthüllt die Sprache einen Versuch, sachlich zu bleiben, aber es
gelingt Werther nicht, in diesem Stil zu verharren; er wird gerührt, und
sein Ausdruck verrät wieder das Emporsteigen der Leidenschaft. Es kommen dann Sätze vor, in denen Nebensätze sich häufen und aneinander-
drängen. So schreibt Werther im Brief vom 16. Juni 1771:

«Wie ich mich unter dem Gespräche in den schwarzen Augen weidete — wie
die lebendigen Lippen und die frischen munteren Wangen meine ganze Seele
anzogen! wie ich, in den herrlichen Sinn ihrer Rede ganz versunken, oft gar

die Worte nicht hörte, mit denen sie sich ausdrückte — davon hast du eine Vorstellung, weil du mich kennst[61].»

Dieser epische oder halb epische Stil verschwindet gegen das Ende des zweiten Buches. Werthers Erregung ist so gestiegen, daß dieser Stil, der sich zwar dem sachlichen Beschreiben nähert und doch subjektive Elemente enthält, diese aber nicht unbeherrscht davonjagen läßt, für ihn nicht mehr möglich ist. So füllt der Herausgeber die Funktion des objektiven Berichterstatters aus, die Werther nicht mehr ausüben kann und will.

Werthers eigene Sprache wird im Laufe des Romans immer mehr von seinen ekstatischen Gefühlswallungen beherrscht; aber diese Sprache der eigenen Gefühle reicht trotz aller pietistischen Anklänge nicht aus, um den ganzen Bereich und Hintergrund von Werthers Weltschau zu erschöpfen. Die Stelle aus Macphersons Ossian aber eröffnet dem Leser weitere Einblicke. Es müssen die mythischen Urgründe der Verzweiflung und Lebensmüdigkeit Werthers geahnt werden; hier tritt auch das Fragwürdige seiner Auffassung hervor; denn Ossians Dichtung — keineswegs echt und alt — ist eine Fälschung Macphersons. Obwohl Goethe dies damals nicht wußte, ist doch die Funktion der Ossianstelle im Roman mit der seelischen Krankheit Werthers verbunden; denn solange seine Krankheit noch in Schach gehalten wurde, liest und liebt er Homer; erst im Stadium der inneren Auflösung hat Ossian in seinem Herzen den Homer verdrängt*. In der Sprache Ossians sieht Werther eine Wildheit und Extravaganz des Gefühls, die seinen eigenen Empfindungen entspricht, die aber auf eine intensivere, poetischere Weise diesem Empfinden Ausdruck gibt. Der tragische Grundton der Welt Ossians bereitet die Tragik Werthers vor. Auch hat diese Stelle nur noch eine besondere strukturelle Bedeutung, indem sie nicht nur Werther und Lotte unmittelbar zusammenbringt, sondern auch durch die poetische Parallelität zu Werthers Erleben eine weitere symbolische Bedeutung schafft. Der Stil des Romans prägt sich nicht nur im Satzstil aus, er muß auch im Aufbau der Briefe, bzw. in ihrer Konstellation zueinander gefunden werden. Betrachtet man nun die Struktur der einzelnen Briefe, so sieht man, daß Werther nicht nach einem bewußt angelegten Schema schreibt; dazu wirken seine Briefe zu natürlich. Aber verfährt er bei ihrer Abfassung nicht doch nach einem Prinzip, wie es die ihm nicht bewußte, aber doch konsequente Anlage verrät? Man darf bei Werthers Briefen nicht nach einem Schema suchen. Ihr Aufbau wechselt: jedoch nach keinem irgendwie konsequent durchgeführten Prinzip; dieser

---

* Vgl. Henry Crabb Robinsons Bericht über ein Gespräch mit Goethe, 2. August 1829: «It was never perceived by the critics that Werther praised Homer while he retained his senses, and Ossian when he was going mad.»

Wechsel vollzieht sich aber in einem gewissen Rhythmus[62], der die Lebendigkeit der Darstellung ausmacht, bewegt sich zudem innerhalb fester
Grenzen, und eben das ermöglicht den Eindruck, daß ein gewisser Rhythmus sich bei den Mitteilungen geltend mache. Es ist ein Wechsel, der von
Beschreibungen zu Gefühlsausbrüchen, von sachlichen Darstellungen zu
gedanklichen Verallgemeinerungen eilt. Es gibt Sätze, in denen er bewegter vor sich geht als in anderen. Manchmal beginnt es mit der Beschreibung, Feststellung oder Schilderung eines Dialogs und schwingt dann zu
einer Verallgemeinerung über: dann ergießt sich sein Gefühl in vollem
Maße. Es gibt eigentlich fast alle Kombinationen unter diesen verschiedenen Satztypen in Werthers Briefen. Die einen, die mit Beschreibungen
oder sachlichen Feststellungen beginnen; dann wieder andere, denen — mit
Verallgemeinerungen oder mit Gefühlsausbrüchen beginnend — dann die
Beschreibung, bzw. sachliche Darstellung folgt. Aber auch hier gibt es
weitere Unterschiede in der Reihenfolge. Mitunter kommen nach dem
Gefühlsausbruch Verallgemeinerungen, mitunter Beschreibungen, Feststellungen oder umgekehrt. Manchmal wiederholt sich dieser Wechsel, manchmal nicht. Bisweilen kehrt der Briefstil zur Anfangsposition zurück. Es
gibt lange Briefe, besonders im ersten Buch, wo die Beschreibung vorherrscht, die Gefühlsausbrüche und Verallgemeinerungen zurücktreten.
Noch andere, in denen sachliche Feststellung die Form einer durchaus
scharfen und beinahe distanzierten Selbstanalyse annimmt. Oder mittel-
lange, kürzere und ganz kurze Briefe, wo all diese verschiedenen Arten
nebeneinander erscheinen. Darunter wiederum viele, bei denen die Gefühlsausbrüche vorherrschen. So erstaunlich diese Vielheit der Kombinationen ist, so enthüllt sie doch immer die innere Unruhe eines Jünglings,
der durchaus von Stimmungen beherrscht ist. Was jedoch in keinem Brief
fehlt, ist die Regung des Gefühls. Das Herz, das sein «einziger Stolz ist,
das ganz allein die Quelle von allem ist, aller Kraft, aller Seligkeit und alles
Elendes[63]», es schweigt nie; eine Stimme, die oftmals nicht laut erklingt,
sondern nur leise mitschwingt. Die Kehrseite dieses Nicht-schweigen-
Könnens besteht darin, daß es viele Briefe gibt, die nur Gefühlsausbrüche
darstellen. Diese sind seltener im ersten Buch, häufen sich aber gegen
Ende des zweiten, so daß man die letzten Briefe und Zettel Werthers nur
als Aufzeichnungen von Gefühlswallungen bezeichnen kann.

Übersieht man die Brieffolge als Ganzes, so ergibt sich kein Schema.
Auch hier herrscht der rhythmische Wechsel[64]. Es ergibt sich der Eindruck
einer starken Seelenbewegung dadurch, daß Briefe, die Idyllen beschreiben
oder die sachliche Feststellungen treffen, von gefühlsbetonten Briefen
abgelöst werden. Am Anfang treten die Beschreibungen noch mehr vor

und halten den Gefühlsausbrüchen mindestens die Waage. Gegen Ende des ersten Buches heben sich immer mehr Gefühlsregungen hervor, doch klingt das Buch in einem hauptsächlich beschreibenden Brief aus. Werther ist noch nicht völlig seinem Gefühl verfallen; noch kann er sich von Lotte entfernen. Im zweiten Buch finden sich — in der Distanz zu Lotte — mehr Beschreibungen; doch näher dem Ende tritt desto stärker das Gefühlsbetonte in Werther hervor; die letzten Briefe und Zettel stellen nur noch die pathologische Intensivierung seines Gefühls dar. Was die Brieffolge in diesem Wechsel zu erkennen gibt, ist eine ruckartige, explosive Bewegung des Innenlebens. Darstellungen werden nicht zu Ende geführt, so daß Werther im nächsten Briefe, nachdem er sich selbst analysiert hat, auf den vorigen zurückgreifen muß. So entspricht der Rhythmus des Wechsels dem Rhythmus seines Innenlebens. Die explosive Kraft seines Gefühls geht immer wieder gegen die Schläge des seelischen Pendels an, der Ausgleich zwischen Gefühl und Verstand wird nie eingehalten, das Gefühl tritt zu stark hervor, bis es zu einer letzten Explosion kommt, die — nicht mehr beherrscht — dann die Katastrophe herbeiführt.

*

Diese Sprachanalyse läßt keinen Zweifel daran, daß ein betontes Gefühlsleben das Wesen der Sprache Werthers widerspiegelt, daß aber auch das Wesen Werthers von dieser seiner Sprache geprägt wird. So entfaltet sich seine Krankheit zum Tode; die bevorstehende Zerrüttung seiner Persönlichkeit wird immer deutlicher. Die Sprache enthüllt auch durch ihre Bildhaftigkeit die geistige Verwirrung und Ungenauigkeit Werthers, seinen Mangel an innerer Harmonie. Vor allem symbolisiert Werthers Sprachgebrauch seinen Drang, dem Leben mit unbedingten Forderungen zu begegnen.

Es gibt einige Worte, woran sich das Wesen der Leiden Werthers genauer messen läßt. Worte und Bilder, die sich alle auf die Krankheit beziehen, schaffen das Gewebe des Romans. Doch hier muß man zwischen zwei Arten von Worten und Bildern unterscheiden; es gibt einesteils diejenigen, die eine wichtige Funktion im Roman einnehmen und die Entwicklung Werthers erhellen, anderenteils diejenigen, deren sinnbildliche Bedeutung gering ist und die mehr durch die Thematik bestimmt sind, als daß sie durch ihr Eigengewicht bedeutsam würden. Ein Wort, das dieses Eigengewicht besitzt, ist: «Einschränkung». Es tritt wiederholt auf und wird mit anderen, ähnlichen Worten verknüpft[65]. Es besitzt eine starke pietistische Färbung. Vor allem aber muß es im Zusammenhang gesehen werden. Es sind verschiedene Stimmungsmomente damit verknüpft. Tatsächlich ist es ein Schlüsselwort für Werthers Krankheit und Tod. Werthers Leben ist von der Polarität zwischen den Grenzen, die dem Menschen gesetzt sind, und seinem Drang nach Freiheit bestimmt. Er sieht sich als Wanderer, als Waller auf Erden, der unbegrenztes Streben erlebt, der die Einschränkung des menschlichen Lebens erschütternd, ja abstoßend findet. Das Leben erscheint eintönig und unerträglich; er möchte die Grenzen überschreiten, die seine Sinne einschränken. Aber bald vertritt er eine andere Auffassung; jetzt findet er die Einschränkung wünschenswert und idyllisch. Wiederholt geben ihm die Erlebnisse seiner Sinne eine derart unbedingte Freude, daß er ein noch «eingeschränkteres» Dasein führt. Auf alle Fälle gibt ihm die Einschränkung Anlaß zu ausgedehntem Nachdenken über die Beschränkungen des menschlichen Lebens; sein Denken führt jedes Mal zum selben Ergebnis, zu dem ihn auch sein Gefühl drängt. Er wird von entgegengesetzten Anschauungen und Gefühlen bedrängt und zerrissen; er ist nicht imstande, diese gegensätzlichen Kräfte zu einem Ganzen zu schmieden. Auf diese Weise kann er nicht zu einer wohlbegründeten Ansicht gelangen. Darin liegt sein ganzes Unglück. Diese schwankende Haltung dokumentiert seine Charakterschwäche in allen Schattierungen. Im Brief vom 21. Juni ist dies vielleicht am deutlichsten ausgesprochen:

«Lieber Wilhelm, ich habe allerlei nachgedacht, über die Begier im Menschen sich auszubreiten, neue Entdeckungen zu machen, herumzuschweifen, und dann wieder über den inneren Trieb, sich der Einschränkung willig zu ergeben, in dem Gleise so hinzufahren und sich weder um Rechts noch links zu kümmern[66].»

Dieses Hin und Her der Anschauungen bestimmt seine Briefe aus dieser Zeit. Im Brief vom 22. Mai zeigt sich zuerst eine Anschauung, der sogleich im nächsten Brief eine völlig andere folgt. Im Briefe vom 22. Mai schreibt Werther:

«Wenn ich die Einschränkung ansehe, in welcher die tätigen und forschenden Kräfte des Menschen eingesperrt sind; wenn ich sehe, wie alle Wirksamkeit dahinaus läuft, sich die Befriedigung von Bedürfnissen zu verschaffen, die wieder keinen Zweck haben, als unsere arme Existenz zu verlängern, und dann, daß die Beruhigung über gewisse Punkte des Nachforschens nur eine träumende Resignation ist, da man sich die Wände, zwischen denen man gefangen sitzt, mit bunten Gestalten und lichten Aussichten bemalt — Das alles, Wilhelm, macht mich stumm. Ich kehre in mich selbst zurück, und finde eine Welt[67]!»

Aber schon im nächsten Brief vertritt er eine Auffassung, die sich von dieser Ansicht zumindest unterscheidet, ja ihr sogar durchaus widerspricht.

«Du kennst von Alters her, meine Art, mich anzubauen, mir an irgend einem vertraulichen Orte ein Hüttchen aufzuschlagen, und da mit aller Einschränkung zu herbergen. Auch hier hab' ich wieder ein Plätzchen angetroffen, das mich angezogen hat[68].»

Von seinem Gefühl überwältigt, wendet er sich diesmal vom unmittelbaren Streben ab. Er heißt die Beschränkung des Daseins willkommen, die er im Symbol der Hütte zusammenfaßt. Doch was er dort sucht, ist das wahre Beschäftigung?

Werthers Theorie, daß der Mensch immer absolut und konsequent handeln müsse, wird von ihm selbst nicht befolgt. Im Brief vom 26. Mai fordert er unbedingte Liebe, aber in einem späteren Brief, vom 1. August 1771, erwidert er auf Wilhelms Tadel:

«in der Welt ist es sehr selten mit dem *Entweder/Oder* getan; die Empfindungen und Handlungsweise schattieren sich so mannigfaltig, als Abfälle zwischen einer Habichts- und Stumpfnase sind.
Du wirst mir also nicht übelnehmen, wenn ich dir dein ganzes Argument einräume und mich doch zwischen dem *Entweder/Oder* durchzustehlen suche[69].»

Wie diese Beispiele zeigen, ist Werther nicht konsequent. Einerseits findet er Freude am eingeschränkten Leben der anderen. Andererseits behauptet er, Leidenschaft und das damit verbundene Streben ins Unendliche würden ihm allein wahrhafte Freude bereiten.

Es gibt mehrere Beispiele von Werthers Inkonsequenz. Eines sei hier herausgegriffen: die scharfe Verurteilung der üblen Laune im Gespräch mit Herrn Schmidt, die er im Briefe vom 1. Juli 1771 schildert. In diesem Gespräch betont er, daß man sich aus einem derartigen seelischen Zustand herausreißen kann, während er selbst ein Opfer des eigenen Weltschmerzes wird. Sein Tadel der üblen Laune wird durch Goethes ironischen Hinweis auf eine Predigt von Lavater noch verstärkt; denn Lavater hat die üble Laune gerade deswegen getadelt, weil er annahm, sie könne zum Selbstmord führen[70].

In der Auseinandersetzung mit Albert, wie er sie im Brief vom 12. August 1771 berichtet, glaubt er, die Einschränkung des Menschen sei derartig, daß Eindrücke und Ideen zu Leidenschaften werden können, die ihn — aller ruhigen Sinneskraft beraubt — zugrunde richten. Albert teilt diese Ansicht nicht. Werther will die Grenzen des Menschen, die notwendige Bedingung des menschlichen Lebens, nicht anerkennen; seine Sehnsucht, seine Leidenschaft, sein Gefühl bringen ihn am Ende dazu, jedes Maß zu verlieren. Er ist der Vernichtung preisgegeben:

«Die Natur findet keinen Ausweg aus dem Labyrinthe der verworrenen und widersprechenden Kräfte, und der Mensch muß sterben[71].»

Kaum hat Werther dies gesagt, antwortet Albert, indem er dasselbe Wort «eingeschränkt» gebraucht, es aber auf ganz andere Weise verwendet. Albert versteht unter Einschränkung nicht eine unabänderliche Erscheinungsform des Lebens, sondern etwas, das durch Bildung und Streben überwunden werden kann. So unterscheidet er sich von Werther vor allem dadurch, daß er das Leben nicht in seiner Unbedingtheit sieht; es bedeutet nicht, daß er keine Prinzipien hat, sondern nur: daß er bereit ist, sich dem Leben anzupassen.

Für Albert besitzt Werther große Gaben, die ihn zu fruchtbarer Tätigkeit befähigen. Er meint, Werther solle sich nicht zu sehr durch Beschäftigung mit seiner eigenen Problematik, durch abstrakte Spekulationen, ablenken lassen. Er selbst will im Gesellschaftlich-Bedingten seinen Platz finden, während Werther immer das Menschlich-Unbedingte anstrebt. So versucht auch Albert mehr, den Traditionen und Gebräuchen des gesellschaftlichen Lebens zu folgen, als alle Taten mit dem Maßstab des absoluten Rechts zu messen. Werthers Seelenleben bleibt ihm verborgen. Es bleibt Lotte überlassen, der es gewiß nicht an Sympathie für Werther und intuitiver Kenntnis seines Seelenlebens mangelt, die wesentlichen Züge der Situation zu erkennen. Sie sieht ein, daß Werther das Opfer einer widerspruchsvollen Lebenshaltung ist, das Opfer innerer und polarer Spannungen, für die er keinen Ausgleich findet. Weder führt ihn sein Drang nach einem Leben, das keine Bedingungen kennt, noch der Versuch, sich zu beschränken, in die Freiheit, sondern schließt ihn vom Leben anderer aus und zwingt ihn in eine ungesunde Einschränkung. Lotte sieht klar, wie sehr sich Werther in seine Einschränkung verrannt hat.

«Und sollte denn in der weiten Welt kein Mädchen sein, das die Wünsche Ihres Herzens erfüllte? Gewinnen Sie's über sich, suchen Sie darnach, und ich schwöre Ihnen, Sie werden sie finden; denn schon lange ängstet mich, für Sie und für uns, die Einschränkung, in die Sie sich diese Zeit her selbst gebannt haben. Gewinnen Sie es über sich, eine Reise wird Sie, muß Sie zerstreuen! Suchen Sie, finden Sie einen werten Gegenstand Ihrer Liebe und kehren Sie zurück, und lassen Sie uns zusammen die Seligkeit einer wahren Freundschaft genießen [72].»

So wünscht Lotte, von Werthers falschem Lebensweg beängstigt, daß er eine Revolution in seiner Daseinsform durchführt und sein Leben wieder auf eine vernünftige Grundlage stellt. Jene Einschränkung und die Empfindungen, die damit zusammenhängen, zeugen für die widerstrebenden und sich widersprechenden Kräfte in Werthers Innerem. Die weitere Entwicklung der Erzählung zeigt ein Fortdauern seiner inneren Widersprüche, die im Tode enden, der für Werther im Begriff der «Einschränkung» schon enthalten ist.

Schon am Anfang der Krankheitsgeschichte, soweit sie uns überliefert ist, denkt Werther an den Tod, wenn dieser auch hier nur eine abstrakte Möglichkeit ist; Werther spricht vom Gefühl der Freiheit, daß man den Körper verlassen könne. Er hält Menschen für natürlich, die in ihren «Einschränkungen» leben, ohne an den morgigen Tag zu denken; denn ihre Lebensweise entspricht einem natürlichen Prozeß.

Als seine Leidenschaft für Lotte Raum gewinnt und er sich tiefer und tiefer in den Taumel hineinsteigert, erhält seine Darstellung eine konkretere Form. In der großen Auseinandersetzung mit Albert wird Werther äußerst erregt, wenn jener ihm widerspricht; er vergleicht den Menschen mit einem «Volk, das unter dem unerträglichen Joch eines Tyrannen seufzt» und «endlich aufgärt und seine Ketten zerreißt[73]». Hier kann man wieder seine widerspruchsvolle Ausdrucksweise erkennen. Am Anfang spricht er davon, daß man seine Ketten zerreißen soll, während er am Ende des Briefes das Bild des Labyrinthes gebraucht, worin der Mensch durch seine verworrenen und widersprechenden Kräfte unentrinnbar gefangen ist. Dieser paradoxe Sprachgebrauch verrät, daß Werthers Worte täuschen können. Trotz aller Behauptungen seinerseits, daß man durch den Freitod zur Freiheit gelange, gibt er doch zu, ohne sich darüber klar zu sein: vom Standpunkt der Natur sei ein solcher kein Schritt in die Freiheit, bedeute vielmehr eine krankhafte Verirrung.

In den späteren Stadien des Romans tritt der Zusammenhang zwischen Einschränkung und Tod noch stärker hervor. Werther sieht sich als Eingekerkerten, dem eines Tages vielleicht Befreiung zuteil werde, Befreiung von der Bürde des Irdischen.

«Ach mit offenen Armen stand ich gegen den Abgrund und atmete hinab! hinab! und verlor mich in der Wonne, meine Qualen, mein Leiden da hinab zu stürmen! dahin zu brausen wie die Wellen! O! — und den Fuß vom Boden zu heben vermochtest du nicht, und alle Qualen zu enden! — Meine Uhr ist noch nicht ausgelaufen, ich fühle es! O Wilhelm! wie gern hätte ich mein Menschsein drum gegeben, mit jenem Sturmwinde die Wolken zu zerreißen, die Fluten zu fassen[74]!»

Dieser Gefühlsausbruch bereitet seinen Selbstmord vor, ebenso wie das Geständnis, daß er hundertmal ein Messer ergriffen habe, um seinem bedrängten Herzen Luft zu machen und dann von «einer edlen Art Pferde» erzählt, «die, wenn sie schrecklich erhitzt und aufgejagt sind, sich selbst aus Instinkt eine Ader aufbeißen, um sich zum Atem zu helfen[75]». Hier wird dieser irrationale Trieb durch das Bild des Pferdes um so eindrücklicher gestaltet, da gerade dieses Bild den Trieb des Irrationalen im Menschen versinnbildlicht[76].

Wenn das Wort «eingeschränkt» in seinem letzten Brief an Lotte erscheint, sieht man noch deutlicher, wie weit sich Werther von den Bedingungen des gewöhnlichen Daseins entfernt hat; wirft er doch der Menschheit vor, daß sie menschlich sei und daß ihr Dasein von Anfang bis Ende keinen Sinn habe.

Dieses «Wortfeld» hat eine doppelte Funktion; es macht Werthers Rebellion gegen die Grenzen der Menschheit, wie auch sein eigenes unvermeidliches Verharren innerhalb dieser Grenzen, sichtbar. Er rebelliert, weil er sich über andere erhaben glauben möchte; aber auch sein Wunsch, das Dasein auf einen geordneten Bereich zu beschränken, ist verfehlt. Die Freiheit, die er sich wünscht, ist genauso illusorisch wie der Friede, den er manchmal zu besitzen glaubt. Er ist einfach nicht imstande, sich den Grundbedingungen des menschlichen Daseins ruhig und beständig anzupassen.

Jedesmal bestimmt das Gefühl Werthers Denken und Handeln. Worauf sich sein Gefühl konzentriert, das nennt er «Herz». Von Anfang an wird dieses Wort häufig verwendet. Nur in den gegenständlichen Berichten hat es keinen Platz. Zunächst weist das Wort auf die äußerste Empfindsamkeit Werthers hin; auf das Krankhafte seines Gefühls. Später wird es nur mit dem Krankhaften verbunden, wenn Werther schreibt: «da möchte man sich ein Messer in's Herz bohren[77]», oder wenn er später vom Tode des Herzens spricht. Dieses Wort beleuchtet auch den Gegensatz zwischen der gewalttätigen Angst und Not Werthers einerseits und der Sorge Lottens andererseits, deren Gemüt zwar durch Werthers Elend beschwert ist, die aber trotzdem nicht das innere Gleichgewicht verliert. Zwar ist ihr Herz «gepreßt[78]», denn das Zusammensein mit Werther hat einen unauslöschlichen Eindruck auf sie gemacht, aber ihre Liebe zu Albert, dem ihr Herz zugetan ist, bedeutet ein Gegengewicht, und als er zurückkehrt, wirkt seine Gegenwart auf ihn. Bei Lotte ist es anders als bei Werther, für sie versinnbildlicht das Herz nur einen Teil der Persönlichkeit. Das letzte Mal, als Werther dieses Wort gebraucht, läßt sich die Richtung seiner Verirrung erkennen; denn er schreibt die Art des Fühlens, die er als die seine erkannt hat, auch Gott zu. Werthers Betonung des Wortes «Herz» in diesem Zusammenhang entspringt seiner subjektiven Anschauung, die Gotteslästerung bedeutet, indem Werther sogar Gott aus seinem Gefühl beurteilt.

Werther verliert sich völlig in seiner subjektiven Anschauung. Sein Gemüt wird ferner durch das wiederholte Auftreten von Worten, wie «sich verlieren, verschwimmen, versinken, hingeben»[79] bezeichnet. Zwar werden diese Worte keineswegs häufig wiederholt, aber sie treten an wichtigen

Stellen des Romans auf, werden mit Werthers Todeswünschen verbunden und bezeichnen eine Intensivierung des Gefühls.

Seine Liebe zu Lotte läßt ihn die Außenwelt vergessen:

«Und seit der Zeit können Sonne, Mond und Sterne geruhig ihre Wirtschaft treiben, ich weiß weder daß Tag noch daß Nacht ist, und die ganze Welt verliert sich um mich her [80].»

Die Vergänglichkeit des Daseins, das Schaudern vor dem Grabe, wird in dem Bild des Mannes, der, im Strom fortgerissen, untergetaucht und am Felsen zerschmettert wird, noch einmal festgehalten. Die Vergänglichkeit des Daseins wird hier mit der Vergänglichkeit des Gefühls verbunden.

Dieser Bildzusammenhang wiederholt sich, als Werther beschreibt, wie er im Gefühl des Augenblickes versinkt, zwischen Sein und Nichts zittert, alles um ihn zittert und eine Welt untergeht. Man gewinnt aus diesem Bilde den Eindruck einer engen, beinahe kausalen Beziehung, die zwischen der verschwommenen Anschauung und dem Zusammenbruch, d. h. dem Tod der Persönlichkeit, besteht.

*

Werthers Haltung zur Natur ist ähnlich. Auch sie ist vom Gefühl beherrscht, das keineswegs klar und deutlich ist. Ein neues Naturgefühl scheint auch hier zu sprechen — ein Gefühl für Wert und Macht der Natur, das das konventionelle Bild der Natur des achtzehnten Jahrhunderts gänzlich ablehnt und *Werther* in die Nähe der Sesenheimer Lyrik rückt. Ein neues Weltbild scheint zu entstehen [81]. Die Natur und das Fühlen des Menschen scheinen ineinander unentwirrbar verknüpft zu sein. Der Frühling begleitet sein Fühlen, aber nicht als abstraktes Bild, sondern als unmittelbares Erlebnis. So wird ihm jede Blüte, jede Hecke zur Offenbarung; Werther genießt den Frühling mit vollen Zügen, aber dieser Genuß entspringt dem Gefühl, daß die Natur nur eine Projektion seines eigenen Innern sei. Er sucht in der Natur die Bestätigung seines eigenen Selbst. Wenn er in seinem Gefühle schwelgt, dann sucht er dafür Befriedigung in den Schönheiten der Natur. Er glaubt, daß sie ihn zum Künstler macht. Die Natur sollte ihm Dauer und Vertiefung verbürgen. Sie spricht auch ausschließlich zu seinem Gefühl in der Szene mit Lotte nach dem Gewitter während des Balles. Ihm hat sich das innere, glühende, heilige Leben der Natur eröffnet. Der Geist des Ewig-Schaffenden wurde ihm zum Ansporn, die Grenzen, die dem Menschen gesetzt sind, zu überschreiten und selbst am Unendlichen teilzunehmen, «aus dem schäumenden Becher des Unendlichen jene schwellende Lebenswonne zu trinken, und nur einen Augenblick in der eingeschränkten Kraft meines Busens einen Tropfen

der Seligkeit des Wesens zu fühlen, das alles in sich und durch sich her-
vorbringt[82]». Aber indem er die Natur nicht als etwas Selbständiges, sondern nur im Zusammenhang mit seinem Gefühl sieht, trennt er sich von
ihr und ist ihr deshalb später entfremdet, als er sich der Verzweiflung
hingibt.

Das sind überspitzte, einseitige Auffassungen, die Werthers einseitiger
Naturanschauung entsprechen; denn Bewunderung und Ablehnung der
Natur entspringen Werthers jeweiliger Stimmung. Die Natur lebt für ihn
nicht als Ganzes, sondern nur als Teil. Dasjenige, was ihm nahe ist, wird
aus dem Zusammenhang herausgenommen und eingehend beleuchtet,
während, was der Stimmung zuwider ist, vernachlässigt wird.

Auch die Jahreszeiten sind für Werther Kulisse seines Innenlebens; wie
der Frühling ihn erfreut, weil er seine Hoffnungen betont, so spiegeln
Herbst und Winter ebenfalls seinen Gemütszustand. Die Jahreszeit fällt
ihm nur dann auf, wenn er sie mit seinem Gefühl in Beziehung setzen
kann. Wenn auch die Natur für Werther nur Spiegel seines eigenen Selbst
ist, so entsteht doch durch dies dauernde Sich-hinein-Versenken eine enge
Beziehung zur Natur. Sein Leben und Sterben wird in Ausdrücken, die
aus der Natur stammen, geschildert. Nur in der Epoche von Werthers Verzweiflung bleibt ihm die Natur verschlossen, weil sein Inneres krankt. Sie
wird ihm zum Peiniger (18. August). Er sieht in der Natur nichts mehr als
«ein ewig verschlingendes, ewig wiederkäuendes Ungeheuer[83]». Wie er es
im übernächsten Brief (22. August) schildert: «Ich habe keine Vorstellungskraft, kein Gefühl an der Natur und die Bücher ekeln mich an. Wenn
wir uns selbst fehlen, fehlt uns doch alles[84].» Innere Krankheit erlaubt
es ihm nicht mehr, die Natur mit allen Sinnen zu erleben. Sie erstarrt
ihm; sie wirkt nicht mehr lebendig auf ihn und bedeutet nicht mehr Seligkeit; ihre Kraft versiegt:

«Ich leide viel, denn ich habe verloren was meines Lebens einzige Wonne war,
die heilige belebende Kraft, mit der ich Welten um mich schuf; sie ist dahin! —
Wenn ich zu meinem Fenster hinaus an den fernen Hügel sehe, wie die Morgen-
sonne über ihn her den Nebel durchbricht und den stillen Wiesengrund bescheint
und der sanfte Fluß zwischen seinen entblätterten Weiden zu mir herschlängelt,
— o! wenn da diese herrliche Natur so starr vor mir steht wie ein lackiertes
Bildchen, und alle die Wonne keinen Tropfen Seligkeit aus meinem Herzen her-
auf in das Gehirn pumpen kann, und der ganze Kerl vor Gottes Angesicht steht
wie ein versiegter Brunnen, wie ein verlechter Eimer[85].»

Und wieder ist es das Bild einer feindlichen Natur, die ihm den Trost
versagt; er fleht wie «ein Ackersmann um Regen, wenn der Himmel ehern
über ihm ist und um ihn die Erde verdürstet[86]». Diese Nähe zur Natur gibt

dem Roman eine unerhört positive Note, die ihn zur Offenbarung für viele werden ließ. Eine Welt voller Leben scheint uns in weiteren Schilderungen entgegenzutreten. Die Natur ist innig mit dem Geschehen verwoben. Eine gewaltige Kraft strömt davon aus.

Werthers Haltung zur Natur entspricht seiner ganzen Lebenshaltung. Er sieht sie nicht als Schöpfung Gottes, sondern als Spiegel der eigenen Seele; er ist der von Gott sich unabhängig dünkende Mensch; der aber doch ein starkes religiöses Empfinden hat. Seine Beziehung zur Natur kann deshalb nicht unabhängig von seiner Auffassung der Religion betrachtet werden.

*

Werther ist weder Atheist noch Agnostiker; er glaubt an Gott, aber seine Gottesvorstellung ist nicht christlich, noch gehört sie einer anderen Religion an. Sein Glaube ist ganz unorthodox. Er will Gott unmittelbar ansprechen und glaubt, er bedürfe der Mittlertätigkeit Christi nicht. Gott ist für ihn der Geist, der sich in der Natur zeigt; so fühlt er die Gegenwart des Allmächtigen, die Ewigkeit des Alliebenden. In der Natur sehnt er sich, an dem Werke Gottes teilzunehmen.

Intensität des Fühlens leitet auch in dieser Lebenssphäre seine Urteilskraft irre. Ein deutliches Anzeichen dafür ist der Brief, in dem er erzählt, wie Lotte das Kind Malchen durch einen Aberglauben beruhigt[87] (sie bespritzt es mit Wasser). Er setzt diese Handlung einer Taufe gleich. Wenn er später dem Tadel des Aufklärers mit der Behauptung begegnet, daß dieser auch nicht frei vom Aberglauben sei, da er sich vor acht Tagen habe taufen lassen, so sieht man, wie sehr Werther der christlichen Tradition entwurzelt ist. Er ist durch sein Gefühl davon isoliert und vermag nicht mehr, zwischen Aberglaube und kirchlicher Tradition, zwischen Gefühl und Sitte zu unterscheiden. So sehr ist bei ihm alles ich-bestimmt. Er ist aber auch der Kirche völlig entwachsen, was sich durch seine natürliche Auslegung des anderen lutherischen Sakramentes in seinem Brief vom 15. November 1772 kundtut. Einer von Werthers Charakterzügen ist Überheblichkeit. Er schätzt sich höher ein als andere. Stolz und geistiger Hochmut führen ihn zu jener radikalen Position, die er in religiösen Fragen einnimmt, die ihn von anderen isoliert und am Ende zu seinem Untergang beiträgt.

Wie Werther aus seinem Drang heraus zu weit geht und zu viel verlangt, Religion für ihn nur eine Stillung seiner Sehnsucht bedeutet, so will er, wenn ihm Erfüllung seiner Leidenschaft gewährt wird, sein ganzes Leben in ein anhaltendes Gebet verwandeln. Werther will hier wie dort das Absolute im Endlichen erfüllen. Als er die Unmöglichkeit seiner Forderung erfahren muß, ist er nicht bereit, sich zu bescheiden, er sieht sich vielmehr selbst, den Leidenden, als Stellvertreter des leidenden Menschen überhaupt. So werden sein Leiden und sein Wille zum Leiden Blasphemie; eignet er sich doch die Worte des sterbenden Heilands an. Der wiederholte Gebrauch von Worten, die sich eng an die Passion Christi anlehnen[88], stellt Werthers Beziehung zur Religion eindringlich dar. Sie drücken Werthers Ablehnung des Priestertums wie auch der Erlösung durch Christus aus. Ferner weist er jegliche Vermittlung zwischen Mensch und Gott ab; sie zeigen ihn andererseits in einem unmittelbaren Verhältnis zu Gott, da er für sich nur das leidet, was Christus für die Menschheit gelitten hat.

Werther selbst spricht seine Haltung zur Religion aus, wenn er an Wilhelm schreibt:

«Ich ehre die Religion, das weißt du; ich fühle, daß sie manchem Ermatteten Stab, manchem Verschmachtenden Erquickung ist. Nur — kann sie denn, muß sie denn das einem jeden sein[89].»

Das Herz bedeutet ihm letzten Endes mehr als die Lehre der christlichen Kirche. Er fühlt, daß er dem Sohn Gottes nicht gegeben sei und deshalb nicht um ihn sein werde wie die, die ihm der Vater gegeben hat[90], und so glaubt er, daß es des Menschen Schicksal sei, sein Maß auszuleiden, seinen Becher auszutrinken.

Werther wendet sich vom Christentum ab; Bibelanklänge bedeuten hier keineswegs immer Bibelnähe. Loslösung vom orthodoxen Christentum führt aber deswegen noch nicht zur Gründung einer eigenen Religion; im Gegenteil, der Glaube, der seinem eigenen Gefühl entspringt, kann eine nähere Prüfung nicht bestehen. Er glaubt, seine Passion sei einzigartig. «Dein Schicksal ist einzig, ... so ist noch keiner gequält worden[91].» Aus diesem Gefühl heraus vergleicht er sein Leid mit den Qualen Christi, die auch einzigartig und stellvertretend für menschliches Leiden seien. Hier läßt sich das volle Ausmaß seiner Verwirrung ermessen. Religiöse Sehnsucht ist hier mit starkem Geltungsbedürfnis vermischt. Werther steigert sein eigenes Fühlen ins Unbedingte. Er nimmt selbst seine Liebe und sein Leben viel zu wichtig. Überbewertung der eigenen Leistung bestimmt sein seelisches Leben[92]. Daher stammt auch ein starkes Bedürfnis, sich geltend zu machen. Da er ein Mensch ist, der sich vor allem mit dem eigenen Innenleben beschäftigt, betont er seine Gefühle zu stark, ja, er versucht, seinem Erleben absoluten Wert zu geben. In seiner Beziehung zur Religion tritt dies besonders stark hervor. Er schreibt sich selbst eine maßlose Bedeutung zu und sieht in sich einen Fall menschlichen Fühlens und Leidens, dem allgemeine religiöse Bedeutung zukommt.

Diese Bibelanklänge verraten, daß er in seinem Leiden die Bestätigung der religiösen Tradition des Abendlandes sieht, indem er sich in diese Tradition stellt und Anklänge an das Leiden Christi findet, gibt er auch seinem Erleben eine universale Bedeutung. Der unbedingte Anspruch auf unbedingtes Fühlen, auf eine absolute Lebensweise kann jetzt nicht mehr gesteigert werden. Es ist ein Zeichen seiner inneren Unzulänglichkeit; denn gerade die Anklänge an die Bibel unterstreichen die Beschränktheit und die Fruchtlosigkeit seiner Leiden. Die falsche Analogie zum Leiden Christi, von der Werther spricht, gibt nicht nur Art und Ausmaß seiner Verwirrung an, sie läßt ihn auch zum Repräsentanten einer Lebenshaltung werden, die das Unbedingte fordert und zur gleichen Zeit durch Beschränkung auf das Ich und das Fühlen des einzelnen im klaren Gegensatz zur Forderung der christlichen Lehre steht, die sich auf die Liebe zum Nächsten und zu Gott beruft.

Werthers Religiosität ist nicht christlich. Sie ist weder Gottesdienst, noch dient sie den Menschen; sie ist auf sich selbst bezogen, ist pantheistisch, oder besser, wie Herbert Schöffler es nennt, pantheisierend[93]. Werther steht in keinem unmittelbaren Verhältnis zu Gott; er glaubt, keinen zu benötigen. Es ist zwar ein transzendentaler Gott, von dem er spricht; aber es ist ein Gott, der sich erst in der Natur enthüllt. Werther lernt die Natur nicht nur von der schöpferischen, sondern auch von der zerstörerischen Seite kennen. Gott bleibt fern und stumm für ihn. Wenn auch Werther an einen überirdischen Gott glaubt und zu ihm heimkehren will, ist doch sein Leiden ein rein diesseitiges, was wiederum auf seine Gottesvorstellung einen bestimmenden Einfluß hat. Seine religiöse Sehnsucht ist zunächst auf ein Erfassen dieser Welt gerichtet; er will sie spontan erkennen und dadurch zu ihrem Schöpfer gelangen; seine Sprache deutet an, daß Welt und Schöpfer wenig differenziert sind. Er sieht ihn als den schöpferischen Geist dieser Welt. Trotzdem Werther die Erfüllung seiner Wünsche im Diesseits sucht und trotzdem er Selbstmord begeht, ist er ein religiöser Mensch. Trotz der Einseitigkeit seiner Anschauung strahlt die vom Gefühl her kommende Religiosität eine gewaltige Kraft aus; nährt sie sich doch von den Kräften des Pietismus und nimmt sozusagen Schleiermachers romantische Theologie vorweg. Die Beziehung auf das Ich, auf die unmittelbare Verbindung zwischen dem Herzen des Menschen und Gott stellt eine machtvolle Wendung der deutschen Gefühlskultur dar.

*

Befriedigung von Werthers Sehnsucht und Erfüllung seines Leidens, beide sind im Diesseits. Die Liebe ist ein rein im Diesseits verankertes Gefühlserlebnis; sie wird für ihn zur vorherrschenden Leidenschaft, die Fühlen, Denken und Tun bestimmt. Deswegen ist auch seine Liebe diesseitig. Sie ist profan und von keinem Verlangen nach himmlischer Liebe bestimmt. Es ist keine *unio mystica,* die er anstrebt; für ihn tritt mit voller Gewalt die irdische Liebe in den Vordergrund. Und diese wird nicht befriedigt; denn in der Einbildungskraft, im Leiden und im Verkennen der tatsächlichen Lage, kann er nur eine Scheinbefriedigung erfahren, die er teuer bezahlt. Werther kehrt sich also von der christlichen Orthodoxie ab und lebt in einer rein diesseitig aufgefaßten Welt. Sein Selbstmord ist im Gefühl, nicht im Gedanken, begründet. Sein Leiden ist ein diesseitiges; Werther spricht sich aber keineswegs für eine diesseitige oder jenseitige, immanente oder transzendente Religiosität aus. Er zeigt nur, wie eine aufs Diesseits begründete Religiosität an ihrem absoluten Verharren in der Gefühlswelt zugrunde geht. Die Verallgemeinerung seiner Situation (in der Parallele zum Johannesevangelium[94]) bedeutet aber nicht etwa eine Rechtfertigung seiner Lebenshaltung und seines Handelns.

Im Zentrum der christlichen Religion steht die Liebe. Für Werther aber ist Liebe persönlich; er sieht sie nur vom Standpunkt eines Mannes aus, der von gewaltiger Leidenschaft zu einer Frau entfacht ist. Ähnlich wie in den Sesenheimer Liedern spricht aus den Briefen ein unbedingtes Liebesgefühl, dem sich alles unterordnen muß. Einem Werther, für den Kummer zur Ausschweifung, Liebe zur Leidenschaft wird, ist Liebe mit Maß unmöglich. Es wäre Verrat am Allerhöchsten, wenn er zulassen würde, sie durch irgend etwas abstumpfen zu lassen. Jede Abschwächung bedeutet Verleugnen. Er empört sich über das Wort «gefallen», das ihm zu schwach erscheint. Seine Liebe verlangt alles oder nichts. Sie ist für ihn, wie alles Gefühl, unbedingt. Doch will er diese Unbedingtheit seiner Anschauung nicht immer wahrhaben. Er glaubt nämlich, er könne sich zwischen Entweder-Oder hindurchstehlen, da es faktisch selten mit einem Entweder-Oder getan ist. Werther mißversteht die Situation, daß zwar das Leben, und besonders das Gefühlsleben, Schattierungen erlaubt, es aber doch gewisse gesellschaftliche Institutionen gibt, wie die Ehe, die keinen Mittelweg zulassen.

Werther verwirft Wilhelms verständige Ansicht, die dieser folgendermaßen zusammengefaßt: «Entweder ... hast du die Hoffnung auf Lotten oder du hast keine. Gut, im ersten Fall suche sie durchzutreiben, suche die Erfüllung deiner Wünsche zu umfassen: im anderen Falle ermanne dich und suche eine elende Empfindung loszuwerden, die alle deine Kräfte verzehren muß[95].» Werther antwortet mit den Worten: «Bester! das ist wohl gesagt — und bald gesagt[96].» Er will sich nicht in das Unvermeidliche fügen und, wie er schon hier andeutet, sich lieber vor dieser Zwangslage durch Flucht aus dem Leben retten. Durch diese Haltung wird ihm Liebe zur Leidenschaft, die wahrhaft Leiden und Tod schafft.

Werther sieht nur das leidenschaftliche Element. Er bewundert die Liebe des Bauernburschen, in dem er «dringende Begierde und das heiße sehnliche Verlangen» in einer Reinheit zu sehen glaubt, die er sich nie «gedacht oder geträumt» habe[97]. Werthers hohe Einschätzung der Liebe macht ihm Menschen, die mit Maß lieben wollen, verhaßt, während er andererseits den Grafen C. schätzt, weil er dessen Empfinden für Freundschaft und Liebe besonders anerkennt. Aber er sieht alles so sehr unter dem Gesichtspunkt seiner eigenen Liebe, daß die kleinste Befriedigung, selbst wenn sie illusorisch ist, ihn völlig der Maßlosigkeit ausliefert.

Allerdings sind einem derartigen Ereignis Stunden des Sich-Verlierens in die Leidenschaft vorangegangen, in deren sinnlichen Tagträumen er sich Lotte aneignete. Aber Werther verliert immer jedes Maß. Ein noch so leidenschaftlicher Kuß kann das Eheleben mit Albert nicht auslöschen. Werther sieht im Kuß trotzdem ein Zeichen der Liebe, welche sie zu der Seinigen macht. Sein Tod wird zum Liebestod, denn er glaubt, daß sie, wenn einst der Tod auch sie ereilen wird, dann ihm angehören werde.

Liebe und Tod sind für Werther Parallelthemen; sie sind es, weil Werther in der Liebe nicht die Erfüllung findet, die er sich wünscht. So wird seine Liebe unfruchtbar, sie führt nicht ins Leben, sondern zum Tode; denn Erfüllung im Diesseits ist ihm versperrt. Insofern hat seine Liebe fast religiöse Attribute; erst im Jenseits glaubt er das finden zu können, was ihm die Liebe versagt hat. Die Versteifung auf Lotte, das Eigentum eines anderen, ist die *reductio ad absurdum* einer Lebensauffassung, die Absolutes in einer Welt verlangt, in der nichts Absolutes existieren kann.

Es ist symbolisch, daß Werther an seiner unglücklichen Liebe zugrunde geht; denn er verkörpert den Menschen, dessen Liebe und Sehnsucht nicht mehr auf Gott gerichtet sind, der Erfüllung nicht mehr im Jenseits sucht, dessen ganzes Verlangen aufs Diesseits gerichtet ist und der, nachdem ihm die Befriedigung seiner Wünsche im Diesseits versagt ist, diese im Jenseits zu finden glaubt. Gerade die Liebe, die im Rahmen der christlichen Religion ein fruchtbares Wirkungsfeld hätte finden können (sei es durch praktische Anwendung der christlichen Nächstenliebe, sei es durch die mystische Kommunion mit Gott), ist die Macht, die sein Leben am tiefsten erschüttert. Wenn die Liebe zu einem anderen Wesen der alleinige Lebensinhalt wird, ist das Leben gefährdet; wenn ihr keine glückliche Befriedigung gewährt wird, verliert das Leben seinen Sinn, dem Tod wird eine gefährliche Macht eingeräumt.

Für Werther bringt erst der Tod Erfüllung, aber es ist ein Tod ohne die transzendente Bedeutung eines Opfertodes; zum eigenen Seelenheil oder dem der anderen. Indes: die Parallelen zum Leiden Christi machten Werther hier zum Symbol für eine ganze Lebensart. So individuell er ist, er wird doch zum Repräsentanten eines ich-bestimmten Fühlens. Er steht aber auch zur gleichen Zeit (durch Beschränkung auf das Ich und auf das Fühlen des einzelnen) im klaren Gegensatz zur Forderung der christlichen Lehre, die sich auf die Liebe zum Nächsten, auf die Liebe zu Gott beruft. Werther hat kein Recht, sich in die Nachfolge Christi zu stellen. Der Kelch der Liebe, den er trinkt und den ihm, wie er glaubt, Lotte reicht, schmeckt bitter, weil er mit dem Gift einer zum Tode führenden Leidenschaft gefüllt ist. Es ist ein kalter starrer Tod, den er erleiden muß; keiner, der Freude mit sich bringt und anderen die Ruhe des Lebens wieder herstellt. Werther weiß selbst, daß sein Tod nutzlos ist; dies macht die Tragik seines Handelns aus, und doch erlaubt ihm sein Wesen nichts anderes. Er kann durch seinen Tod niemandem helfen, noch ein reicheres Leben ermöglichen.

«Aber ach! das ward nur wenigen Edlen gegeben, ihr Blut für die Ihrigen zu vergießen und durch ihren Tod ein neues hundertfältiges Leben ihren Freunden anzufachen[98].» Doch Werther täuscht sich gerade in diesem Punkte. Seine Verblendung läßt ihn glauben, er besäße das Glück, «das Gott seinen Heiligen ausspart[99]».

Der Gedanke an den Tod begleitet Werther überall da, wo er die Alternative zu einer sinnvollen, lebensbejahenden Anschauung darstellt. Der Gedanke an den Tod gibt ihm Trost, weil er ihm das süße Gefühl der Freiheit gibt, den Kerker der Welt jederzeit verlassen zu können. Er glaubt, die einzige Möglichkeit, wahrhaft Mensch zu sein, sei für ihn in dieser Freiheit enthalten.

Vom Anfang des Romans sehen wir, wie Werther mit dem Tod vertraut ist. Das bezeugen seine Gedanken über das Ende der Freundin seiner Jugend, wie auch sein Mangel an Lebenswillen. Ja, er geht schließlich so weit, mit dem Tod zu spielen und die Mündung seiner Pistole an die rechte Schläfe zu halten; dieses Todesmotiv wiederholt und intensiviert sich im Laufe des Romans.

Der Tod hat darüber hinaus aber auch eine positive Bedeutung für Werther. Zunächst bedeutet er Freiheit. Seine Leidenschaft für Lotte läßt ihn dann auch ihren Glauben an die Unsterblichkeit der eigenen Person, den Albert mit nachsichtiger Skepsis betrachtet, voll Begeisterung aufnehmen. Zwar spricht er in einem der letzten Briefe von der Ungewißheit, die über dem Dasein nach dem Tode liegt; aber am Ende treibt ihn seine Leidenschaft so weit, daß er sich in Umarmungen mit ihr vor dem Angesicht des Unendlichen sieht. Er schwankt zwischen dem Wunschglauben, daß das Jenseits ihm die Erfüllung seiner Lebenswünsche in diesseitiger Form geben würde, und dem Gedanken eines nicht näher definierbaren Wiedersehens nach dem Tode. Tatsächlich ist sein Unsterblichkeitsbegriff naiv, da er über die Grenzen der unmittelbaren Vorstellungskraft nicht hinausgeht.

*

Werthers Liebe und Leidenschaft stellen ein Leiden, eine Passion, dar. Sie sind aber auch eine Krankheit. Die Liebe führt ihn nicht zum Leben, sondern zum Tod, was nur als ein pathologisches Phänomen erklärbar ist. Der ganze Roman ist ein großer Zyklus von Krankheitsbildern. Viele Ausdrücke, Anspielungen und Bilder beziehen sich auf diesen Krankheitsprozeß[100].

Werthers Krankheit ist seelisch. Am Anfang des Romans befindet er sich noch nicht in einem akuten Stadium, aber die ersten Anzeichen, die auf einen die Krankheit fördernden Seelenzustand schließen lassen, sind schon vorhanden. Manchmal hören wir von der Krankheit nur indirekt, von Leonore, die von ihrer Leidenschaft ergriffen war, von den Schmerzen, die die Menschen sich durch ihre Einbildungskraft zufügen; aber gerade hier wird ein wichtiger Grund für eine seelische Erkrankung hervorgehoben. Die Art von Krankheit hat ihren Ursprung im Mißbrauch der Einbildungskraft; die Unfähigkeit, sich mit einer gegebenen Lage abzufinden, und ein Nicht-gewillt-Sein, das vergangene Übel zu vergessen, sind die ersten Symptome. Die Anzeichen mehren sich, wenn die Handlung fortschreitet. Nachdem er zunächst seine eigene Neigung, sein Herz, wie ein krankes Kind behandelt und seiner Melancholie freien Lauf gelassen, erfolgt der erste gewaltige Ausbruch der Krankheit, als er nach der Begegnung mit Lotte sagt, daß er weder weiß, ob es Tag oder Nacht sei und die ganze Welt sich um ihn her verliere. Sein In-den-Tag-hinein-Taumeln wird immer augenscheinlicher, sein Wille schwindet zusehends dahin.

Werther beschäftigt sich mit dem Phänomen der Krankheit als solchem, und in der großen Szene mit Albert spricht er seine Gedanken darüber aus. Ihr geht eine Beschreibung von Werthers seelischem Zustand voran, die auf starke physische Bedrängnis schließen läßt. Werthers Sinne scheinen plötzlich beengt zu sein; es wird ihm dunkel vor den Augen, er fühlt sich an der Gurgel gepackt; mit einem wilden Schlag sucht er sich Luft zu machen. Es ist eine genaue Beschreibung eines Anfalls, der für starke Neurosen symptomatisch ist. Werther ist Neurotiker; die Krankheit ist tief in seiner Psyche verwurzelt. Bedrängnisse, die in der Schule auftraten, die psychischen Schwierigkeiten zwischen Mutter und Sohn sind andere Anzeichen. Werthers Verteidigung des Selbstmordes, das Thema seiner großen Auseinandersetzung mit Albert, unterstreicht diesen Zug; denn Werther verteidigt das Recht der seelischen Krankheit gegenüber Albert, indem er es als einen unabänderlichen Prozeß der Natur hinstellt. Die Macht der Krankheit Werthers ist gewaltig; sie ist ein Sonderfall; denn «die Natur findet keinen Ausweg aus dem Labyrinth der verworrenen und widersprechenden Kräfte, und der Mensch muß sterben[101]». Es ist «eine Krankheit zum Tode, wodurch die Natur so angegriffen wird, daß teils ihre Kräfte verzehrt, teils so außer Wirkung gesetzt werden, daß sie sich nicht wieder aufzuhelfen, durch keine glückliche Revolution den gewöhnlichen Umlauf des Lebens wieder herzustellen fähig ist[102]». Werther gebraucht hier das Bild der Krankheit, um der eigenen Leidenschaft frönen zu können, und erklärt, ja verteidigt im voraus sein eigenes Verhalten. Wir sehen ihn als einen Kranken, der, wie die Weiterentwicklung des Romans beweist, dieser Krankheit immer mehr verfällt. Es kommen weitere Anspielungen und auch unmittelbare Erwähnungen der Krankheit, als Werthers Leiden sich ihrem Ende nähern.

Es wäre falsch zu glauben, daß wir Werthers Standpunkt akzeptieren und den Verlauf seiner Krankheit als unabänderlich sehen müssen. Hier wird zwar ein folgerichtiger Prozeß beschrieben. Die Notwendigkeit seines Todes ist innerhalb des Romangeschehens deutlich belegt; es erklärt den Tod Werthers und macht ihn zu einem überzeugenden Ereignis; deswegen muß man Werthers Ansicht, die Krankheit führe unausweichlich zum Tode, keineswegs akzeptieren. Was den Prozeß unvermeidlich macht, ist die vorgefaßte Meinung von seiner Unvermeidlichkeit. Werther geht zugrunde, weil er zugrunde gehen will, oder weil er nicht willens ist, sich wirksam dagegen zu wehren.

Daß Goethe sich nicht etwa mit Werthers Auffassung identifiziert, besagt der bekannte Vers:

Sei ein Mann, und folge mir nicht nach[103].

Goethe hat auch speziell die groteske Seite von Werthers Tod betont, so daß man keineswegs den Glauben des Lebensmüden teilen darf, sein Tod sei heroisch oder gar schöpferisch.

Werther will seinen Tod als Opfertod hinstellen, was nicht berechtigt ist. Er stellt sich in die religiöse Tradition des Abendlandes; dadurch hat Goethe Wirkung und Bedeutung des Themas weit über den Rahmen des gewöhnlichen Romans hinausgeschoben. Aber dies läßt nur das Ausmaß der Krankheit Werthers, die Größe seines Irrtums und seine innere Unzulänglichkeit ermessen; denn wirkt sich der Tod Christi als ein Opfertod aus, dessen Bedeutung erst in den Folgen zutage tritt (Auferstehung, Gründung der Kirche), so hat Werthers Tod keine positiven Folgen; er erschüttert, bleibt aber ein Einzelfall, eine Krankheit, ein Absterben der Natur. Er legt dar, daß das ich-bestimmte Gefühl nicht den Lebensweg des Menschen zu leiten vermag.

Werther sieht dies nicht, und gerade in diesem Mangel an Einsicht liegt das Hoffnungslose seiner Krankheit. Albert hat nicht unrecht, wenn er gegen Werther einwendet, daß psychische Erkrankung und Selbstmord nicht unbedingt auf dieselbe Stufe zu stellen sind.

Werther mag zwar recht haben, wenn er glaubt, daß der gelassene, vernünftige Mensch einem Individuum, das sich in seinem Zustand befindet, durch Zureden nicht helfen kann. Deswegen sind noch nicht alle seelischen Krankheiten unbedingt hoffnungslos, vorausgesetzt, daß Umstände die Heilung fördern und der Kranke sich nicht dagegen sträubt. Vor allem aber darf man einen derartigen Krankheitszustand nicht als Norm für das menschliche Dasein ansehen. Es ist Krankheit, ist eine Verirrung der Natur, die in ihrem letzten Stadium als ein notwendiger Ablauf erscheint. Gerade weil wir durch den Herausgeber Distanz gewinnen, wird es uns möglich, den Roman so zu lesen, als ob Werther im Recht sei. Werthers Meinungen sind diejenigen eines Charakters, denen besondere Prominenz, zukommt, da sie die Ansichten des Titelhelden sind. Sie sind (nicht allgemeingültig oder etwa gar Ansichten Goethes) die Auffassungen eines Kranken, für den Krankheit zum Mittelpunkt seiner Existenz wird. Werther selbst denkt nicht folgerichtig. Er sucht seine Krankheit auszukosten; er will ihr nicht mit einem Dolchstoß ein Ende bereiten; nein: er will seiner Leidenschaft weiter frönen. Im Diesseits ist es ihm verwehrt; aber der Tod ist die Pforte zum Jenseits, wo er sich Befriedigung seiner Leidenschaft verspricht. So ist der Tod für ihn eine Lösung, die ihn hoffen läßt.

*

Die Sympathie, die Werther erregt, darf uns nicht davon abhalten, ihn als Kranken zu sehen; wir müssen erkennen, daß er unsere Sympathien als ein Leidender gewinnt und nicht als Gesunder, den eine «kranke» Welt verurteilt. Doch dürfen wir nach Hinweisen suchen, wie Werther seinen Zustand hätte überwinden können. Goethe schrieb einen Roman, kein Traktat. Werther ist krank, nicht nur, weil sein Lebensweg zum Freitod führt, sondern auch, weil er mit der Außenwelt nicht zurechtkommen kann. Werther rebelliert gegen die Gesellschaft, wie er sie vorfindet; aber nicht er, sondern die Gesellschaft behält faktisch recht. Behält sie aber auch ideell recht?

Dies läßt sich nur entscheiden, wenn man Werthers Verhältnis zur Gesellschaft näher betrachtet. Welcherart nun ist dieses Verhältnis?

Werther steht in enger Beziehung zu seiner Umwelt. Wie keine Gestalt
im deutschen Roman vor ihm, ist er von den Ereignissen alltäglichen
Lebens innerlich berührt. Nicht nur erwähnt er sie in seinen Briefen; er
weidet sich sozusagen daran. Sie bedeuten ihm viel, sie sind ein Zeichen
seiner Beziehung zur Außenwelt. Werther schaut mit offenem, teilneh-
mendem Blick in die Welt; er beobachtet scharf und genau. Das Treiben
der Menschen, die Anlage der Orte, in denen er lebt, fallen ihm auf. Aber
Werther ist ich-bezogen; es gibt nichts in der Außenwelt, das er nicht in
eine Beziehung zu sich selbst bringen möchte. So werden Dinge und Geschehnisse der Außenwelt zu Symbolen seines Innenlebens. Für Werther
ist die Natur, die Gemeinschaft der Dörfer äußerst lebendig. Er ist geneigt,
Szenen als Idylle aufzuzeichnen und sie dann mit seinem Innenleben in
Verbindung zu setzen. Sein scharf nach außen gerichteter Blick ist doch
nicht imstande, die Umwelt auf längere Sicht um ihrer selbst willen zu
sehen. Man muß fragen, ob er sachlich bleibt, ob sein Gefühl die Szene
mit dem Mädchen am Brunnen, den Frühlingsmorgen oder die Zurichtung
des Abendbrotes durch Lotte nicht zu sehr mit persönlichen Empfindungen
färbt. Jedenfalls greift er immer wieder Aspekte heraus, die sich mit seinen Empfindungen verbinden lassen.

Aber Werther entzweit sich mit seiner Umgebung; doch beginnt er
keineswegs als Außenseiter, er wird zunächst als vollgültiges Mitglied der
bürgerlichen Gesellschaft akzeptiert. Er ist ein junger Mann, der die besten
Aussichten auf eine gute Karriere, einen erfolgreichen Lebensweg hat[104],
wenn er auch für Natur und Einsamkeit schwärmt. Verhielte es sich anders,
so wäre er nicht in das Haus des Amtmannes aufgenommen worden, würden ihn die gemeinen Leute kaum geliebt haben. Werther selbst dagegen
sieht die gesellschaftlichen Verhältnisse von Anfang an anders. Er will
zum Menschen selbst durchdringen, wie es der Brief vom 15. Mai bezeugt;
doch weiß er, daß die Menschen weder gleich sind, noch je gleich sein
können. Jedes Pochen auf Standesunterschiede ist ihm verhaßt. Er legt es
als Folge von Feigheit aus, die einer inneren Schwäche entspringt. Seine
Reaktion auf die Kränkung im Hause des Grafen C. anläßlich eines Emp-
fanges ist ein Zeichen dieses Mangels an innerer Kraft; denn als er als
Bürgerlicher gebeten wird, die aristokratische Gesellschaft durch seine
Anwesenheit nicht weiter zu stören, leidet er, nicht der Kränkung wegen,
sondern erst, nachdem sie in der von Standesunterschieden besessenen
Gesellschaft bekannt geworden. Wenigstens behauptet er das; es ist aber
möglich, daß eine Selbsttäuschung vorliegt und daß die Kränkung sich

nur verspätet auswirkt. Die Kränkung verdrießt ihn, obwohl er weiß, daß die Menschen sich an diese Standesunterschiede festklammern. Sie schränken sich dadurch das bißchen Freiheit noch mehr ein, als ob es ihnen eine Bürde wäre.

Werther ist kein Revolutionär. Zwar sieht er scharf; er ist aber zu sehr mit sich selbst beschäftigt, um die Gesellschaft ändern zu wollen. Er ist zwar fähig zu Aufwallungen der Empörung, wie z. B. wenn er im Gespräch mit Albert das Außerordentliche gegen die Mittelmäßigkeit verteidigt oder wenn er den Bauernknecht retten will; aber seine Empörung beschränkt sich auf unmittelbare Gefühlsreaktionen. Er findet sein Glück nicht wie die Menschen, die «ihren Lumpenbeschäftigungen oder wohl gar ihren Leidenschaften prächtige Titel geben und sie dem Menschengeschlechte als Riesenoperationen zu dessen Heil und Wohlfahrt anschreiben [105]».

Er protestiert nur dann, wenn er sich in seiner geistigen Freiheit angetastet fühlt, d. h. wenn seine Ansichten nicht akzeptiert werden. Deshalb polemisiert er gegen Albert, und eben deshalb versucht er auch, den Bauernknecht zu retten. Gerade hier erweist sich das Problematische seines Protestes. Die Argumente, die er für die Tat des Bauernknechtes anführt, sind zweifelhaft. Er verteidigt den Diebstahl aus Hunger und den Tyrannenmord als Lebensnotwendigkeiten. Aber er denkt weder an konkrete soziale und politische Umstände, noch verficht er eine Gesellschaftstheorie, er denkt immer nur an sich selbst, seine eigenen Wünsche und die Schwierigkeiten, sie zu befriedigen. Je mehr seine Krankheit fortschreitet, desto mehr distanziert er sich von der Gesellschaft; aber er tut dies nicht aus Abscheu oder aus dem Willen zur Reform. Die Auseinandersetzung mit Albert, der Aufenthalt in der Gesandtschaft, die Ausweisung aus dem Hause des Grafen und schließlich das Sich-Einsetzen für den Bauernknecht sind Stadien seines Weges, der sich immer mehr von dem gewöhnlichen Gang des sozialen Lebens entfernt. In der großen Auseinandersetzung mit Albert verteidigt er eine gefährliche These noch durchaus als Mitglied der Gesellschaft. Er wird nur als überspannt bezeichnet. Seine Forderung nach Entlassung aus dem diplomatischen Dienst aber bedeutet einen Verzicht seinerseits, einen festen Platz im gesellschaftlichen Gefüge zu finden. Beim Eintreten für einen Verbrecher aus Leidenschaft geht er aber noch viel weiter. Er unterscheidet nicht mehr mit üblichen Maßstäben zwischen Recht und Unrecht. So verbannt Werther sich selbst aus dem Kreise seiner Nächsten.

*

Werthers Beziehung zur Gesellschaft ist wie die Einstellung zum Menschen überhaupt nur ein Segment seiner Auffassung von der Wirklichkeit. Hier steht Werther fest in der Tradition des europäischen Romans, der seit Cervantes' *Don Quijote* als ein Versuch angesehen werden kann, das Bild der Wirklichkeit zu bestimmen[106]. Es gilt hier, die Beziehungen zwischen Schein und Wirklichkeit zu erfassen. *Die Leiden des jungen Werthers* sind ein derartiger Versuch. Wir begegnen darin zwei Auffassungen von der Wirklichkeit, derjenigen Werthers und derjenigen des Herausgebers. Abgesehen von praktischen romantechnischen Gründen — schließlich konnte Werther die Geschichte seines Selbstmordes nicht zu Ende erzählen — ist es die Funktion des Herausgebers, die tragische Wirkung der Erzählung zu mildern, ohne die Wirkung der Leiden Werthers im ganzen abzuschwächen. Aber es wäre falsch zu glauben, die Ansichten des Herausgebers entsprächen denjenigen Goethes. Was Goethe in diesem Roman versuchte, war, zu einer befriedigenden Anschauung der Wirklichkeit zu gelangen. Zunächst wird Werthers Versuch geschildert, sich der Wirklichkeit anzupassen; darauf wird sein Mißlingen dargestellt. Werthers schwärmerische Briefe haben ihr Gegengewicht in den sachlichen Berichten des Herausgebers. Aus beiden ergibt sich dann das Bild des ganzen Werkes. / Werther glaubt, die Wirklichkeit sei Leben im Gefühl. Nur was er gefühlt, kann wirklich sein. Andere Deutungen der Welt, wie von Seiten Alberts oder Herrn Schmidts, welche Werthers Weltbild nicht akzeptieren, sind falsch und werden daher geringschätzig abgetan. Werthers Auffassung von der Wirklichkeit ist aber, wie der Roman andeutet, ungenügend. Durch Einschiebung eines Herausgebers läßt Goethe erkennen, daß er keineswegs seine Ansicht teilt, zumindest daß noch ein anderes Bild von der Wirklichkeit gewonnen werden kann.

Der Bericht des Herausgebers ist sachlich, so sehr Bericht und bar jeden Gefühls, daß man zunächst glaubt, hier werde nur ein Geschehen angezeigt, keineswegs aber ein Bild der Wirklichkeit entworfen. Doch ist gerade in dieser Sachlichkeit das Gefüge eines anderen Weltbildes enthalten. Die Beschreibung der Leiden Werthers ohne Gefühlsäußerungen drückt eine Auffassung aus, in der die Wirklichkeit nicht die gefühlte ist, in der vielmehr das Gefühl sich dem Verstand unterordnet, wo inneres Erleben keineswegs vor äußerem Geschehen den Vorzug hat. Trotzdem ist der Bericht des Herausgebers, wie das Vorwort zeigt, keineswegs eine Kritik an Werther.

Welche Auffassung der Wirklichkeit vertritt Goethe selbst in *Werther*? In diesem Zusammenhang muß der biographische Aspekt berücksichtigt werden, der gerade bei *Werther* sehr wesentlich ist. Wie nahe das Romangeschehen Goethe berührte, ist betont worden. Goethe erschien später die ganze Zeit, während der er in Werther-ähnlichen Gefühlen verweilte, wie ein «Ritt über den Bodensee»; gerade weil er einmal in so enger Beziehung zu der Hauptperson gestanden hatte.

«Da begreift man denn nun nicht, wie es ein Mensch nach vierzig Jahren in einer Welt hat aushalten können, die ihm in früher Jugend schon so absurd vorkam[107].»

Die Einschiebung des Herausgebers aber beweist, daß Goethe sich von Werther distanzieren konnte; ebenso, daß Werther die Wirklichkeit nicht richtig erfaßt, weil er sie verschwommen sieht. Aber Goethe war mehr; für ihn war Werther ein Teil seiner eigenen Entwicklung. Die ruhige Sachlichkeit des Herausgebers gewann er erst nach inneren Kämpfen; so stellt diese wohl nur einen Teil seines eigenen Erlebens dar, der übrigens nicht unbedingt als dominierend angesehen werden darf*.

Goethe spricht hier mit zwei Stimmen, die durchaus miteinander im Widerstreit stehen. Beide fordern — allein berechtigt — als *die* einzige und richtige anerkannt zu werden. Welche Meisterschaft der Form, welch genaues Planen der Struktur der Roman auch verrät, hier hat Goethe eine Welt im Konflikt dargestellt[109].

---

* Die beiden Fassungen des Romans unterscheiden sich, abgesehen von kleineren stilistischen Änderungen und von der Einfügung der Bauernburschenepisode, vor allem durch die verschiedene Funktion des Herausgeberberichts. In der zweiten Fassung setzt der Herausgeber mit seinem Bericht früher ein, — nämlich nach dem Brief vom 6. Dezember — während er ihn in der ersten später, nach dem vom 17. Dezember beginnt. Seine ersten Bemerkungen in der zweiten Fassung, die sich auf seine Tätigkeit als Herausgeber der Briefe beziehen und die in der ersten Fassung fehlen, schaffen eine größere Distanzierung:

«Wie sehr wünsch' ich, daß uns von den letzten merkwürdigen Tagen unseres Freundes so viel eigenhändige Zeugnisse übrig geblieben wären, daß ich nicht nötig hätte, die Folge seiner hinterlaßnen Briefe durch Erzählungen zu unterbrechen.

Ich habe mir angelegen sein lassen, genaue Nachrichten aus dem Munde derer zu sammeln, die von seiner Geschichte wohl unterrichtet sein konnten; sie ist einfach, und es kommen alle Erzählungen davon bis auf wenige Kleinigkeiten miteinander überein: nur über die Sinnesarten der handelnden Personen sind die Meinungen verschieden und die Urteile geteilt.

Was bleibt uns übrig, als dasjenige, was wir mit wiederholter Mühe erfahren können, gewissenhaft zu erzählen, die von dem Abscheidenden hinterlaßnen Briefe einzuschalten und das kleinste aufgefundene Blättchen nicht gering zu achten; zumal da es so schwer ist, die eigensten, wahren Triebfedern auch nur einer einzelnen Handlung zu entdecken, wenn sie unter Menschen vorgeht, die nicht gemeiner Art sind[108].»

Diese Berufung auf die Tätigkeit des Sammelns hat eine seltsame, doppelte Wirkung: es wendet sich der Blick des Lesers, wenn auch nur ganz kurz, von Werther ab und dem Problem des Herausgebers zu. So wird einerseits im Sinne von Goethes späterer, klassischer Kunstauffassung die Lebensnähe des Werkes gemildert, andererseits wird die Echtheit der Dokumentierung hervorgehoben — es wird daran erinnert, daß es nur ein Roman sei, und zugleich, daß es sich um ein außerordentlich aktuelles Geschehen handle.

*

In heutiger Zeit, in der psychologische Erkenntnis immer mehr betont wird, wächst unsere Achtung vor der psychologischen Tiefe dieses Werkes. Der Roman bleibt als Dichtung nicht nur weiterhin wertvoll; er wird noch an Wert gewinnen, da er nicht für seine eigene, sondern auch für unsere Zeit tiefe Einsichten enthält.

Immerhin ist vieles darin zeitbedingt. Das heißt nicht, daß er nur die Schlacken einer Epoche repräsentiere, wenn auch sein Stil ein ausgesprochener Zeitstil ist [110]. Er ist von historischem und soziologischem Interesse. Romane sind der gesellschaftlichen Sphäre näher verknüpft als andere Dichtungsgattungen, und *Werther* ist keine Ausnahme; dieser Roman sagt manches über die gesellschaftliche Struktur seiner Zeit aus. Er ist kein revolutionärer Roman, denn Werther ist weder Reformator noch Revolutionär. Er will nicht einmal einen aktiven Protest gegen die fatalen bürgerlichen Verhältnisse, die er vorfindet, erheben. *Werther* ist ein Roman des Bürgertums, wie ja der europäische Roman des letzten Jahrhunderts vorwiegend der bürgerlichen Sphäre angehört. So ist die Struktur der damaligen Gesellschaft eine seiner Grundlagen. Die strengen Standesunterschiede zeichnen sich nicht nur im Hintergrunde des Geschehens ab, sie greifen sogar mitunter direkt ins Romangeschehen ein. Obwohl zwischen den einzelnen Gliedern der verschiedenen Stände ein andauernder Gedankenaustausch herrschen mag, ist die Gesellschaft in ihren öffentlichen Funktionen doch in überlieferte Gebräuche verkapselt, wie es die Szene, in der Werther aus der Gesellschaft des Grafen C. verwiesen wird, deutlich bezeugt. Werther selbst kümmert sich zwar kaum um Standesunterschiede; er hat ein offenes Herz für arme Leute, wie er andererseits auch zu Fräulein von B. und zum Grafen von C. sich hingezogen fühlt. Werther ist in seiner Ablehnung der Standesunterschiede völlig passiv. Allerdings besitzt er wirtschaftliche Unabhängigkeit, die es ihm erlaubt, sich gegen die Bedrängnisse des materiellen Lebens geschützt zu fühlen; er gerät nicht in Existenznöte. Da sein Interesse weder der Macht noch politischen Fragen gilt, stürzt er sich nicht in die Fehden der Gesellschaft. Der Kampf um die Macht fesselt ihn nicht; noch bewegen ihn irgendwelche sozialen Probleme tiefer. Ohne sich um den Zwang der äußeren Welt zu kümmern, kann er seine Leidenschaft bis zum Ende auskosten. Goethe wollte hier keineswegs eine Kritik an den politischen oder gesellschaftlichen Verhältnissen geben, in denen es für einen jungen Mann von Begabung nicht leicht war, eine seinen geistigen Bedürfnissen entsprechende Tätigkeit zu finden; noch wollte er wohl einen Zustand kritisieren, in dem ein junger Mann ungehemmt seinen Gefühlen frönen kann. Diese Isolierung von der Gesellschaft steigert die Konzentration des Werkes auf die Haupthandlung. Für Werther ist das Gesellschaftliche nicht wesentlich. Werther mag zwar Goethes Zeitgenossen als ein begabter junger Mann erschienen sein, von dem innerhalb des gesellschaftlichen Gefüges viel zu erwarten war; aber er ist im Grunde doch zu sehr ein a-typischer Mensch, für den alles Gesellschaftliche unwesentlich ist. Zwar zerbricht er an der Unbedingtheit einer Institution, auf der die abendländische Gesellschaft aufgebaut ist: der Ehe; aber er zerbricht nicht daran, weil er sie etwa als Institution verurteilt oder weil Lotte sich nicht aus der Enge ihres gesellschaftlich bestimmten Blickwinkels hätte befreien können. In einer Gesellschaft allerdings, in der es keine Ehe im abendländischen, christlichen Sinne gäbe, könnte Werters Schicksal sich nicht in dieser Form vollziehen. Andererseits käme die Lösung, die sich für Ferdinand in *Stella* ergibt, für Lotte niemals in Frage. Da Werther keineswegs an der Ehe, sondern an seiner eigenen Gefühls-haltung scheitert, kann man den Zusammenbruch nicht aus seiner sozialen Situation erklären.

Eine andere Seite der soziologischen Betrachtung des Romans führt zum Studium seiner Wirkungsgeschichte, die einen gewissen Einfluß auf die Umarbeitung von 1787 hatte; einer der Gründe, warum Goethe den Cha-rakter Alberts und Lottes in der zweiten Fassung in einigen Punkten ver-änderte, war, daß der Roman zum Teil falsch verstanden wurde[111]. *Werther* war ein großer Erfolg, einer der größten, den ein wertvoller Roman in der Literaturgeschichte zu verzeichnen hat. Abgesehen von der künst-lerischen Wirkung des Romans, von seiner dichterischen Originalität, hing viel von der Aktualität des Werkes ab. Wenn *Werther*, wie Karl Viëtor behauptet, die geistige Situation der jungen Generation von 1770 wieder-gibt[112], so erklärt es seinen Erfolg. Der Stoff drängt die Form für den voreingenommenen Leser in den Hintergrund, und nur wenige waren imstande, die Qualitäten des Romans auf dieselbe Weise zu sehen wie der anonyme Rezensent, der in der *Auserlesenen Bibliothek der neuesten Literatur* die Form würdigte und das Werk nicht als eine Rechtfertigung des Selbstmord ansah[113]. Der Enthusiasmus, mit dem *Werther* begrüßt wurde, wie auch die Angriffe auf das Werk, hinterlassen keinen Zweifel, daß hier ein Lebensnerv der Zeit berührt war.

Diejenigen, die *Werther* als einen Appell zur Befreiung vom Joch der unerträglich gewordenen «Vernünftigkeit», von der Vormundschaft, reli-giöser, geistiger und gesellschaftlicher Tradition ansahen, lasen den Roman einseitig. Sie bewunderten Werther, anstatt ihn zu bedauern. Sie sahen, wie 150 Jahre später Friedrich Gundolf[114], darin titanische Züge. Erblickten sie doch in ihm einen Advokaten im Sinne ihrer eigenen Bestrebungen. Für diejenigen, die dem Roman kritisch, ja feindlich gegenüberstanden, war er eine Gefahr für die Jugend, eine Verherrlichung jenes Lebens im Gefühl, nicht eine Kritik. Beide Gruppen lasen ihn nicht richtig, aber beide sahen eines sofort: sie glaubten, in dem Roman eine Tendenz zu erkennen, welche den Zeitbestrebungen entsprach. In Deutschland wurde seit Luther das Innenleben immer mehr betont. Der Pietismus und die absolutistischen Regierungsformen hatten diese Tendenz noch verstärkt. Die praktischen Seiten des Lebens wurden vernachlässigt. Durch die Kritik der Aufklärung war das Orthodox-Religiöse für viele problematisch geworden. Pietismus und Aufklärung beherrschten das geistige Leben um 1770. *Werthers Leiden* beschreibt einen Menschen, der versucht, auf eigenen Bahnen — seinem inneren, verabsolutierten Empfinden gemäß — das Heil zu finden. Goethe stellt in *Werther* einen extremen Fall dieser Verabsolutierung dar, läßt aber keinen Zweifel darüber, daß eine derartige Lebenshaltung absurd ist.

Zuletzt ist *Werther* auch ein Roman, der auf Grund seines sentimentalen Charakters gewaltigen Anklang fand[115]. Der Erfolg beweist, wieweit Sentimentalität damals in Europa, besonders in Deutschland Mode war. Diese Sentimentalität entspricht jener idealisierten Liebesauffassung, die um die siebziger Jahre des 18. Jahrhunderts weithin akzeptiert wurde; doch seien in diesem Zusammenhang ihre religiösen Impulse nicht vergessen.

In *Werther* hat sich Goethe vor allem mit der Macht des Gefühls und der Rolle, die es im menschlichen Leben spielt, auseinandergesetzt. Der Held des Romans geht zugrunde, weil er sich einseitig auf den absoluten Vorrang emotionaler Werte versteift. Aber der Roman hätte nie den gewaltigen Anklang gefunden, der ihm von Anfang an zuteil war, wenn damit nicht auf einen anscheinend berechtigten Anspruch verwiesen worden wäre. Stellt Werther doch den extremen Fall einer Richtung dar, die starke und seiner Zeit neue Lebenskräfte zu offenbaren schien. Der Roman fußt auf dem Anspruch des Gefühls, Vorrang vor der Vernunft zu haben. Dies mag als maßlos erscheinen, klingt aber wie die ins Extreme gesteigerte Überforderung einer menschlichen Lebensnotwendigkeit. Dadurch ist Werther zum Untergang bestimmt. Die Notwendigkeit, die Bewegung des Gefühls zur Geltung kommen zu lassen, das vermeintliche Recht darauf charakterisieren Werthers Lebensweise. Ohne diese Tendenz wäre die Wirkung des Romans undenkbar gewesen. Denn in *Werther* kommt das Gefühl ungleich gewaltiger, tiefschürfender zur Sprache, als je zuvor in einem deutschen Roman. Derartige Gestaltung entspringt einer neuen Auffassung von Wert und Fähigkeit des Menschen. Hier ist Goethe Bahnbrecher. Die Sesenheimer Lyrik und die großen Hymnen aus der *Sturm-und-Drang-Zeit* sind die ersten Gipfel dieser Anschauung. In diesem, wie auch in erhöhtem Maße im *Werther*, wird eine lebendigere Welt gesehen und gestaltet. Lebendiger, weil sie den Menschen unmittelbar, aus einem innern Bereich heraus, nachzuzeichnen und — dabei wagemutig — tiefer in sein Erleben einzudringen scheint. Darauf beruht der Anspruch größerer künstlerischer Gültigkeit gegenüber den vorigen Werken der deutschen Literatur; eine gültigere, d. h. weiter gespannte und tiefergehende Anschauung von der Natur des Menschen liege hier zugrunde. In *Werther*, der diese neue Auffassung von der Macht des Gefühls dichterisch gestaltet, wird allerdings der Anspruch übersteigert und die daraus resultierende pathologische Folgerung analysiert. Der Titel des Romans bezeugt, daß er von der Pathologie seelischer Elemente handelt; denn es wird ausdrücklich auf das Leiden verwiesen. Indes: dies Pathologische wäre nicht ohne die unmittelbare Gewalt und Bedeutung des Seelenelementes möglich. Die Macht des Gefühls wird im Roman dem Leser vor die Augen gebracht; es wird geschildert, wie sie die im gewöhnlichen Leben gesetzten Grenzen überflutet. Sie wirkt so ungeheuerlich, weil sie aus den Urgründen menschlichen Wesens kommt; der Mensch kann an solcher Übersteigerung zugrunde gehen. *Werther* ist eine Darstellung der Pathologie unseres Seelenlebens. Aber Anziehungskraft und Universalität der Handlung des Romans besteht darin, daß bei dem Helden — keinem Sonderling — die Seelenbewegungen, die wir alle erfahren, ins Äußerste gesteigert und absolut gesetzt werden. Ein wesentlicher Zug menschlichen Innenlebens wird übermäßig betont.

Auf Grund seiner Gefühle glaubt Werther ein Recht zu besitzen, sich von der Last der Tradition zu befreien. Er pocht darauf, nicht erkennend, daß seine Ansprüche einem gefühlsgebundenen Pietismus entspringen, also ebenfalls einer Tradition verpflichtet sind. Allerdings geht er weit darüber hinaus; er proklamiert eine Forderung, wie sie in dieser Art nie vorher gestellt worden war. Will er doch der Welt gegenüber unabhängig, nur seinem eigenen Herzen folgen. Was für die Sphäre des Gefühls gilt, trifft auch auf die Gesellschaft zu. Auch hier ist der Anspruch, nicht von Standesvorurteilen gebunden zu sein, zwar ein persönlicher, gehört aber in seiner Beziehung zum Adel durchaus Bestrebungen jener Zeit, in der das Bürgertum begann, sich der Aristokratie gleichberechtigt zu fühlen. *Werther* ist ein bürgerlicher Roman; jedoch trotz aller Einbeziehung der bürgerlichen Lebenssphäre nur sekundär, denn primär liegt der Akzent keineswegs auf dem Gesellschaftlichen, vielmehr auf der Seelenbewegung des einzelnen. Eine bürgerliche Welt sah darin trotzdem die Berechtigung, daß ihre Haltung und Mentalität ebenfalls zum Gegenstand einer Dichtung werde.

Ein Drang der Seele, der vorher in der deutschen Dichtung nie eindringlich genug dargestellt worden war, überschreitet hier jene Grenzen, die uns Sitte und Tradition zwangsläufig vorschreiben. Die Problematik wäre belanglos, wenn nicht die Seelenbewegung, mächtig wie sie ist, innerhalb der ihr gesetzten Grenzen durchaus fruchtbar sein könnte. Werthers Pochen auf das Vorrecht des Gefühls ist verfehlt, das aber bedeutet keineswegs, daß der Mensch nicht dieser Macht seinen Zoll zahlen muß. Ohne deren Kenntnis, ohne Besinnung auf ihre lebenstragende Funktion verarmt er innerlich. So wird in *Werther*, wenn auch durch Zeichnung einer pathologischen Seelenbewegung, die fruchtbare Wirkung jener gewaltigen Macht gegenwärtig. Denn die Krankheit Werthers ist nur die negative Seite eines durchaus positiven Elementes. Zwar hat Goethe eine Polemik gegen die Überbewertung der Gefühle verfaßt[116]; er hätte es nicht getan, wenn für ihn die heilbringenden Möglichkeiten des Gefühls, die große Bedeutung dieses Bereiches unbewußt geblieben wären. Der Wunsch, diese Gewalt darzustellen, dürfte genauso wesentlich bei der Gestaltung des Werkes gewesen sein, wie der Wille, die Übertreibung solcher Seelenregungen dichterisch zu gestalten. Die Mitwelt sah in *Werther* hauptsächlich jene Macht; man betrachtete den Helden als tragisches Opfer eines berechtigten Strebens, sah einen Menschen, der an widrigen Umständen zerbrach. Die hier entfaltete Konzentration der seelischen Kraft vermag es auch heute noch, den Leser zu packen[117]. Man wird die Pathologie des Helden eher sehen als nahezu zwei Jahrhunderte zuvor; indes, die Probleme der Eindämmung einer Urgewalt, aber auch der Anspruch des Menschen, ihr Raum zu gewähren, bestehen weiter. Werther schien mit der Stimme des Genie zu sprechen: der *Sturm und Drang* war die Geniezeit. Auf dem Gebiete der Poetik hatten Hamann und Herder die Grundlagen für das Vorrecht des Genies in der Kunst gelegt. Goethe hat in frühen theoretischen Schriften zur Kunst und Literatur dieselbe Forderung vertreten und in seinen dichterischen Werken praktische Beispiele geschaffen. Er wußte sich als Genie und hat in seinen großen Hymnen Recht und göttliche Macht solcher Anlage verherrlicht. Zur gleichen Zeit war er sich auch der diesem Grundbegriff angehörigen Mängel bewußt; mußte er doch gewahr werden, daß Unberufene sich Rechte anmaßten. Deshalb hat er sich mit der Frage des falschen Propheten, der sich zu Unrecht die Rolle des Genies anmaßt, eben in der Zeit vor dem Entstehen *Werthers* wiederholt auseinandergesetzt[118]. Der Glaube an die Macht des Genies wird im Roman sichtbar. So konnte der Romanheld dem damaligen Leser als der Protagonist des Gefühls erscheinen, der zwar untergeht, indes sein Leiden durch die Dichtung fast zu messianischer Macht aufstieg. Ob Goethe je diese Ansicht geteilt hat, ist kaum wahrscheinlich. Nach seiner Frankfurter Zeit stand er jener Gedankenwelt bestimmt fern, und vorher dürfte er bei allem Glauben an die Gewalt der Dichtung ihr kaum diese Bedeutung zugeschrieben haben. Seine Künstlergedichte und vor allem *Wanderers Sturmlied* weisen eher auf eine humorvolle, ja heitere Erfassung der Wirklichkeit hin; jede Art dichterischen Machtrausches lag ihm fern. Dafür stand er immer, auch in seiner Jugend, zu sehr in der Welt der Praxis. Der Glaube an das Genie und seine Macht klingt selbst in der Verwirrung Werthers an. Dieser ist nicht genial, er glaubt es nur. So ist sein Anspruch, eigener Gesetzgeber für seinen Lebensgang sein zu wollen, Anmaßung; dem Frevel des Prometheus verwandt. Entspringt sie doch aus dem Wunsch nach geistiger Unabhängigkeit, aus dem Willen, sein eigenes Schicksal zu bestimmen, ohne Rücksicht auf die Bedingungen menschlichen Daseins, aus dem Bedürfnis, jeden Augenblick mit vollem Einsatz der Persönlichkeit zu genießen. In *Werther* wird auf alle die Urgründe menschlichen Wollens angespielt. Der Roman beschreibt diese unheimliche Macht: den Protest des Menschen, der glaubt, Unrecht zu leiden, weil das Leben ihm die Erfüllung seiner tiefsten Wünsche versagte. Diese Schmerzen sind dargestellt, aber der Vergleich mit dem Martyrium Christi läßt keinen Zweifel, daß sie einem zentralen Element des Menschen entstammen, aber sie sind nicht wie die Leiden Christi fruchtbar und führen deshalb nicht zur Gründung einer Gemeinde. Der Tod Werthers ist das Ende des Romans; der Auswirkung dieses Sterbens wird keine positive Bedeutung beigemessen. Das *Werther-Fieber* war eine weitere, wenn auch vom Dichter ungewollte Folge der allzu einsichtigen Darstellung eines Krankheitsprozesses. Goethe hat später den Zustand, in dem er sich damals befand, als absurd bezeichnet[119], aber schon im Werk verspürt man eine kritische Einstellung zu Werthers Auffassung seiner Leiden. Doch zunächst nur im Hintergrund; im Vordergrund wirkt die gewaltige Sympathie, mit der die Wünsche und Schmerzen Werthers gezeichnet sind. Begeisterung und Trunkenheit, die Haltung Werthers der Natur und Religion, der Liebe und dem Tode gegenüber beherrschen den ersten Eindruck, den man vom Roman gewinnen durfte. Unter diesem Gesichtspunkt — in der ersten Fassung noch stärker betont — haben die meisten Leser des achtzehnten Jahrhunderts den Roman beurteilt. Daraus entstand das *Werther-Fieber*. Erst mit der Zeit und unter Einwirkung der gemilderten zweiten Fassung, die sich immer mehr durchsetzte, kam es dann zur kritischen Betrachtung der Ansichten Werthers; aber ohne den Funken Genialität, die der Jugend, selbst da, wo sie irrt, innewohnen mag, hätte der Roman nie die Kraft besessen, Begeisterung zu erwecken. Nur weil ein menschlicher Bereich, der vorher dichterisch noch nie im Roman bewältigt worden war, durch *Werther* erstmalig zur Gestaltung kam, konnte das Werk so gewaltig wirken. Daß dieser menschliche Bereich im Zeichen der verstehenden Kritik erschlossen wurde, hat den Blick für seine Bedeutung eher geschärft als getrübt; ein differenziert eingestelltes Auge sieht genauer als der reine Enthusiasmus.

*

Werther ist eines der wenigen Werke der Weltliteratur, in dem innerer Wert und äußere Geltung zusammentreffen. Für viele, besonders außerhalb Deutschlands, war Goethe der Autor des *Werther*; er blieb es für lange Zeit. Napoleon ist das bekannteste Beispiel. Wenn auch die Volkstümlichkeit des Erstlingsromans seitdem von anderen Goetheschen Werken, vor allem durch *Faust*, übertroffen wurde, beweist seine unmittelbare Wirkungskraft, wie sehr Goethe darin mit den wesentlichen Strömungen seiner Zeit verbunden war. Die Wirkung des Werkes war unmittelbar und plötzlich. Begeisterung, Abscheu, je nach dem Standpunkt des Beobachters, waren die Reaktion; und das Wort «Werther-Fieber» charakterisiert den seelischen Zustand all derjenigen, die Nachahmungen von Werther verfaßten. Goethe gelang es mit diesem Roman, die literarische Öffentlichkeit in Aufruhr zu bringen. Die Besprechungen oder Aussagen der berufensten Kritiker, wie Wieland und Lessing, Matthias Claudius und Merck, bezeugen[120], daß die meister Leser von dem Stoff, wie Goethe selbst später erkannte, überwältigt wurden. Der Roman wurde mißverstanden, da man die Form nicht berücksichtigte. Hier waltete das Prinzip «Der Dichter verwandelt das Leben in ein Bild. Die Menge will das Bild wieder zu Stoff erniedrigen.» Viele bekannte Gestalten des literarischen Lebens griffen in den Streit um diesen Roman ein. Sie sahen darin Kritik oder Apologie der Leidenschaft, des Selbstmordes, wie Garve, Schubart, Claudius, Nicolai, Goeze; Enthusiasmus und Abneigung gewannen Werk und Verfasser seltsame Konstellationen von Freunden und Gegnern; während Garve, der Aufklärer, und Schubart, der Schwärmer, den Roman bewunderten, griffen andere Aufklärer wie Nicolai und orthodoxe Theologen wie Goeze ihn an. Die Gemüter waren also gewaltig erregt. Die Erbitterung, mit welcher der Streit um Werther geführt wurde, läßt auch auf einen tiefen geschichtlichen Konflikt schließen. Vertreter verschiedener geistiger Richtungen sahen sich angesprochen. So glaubte die Jugend mit ihrem Beifall gegen die Erstarrung orthodoxer oder konventioneller Lebensansichten protestieren zu können, ob diese nun theologischer oder aufklärerischer Art waren. Zu gleicher Zeit sahen ältere Leser mit Besorgnis auf die eine

brodelnde Unruhe erzeugenden Kräfte, wie sie in dem Roman zum Vor-
schein kamen. Das Thema des Romans war aktuell. Nicht nur das Recht,
Selbstmord zu üben, sondern auch die Berechtigung des Individuums, sich
gegen bestehende Ordnungen religiöser, moralischer und gesellschaftlicher
Art aufzulehnen, wurde im Streit um Werther diskutiert. Werther wurde
zum Vorbild oder Warnbild. In der moralisierenden Welt wurde der
Roman moralisch bewertet. Hier spielten philosophische und theologische
Vorurteile eine große Rolle [121].

Ein Werk, das einer anderen literarischen Gattung angehört hätte, wäre
kaum imstande gewesen, solche Wirkung zu erzielen. Wahrscheinlich hatte
Goethe keine derartige Wirkung erstrebt. Aussagen über diesbezügliche
Wünsche sind nicht vorhanden.

*

Warum wählte Goethe die Romanform, um das Erlebnis Werthers zu gestalten? Äußerer Erfolg kann nur ein geringer Teil seiner Absicht gewesen
sein. Innere Gründe waren wesentlicher. Die Lust zum Experimentieren
wie auch der Mangel an einem eigenen Stil wirkten sich gewiß stark aus.
Goethe wurde damals auf den Wogen seiner Erlebnisse umhergetrieben [122];
er suchte Halt. Diese Momente spiegelten sich in der Suche nach einem
Stil wider, einer Suche, die seine Vor-Weimarer Zeit charakterisierte. Es
galt, sich im Roman zu erproben und zu bewähren. Aber es ist ein Kennzeichen des jungen Goethe, daß er traditionelle Formen umwandelte. Der
Briefroman war seit Richardson eine Modeform. Rousseaus *Nouvelle
Héloise* hatte dieser Romanform einen noch stärkeren gedanklichen Gehalt
verliehen. Goethe griff zu eben dieser Form, aber er veränderte sie völlig,
indem er aus dem eigentlichen Briefroman, der sich wechselseitig entfaltete, die tagebuchartige, monologisierende Form schuf. Hier kam er der
Neigung seiner Jugend, sich nur im engen Rahmen zu vollenden, entgegen,
indem er im Vergleich zu Richardson und Rousseau eine viel knappere
Form des Briefromans schuf. Goethe schrieb *Werther*, weil sein Form-
gefühl ihn zwang, die Begebenheit, die Fabel zu finden, in der er das zu
verkörpern wußte, was er ausdrücken wollte. Die Formanlage, die innere
Form, «die alle Formen in sich begreift [123]», zwang ihn, die äußere Form des
Briefromans zu suchen; denn in dieser vor allem konnte er die völlige Isolierung eines Menschen darstellen, der nicht in einem wechselseitigen Verhältnis zu anderen Menschen, in einem befruchtenden Rhythmus mit der
Mitwelt lebte, sondern sich in einer unfruchtbaren Situation verharrend
einkapselte. So wird Werthers Problem allgemein menschlich, das Problem
des Menschen, der Ekel vor dem Leben empfindet, das ihm sinnlos und

widerwärtig erscheint; der Wechsel der Gegebenheiten ist ihm nicht mehr jene rhythmische Wiederkehr, worauf «alles Behagen am Leben» begründet ist. Er hat sich der Natur und den Menschen entfremdet; ihm fehlt die Einstimmung aufs Ganze; auf sich und sein eigenes Innere zurückgeworfen, kann er sich nicht mehr fruchtbar betätigen noch äußern. Er erstarrt in Unglück und seelischem Elend. Goethe beschrieb diese Situation in *Dichtung und Wahrheit:* «Mag er sich allenfalls darüber äußern, so wird es durch Briefe geschehen: denn einem schriftlichen Erguß, er sei fröhlich oder verdrießlich, setzt sich doch niemand unmittelbar entgegen: eine mit Gegengründen verfaßte Antwort aber gibt dem Einsamen Gelegenheit, sich in seinen Grillen zu befestigen, einen Anlaß, sich noch mehr zu verstocken [124].»

So war das Erlebnis, das Goethe in *Werther* gestaltete, nicht ein persönliches, sondern ein Formerlebnis, «eine apriorische Art, die Welt anzuschauen [125]»; denn nur dadurch, daß es zum Formerlebnis wurde, konnte aus dem Problem ein Kunstwerk entstehen. Äußere Form und dargestelltes Problem entstanden zusammen; sie wurden ein Ganzes, woraus sich allein die unerhörte, auch heute noch nicht erloschene Wirkung des Werkes erklären läßt [126].

Die Gestaltung des Themas veranlaßte Goethe, der Romanform den Vorzug zu geben, wenn es auch in *Werther* genügend dramatische Momente gibt. Es lassen sich noch andere Schlüsse ziehen. Er weist auf Goethes Wunsch hin, die Gegenwart schöpferisch zu gestalten. Schon Lessing hatte einen ähnlichen Versuch in *Minna von Barnhelm* unternommen. Dieses Lustspiel, mitten in die Zeitgeschichte versetzt, wirkte überzeugend; doch hat ein Roman noch weitere Wirkungen am Rande des Zeitgeschehens. Wieland, der einzige große Romandichter im Deutschland des 18. Jahrhunderts vor Goethe, hatte manche Tendenzen der Zeit erkannt und dargestellt. (Das muß als wesentliche Förderung der deutschen Kultur jener Zeit bezeichnet werden.) Wielands Bemühen um Bildung ist wegbereitend für die deutsche Klassik; denn durch seine Romane und Zeitschriften schuf er die Grundlagen eines tiefgehenden literarischen Interesses. Aber Wielands Romane spielen nicht in der Gegenwart. Aktuelle Probleme wurden im Griechenland der Antike, im Spanien des ausgehenden Mittelalters, im Persien einer nicht näher bestimmten Epoche ausgetragen. Sie gewannen dadurch an künstlerischer Distanz unter Nichtbeachtung des Stoffes. Der Leser wurde zwar weniger durch den Stoff angezogen, aber auch weniger dazu verführt, die Form in den Hintergrund zu schieben.

Doch fehlt den vor *Werther* erschienenen Romanen die Spontaneität, die aus der unmittelbaren Gestaltung der Zeit hervorgeht. Darin liegt die Bedeutung der Beziehung, die zwischen dem Roman und den Einzelheiten aus dem Leben Goethes und aus dem Leben Jerusalems besteht. Indem Goethe fühlte, wie nahe er selbst dem Schicksal Jerusalems gewesen, erkannte er, wie symptomatisch für die Zeit jenes Schicksal war. War nicht Jerusalem ausgerechnet der Sohn eines angesehenen Geistlichen, des ersten Aufklärungstheologen, der in Preußen die Kanzel betrat?

Die Romanform eignete sich dazu, manche der Berichte Kestners über den Tod Jerusalems zu verwerten. So ließ die Aktualität des Stoffes und die Möglichkeit eines großen Wirkungskreises, zusammen mit den psychologischen Elementen des Romans, Goethe diese lyrisch-epische Form des tagebuchartigen Briefromans als geeignet erscheinen.

Die Wirkung des Romans ist heute beschränkt. Ob er außerhalb der Schule und Universität noch gelesen wird, ist fraglich. Im Ausland ist *Werther* kaum bekannt, er wird außer von Fachgelehrten und Studenten der deutschen Sprache wenig gelesen, was zum Teil in dem geringen Echo liegt, das Goethe außerhalb des deutschen Sprachbereiches findet.

Diese Sachlage ist erstaunlich, wenn man bedenkt, daß *Werther* einst die Welt im Sturme eroberte. Hat sich die geistige Lage derart verändert? Sie ist allerdings ganz anders als zur Zeit des Erscheinens. So muß die Wirkung des Romans zunächst etwas über seine eigene Zeit aussagen. Doch als Hochschullehrer kann man erleben, daß Sprache und Geschehen, Form und Gehalt den unbefangenen jugendlichen Leser noch heute unmittelbar und lebendig ansprechen können: Unmittelbarkeit und Lebendigkeit werden Werther in der Tat kaum abgestritten; aber in einer Zeit wie der unsrigen, wo das seelische Element stark in den Vordergrund geschoben wird, hat der Roman bleibenden Wert; vor allem hat er sich als psychologisch überzeugend bewährt.

*

Werther ist als Analyse eines nervösen Charakters[127] besonders modern. Minderwertigkeitsgefühle, Geltungsbedürfnis, der Wille, mehr zu scheinen, als man ist, sein Ich zu verwirklichen, all das macht ihn zum Vorbild eines ambivalenten Charakters, für den nicht logisches Denken im Entweder-Oder, sondern das Gefühl des «Sowohl-Als-auch» bestimmend ist. So nähert er sich dem romantischen Typ; er denkt eher poetisch als prosaisch-philolophisch und wendet dies poetische Denken immer da an, wo es durchaus unangebracht ist[128]. Schwanken zwischen Selbstbehauptung und -entäußerung bestimmt seinen Charakter. Diese Tatsache erklärt das andauernde Schwanken seiner Grundhaltung und Gemütsstimmung, das Nachgeben gegenüber seinen Stimmungen, den Mangel einer festen

Lebensführung, das für ihn so bezeichnend ist. Werthers schwankende Haltung der Natur, dem Menschen gegenüber ist eine Spiegelung jener Unsicherheit in seinem Innern, die ihn nie zur Ruhe kommen ließ.

Werther ist das Urbild eines Neurotikers, heute von speziellem Interesse; denn als solcher wird er, wenn auch nicht zum Ahnherrn, doch mindestens zu einem Vorläufer einer ganzen Reihe von Neurotikern, wie sie der moderne europäische Roman erzeugt hat. Goethe hat indes nicht die vollständige Krankheitsgeschichte Werthers geben wollen. Wir dringen nicht ein zu den Anfängen seiner Krankheit, doch ist genügend angedeutet, daß Werthers Verhalten zu der Mutter für seine seelische Entwicklung bestimmend war. Goethe will nicht einen klinischen Fall, sondern das Bild eines Menschen darstellen; er gestaltet es so überzeugend und konsequent, daß es auch heute noch aus der Perspektive der modernen Psychologie als gültig anerkannt werden muß. Goethes Jugendroman hat die Feuerprobe bestanden, die notwendig war, um vom psychologisch geschulten Leser des 20. Jahrhunderts akzeptiert zu werden; denn dieser erwartet Wahrscheinlichkeit des seelischen Verhaltens vom traditionellen Roman.

Doch ist Werther keineswegs der einzige Charakter des Romans, der psychologische Überzeugungskraft besitzt. Er ist nur derjenige, der am breitesten angelegt und am genauesten analysiert ist. Lotte und Albert, die nur in Werthers Schatten leben, wirken gleichfalls überzeugend. Wenn auch hier die Charaktere sich nicht im selben Maße enthüllen, so läßt sich doch aus ihnen ein klares Bild gewinnen. Lottes Unbefangenheit, die Liebe zu ihrem Manne, die Sympathie für Werther, ihr aufs Praktische gerichteter Sinn, dem jedoch ein genügendes Maß Empfindsamkeit beigemischt ist, überzeugen uns. Gewiß bedeutet Werther etwas für sie; er übernimmt durch seine Empfindsamkeit eine Rolle in ihrem Leben, die Albert nicht darstellen kann. Wie sehr er ihr durch Gewohnheit und Sympathie ans Herz gewachsen, gibt Lotte zu erkennen, wenn sie ihn keiner ihrer Freundinnen zum Manne gönnen mag; sie will ihn nicht verlieren. Aber ihr Gefallen an Werther ist im Bewußtsein zunächst reine Freundschaft, und erst im leidenschaftlichen Moment am Ende kommt es zum Vorschein, daß dieses Gefühl tiefer war. Doch bedeutet das nicht, daß sie nicht Albert, sondern Werther liebe[129]*. An ihren Gatten binden sie nun nicht nur

---

* Hier gilt es allerdings, die Schilderung in der ersten Fassung von derjenigen in der zweiten zu unterscheiden; in der ersten Fassung ist das Verhältnis zwischen Lotte und Albert ziemlich getrübt, weil ihm Werthers Verhalten Lotte gegenüber mißfällt und Albert auch anscheinend mit Lottes Reaktion nicht zufrieden ist. In der zweiten Fassung gibt es kein Anzeichen für eine tiefgehende Abkühlung der Beziehungen zwischen den Eheleuten. In der ersten Fassung ist Lotte weit mehr durch Werthers Gegenwart bewegt. Man könnte vielleicht meinen, sie liebe ihn, wenn auch zur gleichen Zeit ihr Gefühl

Pflicht und Sitte, sondern auch tiefere Gefühle. Goethe hat mit Bedacht in der zweiten Fassung alle Züge beseitigt, die den Eindruck erwecken könnten, ihr Verhältnis zu Albert sei wesentlich getrübt, eine wahre Leidenschaft zu Werther sei in ihr erweckt worden. Zwar ist sie tief bewegt und beunruhigt; gleich nach der leidenschaftlichen Szene mit Werther ist ihre Erregung fieberhaft; und tausenderlei Empfindungen zerrütten ihr Herz. Auch sie wird hin und her gerissen, wie Werther; und — wie Werther — sieht sie sich in einer Situation, die sie nicht mit «Entweder-Oder», wie Logik und Sitte es verlangen, sondern wie Werther mit «Sowohl-Als-auch» lösen möchte. Man trifft auf dieselben Worte, wie Goethe sie in den früheren Stadien von Werthers Leidenschaft gebraucht, liest, daß das Herz gepreßt war, daß eine trübe Wolke über dem Auge lag. In den Armen Werthers vergeht ihnen beiden die Welt, nachdem sich nun auch Lottes Gefühle verwirrt hatten. Nach dieser Szene kommt es zu einer Spannung zwischen ihr und ihrem Manne. Aber wenn Lotte auch aufs tiefste beunruhigt, zutiefst verstört ist, so nicht deshalb, weil sie sich von Natur aus eine solche Situation gewünscht hatte, sondern weil sie darin verstrickt wurde und zunächst keinen Ausweg sieht; einen Ausweg, der für alle drei möglich wäre. Sie weiß wohl, daß Werther aus ihrem Leben scheiden muß, wenn sie auch nie jenes katastrophale Ende vermutet hätte. Indem sie ihn sich selbst überläßt, steht sie der Situation hilflos gegenüber. Ihre Hemmungen hindern sie, sich Albert zu erklären; so wird die letzte Möglichkeit, Werther zu retten, versäumt, wenn auch wahrscheinlich diese Rettung nur einen Aufschub der Katastrophe bedeutet hätte. Lotte repräsentiert also einen Gegensatz zu Werther; sie ist zwar ebenfalls von einer Krankheit angesteckt, die aber nicht tödlich ist. Die gesunde Natur kann diese Bedrohung überwinden.

Albert und Werther sind so entgegengesetzte Charaktere, daß es zunächst aussieht, als ob ein Vergleich zwischen beiden ihr Wesen nicht erhellen würde. Albert soll bestimmt nicht als Vorbild eines gebildeten Menschen gelten; aber im Vergleich mit Werther fällt er vor allem durch seine gelassene, vernünftige Lebensart auf. Durch seine Pflichttreue und seine ruhige, befestigte Art, die auch seine Liebe zu Lotte bestimmt, sticht er keineswegs ungünstig gegen Werther ab. Es wäre falsch, Albert als einen Menschen ohne jedes Feingefühl zu betrachten. Man darf nie vergessen, daß man ihn weitgehend mit den Augen Werthers sieht; und die-

zu Albert betont wird, — spricht sie doch von «der Gegenwart des Mannes Alberts, den sie ehre und liebe» —, während in der zweiten Fassung nicht einmal der Anschein einer derartigen Liebesempfindung für Werther vorhanden ist[130].

ser ist durch Alberts Widerspruch, durch seine bloße Gegenwart zu sehr gestört und aufgebracht, als daß er ihm gerecht werden könnte. Zunächst ist er wohl bereit, in Albert den besten Menschen unter dem Himmel zu sehen; aber in demselben Brief ist das Wort «zwar», mit dem er anfängt, bezeichnend genug, schränkt es doch die Behauptung weitgehend ein. Die letzten Worte des Briefes vom 12. August bezeugen schon, wie sehr diese beiden Ansichten sich voneinander unterscheiden: «Und wir gingen auseinander, ohne einander verstanden zu haben. Wie denn auf dieser Welt keiner leicht den anderen versteht[131].» Sie enthüllen auch die Kluft, die zwischen den beiden besteht. So überrascht es nicht, daß Werther glaubt, Albert verstünde Lotte nicht; er sei eben auch nur ein Mensch, keineswegs ein Gott, noch erstaunt es, daß sich Werther einbildet, selbst von der Vorsehung geschaffen zu sein, Lottes Gatte zu werden. Seine Einstellung läuft auf das Sprichwort hinaus: «Le mari a toujours tort.» Aber so sah er selbst erst in den letzten Stadien seiner Krankheit. Es war nicht Goethes Absicht, in Albert nur negative Züge aufzuzeigen oder anzudeuten; und tatsächlich in der zweiten Fassung sind negative Züge, soweit sie auftraten, weitgehend gemildert worden.

Zwei andere Charaktere, der Bauernbursche und der wahnsinnige junge Mann, haben eine unmittelbare Beziehung zu Werther, da ihr Schicksal dem seinigen zu gleichen scheint. Das Schicksal des letzteren erschüttert ihn deswegen tief, weil er darin fälschlich einen, dem seinen, analogen Fall, sieht. Werther glaubt sich selbst der Gefahr nahenden Wahnsinns ausgesetzt, obwohl trotz aller neurotischen Züge in seinem Charakter keine derartig extreme Zerrüttung seines Geistes droht. Zwar leidet er an einer Zwangsneurose, die ihn dazu bringt, alles Geschehen (wenn irgend möglich) auf seine Seele oder sein Leiden zu beziehen, aber der Vergleich mit dem Wahnsinnigen ist nicht zutreffend, denn die Geisteskraft verläßt ihn trotz großer innerer Erregung, trotz aller Ausschweifung der Phantasie niemals.

Ähnlich wirkt sich auch die Episode mit dem Bauernburschen aus. Auch sie läßt Werther als Neurotiker erscheinen, obwohl er keineswegs dieselben psychopathischen Züge aufzeigt. Denn Werther ist von Lotte keineswegs begünstigt und geht aus Verzweiflung über seine unglückliche Liebe in den Tod, indes der Bauernbursche nicht als Neurotiker erscheint; er ist von Liebe zur Bäuerin erfüllt, die ihm durch Vertraulichkeiten Hoffnungen macht, worauf er dann aus Enttäuschung über den Schwund seiner nicht unbegründeten Erwartungen zum Mörder wird. Werther fühlt, daß auch er unbewußt Albert ermorden möchte. Für ihn ist der Bauernbursche der Mann, der seinem Instinkt rücksichtslos Folge geleistet hat, ein Mensch, der

aus Liebe zum Verbrecher wird[132]. Das ist eine Täuschung Werthers, der
in permanenter Ich-Bezogenheit alle Geschehnisse mit seiner Liebe in Verbindung bringen möchte. Der Bauernbursche versucht, die Heirat der
Witwe, die er liebt, durch Mord an einem anderen zu verhindern. Werther
wählt den Selbstmord. So enthüllt diese Geschichte eher einen Gegensatz
als Parallelen. Allerdings ist sie nicht ohne Bedeutung für Werthers Verhalten; hier sieht er einen Weg, den er selbst gehen könnte. Er identifiziert sich mit dem Bauernburschen: «Du bist nicht zu retten, Unglück-
licher, ich sehe wohl, daß wir nicht zu retten sind[133].» Werther war sich dieser aggressiven Tendenz bewußt, nachdem man ihn aus dem Hause des
Grafen von C. gewiesen, schrieb er: «Ich wollte, daß sich einer unterstünde
mir es vorzuwerfen, daß ich ihm den Degen durch den Leib stoßen könnte;
wenn ich Blut sähe, würde mir es besser werden[134].» Die Tatsache, daß
Emilia Galotti allein von allen Büchern aufgeschlagen auf seinem Tisch
lag, deutet darauf hin, daß Werther fürchtete, er würde wie der Prinz in
diesem Stück der Versuchung nicht widerstehen können, einen Mord zu
begehen — oder ihn zu dulden — wenn sich ihm die Gelegenheit böte oder
der Zufall es wolle[135].

*

Die Leiden des jungen Werthers wirken heute nicht nur der psychologischen Echtheit wegen, die den Leser unmittelbar ergreift, sondern auch als
Dokument, das soziologische und historische Wahrheit vermittelt, wenn
man diese auch nur mittelbar bei Kenntnis des gesellschaftlichen und geistigen Lebens des 18. Jahrhunderts erfassen kann. Goethe hat zwar in
Werther kein großangelegtes Gemälde seiner Zeit versucht; doch besitzt
der Roman in gewissem Sinne soziologischen Wert, indem er den extremen Fall eines Individuums zeigt, das an der Verabsolutierung seiner Individualität zugrunde geht. Werther hat Anlagen zum Revolutionär, aber
sein Schicksal ist nur allzu typisch für die politische und soziale Struktur
der deutschen Staaten seiner Zeit, in der geistiges Bemühen oder gar politische und soziale Proteste des einzelnen keine positiven oder praktischen
Konsequenzen haben konnten. Er ist ein Repräsentant der Sturm-und-
Drang-Bewegung, deren Aspirationen nur in einigen literarischen Werken
Ausdruck fanden. So weist *Werther* auf einen Mangel an gesellschaftlicher
und politischer Gärung hin: Deutschland war im Gegensatz zu Frankreich
im 18. Jahrhundert kein revolutionäres Land, obwohl es genug politischen
Zündstoff gab. So verläuft Werthers Protest im Geleise des Rein-Geistigen
und Persönlichen. Die Liebe zu einfachen Menschen, seine Anteilnahme
am Erleben des Bauernburschen bleiben nur Ansätze konstruktiver Gesell-

schaftskritik. Wenn er mit Natur und Gesellschaft zerfällt, wird er nicht zum Revolutionär; vielmehr wendet er sich seinem eigenen Erleben zu und dringt auf diesem gefährlichen Weg nur immer tiefer und verbohrter nach innen. Er bewegt sich im Kreise des Geistigen, die Beziehung zu Gott, die Liebe zu einem Menschen (Lotte), sein Gefühlsleben also, beherrscht Werthers Denken und Handeln; er ist der typisch empfindsame junge Deutsche seiner Zeit, der — von eigenen Gefühlen und eigenen geistigen Belangen beherrscht — keine echte Beziehung zur Gesellschaft findet, wenn er auch irgendwie nach einer utopisch neuen Gesellschaftsform sucht.

Goethe war auf der Suche nach einem eigenen Stil[136]; die Mehrzahl seiner jugendlichen Hauptwerke aber blieb fragmentarisch. Nur im kleineren Umfang der lyrischen Gedichte sowie im *Götz von Berlichingen* gelang es ihm, Bedeutendes zu vollenden. *Werthers Leiden* besitzen aber weit mehr als der *Götz* eine strenge Form. So ist *Werther* die wesentlichste abgeschlossene Leistung seiner Vor-Weimarer Zeit. Der *Urfaust* ist wohl ein großartigeres Werk; aber er blieb Fragment und wurde von Goethe selbst nicht veröffentlicht. Zwar besitzt er in der Gretchen-Tragödie Einheit des Stils und Gehalts, aber die Gretchen-Tragödie ist doch nur ein Teil eines größeren Ganzen. *Werther* aber beweist nicht nur die Tiefe und Intensität der Goetheschen Jugenddichtung, wie *Urfaust* und Lyrik. Der Roman läßt erkennen, daß Goethe imstande war, Vollendetes auch schon in seiner Vor-Weimarer Zeit zu schaffen. *Götz* ist wirkungsvoll, aber ihm mangelt die strenge Einheit. *Clavigo* und *Stella* fehlt es an der durchschlagenden Kraft eines wahren Meisterwerkes. *Satyros*, ein Werk, das eine gewisse Wucht der Sprache besitzt, ist zu beschränkt, zu schemenhaft, um einen Vergleich auszuhalten.

Keines dieser Werke gehört der Weltliteratur an. *Werther* dagegen besitzt beides: Einheit und Straffheit der Komposition wie auch Tiefe des Gehaltes. Der Roman ist formvollendet, wenn vielleicht auch erst in der zweiten Fassung von 1787, in der durch das Abstellen gewisser Mängel durch Hinzufügung einiger eindrucksvoller Stellen erst die wahre Vollendung erreicht wurde. Trotzdem sind die Veränderungen kaum tiefgreifend genug, um die zweite Fassung, die nicht mehr der Sturm-und-Drang-Periode, sondern dem frühen Weimarer Jahrzehnt angehört, als ein (von der ersten Fassung) grundsätzlich verschiedenes Werk anzusehen. *Werther* ist in beiden Fassungen ein Werk, das aus seinen Grundzügen heraus der Frankfurter Zeit Goethes angehört. Dies beweist seine Intensität und Unmittelbarkeit; gleichzeitig läßt das Werk erkennen, daß der junge Goethe schon die Kraft besaß, ein Werk durch künstlerische Einheit und Notwendigkeit zwingend und überzeugend zu gestalten. So erscheint schon in seinen Anfängen jene überragende formende Kraft, die der Grundzug seiner klassischen Periode ist.

Werther steht zwischen der Sesenheimer Lyrik, den Hymnen und Künstlergedichten, die Goethes Sturm-und-Drang-Werk auf der einen Seite umgrenzen, und *Götz von Berlichingen, Egmont* und *Urfaust* auf der anderen Seite. Werther spricht von der Liebe, von dem Wunsch, gottgleich, unabhängig von Gott, schöpferisch als Künstler tätig zu sein. Werther hält sich für ein Genie; aber es fehlt ihm eben an dem Fluidum des Künstlers, der sich durch eine wahre schöpferische Tat zu retten vermag. Die Wucht, die Götz, und die dämonische Kraft, die Egmont kennzeichnen, beide sind in Faust wirksam verbunden, fehlen aber Werther; doch keines dieser Werke zeigt einen Menschen, der dessen einmalige Intensität und Konzentration des Fühlens aufwiese.

Diese Tatsache war es, welche letztlich *Die Leiden des jungen Werthers* zu einem der erfolgreichsten Erstlingsromane der Weltliteratur werden ließ. Wie es der Herausgeber in seinem Vorwort anzeigt, wurde das Gefühl angesprochen; da der Leser im letzten Drittel des achtzehnten Jahrhunderts vor allem empfindsam und mitfühlend war, fühlte er sich unmittelbar berührt und verschlang den Roman. Nur wenige Leser merkten, daß Goethe nicht einfach Werther war und dessen Verhalten rechtfertigte, daß Goethe Werthers Tragödie aus zwei Perspektiven ansah: als Werther *und* als Herausgeber. Gerade die Form des Romans verrät den Gegensatz zwischen zwei Weltauffassungen, da ja Briefe allein nicht ausreichen würden, die Weltschau des jungen Goethe zu gestalten. Der Gegensatz zwischen subjektiver und objektiver Darstellung wurde in diesem Werke noch nicht harmonisiert. Dadurch wirkt die Gestaltung des Konflikts um so intensiver. Aber die Objektivität in Sprache und Gestaltung seiner späteren Romane wird in *Werther* durch die Sprache des Herausgebers bereits angedeutet. Da aber der Akzent noch zu sehr auf dem Gefühlsleben des einzelnen liegt, ist es nicht möglich, daß eine objektivere Betrachtung des Geschehens den Ton des ganzen Werkes bestimmt. Dazu müßte ein im weiteren Sinne angelegter Raum betreten werden, der durch das Seelenleben eines einzelnen nicht begrenzt ist. Goethes dichterische Entwicklung forderte ein Erschließen weiterer Perspektiven; die Entstehungsgeschichte von *Wilhelm Meisters Lehrjahren,* deren erste Stufe in der *theatralischen Sendung* dargestellt wird, ist ein Dokument dieser Entwicklung. Denn in seinem nächsten Roman sollte Goethe ein Werk schaffen, das seinen Erstlingsroman an Weite und Ausgeglichenheit des Schauens, wenn auch nicht an Intensität des Blickes, bei weitem übertraf.

Goethes literarischer Ruhm wurde durch den Erfolg des *Werther* fest begründet. Der fünfundzwanzigjährige Dichter gewann durch diesen Roman die führende Stellung im literarischen Leben Deutschlands, die ihm von nun an nie mehr verlorengehen sollte. Vor allem war es dieser früh erworbene literarische Ruhm, der ihm den Ruf nach Weimar verschaffte, dort erwuchs ihm dann eine andere Welt. Aber auch Goethe wandelte sich: Briefe und Dichtungen sind nicht mehr von jener Bewegtheit der Sturm-und-Drang-Zeit durchflutet; Gefühle und Gedanken sind von einer weitaus ruhigeren und festeren Lebensführung bestimmt. Während des ersten Weimarer Jahrzehnts zwischen Frankfurt und der italienischen Reise entstanden zwar viele Konzeptionen größeren Stils, aber nur die lyrischen Gedichte wurden vollendet. Auch das umfangreichste Werk dieser Epoche, *Wilhelm Meisters theatralische Sendung* ist Fragment geblieben. Von diesem Romanfragment sind uns sechs Bücher überliefert, ein siebentes dürfte begonnen worden sein, ist aber verschollen. — Es wird in diesem Werk die Jugendgeschichte Wilhelm Meisters, eines empfindsamen, fast genialischen Bürgersohnes erzählt, der sich dem Theater zuwendet und eben dort seine Persönlichkeit voll zu entfalten hofft. Es ist höchst unwahrscheinlich, daß der Roman vor 1775 begonnen wurde[1]. Sechs Bücher, zwischen 1777 und 1785 vollendet, sind — durch Zufall erhalten — erst 1910 gefunden worden, als man sie in einer Abschrift der Barbara Schultheß in Zürich entdeckte. Goethe geriet mit der Arbeit kurz vor der italienischen Reise, wohl im Laufe der Abfassung des siebenten Buches, ins Stocken und gab sie dann ganz auf. Er hat die *Sendung* nie veröffentlicht, da er den Text wohl nicht der Veröffentlichung wert gehalten und er ihm durch den später vollendeten Roman *Wilhelm Meisters Lehrjahre* überholt schien. Als er das Thema 1794 wieder aufgriff, schuf er ein neues Werk, dessen erste Hälfte zwar an vielen Stellen wörtlich mit der *Sendung* übereinstimmt, aber dabei doch so verändert ist, daß man nicht von einer neuen Fassung oder Überarbeitung sprechen sollte. Goethe sah nämlich das Problem des Künstlertums, das ein wesentliches Motiv der *Sendung* ist, in seiner klassischen Periode ganz anders, deshalb müssen die *Lehrjahre* als ein von Grund auf neu gestaltetes Werk bezeichnet werden.

*

Trotz aller Unterschiede der Thematik und Gestaltung in *Werther* und in der *Sendung* führt eine Linie direkt von dem einen zum anderen Roman.

Die Geschichte eines jungen, empfindsamen Menschen wird erzählt. Während aber das Leben Werthers in einer Katastrophe endet, liegen die Wilhelm-Meister-Romane von vornherein in einer anderen Richtung. Der Ton der *Sendung* wie der *Lehrjahre* deutet an, daß der Lebensgang des Helden auf eine mindestens teilweise Erfüllung seiner Ziele, auf Verwertung seiner geistigen Fähigkeiten angelegt ist. So ist in der *Sendung* der Held ganz anders als Werther zur aktiven künstlerischen Tätigkeit befähigt. Er hat einige der Gaben eines wahren Künstlers, d. h. einer Persönlichkeit, die später zum Schöpfer eines deutschen Nationaltheaters hätte werden können; doch hatte Goethe von Anfang an den Gang des Romans nicht klar umrissen, und er dürfte den Plan während des Schreibens geändert haben. Zwar wird uns von Wilhelms erfolgreicher schauspielerischer Tätigkeit manches berichtet, von seinem dichterischen Talent jedoch erfahren wir nur wenig, vor allem erhalten wir davon keine Proben. Wilhelm Meister ist aber weit fähiger als Werther, sich seiner Umgebung anzupassen. Von der *Sendung* geht eine Unmittelbarkeit und Kraft der Darstellung aus, welche die schöpferische Fähigkeit dieses jungen Menschen betont; allerdings vermittelt das Werk nicht dieselbe elektrisierende Spannung wie *Werther*.

Goethe hat die Erstfassung dieses Bildungsganges aus mehreren Gründen nicht vollendet. Zunächst dürfte ihm das Theater nicht mehr als der Ort erschienen sein, an dem sich Wilhelm völlig bilden konnte. Zwar hat er dessen Streben von Anfang an mit Ironie und mit einer gewissen Distanz geschildert, aber Goethes Reifeprozeß — seine Erfahrungen als Mensch und Minister in Weimar — ließen ihm den Gedanken immer abwegiger erscheinen, Wilhelm in dem Beruf eines Theaterdichters Erfolg oder gar Erfüllung finden zu lassen. Seine Begegnung mit Karl Philipp Moritz[2] in Rom und die Lektüre von dessen autobiographischem Roman *Anton Reiser* dürfte ihn in diesem Vorsatz nur bestärkt haben. Denn für Anton Reiser wie auch für Moritz war das Theater die Bildungsmacht, die den Menschen aus der Enge des gesellschaftlichen Gefüges entrinnen ließ, wobei er hoffte, für sein Streben in der Außenwelt Gestaltungsmöglichkeiten finden zu können. Und auf dem Theater wirkte vor allem Shakespeare als das Vorbild, dessen Werk für Anton Reiser kein rein ästhetisches Erlebnis war, sondern dessen Gestalt zum Symbol für seine eigene Sehnsucht nach Ruhm wurde. Die Leidenschaft zum Theater wurde zu einem Ersatz für Religion, wurde im Zeichen der christlichen Ethik zum Leitfaden für das Leben selbst. Aber die Erfahrungen, die Moritz selbst gemacht, wie die seines autobiographischen Titelhelden Anton Reiser, beweisen beide, wie problematisch die Theaterleidenschaft, wie unzulänglich sie als Bildungsmacht ist.

Die Erkenntnis von den Schwächen des Theaters trafen für Goethe mit der Entwicklung der eigenen Kunst- und Naturanschauung zusammen. Noch bevor er seine klassische Kunstanschauung in den neunziger Jahren in dauerndem geistigem Austausch mit Schiller entwarf, sah er schon im Laufe der eigenen Entwicklung, daß die Konzeption der *Sendung* auf den besonderen Fall des Genies zugeschnitten war. Der Glaube an das Genie war eine der Hauptanschauungen der Poetik jener Sturm-und-Drang-Zeit[3]; auch Goethe war davon gefesselt; die Künstlergedichte und großen Hymnen, *Urfaust*, ja sogar *Götz von Berlichingen* und *Egmont*, selbst noch *Torquato Tasso* handeln von außerordentlichen, gewaltigen, ja titanischen Persönlichkeiten. Goethes Begeisterung für Shakespeare, die in der Vor-Weimarer Zeit sowohl im Stil als auch in den Ideen seines Aufsatzes *Zum Shakespeare-Tag* ihren eindringlichsten Niederschlag gefunden hat, ist der deutlichste Ausdruck jenes leidenschaftlichen Geniekultes. *Werther* dagegen ist die Kritik am Menschen, der sich selbst für ein Genie hält, es aber nicht ist und aus diesem falschen Glauben heraus sein Leben zugrunde richtet. In der neuen Atmosphäre seines Weimarer Lebens, in der sachlicheren Richtung seines Denkens konnte diese Auffassung von Goethe nicht unkritisch übernommen werden. Genie, das war zu sehr Spezialfall! Jetzt galt es, im Zuge der naturwissenschaftlichen Arbeiten nicht das Außergewöhnliche, sondern das Typische zu erfassen und zu gestalten. Als Goethe sich wieder der Vollendung des Romans zuwandte, war es nicht mehr sein Ziel zu beschreiben, wie ein Dichter das Nationaltheater als Brennpunkt der deutschen Kulturbestrebungen des Jahrhunderts zu gründen vermöge, sondern wie ein empfindsam-natürlicher und aufgeschlossener Mensch seinen Bildungsweg gehen und dabei eine sinnvolle Tätigkeit finden könne. Auch hatten sich ihm noch weitere Perspektiven eröffnet. Die Religion, aber auch das gesellschaftliche Leben schienen ihm wesentlichen Anteil am Bildungsweg seines Helden haben zu müssen; auch hatte sich seine Kunstanschauung geläutert. So wurde zwar vieles von der ersten Fassung übernommen, Wesentliches aber geändert und gestrichen, vieles ganz neu hinzugefügt[4]. Der letzte Teil des Romans, die letzten drei Bücher insbesondere, entsprangen einer ganz neuen Konzeption; die ersten vier, die dem Handlungsverlauf der sechs Bücher der *Sendung* entsprechen, enthüllen nunmehr ein völlig anderes Bild von Wilhelms Werdegang.

Da *Wilhelm Meisters theatralische Sendung* weder vollendet noch mit Goethes Billigung veröffentlicht wurde, so darf man doch mit Recht nur die *Lehrjahre* als Roman im vollen Sinne des Wortes betrachten. Deshalb ist die *Sendung* im Rahmen dieser Betrachtung nur insoweit von Bedeutung, als sie die *Lehrjahre* unserem Verständnis näherbringt. Seine Entscheidung, die *Sendung* nicht zu veröffentlichen, muß bei einer Gesamtwürdigung der Romane Goethes maßgebend bleiben. Es handelt sich nicht darum zu erkennen, wie die *Sendung* unser Bild von Goethe als Romandichter mitbestimmen kann, sondern in welchen Hauptzügen sich die Fassung von den *Lehrjahren* unterscheidet. Goethe hat viele Episoden und Ereignisse, Gedanken und Gespräche wörtlich übernommen. Zwar finden wir mit wenigen Ausnahmen die Charaktere der ersten vier Bücher der *Lehrjahre* in denselben Büchern der *Sendung* wieder, aber die Unterschiede waren meist einschneidend genug, um die Charaktere wesentlich zu verändern, so daß sie zwar den Namen gemeinsam haben, sich aber in grundlegenden Eigenschaften unterscheiden. In vielem einander ähnlich, erleben sie ähnliches oder gar dasselbe, und doch werden sie zugleich durch grundsätzlich andere Erlebnisse und Gedanken bestimmt.

Auf Grund sprachlicher und stilistischer Unterschiede entsteht eine ganz andere Atmosphäre; sie wirkt sich auf die Gestalten aus, deren Wesen meistens eine völlig andere Prägung erhält. Außerdem gibt es strukturelle Unterschiede, welche nicht leicht erkennbar sind und beiden Werken eine ganz andere Richtung geben; die Einfügung einiger Episoden und der Ausschluß anderer verstärkt diese Tendenz noch.

Goethe führte diese Änderungen aus, weil das Weltbild der *Sendung* noch der Früh-Weimarer Zeit angehört und zu seinen gewandelten Auffassungen nicht mehr passen wollte. Bei näherer Betrachtung der strukturellen Unterschiede erscheinen die ersten vier Bücher der *Lehrjahre* gestraffter als die entsprechenden sechs Bücher der *Sendung*. Manche Stellen wurden in den *Lehrjahren* ausgelassen, ganze Szenen gestrichen; andere sind knapper gefaßt, und einige Gestalten fehlen überhaupt. Dafür gibt es allerdings auch Szenen und Gestalten, welche die *Sendung* nicht kennt. Auch verfolgen wir in der *Sendung* Wilhelms Entwicklung unmittelbar von seiner Kindheit an, während sie uns in den *Lehrjahren* nur mittelbar aus Wilhelms Erinnerungen, aus der Geschichte seiner Kindheit und der Entstehung seiner Liebe zum Theater bekannt ist. Außerdem wird in der *Sendung* begreiflicherweise, da es sich um einen Theaterroman handelt, dem Theater mehr Raum gewährt. Wilhelms Eindringen in diese Welt wird deshalb ausführlicher geschildert. Die *Lehrjahre* sind dagegen als Bildungsroman von vornherein auf ein anderes Ziel hin angelegt[5]. Wenn es auch nicht völlig klar ist, wie die *Sendung* hätte enden sollen, so ist doch zu vermuten, daß darin die schöne Amazone, wenn nicht sogar Lothario, eine bedeutende Rolle gespielt hätte. Andererseits wird Wilhelms Theaterleidenschaft nicht von vornherein im Lichte der Ironie betrachtet. Das kommt besonders dadurch zum Ausdruck, daß die Anfänge unmittelbar dargestellt und nicht durch den Filter einer Erzählung distanziert werden. Es fehlen in den *Lehrjahren* mehrere Episoden, in denen Wilhelms Theatererfolge geschildert werden. Am stärksten tritt dieser Unterschied bei Wilhelms späterem Auftreten auf der Bühne hervor, wo die Bilder, mit denen Goethe Wilhelms ersten Erfolg beschreibt, ein Maßstab für dessen innere Zugehörigkeit zur Theaterwelt sind.

Das Auftreten der Madame de Reti und ihres Günstlings, des Schauspielers Bendel, die in den *Lehrjahren* fehlen, wirkt sich in der Tat so aus, daß das Theater mehr Gewicht erhält. Auch fehlt in der *Sendung* das Gegengewicht, das die Gespräche mit dem Abbé und dem Reisenden ergeben. Die Madame de B. der *Sendung* ist in Dingen der Welt und besonders der Liebe eine viel erfahrenere Frau als die Mariane der *Lehrjahre;* Wilhelms Leidenschaft für sie bedeutet, daß er weit weniger Wirklichkeitssinn besitzt als in den *Lehrjahren*, doch ist dort Mariane seiner Liebe würdiger. Diese Veränderungen wirken sich letztlich auf das Gesamtbild des Helden aus, der hier einen ganz anderen Charakter zeigt als in den *Lehrjahren*. In der *Sendung* kommt er außerdem aus einem kleinbürgerlichen Haus, entstammt einer unglücklichen Ehe, so daß die Welt des Theaters eine Art Flucht aus dem Zwang des bürgerlichen Lebens bedeutet. Wenn er sich am Ende zum Theaterdichter, zum Regisseur und Schauspieler berufen fühlt, so ist bei ihm mehr Talent, aber gewiß auch weniger Erkenntnis der Aufgaben und Grenzen vorhanden, die ihm gesetzt sind. Der Text gibt darüber Aufklärung: die sprachlichen Unterschiede zwischen den beiden Fassungen an einigen Stellen, wo Goethe Bilder gebraucht, lassen es klar werden, daß es sich um zwei verschiedene Individualitäten handelt. Bei einem derartigen Vergleich darf man aber nie vergessen, daß der Text Ungenauigkeiten enthalten mag, die durch den Kopisten des Werkes entstehen können. Es ist deshalb nicht sicher, ob der Text der *Sendung* an allen Stellen wörtlich Goethes Sätze wiedergibt; außerdem dürfte es sich um einen Text handeln, der nicht korrigiert worden ist. Aber dennoch lassen sich wesentliche Unterschiede zwischen dem Wilhelm der *Sendung* und dem Wilhelm der *Lehrjahre* festlegen. Der erstere ist den Verlockungen, sich von seiner Liebe zur Dichtkunst und zum Theater zu unrealistischen Auffassungen verführen zu lassen, viel mehr ausgesetzt. Deshalb fühlte er sich um so mehr durch das gewöhnliche, alltägliche bürgerliche Leben gehemmt und sah seine Wünsche vereitelt.

Ein Bild, das Wilhelm in der *Sendung* gebraucht, drückt seine Abscheu vor der Handelswelt aus. So sagt er zum Beispiel:

«Er hielt es für eine drückende Seelenlast, für Pech, das die Flügel seines

Geistes verleimte, für Stricke, die den hohen Schwung der Seele fesselten, zu dem er sich von Natur das Wachstum fühlte[6].»

Hier wird eine Art von Hemmung bezeichnet, wie sie in diesem Ausmaß in den *Lehrjahren* nicht vorkommt. Die Darstellung einer ähnlichen Gefühlswelt wiederholt sich in der *Sendung*, wenn Wilhelms Gefühle, die er beim ersten Gesang des Harfners empfindet, wiedergegeben werden; hier spürt er sich von jener Verleimung der Gefühle befreit; ein Zustand, den die *Lehrjahre* nicht kennen.

In der ihm eigenen Bildersprache enthüllt Wilhelm auch sein Inneres. Die Unterhaltung mit Werner über das Wesen des Dichters kann als Beispiel dienen. In der *Sendung* erwartet Wilhelm, daß der Dichter den Vögeln gleichkommt, «die in den Lüften nisten[7]». Es ist nicht überraschend, daß Werner, wie es ausdrücklich gesagt wird, wenig Realität bei diesen Worten findet und darauf selbst eine extreme Ansicht vertritt; denn er nimmt nun an, Wilhelm habe daran gedacht, daß die Menschen «wie die Vögel gemacht wären, ohne daß sie spinnen und weben, ein holdseliges Leben im Genuß zubringen könnten[8]».

In den *Lehrjahren* dagegen ist nur von holdseligen Tagen die Rede[9]. Vor allem aber hegte Wilhelm dort nicht derart unmögliche Erwartungen vom Beruf des Dichters. Er vergleicht ihn mit den Vögeln, die nur auf hohen Gipfeln nisten, die Welt «überschweben[10]» und nicht «überfliegen[11]», wie es in der *Sendung* heißt. «Überschweben» ist ein Wort, das für Goethe eine ästhetische Betrachtungsweise andeutet, während in der *Sendung* das entsprechende Wort «überfliegen» diese Betrachtungsweise nicht zu vermitteln scheint.

Solche Bilder lassen auf eine größere Spontaneität Wilhelms in der *Sendung* schließen; andererseits ist er in seinem Gefühlsleben durchaus gefährdet, da er weniger innere Reserven hat. Er ist mehr dem Eindruck des Augenblicks verfallen; er betrachtet die Welt mit weniger Distanz; kaum je mit einem Blick auf Vergangenheit und Zukunft. Er ist unrealistischer.

Die *Sendung* wird weniger gelesen. Sie bietet aber für den Forscher, der Goethes Werke historisch sehen und sie aus ihrer Entstehung heraus verstehen will, den Zugang zu den *Lehrjahren*. Der gewöhnliche Leser wird sich eher mit den *Lehrjahren* als Dichtung auseinandersetzen, auch der Interpret muß sich ihnen selbst widmen, wenn er auch das entstehungsgeschichtliche Moment nicht außer acht lassen darf.

*

Welches Bild von den *Lehrjahren* als Roman gewinnt der kritische Leser zunächst, wenn er sich dem Werke zuwendet, ohne die *Sendung* gelesen zu haben? Wie *Werther* müssen auch die *Lehrjahre* als Ganzes gesehen werden. Aber das Gebilde dieses Romans eröffnet eine Problematik der Romanform, die bei *Werther* nicht vorhanden ist. Innere und äußere Gründe spielen hier eine Rolle. Die Länge der Entstehungszeit, die schließlich eine Veränderung des ursprünglichen Planes bewirkte, ist ein Moment; Anlage des Romans, die Breite der Gestaltung, Vielfalt der Charaktere und der Themen verlangte, ein anderes. Zwar haben die *Lehrjahre* genau wie *Werther* ihren Mittelpunkt im Helden des Romans; aber bei *Werther*, einem viel knapper gefaßten Werk, ist die Konzentration auf einen kürzeren Abschnitt möglich. Da dieser nur die Lebensphase umfaßt, die Werthers Tod vorangeht und zudem von einer gewaltigen, zum Tode führenden Leidenschaft erfüllt ist, besitzt *Werther* eine Einheit, die dem Roman Intensität und innere Folge verleiht. Der Abschnitt aus dem Leben Wilhelm Meisters, dessen wesentliche Züge erzählt werden, ist weit gespannt. Er ist zugleich nicht zeitlich begrenzt wie *Werther*. Der äußere Ablauf wird dort durch die Daten der Briefe bestimmt; die innere Zeit aber ist noch strenger gefaßt. In den *Lehrjahren* sind wir uns dessen gar nicht bewußt. Versuche, diesen Roman auf seine Zeitstruktur hin zu untersuchen, sind zwar aufschlußreich, befriedigen aber keineswegs[12]. Sie sind aufschlußreich, weil sie auf den zeitlichen Hintergrund, dessen man sich bewußt wird, hinweisen und man ferner erkennt, daß tatsächlich nur eine Schicht des Geschehens dargestellt wird. Sie befriedigen indes kaum, da es wohl nicht Goethes Absicht war, Wilhelms Entwicklung innerhalb eines straffen zeitlichen Zusammenhangs zu schildern.

Die Titel der beiden Romane deuten schon auf einen grundsätzlichen Unterschied hin. In *Werther* finden wir ein abgeschlossenes Gebilde; es wird ein Leben geschildert, das aus dem Leiden am Ungenügen des Daseins dem Tode zustrebt, dem damit ein unverrückbares Ziel gesetzt ist, während die *Lehrjahre* über einen offenen Horizont verfügen. Im Gegensatz zu Werthers Todesweg ist Wilhelms Laufbahn eine Vorbereitung zum Leben; es ist ein Weg, der keinem festen Plan entspricht, sondern durch einen Umweg[13], anscheinend vom Spiel des Zufalls abhängig, ein Ziel zu erreichen sucht. Es sind keine Lehrjahre, die zu einem festen Beruf innerhalb einer Zunft oder Gesellschaftsordnung führen, sondern Lehrjahre des Lebens, das ein so festes Gefüge nicht kennt.

Die *Lehrjahre* sind weitaus breiter angelegt. Goethe wollte hier keinen Sonderfall, er wollte einen aufgeschlossenen Menschen seiner Zeit inmitten ihres gesellschaftlichen Gefüges schildern. *Werther* ist der Roman des einzelnen, der sich selbst als Mittelpunkt einer eigenen Welt sieht, der zum Einzelgänger wird, da er seine Sicht mit den gewöhnlichen Vorstellungen der Welt von Natur, Gesellschaft, Religion und Liebe nicht in Einklang bringen kann. Wilhelm Meister dagegen ist auf der Suche, einen Platz in der Welt zu finden. Er erleidet zwar Schiffbruch, zunächst in der Liebe, in seiner Beziehung zu Mariane, dann in seinen Theaterplänen, als er erkennen muß, daß der Wunsch, sich als Schöpfer des deutschen Nationaltheaters zu sehen, eine Illusion war. Er sieht seinen Irrtum ein und wird in andere Sphären des menschlichen Lebens geführt. Die Fülle der Thematik bedingt Weite des Blicks und eine Vielheit der Gestalten, was in dem engen Erleben Werthers unangebracht gewesen wäre. So war auch die Briefform zu beschränkt, um für ein derart weitgespanntes Erleben die angemessene Form zu sein. Außerdem wird Wilhelm Meisters Werdegang von Anfang an in einem ironischen Ton geschildert, der sich von den lyrischen Ergüssen Werthers gewaltig unterscheidet. *Werther* ist mit dem Tragischen zu sehr verflochten; hier wird zu unmittelbar gelebt und geschildert, als daß für Ironie viel Raum bliebe. Die *Lehrjahre* halten sich vom Tragischen bewußt fern. Die Art der Ironie, deren sich der Erzähler befleißigt, bringt eine mildernde Note in den Roman. So wird ein Erleben dargestellt, das, wenn auch nicht unmittelbar aus humoristischen Motiven geschaffen, doch durchaus in einem ironischen Stil gehalten ist. Die Wirkung des Tragischen wird dadurch abgebogen; außerdem ist sie innnerhalb eines engen Raumes meist viel stärker, während zur Entfaltung der Lebensfülle an Raum und Zeit nicht gespart werden darf. Doch so weitgegriffen das Thema, so vielfältig und gewaltig der Stoff auch ist, der Roman ist immer noch den Gesetzen der Kunst unterworfen. Er mag nicht die Straffheit des dramatischen Gefüges erfordern; aber wie unzusammenhängend manche seiner Teile auch sein mögen, es muß doch eine gewisse Einheit vorhanden sein, wenn der Roman als Kunstwerk überzeugen soll. Man mag diese Einheit zwar oft erfühlen, aber nicht immer ist es leicht, sie zu definieren. Andererseits wurde von der Kritik manches gegen die *Lehrjahre* eingewendet. Vor allem hat man behauptet, der äußere Zusammenhang sei auf Kosten der inneren Wahrheit erkauft worden. Bei *Werther* erhob sich diese Frage nicht. Die Einheit, die sich zunächst dadurch ergab, daß das Geschehen durch die Perspektive der tagebuchartigen Briefform geschildert ist, wird auch durch die Wendung zum Herausgeberbericht keineswegs geändert. Teilweise ist sie auch einfach durch die Unmöglichkeit bedingt, Werthers Tod mit seinen eigenen Worten zu berichten; darüber hinaus ist das Geschehen fast ausschließlich auf Werther konzentriert; der Herausgeber schildert nur zwei Szenen, bei denen Werther nicht gegenwärtig ist. Es sind die Szenen, in denen beschrieben wird, wie Lotte ihn erwartet und wie er Albert brieflich um die Pistolen bittet; aber auch diese Szenen sind eng mit Werthers Schicksal verknüpft; sie haben ihn als Mittelpunkt, so daß seine Abwesenheit von der Szene die Konzentration des Romans auf ihn nicht vermindert.

Die *Lehrjahre* sind anders angelegt. Zwar ist Wilhelms Werdegang das bestimmende Geschehen; mit der einen großen Ausnahme des sechsten Buches ist alles auf ihn konzentriert. Er ist in den übrigen sieben Büchern nie lange von der Szene abwesend; ja selbst, wenn etwas anderes beschrieben wird, geschieht es durch Erzählungen, bei denen Wilhelm zugegen ist, oder durch Ereignisse, die sich in seiner unmittelbaren Umgebung abspielen. Aber wir erfahren noch ganze Lebensläufe, wenn auch nur dadurch, daß sie Wilhelm erzählt werden; dafür ist das sechste Buch das ausführlichste Beispiel, denn es hebt sich vom Standpunkt der Form des Romans von den anderen völlig ab. Die Geschichte der Stiftsdame hat keine direkt in die Augen springende Beziehung zu Wilhelms Leben. Dieses Buch bildet trotzdem einen Übergang von den ersten fünf zu den letzten zwei Büchern. Der Ton dieser letzten beiden ist völlig anders als in den ersten fünf; so sehr, daß man von einem Bruch in der Gesamtkonzeption gesprochen hat[14]. Ein genaueres Studium wird die Art der Einwirkung des sechsten auf die späteren Bücher und die Verflechtung aller miteinander ergeben. So eröffnen sich weitere Perspektiven als in der *Sendung*.

Auf den ersten Blick scheint keine einheitliche Gestaltung den Roman zu beherrschen. Es ist, als ob er in drei entschieden voneinander sich abgrenzende Teile zerfällt. Die ersten fünf Bücher, die hauptsächlich von Wilhelms Leben in der Theaterwelt handeln, die Bekenntnisse der schönen Seele und die letzten zwei Bücher, in denen Wilhelms Leben im Kreise Lotharios und seiner aristokratischen Freunde dargestellt wird, scheinen sich deutlich voneinander zu unterscheiden. Man muß tiefer schürfen, um mehr als nur äußere Zusammenhänge zu ergründen, wie sie sich durch die Verwandtschaft der schönen Seele mit Lothario und Natalie und dem Grafen ergeben oder aus thematischen Gründen vorhanden sind. Dann erst bestätigt sich die Wahrheit jener Einsicht Schillers und Friedrich Schlegels, daß die letzten zwei Bücher die Auflösung des Geschehens und ein Zusammenziehen vieler Fäden sind[15]. Bilder und Stil des Romans müssen diese Einsicht darlegen können; eine organische Entwicklung muß im Werk sichtbar werden. Zugleich wird auch der veränderte Ton der letzten zwei Bücher des Romans ein Kennzeichen der Form sein, die einer weiteren Nuancierung des Gehaltes entspricht.

Bei näherer Betrachtung des Stils fallen zuerst die große Ruhe und Würde der Sprache auf. Man begegnet kaum einem Satz, der uneben klingt, es ist eine wohlausgewogene Sprache. Es gibt keine Sätze, die im Sturm dahinfegen, durch Unterbrechungen gekennzeichnet sind oder nicht vollendet wurden. So sind Sätze, wie sie in Werthers Brief vom 10. Mai 1771 vorkommen, nicht zu finden. Dem Hauptsatz wird in der Sprache des klassischen Goethe sein volles Recht. Der Satzbau in den *Lehrjahren* ist durch eine ausgesprochene Kontinuität charakterisiert[16]. Es gibt in diesem Roman kaum Sätze oder gar Abschnitte, die nicht geglättet wären. Sie stellen sich in geschlossenen Einheiten dar. Die verschiedenen Satzteile in den *Lehrjahren* bewegen sich auf derselben Ebene. Keiner dominiert. Allzulange Perioden sind vermieden; der kurze Satz tritt aber auch nicht allzusehr auf. Ein Bemühen um Klarheit ist deutlich erkennbar. Jeder Satz ruht in sich selbst. Er bildet sinnmäßig auch einen Kosmos für sich, denn sein Eigenrhythmus faßt ihn in ein geschlossenes Ganzes. Trotzdem steht er nie allein; denn sinnmäßig und rhythmisch ist er immer auf den vorangehenden und den nachfolgenden Satz bezogen, so daß sich ein echter Fluß der Erzählung ergibt. Zur gleichen Zeit lassen sich die meisten Sätze sinnmäßig in Beziehung mit dem Ganzen bringen; sie beschreiben ein Ereignis oder einen Zustand, der, wie geringfügig er auch in der ganzen Handlung erscheinen mag, jedesmal einen Gradmesser für den Stand der inneren Entwicklung Wilhelms darstellt. Das Ebenmaß der Sprache wird noch deutlicher, wenn man diese mit der Sprache in der *Sendung* vergleicht[17]. Eine Betrachtung der stilistischen Änderungen, die Goethe in den *Lehrjahren* vorgenommen hat, bringen seine Versuche, alles mehr zu verdichten, zum Ausdruck. Es geht nicht nur darum, einige Personen der *Sendung* wegzulassen, sondern auch darum, die weniger wichtigen Sätze zu streichen. Die Zahl der Nebensätze ist verringert. Goethe hat sie durch adverbiale Konstruktionen oder Attribute ersetzt, andere in Hauptsätze verwandelt oder sie ganz gestrichen. Partizipialsätze sind zusammengedrängt worden. Ein Satz schrumpft oft zu einem appositionellen Satzteil zusammen und gewinnt dadurch an Straffheit und Kraft. Fürwörter werden durch Hauptwörter ersetzt; besonders das Fürwort «es» wird ausgemerzt, um dem Satz eine straffere Gestalt zu geben. Dasselbe gilt auch für die Hilfszeitwörter. Aber Verkürzung ist nicht die einzige Möglichkeit abzurunden. Durch Ausbau kann dasselbe Ziel erreicht werden; unvollständige Sätze werden ausgerundet. Auch der Rhythmus wirkt in den *Lehrjahren* ausgeglichener als in der *Sendung*. Der Parallelismus wird strikter durchgeführt; das häufigere Auftreten von Nebensätzen gibt einen festeren, gewichtigeren Rhythmus; die Hauptsätze besitzen mehr Wucht und Kraft.

Sie haben sozusagen einen festeren Tritt[18]. Auch wirken die Nebensätze aktiver. Zum Ebenmaß der Sprache gehört ein Ebenmaß des Tones. Derbe Redewendungen werden getilgt oder abgeschwächt, gewöhnliche Ausdrücke beseitigt, die Sprache gereinigt. Sie wird immer klassischer, je mehr sie sich vom «Sturm und Drang» entfernt. Andere Änderungen liegen nicht unbedingt auf dieser Linie; vielmehr versucht Goethe, die Sprache des Romans zu bessern, indem er schleppende, zusammengesetzte Stellen oder rein verstandesmäßige Ausdrücke durch sinnfälligere, kürzere ersetzt.

Einheitlichkeit des Stils verlangt, daß keine sprachlichen Unterschiede zwischen den verschiedenen Teilen des Romanes bestehen. Diese Forderung ist in den *Lehrjahren* erfüllt; die Sprache der letzten drei Bücher hebt sich nicht von derjenigen der ersten fünf Bücher ab. Der Tonfall ist ähnlich gelassen; selbst wenn Briefe von Wilhelm oder Gespräche wiedergegeben werden, so unterscheidet sich deren Tonfall kaum von den Berichten des Erzählers. Der Dialog ist zwar lebhafter und eindrucksvoller, als es die gewöhnliche, oft mit ironischen Seitenblicken gespickte Erzählung vermuten läßt; aber es sind doch weder tiefgehende stilistische noch sprachliche Unterschiede vorhanden. Der Dialog darf höchstens als eine Belebung der Erzählung betrachtet werden; er bedeutet keine grundsätzliche Abweichung. Auch Goethe vermeidet hier die extremen Formulierungen seines Jugendstils, aber auch die karge Andeutung seines Alters. Es ist klassische Prosa. Die Sätze sind voll ausgestaltet. Selten fehlen Subjekt oder Prädikat. Schachtelsätze werden im allgemeinen vermieden. Ein ausgleichender Wechsel von kürzeren und längeren Sätzen findet statt. Die Sprache verliert sich nie im Nebelhaften, noch wirkt sie hemmend durch Anhäufung von Substantiven, Adjektiven und Präpositionalkonstruktionen oder durch ungeschickten Satzbau. Obwohl dieser Sprache das Explosive des «Sturm-und-Drang-Stils» fehlt, so ist sie doch wesentlich flüssiger als jene, die in der Zeit vor Sturm und Drang gang und gäbe war. Wielands Sprache wirkt im Vergleich zu derjenigen der *Lehrjahre* viel formalistischer[19]. Die letztere ist zu lebhaft, um erkältend oder lähmend zu wirken. Es geht eine gewisse Selbstverständlichkeit von der Prosa des klassischen Goethe aus. Man nimmt sie hin, ohne sich der Meisterschaft und Originalität dieser Prosa bewußt zu werden. Dies liegt teils an der Einfachheit der Sprache selbst, teils daran, daß der heutige Leser diese klassische Prosa Goethes als Vorbild eines gediegenen wohlklingenden Prosastils bereits für sich akzeptiert hat. So ist sozusagen fast ein von der Natur eingegebener Stil entstanden. Zwar werden Ausdrücke wiederholt, aber diese Wiederholungen bringen nur Varianten der Situation, die sie beschreiben, und füllen ihrerseits das Bild ein wenig aus. Es gibt keine überflüssigen Worte. So ist es auch mit dem Gebrauch des Adjektivs. Es kommt selten vor, daß man es gehäuft findet, aber selbst dann (wie auch bei einer Anhäufung von Substantiven) wirkt es keineswegs überflüssig oder gedankenlos, sondern es erscheint in zweckbewußt geketteter Form. Die Sprache des klassischen Goethe in Wort- und Satzgebilden ist weder überladen noch karg; man wird nicht von einem Überreichtum der Stilmittel bedrückt, noch durch Mangel an Vielfalt gelangweilt. Denn Sachlichkeit der Erzählung Sparsamkeit der Bilder, Knappheit des Ausdrucks sind durchweg mit einer gewissen Breite der Darstellung verknüpft.

Die einzigen deutlichen Einbrüche in den ausgeglichenen Prosastil der *Lehrjahre* sind die lyrischen, höchst bedeutsamen Einlagen. Hier bricht eine andere Welt in das Geschehen[20]; die gewöhnliche Welt reicht anscheinend nicht mehr aus; zum mindesten ist die Prosa des Erzählers nicht imstande, das Geschehen zu bewältigen. So muß auf eine andere, d. h. auf lyrische Art, ausgesagt werden. In den *Lehrjahren* gibt es zweierlei Arten von Lyrik. Die weniger gewichtige von beiden ist die Gelegenheitslyrik, zum Beispiel die Spottverse auf den Baron oder Philines Lied. Zwar ist hier der Sprachstil verändert; es sind Verse und nicht mehr Prosa. Der Unterschied aber ist geringer als man glaubt. Beides, Prosa und Vers, gehört in den Rahmen des gesellschaftlichen Lebens. Wenn auch ein krasser Fall von Verstoß gegen die Sitte geschildert wird, so ist es doch stets das Gesellschaftliche, das vorherrscht. Dagegen stellen die Lieder des Harfners und Mignons durchaus elementare Einbrüche in die Welt des gewöhnlichen Geschehens dar. Sie sind Zeugnisse der Macht des Gesanges. Diese Lyrik eröffnet uns Blicke in eine andere Welt. Da Lyrik unmittelbar anspricht, erfüllt sie einen anderen Zweck als die sachlich distanzierte Schilderung des Erzählens. In diesen bekannten lyrischen Gedichten treten unmittelbare Mächte hervor, die sich zwar im Roman meist nur unter der Oberfläche bewegen und am Ende verdrängt werden, aber deutlich beweisen, daß die Auffassung des Erzählers nicht die ganze Wirklichkeit darzustellen vermag, daß es Sphären gibt, die sich seiner Sprachgestaltung, seiner unmittelbaren Erfassung und Vermittlung entziehen. Die Wirkung dieser Gedichte (sie zählen unter die wirkungsvollsten und bekanntesten Goethes) ist gewaltig. Da sie den Bezirken des Harfners und Mignons angehören, bezeugen sie, daß Mignon und der Harfner Kräfte versinnbildlichen, die den gewöhnlichen Lebensgang sprengen. So wird die gewaltige Macht dieser anderen Sphäre deutlich. Es läßt uns die Macht erahnen, welche sie über Wilhelm besitzt. Da aber solche Lyrik nur vereinzelt auftritt, wird offenbar, daß jene Sphäre nur einen beschränkten Aspekt in Wilhelms Leben darstellt. Diese Lyrik aber ist keineswegs ein Symbol für die Poesie selbst. Sie ist andererseits wie die Gelegenheitsdichtung ein Teil der Poesie, beide haben ihre Daseinsberechtigung; beide einen Anteil an der Struktur des Romans.

Die vorherrschende Einheitlichkeit des sprachlichen Ausdruckes ist ein Zug, der die einheitliche Form begünstigt; nicht alle größeren Werke Goethes besitzen sie. Die Einheitlichkeit der Sprache bezeugt aber auch, daß es Goethe gelang, stilistische Unstimmigkeiten, wie sie sich leicht aus einer langen Entstehungszeit ergeben, ziemlich auszumerzen. So sind viele der stilistischen Veränderungen zwischen der *Sendung* und den *Lehrjahren* aus dem Bestreben nach einer Anpassung und Vereinheitlichung des Stils heraus entstanden. Goethe wollte einen ausgewogenen, ausgeglichenen Stil schaffen; ein charakteristisches Merkmal seiner klassischen Kunstanschauung, seines klassischen Sprachgebrauches [21].

Diese Glättung des Stils konnte aber trotz allem nur die Oberfläche des Werkes berühren; tiefere Unebenheiten hätten durch diese Vereinheitlichung des Stils eher verborgen als ausgemerzt oder vermieden werden können. Doch der Stil, wie er sich in Satzstellung und Satzordnung ausspricht, ist nur ein Teil der Formgestaltung des Werkes. Unter seiner Oberfläche, oder besser in ihm selbst, sind Sprachbilder geborgen. Gewisse Worte können in einem Werk durch Wiederholung an prägnanten Stellen zu Schlüsselworten und -bildern werden, d. h. zu Wort- und Bildfeldern, an denen sich Einheit und Zusammenhang des Werkes am ehesten erkunden läßt. Eine nähere Untersuchung der Funktion derartiger Worte in den *Lehrjahren* kann diese Tendenz anschaulich machen [22].

*

Das erste Wort des Romans lautet «das Schauspiel [23]». Aus der Verwendung dieses Wortes können wir die Entwicklung Wilhelms erkennen, die vom Puppenhaus über die Wanderbühne zum Stadttheater führt, bis er die Theaterwelt wiederum verläßt, seine damit zusammenhängenden Illusionen abschüttelt und sich der klaren Welt der praktischen Tätigkeit zuwendet. Das Wort «Schauspiel» taucht, wie zu erwarten, oft in den ersten Büchern auf, da dort dem Theater ein ziemlich breiter Raum zugestanden wird. Es bedeutet je nach dem Charakter, auf den es bezogen wird, Verschiedenes. Die Illusionen des jungen Wilhelm, der Antagonismus seines Vaters, die Ränke der alten Barbara, der Handelsgeist Werners, die innere Leere der Schauspieler — sie alle werden durch dieses Wort beleuchtet. Je mehr sich Wilhelm von der Theaterwelt entfernt, desto weniger tritt dann das Wort auf.

Dieses Wort hat allerdings nur äußeren Anteil an Wilhelms Schicksalen. Ganz anders steht es mit Bildern, die sein inneres Erleben kennzeichnen.

Bei näherer Betrachtung, wobei die symbolische Bedeutung des Wort- und Bildfeldes erkennbar wird, läßt sich eine gewisse Entwicklung — von der Illusion zur Wirklichkeit — feststellen. Es ist eine charakteristische Eigenschaft des Menschen, sich selbst und andere in Form von Bildern zu sehen. Je schärfer und klarer die Bilder, desto stärkeren Bezug zur Wirklichkeit besitzen sie. Mangelndes Weltverständnis beim jungen Wilhelm läßt sich immer wieder den ungenauen Bildern, die er von anderen gewinnt, entnehmen. Von Mariane formt er sich «ein Gemälde auf Nebelgrund, dessen Gestalten freilich sehr ineinanderflossen[24]». Durch die Grillen der Reise, durch Werners Unfreundlichkeit wird das Bild in der Seele getrübt, beinahe entstellt[25]. Diese Tendenz dauert zunächst an. Als er sich in Philine verliebt, geht er wie vom «ersten Jugendnebel begleitet[26]» umher. Als er Natalie zum ersten Male sieht, gelingt es ihm nicht, sich ein festes Bild von ihr zu machen. Noch im achten Buch trifft man auf diese Erscheinung; das von seiner Einbildung geformte Bild Nataliens kann nicht mit ihrer Erscheinung im Leben verglichen werden[27]. Erst nachdem er längere Zeit in Nataliens Gegenwart gelebt hat, gelingt es ihm, ein festes Bild zu gewinnen, was vorher unmöglich schien. Es ist bezeichnend, daß Mignons Sehnsucht den Wunsch zu einer festeren Erfassung der Wirklichkeit enthält. Sie ersehnt sich in ihrem Lied «Kennst du das Land» einen Zustand, in welchem das Bild nicht mehr nur schwebt, sondern sich zu fester Form verdichtet[28]. Man kann das Ausmaß der Bildung Wilhelms in seiner Bewertung der Kunst, zu der er im achten Buch gelangt, wohl spüren[29]. Er hat das Geheimnis der Form ein wenig verstehen gelernt.

Kunstwerke sind für den Abbé Prüfstein der inneren Erkenntnis einer Person. Es ist nicht leicht für Wilhelm, sich von seiner Vergangenheit zu trennen. So ist er gezwungen, sich der Terminologie des Theaters zu bedienen, um die Unterhaltung des Abbé und seiner Freunde über die Funktion der Kunst zu verstehen. Er glaubt nicht mehr daran, daß ihm das Kunstwerk wie das «Naturwerk» behagen soll[30]. Er kann die Bedeutung der Konstruktion und der Dauer, welche die Eigenart eines Gebäudes ausmachen, nicht erkennen, solange seine Leidenschaften betroffen sind. Auf diese Weise hebt sich Wilhelms Charakter von demjenigen der «schönen Seele» ab. Ihre Gefühle stehen dem alltäglichen Leben fern. Sie sucht Empfindungen ohne Bilder zu erlangen[31]. Diesem Abwenden von dem Bildmäßigen entspricht eine Abkehr von der Welt, von der aktiven Teilnahme am gesellschaftlichen Leben, und ein Hinwenden zur Sphäre der Betrachtung.

Innere «Verbildlichung» hängt mit den Gemälden, wie sie von Künstlern geschaffen werden, eng zusammen. Die Worte, die Wilhelms Auffassung von der bildenden Kunst bezeichnen, sind für das Verständnis des Romans von großer Bedeutung. Wilhelm begreift nämlich am Anfang noch nicht, daß Kunstwerke nicht nur Stoff sind, sondern Form besitzen müssen. Er hält Bilder zunächst für «leblos[32]», sie haben für ihn keine direkte ästhetische Bedeutung; und er kann sich von dieser Ansicht erst dann frei machen, als er — genügend gereift — begriffen hat, daß das Kunstwerk ein Ganzes ist.

«Es spricht aus dem Ganzen, es spricht aus jedem Teile mich an, ohne daß ich jenes begreifen, ohne daß ich diese mir besonders zueignen könnte! Welchen Zauber ahn' ich in diesen Flächen, diesen Linien, diesen Höhen und Breiten, diesen Massen und Farben[33]!»

Wilhelms Entwicklung führt vom Vagen zum Konkreten. Flüchtige Bilder, wie sie vor dem Auge seines Geistes schweben, treten in den Hintergrund. Ihr Platz wird von Kunstwerken, von Schöpfungen der bildenden Kunst, eingenommen. Der verfängliche Augenblick, der in der Zeit isoliert ist, wird nun im Raum erneut gestaltet und erhält Dauer. Er wird Ewigkeit[34].

Die Nebel, die Wilhelms Blick im ersten Teil des Romans umgaben, haben sich gelichtet; Klarheit und Ordnung herrschen. Dieser Entwicklung entspricht eine grundsätzliche Auffassung der *Lehrjahre*. Es werden Verwirrung und Durcheinander, Unreinheit und Ungenauigkeit abgelehnt. Dafür wird ein Gegengewicht in der Sehnsucht nach Ordnung und Genauigkeit, nach Klarheit und Reinheit gefunden. Marianens Versagen im Leben ist durch eine gewisse Verworrenheit und «Unreinlichkeit», in der sie lebt, gekennzeichnet. Dasselbe gilt für Philine. Im Gegensatz dazu: die Klarheit und die Reinheit, welche die Stiftsdame erlangt hat; denn ihre Erzählung hinterläßt einen Eindruck von etwas fast unsagbar Reinem. Der Onkel dagegen wünscht, die Kunst rein zu genießen und als Hüter der Vergangenheit in seinem Hause ebenfalls eine Atmosphäre von Reinheit zu hinterlassen.

Zu einem anderen Bildfeld, welches diese zur Erkenntnis der inneren und äußeren Welt führende Tendenz mit sich bringt, gehört das Bild des Spiegels[35]. Auch hier sieht Wilhelm zuerst die ganze Welt im Zeichen des Theaters; der Geist jener Schauspieler ist für ihn ein Spiegel dessen, was großartig und wertvoll auf der Welt ist[36]. Die Begrenzung dieser vagen und unbeherrschten Sehnsucht läßt sich in folgendem erkennen. Wilhelm will nun nicht mehr durch Widerspiegelung all das ergreifen, was in der Welt prächtig ist. Sein Interesse ist nun begrenzter. Ein Spiegel aber kann das eigene Selbst sowie die anderen nur beschränkt wiedergeben. Das Porträt besitzt mehr Möglichkeiten; denn der Spiegel zeigt nur ein zweites, und nicht wie das Porträt, ein anderes Selbst[37]. Die Welt der Beständigkeit und Tradition eines Kunstwerkes wird dem weniger andauernden, wenn auch manchmal glänzenderen Eindruck des Augenblickes vorgezogen.

Eine andere bedeutsame Bildergruppe von symbolischem Wert ist jene, die Bewegung und unbeschränkte Äußerung des Selbst bedeutet. Dieser Gruppe gehören die Bilder des Vogels und des Wanderers an. Ihre polaren Gegensätze, das Nest und die Hütte, welche Selbstbeschränkung, Häuslichkeit bezeichnen[38], hängen ebenfalls eng damit zusammen.

Am Bild des Vogels läßt sich Wilhelms geistige Entwicklung kennzeichnen. Wilhelms Liebe zu Mariane hat sich auf Flügeln der Einbildungskraft erhoben. Hier enthüllt die vogelartige Bewegung den unbeschränkten Flug seiner Gefühle. Das wird wiederum von Marianens Erfahrung bestätigt, wenn sie von den Flügeln seiner Liebe spricht.

In seinem Gespräch mit Werner über die Dichtkunst identifiziert sich Wilhelm dann später mit Dichtern, die er mit Vögeln vergleicht; aber Werner greift diese Ansicht sofort an. Wilhelms beschränkte Sicht wird getadelt, er sehe Aufgabe und Funktion des Dichters zu einseitig. In dieser Szene sieht es so aus, als ob Wilhelm bereit sei, sich dämonisch-irrationalen Kräften hinzugeben; seine derartig einseitige Auffassung scheint dafür zu sprechen. Doch ist die Hingabe an solche Mächte selbst in diesem Stadium seines Lebens nie unbedingt, bittet er doch den Harfner, nicht nur reine Musik zu spielen. Da das Wesen der Kunst dämonisch sei, will er es durch begleitende Worte ausgeglichen haben.

«Denn Melodien, Gänge und Läufe ohne Worte scheinen mir Schmetterlingen und schönen bunten Vögeln ähnlich zu sein, die in der Luft vor unsern Augen herum schweben, die wir allenfalls haschen und uns zueignen möchten; da sich der Gesang dagegen wie ein Genius gen Himmel hebt, und das bessere Ich in uns ihn zu begleiten anreizt[39].»

Musik ohne Worte besitzt anscheinend für ihn nicht denselben geistigen Bestand. Wilhelm aber unterscheidet sich von dem Harfner, der «wie der Vogel singt». Dieser, der eine solche Auffassung vertritt, kann seinem Leben keine Ordnung geben. Dasselbe gilt für Mignon. Sie schildert Wilhelm ihren Wunsch nach unbegrenzter Freiheit und Selbstentäußerung.

«Mignon klettert und springt nicht mehr, und doch fühlt sie noch immer die Begierde, über die Gipfel der Berge wegzuspazieren, von einem Haus auf's andere, von einem Baume auf den andern zu schreiten. Wie beneidenswerth sind die Vögel, besonders wenn sie so artig und vertraulich ihre Nester bauen[40].»

So fühlt sie sich wie ein Vogel, dessen Flügel abgeschnitten sind. Sie kann deshalb weder zur Höhe fliegen, noch je Zufriedenheit im häuslichen Kreise finden.

Die Phantasie Wilhelms, deren Flügel gestutzt werden, steht im Gegensatz zum «stockenden, schleppenden bürgerlichen Leben[41]», dem er entfliehen möchte. Er fürchtet die Ketten, durch die er eingeschränkt werden soll, hat er doch das abschreckende Beispiel eines Melina vor Augen, der mit den Ketten einer banalen Theaterwelt gebunden erscheint. Auch der Harfner spielt in einem seiner Lieder auf goldene Ketten an, die den Sänger binden[42]. Wilhelm empfindet selbst manchmal die unsichtbaren Bande, die ihn an Mariane knüpfen, als eine Art Sklaverei. Es wäre aber falsch, das Bild des Vogels nur im Zusammenhang geistiger Erlebnisse zu sehen. Für die alte Barbara mit ihrer primitiven materiellen Lebensauffassung ist es der Reichtum, der allein Freiheit verwirklicht. Für sie ist Wilhelm «der unbefiederte Kaufmannsohn[43]»; sie benimmt sich wie eine Vogelstellerin[44], welche durch ihre Prosa die Poesie Marianens ins gemeine Leben hinunterlocken möchte.

Als Wilhelms Lehrjahre als beendet erklärt werden, drückt dieses Bild wieder den Grad seiner Entwicklung aus. Er sieht die Welt nicht mehr «wie ein Zugvogel[45]». Das Bild deutet hier an, Wilhelm habe die Notwendigkeit der Selbstbeschränkung erkannt, bedeutet aber nicht, daß er das Leben nun ohne ideelle Regungen führen wolle. Es heißt nur, daß er sich nicht mehr wie ein Zugvogel ohne dauerndes Heim fühle und durchaus den Sinn der Selbstbeschränkung erkannt habe.

Man kann das Bild des Vogels dem des Wanderers zur Seite stellen. Wenn Wilhelm sich treiben läßt und einem freundschaftlichen Rat keine Beachtung schenkt, dann gebraucht Goethe das folgende Bild:

«Er gleicht einem Wanderer, der nicht unweit von der Herberge in's Wasser fällt; griffe jemand zu, risse ihn ans Land, so wäre es um einmal naß werden getan, anstatt daß er sich auch selbst, aber am jenseitigen Ufer, heraus hilft, und einen beschwerlichen weiten Umweg nach seinem bestimmten Ziel zu machen hat[46].»

Hier ist Wilhelm eben wie ein Wanderer noch weit, weit von jedem Ruhepunkt entfernt. Etwas später wird das durch die Worte, mit denen Wilhelm Meister Shakespeares Dichtungen schildert, bestätigt.

«Es ergriff ihn der Strom jenes großen Genius, und führte ihn einem unermeßlichen Meere zu, worin er sich gar bald völlig vergaß und verlor[47].»

Es fehlt ihm jene innere Stärke, wie sie die Stiftsdame durch ihre Religion besitzt. Sie kann sagen:

«Wie der Wanderer in den Schatten, so eilte meine Seele nach diesem Schutzort, wenn mich alles von außen drückt und kam niemals leer zurück[48].»

Als Wilhelm verzweifelt, daß er Natalien verlieren muß, gibt ein Bild,

das demselben Bildfeld angehört, diese Stimmung und die symbolische
Kraft, die von ihm ausgeht, wieder:

«Ist denn das Leben bloß wie eine Rennbahn, wo man sogleich schnell wieder
umkehren muß, wenn man das äußerste Ende erreicht hat? Und steht das Gute,
das Vortreffliche nur wie ein festes, unverrücktes Ziel da, von dem man sich
eben so schnell mit raschen Pferden wieder entfernen muß, als man es erreicht
zu haben glaubt[49]?»

Wilhelm ist also selbst am Ende des Romans noch gefährdet. Dagegen
läßt eine andere Form desselben Bildes ermessen, was Wilhelm, ohne es zu
merken, erreicht hat; es ist wie eine Belohnung der Vorsehung, welche
seine Erwartungen weit übertrifft. Man kann Friedrichs Bild von Saul,
dem Sohne des Kis, «der ausging, seines Vaters Eselinnen zu suchen und
ein Königreich fand[50]», in diese Gruppe einbeziehen, denn die Bildung einer
menschlichen Persönlichkeit kann nicht von äußeren Ereignissen her gemessen werden, sondern muß als seelisches oder geistiges Ereignis betrachtet werden. Unserem Erleben wird eine äußere Form gegeben.

Was können diese Bilder nun ausdrücken? Man muß sich vor zu weit-
gehenden Schlußfolgerungen hüten, aber sie beschreiben doch wohl *einen*
Weg, auf welchem Wilhelm Bildung erlangen kann. Zugleich sagen sie
noch etwas über die Frage der Einheit des Romans aus, welche von einem
großen Kunstwerk verlangt wird. Zwar läßt sich allein auf Grund dieser
Bilder kein einheitliches Gewebe erkennen, aber das Licht, das die Kontinuität im Gebrauche der Bilder auf die Bildung des Helden wirft, deutet
auf eine grundlegende Folge, «eine Stetigkeit» im Roman hin, die, wie
Schiller behauptete, «mehr als die halbe Einheit[51]» ist.

Diese Kontinuität kann in allen Teilen des Romans gefunden werden,
da sich dieselben Bilder überall wiederholen. Die Konzentration auf verschiedene Gruppen von Bildern, welche alle dieselbe Richtung in Wilhelms
Bildung beleuchten sollen, machen einige sehr wichtige bildhafte Zusammenhänge auf diese Weise klar, sie bedeuten nichts anderes als die großen,
polaren Spannungen zwischen dynamischer Selbstentäußerung und Selbst-
beherrschung, zwischen Klarheit und Täuschung der Einbildungskraft, zwischen Verwirrung und Ordnung des Geistes, zwischen ephemeren und
dauernden Kunstformen. Bildhafte und philosophische Absichten sind zum
Ganzen verbunden und stellen einen inneren Zusammenhang dar, der
leicht beim Lesen verfehlt wird.

Diese innere Kontinuität von Roman und Bild erlaubt uns, noch tiefer
bis zum innersten Kern der *Lehrjahre* vorzudringen. Auf diese Weise können wir etwas von den Kämpfen erkennen, die das teils bewußte, teils un-

bewußte Anwachsen von Wilhelms Persönlichkeit begleiten, denn diese Bilder verkörpern vitale innere Triebe. Das Streben nach Genauigkeit, aber auch die Kontinuität, welche diese Bilder andeuten, erzählen die Geschichte des Weges zur Beherrschung der sich bekämpfenden inneren Kräfte. Sie werfen ein Licht auf Wilhelms Bestreben, sich seiner Umgebung anzupassen, seine wachsende Erkenntnis und Fähigkeit, seine geistigen Anlagen zu verwerten. Sie umschreiben aber auch den Kampf zwischen Vernunft und Gefühl und stellen andererseits immer wieder sein Versagen und Dahintreiben dar. Wir erkennen, wie nahe er der Zerstörung gewesen, sehen die Gefahr einer Tragödie, wie sie jedem Leben drohen kann. Der Wunsch nach Konstanz inmitten der Unbeständigkeit des Lebens, die Notwendigkeit, sich mit ihr abzufinden, werden betont. Dem menschlichen Streben sind Grenzen gesetzt. Die bildende Kunst kann einer symbolischen Wahrheit nur etwas mehr Dauer verleihen als die geistige Erkenntnis. Die Neuschöpfung eines inneren Bildes, selbst in der weniger flüchtigen Form von Kunstwerken, ist immer noch vergänglich. Kunst ist ein Produkt der Kultur, und diese ist in jeder Form an und für sich vergänglich. Goethe vermeidet es, das Problem der Bewahrung künstlerischer Werte anzuschneiden; vielleicht weil es unlösbar ist, vielleicht weil er an die Macht der Tradition glaubte. Er war sich aber der Gefahr der Erstarrung bewußt, die jedem droht, der von einem der Pole des Lebens magnetisiert ist. Die Entwicklung des Menschen besteht nicht in einem unbeschränkten, ziellosen Fortschritt, sondern in der Tat, welche sich in der beschränkten, zweckbedingten Eroberung eines begrenzten Lebensbezirkes äußert.

*

Das Studium des Bildes kann nur einen Einblick in die ganze Thematik des Romans geben; vieles muß im Zusammenhang später umständlicher entwickelt werden. Jene Bilder weisen auf die bekannte These hin, daß der Roman die Bildung Wilhelm Meisters zum Thema habe[52]. Diese Bildung wird mittels seiner Beziehungen zu den anderen Gestalten des Romans dargestellt, was so nur möglich ist, weil die Erzählung sich — mit Ausnahme des sechsten Buches — ganz auf Wilhelm konzentriert. Obwohl aber dessen Entwicklung selbst von großer Bedeutsamkeit ist, darf man seine eigenen Ansichten und Gefühle nicht allzu ernst nehmen. Es wird durch die Eingriffe des Erzählers deutlich, der immer wieder Distanz schafft und Wilhelms Gestalt und Erleben von sich aus beleuchtet.

Gerade wenn man Wilhelm im Gegenspiel der Gestalten betrachtet, ersieht man, wie sehr sein Bestreben im Lichte einer gewissen Ironie gesehen wird; denn was er anstrebt, entspricht keineswegs immer seinen Erwartungen. Die Menschen sind anders, als er sie zu erkennen glaubt; sein Maßstab ist des öfteren falsch, wie es sich aus dem Mißverhältnis zwischen eigenen Plänen und Wirklichkeit zwangsläufig ergibt. Die Ironie des Romans beruht hauptsächlich auf dem Eingreifen des Erzählers in den Entwicklungsgang; was entweder auf unmittelbare oder mittelbare Art geschieht. Selbst wenn eine Szene oder Aussage unmittelbar ironisiert wird, ist die Methode subtil. Ein unbefangener, naiver Leser könnte die ganze Erzählung wahrnehmen und genießen, ohne jenen ironischen Unterton zu bemerken. Es würde aber bedeuten, daß er Wilhelms Erlebnisse und Gefühle mit weniger Distanz aufnimmt und ihnen alsdann mehr Gewicht zumessen würde, als es der Dichter wünscht. Das heißt nicht, daß dieser Wilhelms Bestreben und Erleben als unwichtig abtue oder sich gar darüber lustig mache. Er bewahrt Distanz; die Bestrebungen Wilhelms erscheinen auf diese Weise zwar wünschenswert und verständlich, werden aber auf ihren wahren Platz im Ganzen des Weltgeschehens verwiesen. In jugendlichem Eifer überschätzt Wilhelm seine eigenen und die Möglichkeiten der Welt, der er angehört. Es ist einerseits das Vorrecht der Jugend, deren irrtümliche Ansichten er abstreifen muß, um seinen Wirklichkeitssinn zu entwickeln; andererseits hängt seine Haltung mit der Situation des Bürgertums zusammen; denn zunächst scheint ihm nur in der Theaterwelt die Möglichkeit zur Entfaltung seines Talentes gegeben. Die Bühne ist eine Welt des Scheins, wo Scheinbefriedigungen ein nur unzulängliches Fundament für Wilhelms Bildung gewähren. Erst später, in der aristokratischen Welt, wird er einem Lebenskreis beitreten, in dem er wahre Befriedigung zu finden vermag.

Die Eingriffe des Erzählers sind oft voll verhaltener, täuschend wirkender Ironie [53]. Wie so oft verschiebt sich bei Goethe das Bild beim wiederholten Lesen. Gewisse Züge verändern sich dann ein wenig, da unsere Erkenntnis sich inzwischen verfeinert hat. Wenn man Goethe mit Wieland, dem großen Ironiker des deutschen Romans im achtzehnten Jahrhundert, vergleicht, sieht man, wieviel subtiler Goethe ironisiert. Bei jenem kann man kaum im Zweifel sein, daß er z. B. Don Sylvios Bestreben ironisch gestaltet hat. Zwar ist *Don Sylvio de la Rosalva* ein augenscheinlich satirischer Roman, aber bei *Agathon* verhält es sich kaum anders. Wir lachen mit Wieland über Agathons konsequenten Idealismus, der sich nur allzu leicht täuschen läßt. Hier wird von vornherein in unzweifelhaft ironischer Weise eine ernste Frage — der andauernde Konflikt zwischen einer idealistischen Lebensauffassung und den Notwendigkeiten der Praxis — mit dem Bildungsgang eines Menschen aufs deutlichste verwoben. Die Nebenbemerkungen des Erzählers, sein Tonfall, mit dem er die Geschehnisse kommentiert, lassen darüber keinen Zweifel aufkommen. Sie sind so in fast jedem Kapitel des Romans anzutreffen.

Anders ist es in den *Lehrjahren*. Gleich der Kommentar des Erzählers im ersten Kapitel ist beispielhaft für die Art dieser Ironie. Es wird beschrieben, wie Wilhelm eintritt und Mariane ihn leidenschaftlich begrüßt:

«Wilhelm trat herein. Mit welcher Lebhaftigkeit flog sie ihm entgegen! mit welchem Entzücken umschlang er die rote Uniform! drückte er das weiße Atlaswestchen an seine Brust. Wer wagte hier zu beschreiben, wem geziemt es, die Seligkeit zweier Liebenden auszusprechen! Die Alte ging murrend beiseite, wir entfernen uns mit ihr und lassen die Glücklichen allein [54].»

Die Worte des Erzählers sind hier im doppelten Sinne zu verstehen. Zunächst geben sie Goethe Gelegenheit, auf vornehme Weise über das heikle Thema einer Liebesszene nicht unmittelbar sprechen zu müssen. Worte wären hier doch verfehlt. Schweigen ist in solchem Falle ausdrucksvoller als Reden; aber zur gleichen Zeit gewinnen wir Distanz von der Leidenschaft, wie sie hier auflodert. Solche Distanz ist ironisch zu verstehen. Nicht, daß der Liebe, der Leidenschaft kein Recht würde; es wird ihr dies in vollem Maße. Zur gleichen Zeit indes deutet der Ton an, es handele sich hier um eine Scheinwelt der Leidenschaft: eine Leidenschaft — in ihrer Gewalt täuschend — und für einen ruhig Betrachtenden und Erzählenden, zwar im Moment gefahrvoll, aber vom Standpunkt des weiteren Geschehens nur von beschränkter Dauer. Doch ist dieser Eingriff des Erzählers für Goethes Romantechnik äußerst bezeichnend. Der Dichter verwendet nie viel Worte, um eine Situation zu ironisieren. Das Ironische schwingt eher irgendwie mit, als daß es vollauf bezeichnet würde.

Der nächste Eingriff des Erzählers ist ähnlicher Art.

«Wenn die erste Liebe, wie ich allgemein behaupten höre, das Schönste ist, was ein Herz früher oder später empfinden kann, so müssen wir unsern Helden dreifach glücklich preisen, daß ihm gegönnt war die Wonne dieser einzigen Augenblicke in ihrem ganzen Umfang zu genießen. Nur wenig Menschen werden so vorzüglich begünstigt, indes die meisten von ihren frühen Empfindungen nur durch eine harte Schule geführt werden, in welcher sie, nach einem kümmerlichen Genuß, gezwungen sind, ihren besten Wünschen zu entsagen und das, was ihnen als höchste Glückseligkeit vorschwebte, für immer entbehren zu lernen [55].»

Hier bezieht sich sein Kommentar auf die erste Liebe. Sie wird, so erscheint es zunächst, gepriesen. Doch dieses Lob wird sogleich wieder eingeschränkt. Wendungen in der Art «wie ich allgemein behaupten höre» weisen auf allgemein aufgenommene Wahrheiten hin; weit verbreitet und in gewissem Sinne gültig, die aber doch oft den Tatsachen nicht entsprechen. Sie erscheint als Hypothese und enthält als solche zwar einen Kern von Wahrheit, kann aber nicht unbedingt in dieser Form aufrechterhalten werden. Sie bezieht sich nur auf einen Teil menschlichen Erlebens; höchste Glückseligkeit wird als ein unklarer Wunsch empfunden und ist durch das Wort «vorschweben» charakterisiert. Doch darf man den Erzähler hier nicht mit Goethe identifizieren. Goethe gebraucht jenen, um die Behauptung aufzustellen, deren Gültigkeit zunächst vom Erzähler weder bestätigt noch verworfen wird. Die Behauptung enthält Wahres und Falsches und erscheint deshalb ambivalent. Durch diese Ironie wird das Leben in seiner Beschränktheit und Relativität gekennzeichnet.

Ähnliche Kommentare wiederholen sich, und ihre Wirkung verrät deutlich, daß eine derartige Ansicht über die erste Liebe nicht allgemeingültig sein kann. Die Worte des Erzählers am Anfang des 15. Kapitels des ersten Buches lassen diese Tendenz klar hervortreten.

«Glückliche Jugend! Glückliche Zeiten des ersten Liebesbedürfnisses! Der Mensch ist dann wie ein Kind, das sich am Echo stundenlang ergötzt, die Unkosten des Gespräches allein trägt, und mit der Unterhaltung wohl zufrieden ist, wenn der unsichtbare Gegenpart auch nur die letzten Silben der ausgerufenen Worte wiederholt[56].»

Hier beschreiben die Worte des Erzählers einen Sachverhalt, wie er Wilhelm erscheint. Der Erzähler macht ihn sodann scheinbar zu seinem eigenen Standpunkt; aber durch die Art seines Vergleiches enthüllt er den unrealistischen und naiven Charakter dieser Auffassung.

Am Anfang des zweiten Buches tritt der Erzähler als Kommentator stärker hervor. Offensichtlicher Grund ist die Notwendigkeit, die Erzählung weiterzuführen, nachdem Wilhelm am Ende des ersten Buches die angebliche Untreue Marianens entdeckt hat. Wieder bemerkt man, daß Goethe hier, ganz anders als in *Werther*, das tragische Moment nicht betonen will. Der Erzähler selbst kommentiert einerseits das Vorhergegangene und läßt durchblicken, diese Liebesbeziehung könne nicht von Dauer sein. Er faßt seine Einstellung am Anfang des zweiten Buches zusammen:

«Jeder, der mit lebhaften Kräften vor unsern Augen eine Absicht zu erreichen strebt, kann, wir mögen seinen Zweck loben oder tadeln, sich unsre Teilnahme versprechen; sobald aber die Sache entschieden ist, wenden wir unser Auge sogleich von ihm weg; alles, was geendigt, was abgetan daliegt, kann unsre Aufmerksamkeit keineswegs fesseln, besonders wenn wir schon frühe der Unternehmung einen üblen Ausgang prophezeit haben[57].»

Die Funktion des Erzählers ist von nun an deutlich. Er gibt, wie die verschiedenen Beispiele darlegen, einen allgemeinen Kommentar zur Lage Wilhelms. Aber diese sehr allgemeinen Kommentare sind keineswegs zufällig noch stehen sie außerhalb des Zusammenhanges, vielmehr fördern sie diesen, da sie jeweils auf das Stadium hinweisen, das Wilhelm gerade auf seinem Lebensweg erreicht hat. Da der Roman auf Wilhelm selbst konzentriert ist, weiß dieser selbst nicht, wie er sich entwickelt. Durch den Kommentar des Erzählers wird das Blickfeld des Lesers erweitert; wir gewinnen Distanz und sehen den Helden in einem anderen Licht, als er sich selbst sieht. Das geschieht an vielen Stellen, ob es sich um die Wirkung Shakespeares auf den aufnahmefähigen, empfindsamen jungen Mann, die Reaktion auf den Tod des Vaters, die Diskussion um Hamlet oder um das Zeremoniell als solches handelt. Allenthalben werden Wilhelms Beziehungen zu anderen, zu Mignon, zu Philine, zur Theaterwelt auf diese Weise zur Geltung gebracht. Nicht alle diese Kommentare jedoch sind ironisch gefaßt. Viele sind Bemerkungen allgemeiner Art, wie sie der Lehrbrief enthält, wie sie in jenen, den *Wanderjahren* beigelegten Sprüchen zu finden sind. Die Ironie des Erzählers beruht vorwiegend auf der Diskrepanz zwischen Wilhelms Ideen und seiner Erkenntnis der Situation, in der er sich de facto befindet. Diese Diskrepanz wird oft mehr angedeutet als ausgesprochen. Durch die Ironie führt ein Weg zum Hauptthema des Romans: der Bildung des Helden, nicht vermittels Aneignung von Wissen, sondern durch Erwerbung eines größeren Verständnisses der äußeren Welt. Aber nicht nur die offensichtliche Kommentierung des Erzählers, auch die Nuancen der Sprache verraten dem aufmerksamen Leser, einige von Wilhelms Erlebnissen seien mit Ironie zu betrachten. Dieser Zug tritt in Wilhelms Beziehung zu Mariane deutlich hervor. Man kann hier bis in einzelne Worte und Wendungen eine deutliche Ironie des Erzählers verfolgen. Wilhelms Liebe zu Mariane wird mit folgenden Worten beschrieben: «Er bildete aus vielerlei Ideen mit Farben der Liebe ein Gemälde auf Nebelgrund, dessen Gestalten freilich sehr ineinander flossen; dafür aber auch das Ganze eine desto reizendere Wirkung tat ...[58]»; so schwingt schon in den Worten «Gemälde auf Nebelgrund» etwas Unwirkliches mit, das durch den Gegensatz zwischen Ungenauigkeit und Verschwommenheit einerseits und der reizvollen Kraft der Phantasie andrerseits hervorgehoben wird. Schon aus Ausdrücken wie «Flügeln der Liebe[59]» und «Übermaß der ersten Freude[60]» bemerkt man, wie ironisch die spätere Entwicklung vorweggenommen wird. Es wäre müßig, bei einem Roman vom Umfang der *Lehrjahre* alle Stellen aufzuzählen, an denen Ironie durchschimmert. Sie wiederholen sich im Laufe des Romans zur Genüge, z. B. wenn Wilhelm, ohne es zu bemerken, in seinem zwar nie abgesandten Bericht an Werner nicht bei der Wahrheit bleibt, oder seine Neigung zu Philine sich wiederum einer unrealistischen Auffassung nähert. Manchmal geschieht die Ironisierung von Wilhelms Haltung nur durch ein einziges Wort. Der Erzähler schreibt: «Wilhelm befand sich noch in den glücklichen Zeiten, da man nicht begreifen kann, daß an einem geliebten Mädchen, an einem verehrten Schriftsteller irgend etwas mangelhaft sein könne[61]» und ironisiert schon durch das Wort «glücklich» Wilhelms Haltung, die zwar viel für sich hat, aber einer kritischen Betrachtung nicht standhalten kann.

*

Ein Leser kann das verkennen, solange er sich der Ironie Goethes nicht bewußt ist. Sie kommt durch knappere Mitteilung zum Ausdruck und ist im allgemeinen mehr Andeutung als weitschweifig ausgeführt. Sie liegt in der Art der Erzählung selbst, weit mehr als in den Bemerkungen einzelner. Der Erzähler hält sich dabei bewußt zurück. Im Gegensatz etwa zu Wieland glaubt der Erzähler nicht, durch lange Tiraden eingreifen zu müssen, um nicht den geringsten Zweifel an der ironischen Geisteshaltung des Romans offenzulassen. Goethe steht der Lebenshaltung Wilhelms keineswegs so kritisch gegenüber wie Wieland derjenigen des *Don Sylvio*. Im Gegenteil, er bringt viel Sympathie für sie auf. Wilhelm ist auch nicht auf falschen Wegen, die Entwicklung ist seinem Wesen gemäß. Aus der Ironie Goethes ergibt sich eher, daß ein junger Mann vom Charakter und gesellschaftlichem Ursprung eines Wilhelm Meister sich in einer gewissen Einseitigkeit entwickeln muß. Je mehr seine Individualität fortschreitet, desto mehr erkennt man, daß auch er nach einem Gesetz angetreten ist, das sein Leben bestimmt, einem Gesetz, das auf Aufnahmefähigkeit, Begeisterung und Hoffnung, aber auch auf Ernst und Eifer beruht. Eine Korrektur des Bildes können wir nur durch andere Individualitäten gewinnen; denn, wie der Lehrbrief behauptet, «nur alle Menschen machen die Menschheit aus[62]». Selbst hier zeichnen sich die Begegnungen Wilhelms mit anderen zunächst im Lichte der Ironie ab, auch wenn sie nie des eigentlichen Ernstes entbehren. Jene Ironie beruht ja im Grunde darauf, daß Wilhelm glaubt, er stelle mehr dar, als er in Wirklichkeit ist. Er überschätzt seine eigene Bedeutung, wenn er sich, ohne es zu wollen, mit seiner Schauspielkunst wichtig macht. Im Schwunge der Begeisterung hält er sich für einen geborenen Schauspieler, ja sogar Dichter (der er keineswegs ist); genau wie er seiner Liebe zu Mariane Einmaligkeit zuschreibt, die sie zwar besitzt; aber — könnte man einwenden — auch nicht besitzt. Sie ist, wie jede menschliche Beziehung, «einmalig»; einmalig auch in dem Sinne, daß das Tor zu einer neuen Welt, der Welt der Liebe, sich ihm öffnet. Andererseits stellt diese Beziehung nicht alles dar, was die Welt an Liebe einem «angenehmen» jungen Mann zu bieten vermag. Wilhelms Blindheit und Übereifer kennen keine Grenzen. Er sieht den Mangel an Ordnung bei Mariane, aber er ergründet die tiefere Bedeutung dieser Unordnung nicht. Er verkennt das wahre Wesen ihrer Lebensumstände. Gerade der Mangel an Ordnung in der Behausung wie im Leben Marianes wird durch den Gegensatz zu der häuslichen Ordnungsliebe und Norm, wie sie in der Familie Wilhelms bestimmend ist, gekennzeichnet und damit ironisiert. Wilhelm schläfert Mariane mit den Erzählungen seiner Kindheit ein und merkt es nicht. Er spürt nicht, daß Verlegenheit und schlechtes Gewissen einen Teil ihres zweideutigen Reizes ausmachen. Die Enttäuschung nimmt ein so großes Maß an, weil er zunächst nicht imstande ist, der wahren Situation nachzuspüren. Das gelingt ihm erst später, in ruhigerem Zustand. Dieselben Gegensätze ergeben sich sodann aus Wilhelms Gespräch mit dem Unbekannten über Kunst, Freiheit und Notwendigkeit. Darin heben sich Wilhelms unreife, aber keineswegs unkluge Ansichten von denen des Unbekannten schon im Gesprächsteil selbst ab, indem der ganze Tonfall diesen als erfahrenen Mann charakterisiert. Ähnlich im Gespräch mit Werner über die Dichter. Doch hat keine der beiden Ansichten unbedingte Gültigkeit; jede ist bis zu einem gewissen Grade irrtümlich.

Ähnlich ist Wilhelms Verhältnis zu Jarno und Serlo. Beide sind wie Werner kühlere, weniger empfindsame Menschen. Gerade Serlos leichtere Art, womit er die Gegenstände der Kunst behandelt, alles aus dem Augenblick heraus begreift, sein aufs Praktische gerichteter Sinn und seine festen Anschauungen weisen ironisch auf Wilhelms Bestrebungen hin, ohne daß jedoch Serlos Absichten deswegen mit denen des Verfassers identifiziert werden dürften. Serlos ironische Art steht im Gegensatz zu Wilhelms ernstem Bestreben, theoretische Gespräche anzuknüpfen, «alles aus Begriffen die er gefaßt hatte, zu entwickeln [63]». Durch diesen Gegensatz wird Serlos mit Wilhelms Eigenart ironisch konfrontiert. Wilhelms Geisteshaltung wird als kennzeichnend für die deutsche Mentalität überhaupt angesehen; gehört er doch einer Nation an, die «alles schwer» nimmt, indem «alles über ihnen schwer wird [64]» einer Nation, die sich gern Rechenschaft von dem gibt, was sie tut [65]. Er wird als stellvertretend und symptomatisch dargestellt und zugleich ironisiert.

Auch in Jarnos Unterhaltungen mit Wilhelm geschieht ähnliches. Wilhelms Begeisterung für das Theater entspringt einer nur beschränkten Kenntnis der Theaterliteratur. Gewiß waltet eine leise Ironie darin, daß Jarno ihn erst auf Shakespeare aufmerksam machen muß. Ähnlich ist es mit seiner Strafrede über das Theater; Jarno hält ihm entgegen, daß das, was für das Theater gilt, eigentlich auf die ganze Welt zutreffe. Das bedeutet nicht, daß Jarnos Ansichten unbedingt die richtigen sind. Auch sein Gespräch mit Wilhelm über die Turmgesellschaft ist Ironie. Einerseits erzählt er von der Turmgesellschaft sowie von Wilhelms Talent in ironischem Ton, andrerseits verführt Jarnos Einseitigkeit diesen dazu, Wilhelm Sentenzen und Maximen aus dem Lehrbrief vorzulesen, ohne ihn über den Zusammenhang aufzuklären; so bleibt die Wirkung dieser Maximen beschränkt. Wilhelm selbst wird ungeduldig und wehrt sich dagegen. Maximen können nur demjenigen helfen, der schon jene Stufe der Lebenserfahrung erreicht hat, auf der er sie verwerten kann [66]. Aber Jarnos didaktische, ja spöttische Haltung wird wieder mit leiser Ironie betrachtet. Gewiß, auch er kann einseitig sein. Durch das Vorlesen des zweiten Teils jenes Lehrbriefes und im darauffolgenden Gespräch wird Wilhelm keineswegs überzeugt, vielmehr durch Jarnos Art verärgert, so daß er, dessen Absicht zuwider, gegen die Methode des Abbés eingenommen wird. Sein treffender Ausspruch, als Jarno ihm von der Liebhaberei des Abbé erzählt, Heiraten stiften zu wollen, ist bezeichnend genug. «Ich dachte, man überließe die Liebhaberei, Heiraten zu stiften, Personen die sich lieb haben [67].» Und doch wird gerade diese Ansicht vom Leben später korrigiert, denn die burleske Art Friedrichs fördert das Zustandekommen von Wilhelms Ehe mit Natalie.

Man könnte die Stellen häufen, in denen sich Situationen ergeben, die Wilhelms Tun und Denken eine ironische Färbung geben. Man denke an seinen ersten Besuch bei Lothario, zu dem er mit dem festen Vorsatz, eine Strafpredigt zu halten, kam, nur um alsbald zu erkennen, daß in Anbetracht seines eigenen Lebens ihm ein solches Recht nicht zustehe. Oder: Manchmal wird sein Ernst durch Philinens liebenswürdige Schalkheit ins Lächerliche gezogen, nach dem Prinzip, das sie vertritt: «Wenn ich dich lieb habe, was geht's dich an [68]?» Bei dem Ernst Wilhelms, der verständlich, aber auch übertrieben erscheint, muß man an den jungen Mann denken, den Philine durch das Liedchen vom Kuckuck vertreibt. Dieser junge Mann war mit dem Buche in der Hand in den Wald gewandert und hatte anderen die Freuden der Natur und des Augenblickes erklären wollen, anstatt sie unmittelbar zu genießen. Die ironische Haltung des Erzählers nimmt dem Roman manches von seiner Schwere, die leicht ins Pedantische hätte ausarten können. Viele Szenen werden auf diese Weise spielerisch, heiter, der Ernst des Werkes wird — wenn auch oft nur scheinbar — gemildert [69].

*

Der Roman also ist auf Wilhelm, auf «unsern Freund» zugeschnitten. So nennt ihn der Erzähler — halb ironisch — im konventionellen Erzählton. So soll ihn der Leser aber auch betrachten, indem er aufgefordert wird, an seinem Schicksal freundlichen Anteil zu nehmen. Wilhelms Entwicklungsgang kann nur im Verhältnis zu anderen Menschen, denen er begegnet, gesehen werden. Im ersten Buche des Romans überschattet das Liebesverhältnis mit Mariane alles andere. Hier löst sich Wilhelm innerlich vom Hause seiner Eltern. Sein Rückblick auf Kindheit und Jugend macht dies für uns deutlich. Im ganzen ist er jedoch ein äußerst unreifer Mensch, dem es durchaus an Lebenserfahrung mangelt. So ist er den Schwächen der Schauspieler gegenüber, die er erst auf der Reise bemerkt, blind. Er vernachlässigt, im Gegensatz zu Werner, die Aufgaben der bürgerlichen Welt, wie sich aus den Ansichten, die Wilhelm später im Gespräch mit dem Unbekannten entwickelt, ersehen läßt. Umwege kennzeichnen seinen weiteren Lebensweg; sie werden durch die Beziehungen, die Wilhelm anstrebt, gestaltet. Viele von ihnen sind verfehlt, oder es mangelt ihnen an Dauer und Fruchtbarkeit. Man denke an die Beziehungen zu den Schauspielern, zu Mignon, zum Harfner, zum Grafen, zu Aurelie und Therese. Anziehung und Abstoßung, Bindung und Lösung kennzeichnen den Pulsschlag dieser Entwicklung. Wilhelms Beziehung zu Werner, die zwar dauerhaft, aber keineswegs gleichmäßig verläuft, ist ein anschauliches Beispiel dafür, wie Wilhelm sich zu Menschen einstellt.

«So übte sich einer an dem andern, sie wurden gewohnt, sich täglich zu sehen, und man hätte sagen sollen, das Verlangen einander zu finden, sich miteinander zu besprechen, sei durch die Unmöglichkeit, einander verständlich zu werden, vermehrt worden. Im Grund aber gingen sie doch, weil sie beide gute Menschen waren, nebeneinander, miteinander nach Einem Ziel und konnten niemals begreifen, warum denn keiner den andern auf seine Gesinnung reduzieren könne [70].»

Zu einem derartigen Zwist kommt es, als beide sich zum ersten Male im Roman gegenüberstehen. Gegensätzliche Lebensanschauungen treten zutage. Indem er doppelte Buchführung, Wesen und Aufgabe des Handels lobt, offenbart sich der an Ordnung und Klarheit orientierte Geist Werners. Wilhelms phantasievollere Lebensanschauung entspringt der Stärke seines inneren Erlebens, welche Werner, dessen Ansichten viel beschränkter sind, abgeht. Werner tritt für Ordnung und Klarheit ein, allerdings unter mancherlei Einbuße anderer menschlicher Qualitäten.

«Ordnung und Klarheit vermehrt die Lust zu sparen und zu erwerben. Ein Mensch, der über alles haushält, befindet sich in der Dunkelheit sehr wohl; er mag die Posten nicht gerne zusammenrechnen, die er schuldig ist. Dagegen kann einem guten Wirte nichts angenehmer sein, als sich alle Summen seines wachsenden Glückes zu ziehen. Selbst ein Unfall, wenn er ihn verdrießlich überrascht, erschreckt ihn nicht; denn er weiß sogleich, was für erworbene Vorteile er auf die andere Wagschale zu legen hat [71].»

Diese Worte können, abgesehen von ihrer augenscheinlichen Bedeutung, auf den Werdegang Wilhelms übertragen werden, falls man diesen vom Standpunkt der Turmgesellschaft aus betrachten will; selbst die Irrtümer Wilhelms können dergestalt zu seinem Glück beitragen.

Sieht man sie nur von der Bedeutung aus an, die Werner ihnen geben möchte, wird auch seine Einstellung verständlich. Ihm bietet das bürgerliche Leben ein großes Schauspiel, das seine spezifische Wirkung hat und durchaus die Phantasie zu fesseln vermag.

Dieser Gegensatz wiederholt sich später im Streitgespräch über das Wesen der dichterischen Begabung; auch hier spricht Werner unbedingt als ebenbürtiger Gegenspieler; beide können zur Unterstützung ihrer Standpunkte manches anführen, wenn auch keiner vom Wesen der Dichtung eine befriedigende Definition zu geben hat. Zu diesem Zeitpunkt ist die Linie in Wilhelms Entwicklung noch keineswegs klar zu erkennen. Seine Reisen führen ihn weitab von seinem bürgerlichen Ursprung. In den Briefen erscheint Werner als berichtender und mahnender Freund. Wir hören, wie sehr er alles immer nur vom Standpunkt des gesellschaftlichen Lebens aus betrachtet. Sein großer Brief an Wilhelm nach dem Tode des Vaters ist von ökonomischen Erwägungen bestimmt. Er beschreibt den Lebenswandel der anderen ausschließlich von solchen Gesichtspunkten aus und verwirft daher das Sammeln von Kunstgegenständen, wie Wilhelms Vater und Großvater es betrieben haben, als unfruchtbare Liebhaberei. Werner sieht die Welt vom Schreibpult des Geschäftsmannes. Er ist nicht der Tradition verbunden; «nichts ist ihm unerträglicher, als so ein alter Kram von Besitztum[72]». Er weiß nicht, daß gerade eine Sammlung von Kunstwerken besonders fruchtbar zu wirken vermag, weil sie Erfahrungen und Kunst übermittelt und dadurch auf das Innere des Menschen Einfluß gewinnen kann, eine Ansicht, die Nataliens Oheim vertrat.

Werners Brief bewirkt gerade das Gegenteil dessen, was er hätte erreichen sollen, wie es oft das Schicksal von Glaubensbekenntnissen und Überzeugungsversuchen ist. Wilhelms ironische Antwort bezeugt, daß man auch für die entgegengesetzte Ansicht gute Gründe anführen und auch damit recht haben kann. Dieser Brief Werners hat eine entscheidende Wirkung auf Wilhelm; erkannte er doch, daß er die Bildung, die er anstrebte, auf dem vom Freunde vorgezeichneten Wege nicht finden könne. Bürgerlichkeit, wie Werner sie schildert, dünkt ihm Spießbürgerlichkeit; die Feindin allen Geistes. Sie engt den Menschen ein und läßt ihn erstarren; so wendet sich Wilhelm dem Theater zu. Trotz aller Umwege und Verirrungen zeigt sich bei dieser Begegnung, daß im Vergleich zu Werner Wilhelms Leben fruchtbarer und lebendiger verlaufen ist. Wilhelm hebt sich zu sei-

nem Vorteil von Werner ab. Während Wilhelm nach Werners Worten
«größer, stärker, gerader, in seinem Wesen gebildeter und in seinem Betragen angenehmer geworden[73]» ist, ist Werner eher zurück als vorwärts
gegangen. Wie er selber zugibt, ist er «ein arbeitsamer Hypochondrist[74]»,
der von sich sagt, «wenn ich diese Zeit her nicht recht viel Geld gewonnen
hätte, so wäre doch auch gar nichts an mir[75]». Werners Reaktion auf Wilhelms gesunde, kräftige, vornehme Erscheinung unterstreicht die Beschränktheit seiner Auffassung. Er lobt sie im Gegensatz zu seiner eigenen
Erscheinung, aber anstatt das Fazit aus dieser Erkenntnis zu ziehen, verharrt er auf seinem erstarrten ökonomischen Standpunkt, ja, er will die
repräsentable äußere Erscheinung Wilhelms als Köder für eine reiche Erbin
verwerten. Werners Aussehen und Ansichten engen ihn nur ein und ver-
urteilen seine Lebensweise während Wilhelms Aufgeschlossenheit und
Aufnahmefähigkeit positiv zu bewerten sind; Erfahrungen, auf seinem
Lebensweg gesammelt, erlauben ihm, seine Anlagen zu entfalten.

Wilhelms Beziehungen zu anderen Gestalten des Romans lassen seine
innere Entwicklung nicht ganz so deutlich hervortreten, doch verraten
auch sie manches. In der Beziehung mit Mariane bricht das Ungestüme,
Ungebändigte seiner Jugend hervor; spätere Versuche, sie aufzufinden,
erinnern daran. Innere Nöte, die ihn in die Gesellschaft Philinens, Mignons
und des Harfners führen, lassen die Gefahr ermessen, die eine zu phanta-
sievolle und aufnahmebereite Lebenshaltung hervorzurufen vermag. Bei
Philine ist es das Reizvolle ihres Daseins, das ihn gefährdet. Aber Philine
ist zu leichtlebig und daher zu gutmütig, dem Gang der Welt zu sehr verbunden, um eine dauernde Verstrickung für sein Inneres, Entwicklung und
Gleichgewicht gefährdende Lebensumstände zu bedeuten. Sie kann ihn
nur momentan verwirren. Dagegen bedeuten Mignon und der Harfner
viel größere Gefahren; sie berühren Wilhelm an jenem Punkte seines
Seelenlebens, wo er gefährdet ist; an der Liebe zu einer unwirklichen Welt,
der inneren Empfindsamkeit, die ihn oft maßlos werden läßt. Mignon und
des Harfners Ende beweisen, welche Stärke diese dämonischen Kräfte be-
saßen, denen Wilhelm ausgesetzt war. Das Theater, die Welt Shakespeares,
in der er sich verlor, bildeten ihn zwar, brachten ihn aber auch innerer Zerrüttung nahe, Zustände, denen Mignon und der Harfner verfallen sind;
nur Glück oder Gnade konnten Wilhelm vor einem ähnlichen Schicksal
bewahren.

Serlo und Aurelie stehen Wilhelm innerlich nie nahe genug, als daß
Gefahr bestünde, er würde auf dieser Lebensstufe verharren. Tiefer ein-
schneidend jedoch ist die Beziehung zur Stiftsdame, die nur mittelbar als
Bildungserlebnis besteht. Er ist auf einer neuen inneren Stufe angelangt;

eine neue Welt wird ihm eröffnet und fesselt ihn, so daß er allmählich dem Theater entfremdet wird. Wenn er sich auch nicht jener pietistischen Sphäre zugesellt, so ist sie doch ein Meilenstein in seiner Lebensbahn, der eine Abkehr von der Theaterwelt markiert. Das Eintreten in die aristokratischen Kreise wird damit vorbereitet. Beim ersten Zusammentreffen mit Menschen aus diesen Bereichen, mit dem Unbekannten oder später beim Aufenthalt auf dem gräflichen Schlosse besteht zunächst noch eine große Kluft zwischen ihnen und Wilhelm. Erst nachdem unser Held genug Lebenserfahrung und -verständnis gewonnen hat, wird er in den aristokratischen Kreis als menschlich und geistig Ebenbürtiger aufgenommen; dazu hatte er es während seiner Theaterlaufbahn nie gebracht. Auch wird er hier für reif genug befunden, um alsbald von seinen Lehrjahren losgesprochen zu werden. Äußere Umstände verraten die innere Entwicklung. Lothario wählt ihn zum Freunde, der Abbé führt ihn in die Gesellschaft des Turmes ein; Natalie reicht ihm die Hand zum Ehebunde. Er braucht ihr nicht, wie einst der Gräfin, entgegenzutreten, als ob sie beide Vorposten feindlicher Heere darstellten die «durch die ungeheure Kluft der Geburt und des Standes[76]» getrennt waren.

Erst die aristokratische Welt entspricht seinen Lebenserwartungen. Schon zu Beginn des Romans, als Wilhelm die bürgerliche Welt als ungenügend erschien, suchte er Mittel und Wege zu finden, in eine andere gesellschaftliche Sphäre, damals die Welt der Schauspieler, einzudringen. Warum fand er die bürgerliche Welt unbefriedigend? Auf welche Weise kann es ihm gelingen, in eine seinen Anlagen und seinem Tätigkeitsdrang gemäße Sphäre zu gelangen? Diese Fragen stellten sich am Anfang des Romans, am Ende muß man sich fragen, ob sich Wilhelms späteres gesellschaftliches Emporkommen aus eigenem Antriebe vollzieht oder ob er — durch die Turmgesellschaft ausgewählt — auf diese Weise in höhere Gesellschaftssphäre erhoben wird, etwa weil der Adel eine gewisse Auffrischung von seiten der bürgerlichen Welt benötigt? Die Antwort auf diese Fragen kann uns einen Einblick in das Gesellschaftsbild geben, das uns der Roman vermittelt.

Wilhelms Auffassung vom bürgerlichen Leben ist durch ein Gefühl der Enge, worin er sich verfangen sieht, bestimmt. Er steht im Gegensatz zu Werner, dessen Leben auf rein kommerzieller Ebene verläuft. Werners Welt ist beschränkt. Für ihn ist Handel der Wandel des Lebens. Er sieht die Welt nüchtern und skeptisch, wie seine spätere Entwicklung es kennzeichnet. Die Handelsbeziehung ist für ihn die wirkliche Welt; er bricht, wie es die rhetorischen Fragesätze seiner Lobrede andeuten, in beinahe lyrische Ergüsse darüber aus, insoweit er überhaupt solcher Ergüsse fähig ist. Aber spricht er tatsächlich aus seinem innersten Gefühl heraus? Der Kaufmannsberuf ist nicht nur Mittel zum Broterwerb; er ist für den Kaufmann das Leben selbst. Deswegen ist der Handel ihm Ursprung des Lebens, Schauspiel, Bildungswelt. Handel besteht aus viel mehr, als nur aus trockenen Zahlen, er ist ein Bezirk, dessen Vielfalt und Abwechslung Werner so fesseln, daß er darin völlig aufgeht und für die Kunst als Repräsentation des Lebens nichts übrig hat. Sofort nach dem Tode von Wilhelms Vater verläßt er das Haus, um ganz seinen Aufgaben als Kaufmann dienen zu können. So sind seine Pläne bescheiden, vernünftig und realisierbar, aber solche Anschauungen engen Werners Horizont dennoch zu sehr ein; schließt andererseits vieles aus. Werner ist derart der Materie verfallen, daß in seinem Haus für ihn, außer an seinem Schreibpult, kein Platz ist[77]. So will er auch weder andere dort nicht bewirten, dafür aber um so mehr außerhalb des Hauses leben[78]. Es ist eine utilitaristische, sogar egoistische Auffassung. Werner faßt sie am Ende in der Bemerkung zusammen, man solle sich um die übrige Welt nicht mehr bekümmern, «als insofern man sie nutzen kann[79]». Doch bedeutet diese Haltung für Werner keineswegs ein Glück. Gegen Ende des Romans erscheint er als ein vorzeitig gealteter, gebeugter Mann, mit eingefallenen Wangen, das Bild eines arbeitsamen Hypochonders. Wenn auch keineswegs eine kausale Beziehung zwischen Arbeit und Hypochondrie behauptet wird, so gewinnt man doch den Eindruck, daß hier Lebenshaltung und äußere Erscheinung nicht ohne Zusammenhang sind.

*

Die Welt des Bürgertums aber, aus der Wilhelm kommt, wird nicht nur durch die Beziehung zu Werner gekennzeichnet, sondern auch durch das Leben, das ihre Väter führen. Auch hier finden wir dieselben geistigen Beschränkungen, die Werners Leben einengen. Zwar sind beide von verschiedener Denkart, ihre Gesinnungen stimmten aber dadurch überein, daß sie den Handel für das edelste Geschäft hielten und höchst aufmerksam jedem Vorteil gegenüber waren, den ihnen eine Spekulation bringen konnte. Bei beiden jedoch herrscht geistige Enge. Trotz aller Liebe zum Prächtigen geht alles bei Wilhelms Vater «einen gelassenen und einförmigen Schritt und alles, was sich darin bewegt und erneuert, war gerade das, was niemanden einigen Genuß gab[80]». Andererseits vollzieht sich trotz aller Gastfreundschaft sein Leben in einem dunkeln und finsteren Hause. Während der eine, Wilhelms Vater, zwar Freude am Äußerlichen hat, sie aber nicht anzuwenden weiß, führt der andere ein reges geistiges Leben, betrachtet aber Geselligkeit als Repräsentation mit ziemlicher Indifferenz. Keiner von beiden weiß Form und Inhalt zu verbinden; das gelingt im Roman nur Adligen.

Wilhelms Kritik an Werner ist scharf, aber treffend. Er wirft seinem Freunde vor, daß er von der Form ausgehe, als wenn es die Sache wäre. Aber gewöhnlich vergessen Menschen wie er über ihrem «Addieren und Bilanzieren das eigentliche Fazit des Lebens»; sie sehen nicht, daß «Form und Sache hier nur eins ist, eins ohne das andere nicht bestehen kann[81]». Wenn auch Wilhelm nicht unbedingt Goethes Ansicht vertritt, sondern der Dichter nur zwei Ansichten gegenüberstellt, gibt die Tendenz des Romans durchaus der Denkweise Werners unrecht, obwohl an dieser Stelle die Ansichten Wilhelms keineswegs als die richtigen erkannt sind. Erst das Leben der Adligen gibt diesem die Weite, in der er seine Fähigkeiten zu wahrer Bildung entfalten kann.

Die Tätigkeit der Geschäftsleute ist zwar nicht wertlos; im Gegenteil, sie tragen zweifellos das ihre bei, die Fortführung des Lebens zu ermöglichen. Aber sie genügt einem empfindsamen Menschen wie Wilhelm, dessen Gefühlsleben kräftige Nahrung braucht und dessen rege Phantasie am alltäglichen Leben keinen Gefallen findet, nicht im geringsten. Doch heißt das nicht, daß die bürgerliche Welt unbedingt unzulänglich sei; nur: sie könne Wilhelm nicht befriedigen, weil sie für einen empfindsamen und phantasievollen Menschen, der Freude und Lust zum Schöpferischen in sich verspürt, ein genügend reiches Betätigungsfeld nicht zu bieten vermag. Wenn Werner völlig in der Welt des Geschäftslebens aufgeht, so spricht das wiederum gegen diese Welt. Doch darf man eine solche Verurteilung nicht allzuschnell verabsolutieren. Wilhelms Ansichten werden zunächst zum Teil durch seine seelische Unausgeglichenheit bedingt. Tatsächlich bestanden auch in dieser Welt Möglichkeiten einer geistigen Entwicklung; Wilhelms Großvater, der in seiner Kunstsammlung bedeutende geistige Förderung fand, mag als ein Beispiel dafür gelten.

Die bürgerliche Welt ist zwar beschränkt, aber das liegt nicht am Wesen des Handels allein; sie ist es nur, wenn der Handel zum Zweck des Daseins gemacht wird, Vernunft und Einbildungskraft sich allein auf ihn konzentrieren. Im anderen Fall jedoch ist eine gesunde Basis für die Entwicklung der Persönlichkeit durchaus gegeben. Im Deutschland des achtzehnten Jahrhunderts war es nur dem Adligen möglich, sich zu bilden. Goethes Worte über die schlechte Gesellschaft, in der Wilhelm leben muß, bezeugen es unzweideutig. Die Romandichter Englands oder Frankreichs hatten andere Möglichkeiten:

«Scotts Zauber ruht auch auf der Herrlichkeit der drei britischen Königsreiche und der unerschöpflichen Mannigfaltigkeit ihrer Geschichte, während in

Deutschland sich nirgends zwischen dem Thüringer Wald und Mecklenburgs Sandwüsten ein fruchtbares Feld für den Romanschreiber findet, so daß ich in Wilhelm Meister den allerelendesten Stoff habe wählen müssen, der sich nur denken läßt, herumziehendes Komödiantenvolk und armselige Landedelleute, nur um Bewegung in mein Gemälde zu bringen [82].»

Allein der Edelmann, so erscheint es Wilhelm, kann «als öffentliche Person [83]» hervortreten. Er allein besitzt jene Unabhängigkeit und Stärke, die es ihm erlauben, in einem gewissen Sinne allgemeine persönliche Ausbildung zu genießen. «Ein Bürger kann sich Verdienst erwerben und zur höchsten Not seinen Geist ausbilden; seine Persönlichkeit aber geht ihm verloren, er mag sich stellen, wie er will [84].» Wilhelms Worte mögen ohne Zweifel von persönlichen Enttäuschungen mitbestimmt sein, doch enthalten sie auch einen Kern von Wahrheit. Goethe hat hier auf einen wesentlichen Aspekt der deutschen Gesellschaftsordnung im achtzehnten Jahrhundert hingewiesen; daß nämlich der Bürger in Grenzen lebe, die der Edelmann nicht einhalten muß. Der Wert des Bürgers besteht nicht in dem, was er ist, sondern darin, welche Eigenschaften des geselligen Lebens er sich aneignen kann. Daran ist die Gesellschaftsordnung selbst schuld, wie Wilhelm behauptet.

Wilhelms Einsichten machen ihn nicht zum Sozialrevolutionär, wenn er auch die Mängel dieser Gesellschaft überzeugend darstellt. Man darf nie vergessen, daß er die Stellung des Edelmannes allzusehr vom Standpunkt des unzufriedenen Bürgers und des begeisterungsfähigen Jünglings aus beurteilt. Auch unterliegt Wilhelm einer gewissen Selbsttäuschung. Wenn der Erzähler sagt, «dabei dürfe er sich nicht gestehen, wie sehr er wünsche, der schönen Gräfin wieder näher zu kommen [85]», so werden Wilhelms Worte doch von vornherein in ihrer Bedeutung eingeschränkt. Lesen wir dann noch, daß er das, was er zu sagen hat, «als er allein war, mit Entzücken [86]» ausruft, so wird der Wert seiner Ansichten noch problematischer; Begeisterung ist bei Wilhelm nie eine zuverlässige Begleiterin seines Denkprozesses gewesen. Seine Ansichten müssen deswegen mit Vorsicht aufgenommen werden. Zu diesem Zeitpunkt ist er weit von jeder realistischen Auffassung entfernt; noch lobt er die Scheinwelt des Theaters; aber auch die Bilder, die sich seiner Einbildungskraft darbieten, sind unklar. Tatsächlich ist die Welt des Edelmannes eine andere. Trotz allen äußeren Glanzes birgt auch sie genug Gefahren in sich. Die Verirrungen des Grafen, der Gräfin, Friedrichs, Lotharios, die Mängel des Barons, die Weltabgeschiedenheit der Stiftsdame bringen manch Bedenkliches allzudeutlich zum Ausdruck. Wilhelms Ansichten über die Beziehung zwischen Sein und Schein sind noch durch seine Liebe zum Theater bedingt; so läßt er sich immer wieder vom äußeren Glanze blenden. Erst langsam wird sein Blick auch hier klar. Wenn also auf die bürgerliche Gesellschaft von der Warte des Adels herabgesehen wird, so genügt uns Wilhelms Ansicht nicht allein. Es gibt in der Tat mehr Möglichkeiten für den Edelmann, sich wirksam und fruchtbar zu betätigen; man muß nur wie der Onkel, Lothario oder der Abbé dazu bereit sein. Adelige haben dazu mehr Spielraum als der Bürger.

Wilhelms Bild von der aristokratischen Welt beruht auf eigener Anschauung und Erfahrung; ist also keineswegs ohne jede Gültigkeit. Es muß jedoch in manchen Punkten ergänzt und überprüft werden, bevor man es als das volle Bild eines Edelmannes bezeichnen kann. Wie stellt sich tatsächlich dessen Welt im Roman dar? Von Schwächen der Persönlichkeit haben wir schon gehört; dazu gibt es augenscheinliche Mängel im Zusammenleben mit anderen, Mängel, die in der gesellschaftlichen Struktur selbst beruhen. Zwar sind der Graf und der Baron Herren, deren Worten ehrfurchtsvoll gelauscht wird. Beim ersten Auftreten des Grafen sieht man sofort den Standesunterschied zwischen ihm und den Schauspielern, bzw. den Bürgern. Seine Wünsche und Grillen werden befolgt, seinen unvernünftigen Ansichten über das Theater wird nicht widersprochen. Wenn die Schauspieler auf sein Schloß eingeladen werden, reisen sie in fröhlicher Stimmung; das Schloß erscheint ihnen «wie ein Feengebäude[87]». Aber dieses Wort verrät wiederum nur ihre Illusionen, welche ihnen die Wirklichkeit nur allzuschnell raubt; ihre Ankunft steht unter keinem glücklichen Stern; da sie im neuen Schloß keine Unterkunft finden, werden sie am Ende ins alte, unbewohnte Schloß verwiesen, worin sie dann eine geplagte Nacht verbringen. Zwar besitzen die Edelleute Macht und Ansehen, aber die Dienerschaft folgt nicht immer ihren Anordnungen; im Gegenteil, sie betreibt oft einen den Plänen der Herrschaft entgegengesetzten Zweck, wie es eben beim Empfang der Schauspieler geschehen war.

Wilhelm ist zwar weiterhin von dieser Welt eingenommen; doch beginnt er zu wittern, daß es in der Welt anders zugehe, als er es sich gedacht hatte[88]. So muß er erkennen, daß man unter den Edelleuten zwar die ersten findet, die auf dem Wege sind, dem Beispiel fremder Nationen zu folgen, auch solche, welche nicht im Widerspruch zu Genie und Geschmack stehen, daß es aber andererseits auch viele gibt, die oft noch vom rechten Wege abweichen.

*

Auch wäre es falsch zu glauben, daß die Häuser jener Edelleute unbedingt architektonischen Geschmack verrieten. Von der Schönheit des gräflichen Schlosses ist nie die Rede; vom alten Schloß, das auch nicht direkt beschrie-

ben wird, gewinnt man nur ungünstige Eindrücke, weil es zum mindesten
verwahrlost zu wirken scheint. Das Schloß Lotharios ist wunderlich.

«Ein altes unregelmäßiges Schloß, mit einigen Türmen und Giebeln schien
die erste Anlage dazu gewesen zu sein; allein noch unregelmäßiger waren die
neuen Angebäude, die, teils nah, teils in einiger Entfernung davon errichtet,
mit dem Hauptgebäude durch Galerien und bedeckte Gänge zusammenhingen.
Alle äußere Symmetrie, jedes architektonische Ansehen schien dem Bedürfnis
der inneren Bequemlichkeit aufgeopfert zu sein [89].»

Hier war also das Äußere dem Funktionellen unterstellt; denn so gering
ist die repräsentative Erscheinung des Gebäudes, daß es auf Wilhelm keinerlei Wirkung hinterläßt; er reitet weiter «ohne viel über das was er sah
nachzudenken [90]». Selbst wenn er zu diesem Zeitpunkt in der Sphäre der
Kunst noch nicht gebildet genug ist, zwischen Form und Stoff zu unterscheiden, so ist er nun doch bereits so weit aufnahmefähig, um sich der
Wirkung, die ein bedeutendes architektonisches Werk hinterläßt, nicht völlig zu verschließen. Indes wirkt das Gebäude anscheinend nicht stark genug, um einen mit seinen Gedanken und Empfindungen beschäftigten
Menschen wie Wilhelm aus dieser Innenwelt herauszuholen. Theresens
Haus wirkt etwas stärker auf ihn. Es ist zwar keineswegs großartig und
scheint eher der bürgerlichen als der aristokratischen Welt anzugehören.
Nicht die künstlerische Gestaltung des Gebäudes spricht Wilhelm an, sondern die Reinlichkeit, die Luftigkeit der roten und weißen Farben, mit denen
es angestrichen ist, die Dauerhaftigkeit und Heiterkeit; ein Resultat jener
handwerklichen Bemühungen, die nicht auf Schönheit bedacht sind [91]. Erst
im Hause des Onkels, der als Ausnahme und Richtbild gelten darf, kann
Wilhelm ein Beispiel der reinsten, schönsten und würdigsten Baukunst
finden; erst hier ist er aber auch für derartige Eindrücke empfänglich. Das
Haus des Oheims erinnert an Palladio; es stellt den Idealtypus einer wahrhaft im antiken Geist geschaffenen Kunst dar [92]. Hier herrscht wahre Harmonie. Goethes Bemerkungen zur Kunst Palladios betonen diese Auffassung:

«Wenn man nun diese Werke gegenwärtig sieht, so erkennt man erst den
großen Wert derselben; denn sie sollen ja durch ihre wirkliche Größe und
Körperlichkeit das Auge füllen und durch die schöne Harmonie ihrer Dimen-
sion nicht nur in abstrakten Aufrissen, sondern mit dem ganzen perspektivischen
Vordringen und Zurückweichen den Geist befriedigen [93].»

Goethe war vom Wert dieser neoklassischen Kunst völlig überzeugt.
Für ihn strahlt das Haus La Rotonda bei Vicenza, das von Palladio gebaut
worden war und wohl als Modell für das Haus des Oheims gedient haben
dürfte, eine Art überirdische Kraft aus. Es ist «wirklich etwas Göttliches in

seinen Anlagen, völlig die Force eines großen Dichters, der aus Wahrheit und Lüge ein drittes bildet, das uns bezaubert[94].»

Wilhelm ist nun auch für derartige Eindrücke empfänglich geworden. Zur gleichen Zeit beginnt die Wirkung der Persönlichkeit Nataliens, die in dieser Umgebung für ihn um so stärker sein muß. Architektur und Persönlichkeit stehen in dauernder Wechselwirkung. Die wahre Kunst erfüllt ihre Aufgabe, besitzt sie doch dieselben Eigenschaften wie gute Gesellschaft; sie nötigt uns auf die angenehmste Weise, das Maß zu erkennen, nach dem und zu dem unser Innerstes gebildet ist[95]. So führt die Architektur wie jede andere Kunst den Menschen auf sich selbst zurück, dient ihm als Leitbild und führt letztlich zur Selbsterkenntnis. Die äußerste Wirkung der Baukunst auf den Menschen aber kann im Saal der Vergangenheit gesehen werden; ein Höhepunkt jener Bautätigkeit, durch welche der Onkel vor allem seine Ideen über Architektur verwirklichen konnte. Hier zeigen sich Zierde und Pracht in reinen architektonischen Verhältnissen und «so schien jeder, der hier eintrat, über sich selbst erhoben zu sein, indem er durch die zusammentreffende Kunst erst erfuhr, was der Mensch sei und was er sein könnte[96]».

Man findet Reinheit der Verhältnisse in diesem Saal, der zwar der Vergangenheit gewidmet, aber kein Museum ist. Er scheint dem Leben zugewandt; Zweck seines Daseins ist, den Lebenden als Wegweiser zu dienen und dabei die Vergangenheit — durch Gestaltung in der Kunst — wirken zu lassen. Daran erinnert die Inschrift auf einem Sarkophag: «Gedenke zu leben[97].» Aber wie soll dieses Ziel erreicht werden? Es kann nur mittelbar geschehen. Bildung durch die Kunst, wie sie Wilhelm im Hause des Oheims empfängt, ist jene ästhetische Erziehung im Sinne Schillers. Die Wirkung des Kunstwerkes auf den Menschen steigert die Qualität seines Lebens. Sie bereitet ihn mittelbar auf praktische Aufgaben vor, indem sie seine Gefühle erzieht und ihn zu einer besser organisierten Persönlichkeit werden läßt. Auf diese Weise erwirbt Wilhelm die Reife, die es ihm erlaubt, mit Erfolg um Natalie zu werben.

Wilhelm lernt die Kunstwerke erst würdigen, als er reifer geworden ist. Erst jetzt können sie ihn beeinflussen. Zwar war er ihrer Wirkung vorher nicht verschlossen, aber sie war doch noch beschränkt. Anderen Romanfiguren, wie etwa seinem Vater, bedeuten sie nichts. Ihm selbst enthüllen sie sich in voller Stärke erst, nachdem er ihnen innerlich aufgeschlossen war, sie fördern dann sein Reifen von neuem.

Wilhelm betritt so den Saal der Vergangenheit, nachdem er eine klarere Sicht gewonnen hat, wie es jene Bilder verraten, die Goethe braucht, um Wilhelms geistige Entwicklung zu kennzeichnen. Erst nachdem er durch die

Bekenntnisse der schönen Seele in andere, nach innen gewandte Lebenssphären geführt wurde, aus der bürgerlichen Welt heraus in die weite Welt der aristokratischen Lebensführung gelangt ist, ist er fähig, die Bedeutung und Wirkungskraft der Baukunst jenes Oheims anzuerkennen. Innere Bereitschaft mußte vorhanden sein, die indes nur durch Erlebnisse erworben werden konnte. Vor allem aber hat sich Wilhelm brüsk vom Theater abgewandt, das jetzt für ihn lediglich eine Scheinwelt bedeutet. Es schien eine Zeitlang beinahe, als ob in seinem Erleben zunächst die Leidenschaft für die Bühne gleichzeitig mit einer festen Lebenseinsicht bestehen könne. Doch muß man sich vor Verallgemeinerungen hüten: Theater und bildende Kunst schließen sich nicht unbedingt aus. Man könnte auch annehmen, daß seine Liebe für das Theater nur allmählich verkümmert. Genauso ist es aber möglich, daß sein Verständnis dafür erst recht gewachsen ist, nachdem er — von der Leidenschaft frei — die Bühne in der Perspektive einer distanzierten Betrachtung sehen kann. Tatsächlich ist es nur die Leidenschaft zum Komödiantischen, die als schädlich betrachtet wird, nicht das Theater selbst, das zwar eine fragwürdige Institution, für Wilhelm ungeeignet, darstellen mag, in der er aber doch einen Platz finden könnte.

*

Ist das Theater wirklich die gefährliche Scheinwelt, als die es sich für Wilhelm entpuppt? Oder ist es nur eine Ansicht, zu der Wilhelm letztlich auf Grund seiner Enttäuschungen gekommen ist? Das Theater spielt eine entscheidende Rolle in seiner Welt, deren Entwicklung nicht nur im Wandel von der bürgerlichen zur aristokratischen verläuft. Aus der Abhängigkeit aber wird dann doch Unabhängigkeit. Am Anfang des Romans ist Wilhelm der Bühne völlig verfallen. Zwar liebt er Mariane um ihrer selbst willen, aber seine Phantasie ist von der Begeisterung für das Theater beflügelt. Als die Mutter Wilhelms Liebe zum Theater eine Leidenschaft schilt, protestiert er heftig und weist ihre Versuche ab, die Schuld dafür auf das Puppenspiel zu schieben. Er verteidigt jene frühen Erfahrungen, er zeigt, wie sehr diese Welt ihn begeistert hat; die Lebendigkeit seiner Beschreibung beweist, wie tief sein Gefühlsleben davon noch jetzt berührt ist. Sein Wissensdurst wurde angeregt; nicht damit zufrieden, was er sah, wollte er wissen, wie es zuging. Nach erstem Staunen wollte er aufmerken und forschen; auch das führte ihn zunächst zum Nachdenken, da ihm gar nicht klar war, wie das ganze Puppenspiel überhaupt vor sich ging. Es kam ihm vor, als ob er es gar nicht wisse; ihm fehlte der Zusammenhang, «und darauf kommt es doch eigentlich an[98]». Wilhelms knabenhafte Liebe zum Puppenspiel, die er in allen Phasen vom ersten Stadium des Überlegens über den Gang des Spiels bis zu seinen eigenen Aufführungen schildert, bedeutete augenscheinlich einen tiefen Eingriff in sein Gefühlsleben. Die Begierde, die Ehrfurcht, die er empfindet, der Glaube an die Wirkung des Theaters auf den Zuschauer, die Beschäftigung mit seiner Einbildungskraft, die, dadurch geweckt, ihm unbeschreibliche Freude bereitet, sind alles nur Stadien auf dem Wege, den er geht, um dann selbst Schauspieler zu werden. Dieser Gang ist schon bei einer ersten Beschäftigung mit dem Puppenspiel vorgezeichnet. Es wäre falsch, anzunehmen, daß nun der Leser Wilhelms Begeisterung teilen soll. Die Begeisterung des jungen Menschen ist liebenswert, und sie wird auch so dargestellt, zusammen mit der Erinnerung, die sie in Wilhelm hervorruft. Zur gleichen Zeit aber wird dieser enthusiastische Zustand mit Ironie behandelt. Was dem Knaben angemessen, ist deswegen noch lange nicht für den Mann geeignet. Während Wilhelm mit Begeisterung erzählt, ja sich in sie hineinsteigert, schläft Mariane ein, die gewiß für ihn Sympathie empfindet. Sie dürfte für seine Theaterleidenschaft Verständnis haben, wenn sie auch an Hand ihrer eigenen Bühnenerfahrung manches anders sehen wird. Das Verhalten der alten Barbara, die inzwischen den Wein mit Bedacht genießt, rückt Wilhelms Leidenschaft noch stärker in ironische Beleuchtung. Man kann sich des Gefühles nicht erwehren, daß seine Puppenspielerlebnisse zwar autobiographischen Wert haben, es ihnen aber völlig an allgemeiner Bedeutung mangelt. Das Puppenspiel läßt Wilhelm nicht nur zum Schauspieler, sondern auch zum Dichter werden, allerdings nur innerhalb des beschränkten Rahmens dieser Theatergattung. Dies Dichtertum indes ist keineswegs in seinen Anlagen fest verankert, denn die Geschichte von Tancred und Chlorinde, die er sieht, bemächtigte sich seiner Einbildungskraft derartig, daß sie sich ihm hier «dunkel zu einem Ganzen in der Seele bildete[99]». Er besitzt noch keine bestimmte Idee vom Theater, noch hat er bedacht, «daß doch jeder wissen müsse, was und wo er es zu sagen habe[100]». Wilhelm ist zu unerfahren; so verunglücken seine Experimente. Später gefallen ihm die Stücke sehr, in denen er selbst zu gefallen sucht, aber sein Urteil ruht nicht auf festem Boden, und er wählt Rollen, zu denen er sich nicht eignet. Wie es dem Menschen oft im Leben geschieht, vermeint Wilhelm diese Schwäche überwunden zu haben, ohne daß es ihm in Wirklichkeit geglückt ist. Tatsächlich ist es ihm nur gelungen, soweit er sich der Auswirkung dieser Schwächen bewußt war. So wiederholt er seinen Irrtum auf anderer Ebene, als er Hamlet spielt. Zwar ist die Aufführung ein Erfolg; aber nur vom Standpunkt des ungebildeten Publikums aus; ein gebildeter Kenner, wie der Abbé, ist anderer Ansicht und meint, Wilhelm habe nur sich selbst und nicht den Hamlet gespielt. Auch entfernt Wilhelm sich durch die

Beschäftigung mit dem Theater immer mehr von der alltäglichen Welt; er betrachtet den Handel als eine niedrige Art von Tätigkeit. Er selbst gerät alsbald in ein nicht vertretbares Dilemma, indem er der Muse als tragischer Dichtkunst eine andere Frauengestalt gegenüberstellt, die Handel und Gewerbe personifizieren soll[101]. Beide zanken sich recht wacker um ihn. Wie er selbst zugibt, war die Erfindung gemein, und er kann sich nicht daran erinnern, ob die Verse etwas taugten[102]. Aber sie waren offensichtlich mit Leidenschaft konzipiert. Von einem Knaben von vierzehn darf man keine Vollkommenheit des Stils verlangen; Wilhelms Erfindung war gewiß naiv und ungeschliffen, sah er doch, wie er selbst zugibt, die Welt in Schwarz und Weiß. Von einem solch jugendlichen Betrachter darf man auch kein ausgeglichenes Urteil erwarten. In der Jugend sucht man die Grenzen, die Kunst und Wirklichkeit trennen, zu überspringen. So glaubt Wilhelm, daß er, hätte er Mariane gekannt, seinem Gedicht eine andere Wendung, einen interessanten Schluß[103], gegeben hätte, und er vergißt dabei, daß nicht die Erlebnisse des Verfassers, sondern die inneren Anlagen das Gedicht formen. Wilhelm ist noch zu beeinflußbar, um wohlbegründete Ansichten zu entwickeln. Die Bezeichnung «interessant» verrät, daß er weder zuverlässiges Urteil noch Kenntnis der Ästhetik besitzt.

Das Puppenspiel kann ihm auf die Dauer als Bildungselement nicht genügen. Wilhelm wächst, wie zu erwarten, darüber hinaus. Mariane bietet ihm ein viel vitaleres, unmittelbareres Erlebnis. Sie ist im Theater und Leben zugleich in einer Intensität, wie es trotz aller Begeisterung weder im Puppenspiel noch in Gedichten oder gar in seiner Schauspielertätigkeit je denkbar gewesen wäre.

Das Puppenspiel ist eine unzulängliche Welt; die wirkliche, wie sie ihm in seiner Liebe zu Mariane erscheint, lockt weit mehr. Doch nimmt das Puppenspielerlebnis irgendwie bereits Wilhelms weiteren Lebensweg vorweg. Die Bühne wird ihm zur Welt, während sie bestenfalls ein Teil der Wirklichkeit sein darf. Intuitiv begreift Wilhelm es auch, denn er merkt, wie er sich durch seine Leidenschaft zum Theater mit Gewalt von der Außenwelt entfernt. Er sagt: «Aber eben zur selbigen Zeit entfernte sich mein Geist um so gewaltsamer von allem, was ich für ein niedriges Geschäft halten mußte[104].»

Zur gleichen Zeit erzählt er, daß die glücklichen Kinder, bei denen sich eine jugendliche Verliebtheit entwickelt hatte, in Glückseligkeit verschwammen, wenn sie einander so «bebändert und aufgeschmückt recht idealisch» vorkamen, während die unglücklichen Nebenbuhler sich in Neid verzehrten und mit Tod und Schadenfreude allerlei Unheil anrichteten. Auch hier herrscht Unklarheit, wie die Ausdrücke «verschwammen» und «recht idealisch [105]» bezeugen. Allerdings wäre es völlig falsch und absurd, von diesen Kindern und ihrer jugendlichen Begeisterung für das Schauspiel zu erwarten, was man etwa von erfahrenen und reiferen Menschen erwarten darf.

Wilhelms Liebe und sein Enthusiasmus für das Theater befruchten einander: beides Leidenschaften, beide gleich unrealistisch. So sieht er sich schon als Schöpfer eines Nationaltheaters, als vortrefflichen Schauspieler; und es ist ein durchaus dichterisches Bild, das sich in ihm formt. Aber zum Dichter fehlt es ihm an der Gabe, sich vom Stoff, vom persönlichen Erlebnis zu entfernen und diesem Bild dann durch Mittel der Sprache Gestalt zu geben. Er kann es genausowenig, wie er sein Handeln in die Tat umzusetzen vermag. Solange die Vorstellungskraft, die ihn, wie wir schon sahen, ein Gemälde auf Nebelgrund hatte zeichnen lassen, noch in unklaren Formen ihren Niederschlag findet, fehlen ihm die unabänderlichen Vorbedingungen zum Dichten und Handeln; sowohl ein Mann der Tat als auch der Dichter benötigen Klarheit der Einbildungskraft. So ist auch der Effekt, wie es die ironischen Worte des Erzählers bezeugen, derart, daß «dafür das Ganze eine desto reizendere Wirkung tut [106]».

Wilhelm denkt nur an die Wirkung, die das Werk auf ihn selbst hat. Ihm fehlt der Sinn dafür, daß bei einem bedeutenden Kunstwerk alle Teile eines Werkes organisch mit dem Ganzen verknüpft sein müssen. Ist es daher überraschend, daß keiner seiner Pläne zur Vollendung kommt? War er doch nie in der Lage, etwas zustande zu bringen, da er stets müde geworden war, ehe er auch nur die Hälfte gestaltet hatte.

Um so größer aber ist Wilhelms Glaube an seine Sendung für das Theater. Er will auf Menschen wirken, ihre inneren Gedanken und Sehnsüchte aussprechen. So erscheint ihm das Theater moralisch; die Aufgaben der Schaubühne und der Kanzel werden einander ähnlich, an beiden Orten sollen nur durch edle Menschen Gott und Natur verherrlicht werden. Wilhelm fordert eine Auslese, die sich nicht nur durch Können, sondern auch durch Gesinnung auszeichnet. Man gewinnt indes den Eindruck, daß Gesinnung ihm hier wesentlicher als Können erscheint. Wilhelms Bild vom Theater, wie er es in einem Brief an Mariane und in seinen Überlegungen über Melina ausdrückt, ist idealisierend; wenn auch keineswegs alles, was er sagt, unberechtigt ist, so entwirft er doch ein «poetisiertes» Bild. Er erwartet Gesinnungen, die er bei einem Melina nie voraussetzen durfte.

Gefühle, wie Wilhelm sie hegt, sind zwar notwendig, um auf dem Theater schöpferisch tätig zu sein, aber diese seelische Bereitschaft kann nicht das ganze Leben ausmachen. Wilhelm, wie es der Erzähler andeutet, fühlt zum Teil nur so, nicht weil er für Melina Verständnis hätte, sondern weil er sich selbst handeln sieht. In Gedanken entwickelt er einen ganzen Roman, sich phantastischen Gedanken ergebend, was er selbst an Stelle dieses Unwürdigen am morgigen Tage unternehmen würde. Er schafft sich eine Traumwelt, worauf der Erzähler ausdrücklich hinweist.

Wilhelms Beziehungen zum Theater sind also von vornherein durch irreale Vorstellungen bestimmt, sind aber genau wie seine Liebe zu Mariane letztlich zum Scheitern verdammt. Zur gleichen Zeit hat indes auch die Welt nicht unbedingt recht. Es trifft bestimmt nicht zu, daß das Theaterleben nur von Intrigen beherrscht sei oder daß andere kümmerliche Forderungen des täglichen Lebens, wie im Falle Melinas, völlig in den Vordergrund treten oder daß Werner aus dem Puppenspiel irgendwelchen Nutzen zieht. Das ist keineswegs Aufgabe und Ziel eines Theaters, noch entspricht es den Möglichkeiten, die es zu bieten vermag.

Theater ist eine Mischung von sehr verschiedenen Elementen. Dies wird Wilhelm klarer, als er nach langer Zeit bei seiner ersten Reise nach dem Verluste Marianens sich wieder ein Schauspiel anschaut und erkennen muß, daß Gefallen und Ergötzen die Anfänge aller Schauspielkunst sind. Ein Stück, das voller Handlung war, aber keine Schilderung wahrer Charaktere enthält, wird nur den rohen Menschen befriedigen, der zufrieden ist, wenn er etwas vorgehen sieht[107]. Aber ohne Gefallen und Ergötzen wird auch das klügste Werk fehlgehen.

Die Wirkung des Theaters ist nicht unbedingt gut; Stücke werden oft nicht richtig gewürdigt. Es geschieht zwar, als Wilhelm Ritterstücke vorliest; er erntet Beifall, wobei allerdings die Vorlesung von einem Punschtrunk begleitet wird. Es zeigt sich hier, wie die Betätigung der Schauspieler — aus ihren eigenen Gefühlen heraus — zwar das persönliche Interesse, ihr Verständnis für das Bühnenwerk aber keineswegs fördert. Die Deutschheit des Stückes begeistert Schauspieler und Schauspielerinnen; alle sind vom Feuer des edelsten Nationalgeistes erfüllt, sie sehen im Stück nur Rollen, die sie selbst spielen, in denen sie ihre «Deutschheit» vor dem Publikum darstellen können. So verlassen dann die Zuhörer diese Vorlesung natürlich mit «geläuterten» Gefühlen; und es überrascht nicht, daß sie sich gleichzeitig einem Trinkgelage hingeben. Alles deutet darauf, daß sie weit davon entfernt sind, den Unterschied zwischen Bühne und Wirklichkeit, zwischen Form, Gehalt und Stoff zu würdigen.

Die Wirkung Shakespeares ist dafür allerdings eine andere auf Wilhelm — Goethe hat ihm nicht ohne Absicht denselben Vornamen gegeben. Shakespeare ergreift ihn zwar zunächst, so daß er sich beinahe völlig in dieser Welt verliert. Aber die Lektüre Shakespeares feuert Wilhelm dann auch zu praktischer Tätigkeit an; doch ist für ihn alles noch in den Bahnen der Leidenschaft; er möchte in der wirklichen Welt schnellere Fortschritte machen und will es dadurch erzielen, daß er sich in die Flut der Begebnisse stürzt, um dereinst, wenn es ihm glücken sollte, «aus dem großen Meere der wahren Natur wenige Becher zu schöpfen und sie von der Schaubühne dem lechzenden Publikum meines Vaterlandes auszuspenden[108]». Selbst Jarnos freudige Zustimmung sollte uns nicht darüber täuschen, daß Wilhelm, der zwar bereit ist, sich dem tätigen Leben zuzuwenden, keineswegs Abstand und Erfahrung genug besitzt, um es verständig zu nützen. Die Bilder «Becher» und «Meer» verraten, daß Wilhelm noch völlig aus dem Gefühl heraus sich an die Dichtung wendet, nicht durch Erfahrung und Verstand gestärkt; denn die beiden Bilder gehören bei Goethe durchaus zur Sphäre der Leidenschafts- und Liebessymbolik. Andererseits aber bedeuten sie doch, daß das Shakespeare-Erlebnis für Wilhelm ein geistiger Wendepunkt ist. Zweifelsohne treibt er dem Untergang entgegen, als er Shakespeare liest, und besonders, wenn er den Hamlet spielt; doch zur gleichen Zeit wieder ist es der Geist Shakespeares, aus dem er die Kraft gewinnt, sich dem wirklichen Leben zuzuwenden. Wilhelm muß allmählich erkennen, daß das Theater eine Scheinwelt ist, während der unbefangene Zuschauer Schein und Sein nicht zu unterscheiden vermag und deshalb falsche Maßstäbe anlegt. Serlo weiß das, wenn er Wilhelms Ansichten kritisiert. Dieser erfahrene Routinier des Theaters hat erkannt, daß das Publikum nur dann in Feuer gerät, wenn sich ihm die Bretter der Bühne in Tempel, die Pappen in Wälder verwandeln. Von dieser erlogenen Wahrheit, so behauptet er, wodurch allein die Illusion erzielt wird, hat kaum jemand einen Begriff. Es ist notwendig, daß man, was der Autor im Stück gedacht hat, mit Lebhaftigkeit erfasse; aber das ist nur wenigen gegeben. Da nur selten der Geist des Ganzen erfaßt wird, ist es nötig, daß man zunächst einmal den Buchstaben versteht und nicht zu sehr auf Geist und Empfindung dringe. Die praktischen Voraussetzungen des Schauspiels als eines Handwerkes, die Kenntnisse der Rollen, sind um so wichtiger, als der Geist allein ohne Buchstaben immer auf Abwege gerät. Diese pragmatischen Ansichten Serlos lassen ermessen, wie sehr es Wilhelm gerade an praktischer Erfahrung mangelt. Denn so sehr man auch mit dessen Empfindung sympathisieren mag, der praktische Erfolg spricht für Serlo, der aus seiner Erfahrung weiß, auf der Bühne wie im Leben geht es anders zu, als der naive Beschauer im allgemeinen annimmt.

Wird das Verhältnis von Sein und Schein mißverstanden, so hat es üble Folgen. Es geschieht, wenn Aurelie die Aufgaben des Schauspielers verkennt und in der Orsina ihr eigenes Schicksal spielt. Eine Warnung für Wilhelm, der in Hamlet sich selbst und nicht ein anderes Wesen dar-

stellt. Zwar ist ihr Spiel, wie kein Dichter im ersten Feuer der Einbildungskraft sich es hätte jemals so denken können, aber die Folgen sind nicht
nur ein unmäßiger Beifall des Publikums. Der Erzähler mißbilligt das
durchaus in der Meinung, daß das Publikum eine derartige Anteilnahme
am Spiel von einer Schauspielerin nicht fordern dürfe; Aureliens Schicksal
gab ihm recht. Eine solche Übersteigerung führt ihren Tod herbei.

Wilhelm selbst lernt am Ende die Schwäche des Theaters kennen; er
muß es daher als vollgültige Bildungsmacht ablehnen. Es erscheint ihm
als eine Welt, in der jeder nur seiner Eigenliebe huldigt. In einem Gespräch mit Jarno verurteilt er diese Welt aufs äußerste; dort wolle jeder
nicht nur der erste, sondern der einzige sein. Alle Möglichkeiten scheitern
an dem Primadonnenkomplex der Schauspieler, die «nichts so sehr zu erhalten suchen, als das Majestätsrecht ihrer persönlichen Willkür[109]». Wilhelms Ablehnung dürfte sicherlich durch die Lektüre der «Bekenntnisse
einer schönen Seele» wie auch auf Grund seiner Bekanntschaft mit Lothario und dessen Freunden gestaltet worden sein; aber dieses Urteil ist noch
immer nicht unabhängig. Die Schärfe der Ablehnung spricht für einen
Mangel an Distanz; er denkt noch zu sehr aus seinem unmittelbaren Erleben heraus. Jarno muß ihn korrigieren; er berichtigt seine Perspektiven
und macht ihn darauf aufmerksam, daß der Schauspieler diese Schwächen,
welche Wilhelm nun derart abstoßen, als Schauspieler nicht missen kann.
Der Schauspieler, zum Schein berufen, muß den Beifall, der im Augenblick
der unmittelbaren Aufnahme seines Spiels gewährt wird, über alles schätzen. Da er einer Scheinwelt angehört, steht er da, um zu glänzen. Selbst-
betrug beherrscht sein Empfinden. Man darf ihn deswegen nicht verurtei-
len. Jarno ist bereit, «alle Fehler des Schauspielers dem Menschen» zu
verzeihen, allerdings dem Menschen keine Fehler des Schauspielers[110]».
So besteht er darauf, obwohl Wilhelm dagegen protestiert, daß das, was
jener über das Theater gesagt hat, eigentlich für die Welt gilt. Obwohl
das Theater nur eine Scheinwelt ist, steht es doch mit der Wirklichkeit in
Beziehung. In manchem bietet es eine Art Analogie. Welcherart aber?

Der Roman gibt keine ausdrückliche Antwort auf diese Frage. Jarno
weist nach Wilhelms Kritik lachend darauf hin, daß er bei seinem Tadel
nicht nur das Theater, sondern die Welt selbst beschrieben habe[111]. Es
handelt sich also nicht um die äußeren Formen des Erlebnisses; der Zusammenbruch der Theatergruppe nach Philinens Weggang kommt dem
Zusammenbruch einer Welt gleich.

Ein Beispiel, das diese Analogie zwischen Theater und Welt näher erhellt, ist die Hamlet-Kritik Wilhelms. Sie läßt mittelbar das Wesen des
Theaters und dessen symbolische Bedeutung erkennen. Hamlets Charakter

wird analysiert, als ob er eine dem Leser bekannte Persönlichkeit sei. Es wird ihm, wie Wilhelm sagt, eine große Tat auf die Seele gelegt; auf eine Seele jedoch, die der Tat nicht gewachsen ist. Unmögliches wird gefordert, «nicht das Unmögliche an sich, sondern das, was ihm unmöglich ist[112]». Hamlets Wesen erscheint als eine Art Leitbild, an dem man sich orientieren kann, an dem eine Situation und ein Charakter erkennbar werden und das eine Intensität hat, wie sie im Leben oft nicht zu erkennen ist. Wilhelm fühlte dies auch, als er Shakespeare las, denn er spricht davon, daß man bei ihm Charaktere und Situationen finde, die denen der Welt ähnlich seien. Man glaubt, bei der Lektüre Shakespeares, tiefer in die inneren Zusammenhänge eindringen zu können. Vieles wird auf diese Weise klarer, was vorher verborgen war. Solche Einsicht ermuntert Wilhelm zur Tätigkeit in der wirklichen Welt. Der Beifall Jarnos, eines ganz andersgearteten Menschen, deutet an, wie ja auch die ganze Tendenz des Romans, daß hier die Dichtung richtig aufgefaßt wurde. Sie ermuntert zu praktischen Konsequenzen. Genauso muß auch Wilhelms Beschäftigung mit Hamlet verstanden werden. Die Dichtung sollte in diesem Falle auf die realen Bedingungen des Daseins hinweisen, weniger als Vorbild denn als Warnung. Wilhelms Einsicht in Hamlets Charakter erfolgt nicht aus der Distanz einer wahren ästhetischen Betrachtung[113]. Er sieht Hamlet nicht so, wie er wirklich ist, sondern als einen ihm ähnlichen, empfindsamen, nach Bildung strebenden Menschen[114]. Deshalb muß ihm auch der Abbé die Warnung zukommen lassen, aus diesem Lebenskreis zu fliehen.

Das Theater ist weiterhin der Welt analog, insofern es einen Komplex darstellt, in dem es verschiedene Stufen des Daseins gibt, wo gegensätzliche Auffassungen miteinander in Konflikt geraten, um dann einen Ausgleich zu finden. Schließlich besteht noch eine andere Art der Analogie, die darin liegt, daß sich das Theater anders entpuppt, als es zunächst erscheint. Theater und Wirklichkeit selbst verändern sich, da unsere Perspektive wechselt. Es geht anders zu, als man vermutet; vieles enthüllt sich als bloßer Schein, als Glanz, der den naiven Betrachter betört. Zunächst erscheint das Theater, wie die Welt selbst, in der wir leben, als ein sich selbst genügendes Ganzes; bald aber muß man erkennen, daß es von Kräften, die außer ihm wirken, bedroht wird, daß es sich selbst unzulänglich dünkt; andere, ungeahnte Welten, die man für nebensächlich hielt, üben plötzlich eine Anziehungskraft aus, so daß man sie in den Lebenskreis miteinschließen muß. Derartiges erlebt Wilhelm vor allem, als er der Sphäre inneren Erlebens, wie sie ihm der Lebensgang der Stiftsdame darbietet, gegenübertritt. Doch wirkt dies erst auf ihn, als die Wirkungskraft des Theaters bereits nachgelassen hat.

Wilhelm reift, nachdem die Bedürfnisse seines äußeren Lebens (Schaulust und Spieltrieb) Betätigung und Entwicklung gefunden haben. Zwar ist ihm keine dauernde Befriedigung gegönnt, und das Ungenügen an der von außen, vom Scheine her gesehenen Welt tritt immer mehr hervor. Wilhelm mangelt es nicht an Fülle des Erlebens, aber seine Entwicklung hat keine feste Linie gefunden; er hängt noch an jenen Verirrungen, die durch seine verschwommene Auffassung von Mensch und Umwelt bedingt sind. So bietet das sechste Buch, *Die Bekenntnisse einer schönen Seele*, ein Gegengewicht zu seinem eigenen Erleben. Diese Lebensbeschreibung läßt ihn erkennen und erfühlen, daß es verschiedene Lebensmöglichkeiten gibt. Die Stiftsdame bestimmt ihr Dasein ganz anders als Wilhelm. Derartiges ist ihm vorher nie begegnet. Die Welt des Scheins, die für Wilhelm zunächst die Welt in ihrer ganzen Fülle bedeutet, ist für die Stiftsdame nur verwerflich. Ihr Blick will durch diese Welt zum Eigentlichen hindurchdringen. Sie möchte, wie sie selbst sagt, ihr Schauen nicht durch Bilder gestört wissen.

*

Dieser plötzliche Einbruch einer transzendentalen Welt in das Geschehen unterscheidet das sechste von den vorhergehenden Büchern; tatsächlich ist ein religiöser Aspekt kaum vorher gestreift worden. Die ersten fünf Bücher des Romans konzentrieren sich fast völlig auf die diesseitige Welt; nur in der Unterhaltung zwischen dem Unbekannten und Wilhelm über Zufall und Notwendigkeit im ersten Buch (11. Kapitel), über Erziehung und Schicksal im zweiten Buch (9. Kapitel) wie auch in den Liedern des Harfners werden andere Daseinsformen gestreift. In seiner Jugend hatte Wilhelm verschwommene Begriffe von Schicksal und Leben. Er meinte, es walte ein Schicksal über ihm, dem er sich einfach hingeben könne, eine Macht, die, über ihm waltend, alles zum besten lenke. Aber diese Ansicht wird keineswegs von dem Fremden geteilt, mit dem Wilhelm sich unterhält; ihm scheint dessen Aufsassung zu naiv; auch glaubt er, sie würde den Menschen zu sehr den Umständen überlassen. Vielmehr sieht der Fremde es als menschliche Aufgabe an, sich zwischen Notwendiges und Zufälliges zu stellen, beides zu beherrschen und nicht dem Notwendigen etwas Willkürliches, dem Zufälligen eine Art von Vernunft zuzuschreiben. Was der Fremde tadelt, ist jene abergläubische Auffassung des Lebens, das dem Dahinschlendern des Menschen den Namen einer göttlichen Fügung geben möchte. Was er an Wilhelm tadelt, ist, daß er sich zu wenig über die Möglichkeiten der eigenen Lebensführung und Entscheidung im klaren ist. Zwar ist seine Auffassung stark rationalistisch gefärbt; es wird ihm am Ende des Buches keineswegs recht gegeben; im Gegenteil, Wilhelms eigener Glaube an eine günstige Fügung bestätigt sich. Trotz allem aber dient die Unterhaltung dazu, Wilhelm darauf aufmerksam zu machen, daß seine Lebensauffassung beschränkt sei. Doch, wie man es später in der Unterhaltung mit dem Landgeistlichen sieht, hat sich Wilhelm zu dieser Auffassung bekehren lassen und hält am Glauben an die Fügung des Schicksals durchaus fest.

Von allen Gestalten, die das Walten gewaltiger, irrationaler Mächte deutlich machen, ist zweifelsohne die Figur des Harfners die bedeutendste. Wenn er auch durch seine Lieder, besonders durch «Wer nie sein Brot mit Tränen aß» und «Wer sich der Einsamkeit ergibt», eine Aura des Mysteriösen um sich verbreitet, so wirkt er nur als Bild, das auf jene geheimnisvollen, unsichtbaren Mächte hindeutet; das allerdings um so stärker, da gerade die poetische Kraft, die von diesen Liedern ausstrahlt, seinen Worten und seiner ganzen Persönlichkeit durchaus Eindringlichkeit und Gewicht verschafft. Erst später, als wir seine Lebensgeschichte erfahren, können wir erkennen, daß diese Wirkung sicherlich einer unglücklichen Vergangenheit zuzuschreiben ist. Religion und Natur sind bei ihm in Widerstreit; durch diesen Konflikt wird Sperata, seine Schwester, in Tod und Wahnsinn getrieben.

Für Wilhelm wird der Harfner zum Symbol irrationaler Mächte. Aber er bleibt an der Peripherie des Geschehens und bringt ihn deshalb nicht dazu, sich tiefer mit religiösen Fragen zu beschäftigen. Das geschieht erst, als er erfährt, wie sich unerwarteterweise sein eigenes Betragen auf den Grafen und die Gräfin auswirkt, wie beide durch seine schuldig-unschuldige Verirrung getroffen werden. Schuld daran ist allerdings auch ihr seltsamer Aberglauben. Dann — von Aureliens Verzweiflung und Tod erschüttert — hat er eine innere Bereitschaft erreicht, die ihn auf die Lektüre der Bekenntnisse der Stiftsdame seelisch empfänglich macht; denn nur mit einer dem Thema gemäßen geistigen Einstellung können diese Bekenntnisse so aufgenommen werden, daß sie eine fruchtbare Wirkung hinterlassen.

Im sechsten Buch wird nicht nur eine religiöse Entwicklung geschildert, sondern auch das Bild der Welt aus der Sicht eines religiösen Individuums dargestellt. Die hier angelegten Maßstäbe sind anders, als sie dem gewöhnlichen Menschen erscheinen, welcher der Gesellschaft und ihren Illusionen verfallen ist. Alle Wertungen beziehen sich nicht auf den Menschen, sondern auf Gott. Die Stiftsdame beurteilt das Leben ganz und gar nach dem Gesichtspunkt, wieweit es ihr gelang, in seine Nähe zu kommen. Sie bezeichnet die Jahre als leer, in denen sie sich vom Tand und Flitter der Welt beeinflussen ließ. So wie sie durch eine Kinderkrankheit zu Gott geführt wird, so sind es die Erschütterungen, ihre Liebe zu Narziß, welche die bunten Bilder des Alltags verschlucken und ihre Seele wiederum beflügeln. Glaube und Verhältnis zu Gott sind hier vor allem auf das Gefühl bezogen. So ist ihre Liebe zu Gott, so ist ihre Religion ihrer Ansicht nach nicht gegen die Natur gerichtet; so entfernt ihre Liebe zu Narziß sie nicht von Gott, sondern bringt sie ihm nur näher. Zwar löst sie ihr Verlöbnis mit Narziß, weil er ihr nicht die Freiheit zugesteht, ihren Gesinnungen zu folgen, weniger, weil ihre Liebe zu Gott und zu ihrem Verlobten in Konflikt geraten sind; vielmehr ist es so, daß dieser ihrer Liebe nicht würdig ist, da er — zu sehr dem Schein der äußeren Welt verfallen — sich selbst innerlich ganz anders entwickelt hat als sie.

Es braucht weitere Erschüttterungen, damit sich ein solches Seelenleben fortentwickelt. Ihre Beziehung zu Philo läßt ihr ein Gefühl der Sünde bewußt werden; aber eben hier wiederum vertieft sich das religiöse Gefühl. Sie wird sich jetzt erst richtig der Art solchen Glaubens bewußt: ihre Liebe «eilt» zu Gott. Sie begreift und empfindet, daß Christi Blut die Sünde tilgt. Auf dem Wege solch innerer Vertiefung wendet sie sich der Herrnhuter Gemeinde zu. Dort findet sie eine wahrere, innerlichere Religion als in der orthodoxen Kirche. Aber sie muß auch erkennen, daß Religion für sie zwar das wesentlichste Element im Leben ist, aber daß es noch andere Sphären gibt, die unsere Aufmerksamkeit verlangen. Es ist nicht damit getan, allein das innere Leben zu pflegen; denn selbst sie muß zugeben, sie habe sich oft an Bildern und religiösen Darstellungen begeistert, denen es an ästhetischem Wert mangelt. Der kunstverständige Oheim weist sie darauf hin, nur derjenige kenne die ganze Geschichte der Kunst, der eines ihrer Werke zu beurteilen weiß. Sie muß zugeben, daß solche Werte nicht nur vom Gefühl, vom Empfinden der Seele beurteilt werden können. Kritische Betrachtung setzt Kenntnis der Materie voraus.

Trotz dieser Erkenntnis bleibt der Schwerpunkt ihres Erlebens in der Sphäre der Religion. Natur ist für sie nicht auf Irdisches beschränkt; der menschliche Erfahrungsbereich reicht nicht aus, die Welt zu erfassen. Sie kennt die Schwächen unserer Natur und ist eben deshalb überzeugt, daß die Kraft der Menschen allein zur Bildung der inneren Persönlichkeit nicht ausreiche, daß vielmehr Gottes bildende Kraft dazu notwendig sei.

Wie Wilhelm selbst zugibt, sind diese Gefühle der Stiftsdame nicht ohne Wirkung auf ihn geblieben. Die Reinheit ihres Daseins hinterläßt bei ihm einen tiefen Eindruck. Er würdigt die Selbständigkeit ihrer Natur und ihre Charaktereigenschaft, nichts in sich aufzunehmen, was mit edlen und liebevollen Gesinnungen nicht harmonisch übereinstimmt.

Die Stiftsdame dient ihm, wie ihre Worte andeuten, als Vorbild; er gehört zu den wenigen, denen sie, wie Natalie erklärt, etwas bedeutet. Sie wirkt auch auf Natalie, ihre Nichte, bei der innere Wesensverwandtschaft und äußere Ähnlichkeit zusammentreffen, und die eigentlich, wie Schiller es verlangt, die Bezeichnung «schöne Seele» verdient[115]. Die Folge dieser Wirkung ist ein gemeinsames Band zwischen ihr und Wilhelm. Außerdem bereitet die Lektüre der Bekenntnisse Wilhelm auf das Wesen Nataliens vor. Er hat dadurch Einblick in die Lebensweise eines Menschen erhalten, dessen Lebensart sich von der seinen gewaltig unterscheidet, aber der Daseinsform Nataliens nahesteht.

Die Stiftsdame wird indes von Natalie, der es keineswegs an Verständnis für sie mangelt, nicht ohne Schwächen dargestellt. Sie deutet an, daß sie sich zu sehr mit sich selbst beschäftigt habe. Diese religiöse Innerlichkeit hat ihre Wirkung auf die Welt beschränkt. Dort kennt man weder Duldung noch Nachsicht für einen allzu zarten Menschen; derartige Gestalten sind jedoch Vorbilder, die man zwar nicht nachahmen, denen man aber doch vielleicht nachstreben sollte. So bezeichnet Natalie das Wirken und Wesen der Stiftsdame. Bei Natalie indes ist es nun gerade die Verbindung von Innerlichkeit und praktischer Tätigkeit, die sie für Wilhelm so begehrenswert macht.

Das Religiöse tritt sonst im Roman kaum noch hervor. Nur in Mignons Exequien wird ein religiöses Moment angesichts des Todes dargestellt: ein Hinweis auf das Leben — ganz anders als bei der Stiftsdame. Bestätigung im Leben wird gefordert. Hier ist es die Schönheit, die den Menschen zur Wiederbetätigung, zur Rückkehr ins Leben veranlaßt. Doch ist es keineswegs ein Roman mit religiösen Tendenzen. Religiöse Elemente sind viel weiter in den Hintergrund gedrängt als etwa im *Werther*. Dort machen Werthers Streben zum Absoluten und seine religiöse Einstellung einen wesentlichen Teil des Romans aus.

*

Genausowenig wie die Religion spielt die Natur in diesem Roman eine beherrschende Rolle. Werthers Empfänglichkeit für die Natur ist eine der Haupteigenschaften in seiner Persönlichkeit. In den *Lehrjahren* ist es anders. Hier wird sie nur nebenher erwähnt. Im dritten Kapitel des zweiten Buches nach Wilhelms Enttäuschung mit Mariane und den Auseinandersetzungen mit Werner, am Anfang des siebenten Buches oder auch im achten Buch gibt es Naturbeschreibungen, die eine neue Stufe in Wilhelms Leben bedeuten. Sie stellen dar, wie das Leben ihm in neuen Farben erscheint, wie er es mit frischer Freude und Hoffnung begrüßt. Jedesmal sieht er die Natur durch ein neues Organ. Er wird zur Selbstbesinnung geführt. Der Verlust Marianens, der Tod Aureliens und die Lektüre der «Bekenntnisse» wie auch die feierliche Beendigung der Lehrjahre lösen diese seelische Regsamkeit aus. So erhellend auch diese Stellen, an denen er sich der Macht der Natur aufgeschlossen zeigt, für die Kenntnis seines Lebensweges sind, so sind sie doch zu vereinzelt, um tiefer mit dem Gewebe des Romans verflochten zu sein. Die Natur spielt darin eine untergeordnete Rolle, insofern sie Außenwelt bleibt. Der Roman aber ist auf das innere Erleben des Helden zugeschnitten; ja, die innere Natur des Menschen ist eben dafür um so bedeutsamer gestaltet.

Wilhelm ist einem natürlichen Werdegang ausgesetzt, der sich auf verschiedenen Lebensstufen vollzieht[116]. Der Weg ist nicht immer direkt, aber es ist doch ein Vorwärtsschreiten. Ähnlich geht es mit seinem Gefühlsleben. Auch hier bildet er sich auf natürliche Weise durch Versuch und Irrtum. Seine Liebesgefühle werden genausowenig in vorgeschriebenen Bahnen eingeengt, können sich vielmehr zunächst weiter entfalten. So bedeuten ihm: Mariane, Philine, Mignon, die Gräfin, Aurelie, Therese und schließlich Natalie, jede etwas durchaus Eigenes; wenn auch, mit Ausnahme von Natalie, jede erkennen muß, daß jeweils seine Zuneigung zwar echt, aber doch nicht fest gegründet war. So wird Wilhelm auf seinem Lebensweg hin- und hergetrieben; er hat sich noch zu keinem festen Ziel aufgerafft. Er ist wie ein Wanderer, wie ein Vogel, der umhergetrieben wird; doch kommt er dabei nicht nur weiter, sondern auch höher. Der Gefahr der Erstarrung verfällt er nicht, da er sich dem Naturgesetz der Polarität unterstellt, ohne welches eine Weiterentwicklung, oder auch Weiterbildung seiner Persönlichkeit, nicht möglich ist. Besitzen die anderen Gestalten des Romans ähnliche Anlagen, ist ihnen eine ähnliche Freiheit der Entwicklung eingeräumt? Gewinnt man auch bei ihnen den Eindruck, daß sich ihr Leben nach den Prinzipien der Polarität günstig entwickelt? Von manchen Gestalten, wie vom Abbé oder Jarno, erfährt man nicht genug, um ihr Leben überblicken zu können; über den Weg anderer kann man eher ein Urteil fällen. Lothario, Natalie und, in geringerem Maße, auch Therese, Friedrich, Serlo und sogar die Stiftsdame haben ihre Anlagen durch Versuche und Irrtümer fortentwickelt oder auch weitergebildet. Andere Gestalten wirken durch die Beschränktheit, ja Verfehltheit ihrer Entwicklung auf uns. Das gilt für Werner, dessen geistige Anlagen verkümmern, für den Grafen und die Gräfin, die aus der festen Bahn durch ihren Aberglauben gerissen werden. Darüber hinaus gibt es Lebensläufe, die ein tragisches Schicksal verraten, man denke an Mariane, Mignon und den Harfner oder an die Gestalten, deren Schicksal Wilhelm im Spiegel der Dichtung erlebt, wie Hamlet oder Ophelia. Hier treten uns Menschen gegenüber, auf die

Wilhelms Worte über Hamlet anwendbar sind: «Hier wird ein Eichbaum in ein köstliches Gefäß gepflanzt, das nur liebliche Blumen in seinen Schoß hätte aufnehmen sollen; die Wurzeln dehnen sich aus, das Gefäß wird zernichtet[117].» Durch gewaltige, unbeherrschbare Triebe wird das empfindsame Gehäuse ihrer Persönlichkeit zerstört; sie sind dem außerordentlichen Schicksal, das ihnen auferlegt wird, nicht gewachsen.

Wilhelm befindet sich im Zentrum der Beziehungen all dieser Gestalten; das Leben der anderen wird dem seinigen gegenübergestellt. Es wird ein ganzer Komplex von Gestalten gebildet; man kann ihn mit Schiller ein Planetensystem nennen; «die italienischen Gestalten» (d. h. der Harfner und Mignon) entsprachen «Kometen, die auch schauerlich wie diese, das System an ein Entferntes und Größeres knüpfen[118]». Aus solchen Beziehungen, die diesem aus Gestalten gebildeten System innewohnen, entsteht die Handlung des Romans. Alles bezieht sich jedoch auf Wilhelm. Dieser besitzt eine gesunde Natur. Deshalb vermag er sich trotz seiner Irrtümer und trotz aller Gefahren, die ihn bis zum Ende des Romans bedrohen, weiterzubilden. Wie gefährdet er ist, sieht man um so klarer, je näher er Menschen wie Mignon oder dem Harfner kommt. Wenn er den Hamlet spielt und sich aus dieser Atmosphäre entfernt, kann man beinahe von innerer Genesung sprechen, ebenso wenn er zielstrebige Menschen wie Lothario oder innerlich gefaßte wie Natalie als Freunde oder Lebensgefährten wählt. Wilhelm überwindet die Gefahren, die ihm durch Freundschaft und innere Identifizierung mit unharmonischen Wesen drohen, weil er eine gesunde Natur hat; so scheitert er nicht am Gange seiner eigenen Bildung.

Weil Wilhelms Bildung augenscheinlich fortschreitet und er sie selbst als sein Ziel bezeichnet, haben die *Lehrjahre* immer als Bildungsroman gegolten[119]. Trifft aber diese Bezeichnung auf den Roman zu? Ist er wirklich der nie wieder erreichte Höhepunkt dieser Gattung, wofür man ihn im allgemeinen gehalten hat? Kurt May kam nach behutsamer und gründlicher Untersuchung zu dem Schluß, daß Wilhelm Meister sich zwar bildet, aber nicht im Sinne einer allgemeinen Bildung, daß er sich vielmehr zu einer besonderen Tätigkeit heranbildet[120]. Bei näherer Betrachtung dieses Themas muß man zunächst «Bildung» von «Entwicklung» unterscheiden. Entwicklung ist ein kontinuierlicher Prozeß, im Verlauf dessen die in der Entwicklung befindliche Gestalt sich in ihren hauptsächlichen Bestandteilen nicht wesentlich verändert. Bildung dagegen stellt einen Prozeß dar, der auf ein Ziel gerichtet ist. «Hier beobachtet man einen wesentlich teleologischen Vorgang, d. h. ein Ziel ist vorhanden, der Weg zu dem hin wird in der Erforschung der Bildung verfolgt. ... Auch sind die äußerlichen Einflüsse, die zur Gestaltung oder Umformung beitragen, im Bildungsprozeß ein wesentlicher Faktor. Sie haben Bedeutung insofern sie wirklich ändernd und aufbauend tätig sind[121].» Der Bildungsvorgang bedeutete außerdem für Goethe einen Prozeß, der generell betrachtet werden muß; ein Prozeß, der sich nicht nur auf den außerordentlichen, sondern auf jeden Menschen bezieht[122]. Vom Gesichtspunkt der Turmgesellschaft aus wird Wilhelm einem Ziel zugeführt, und von diesem Blickfeld aus entspricht sein Werdegang wirklich einem Bildungsprozeß. Von Wilhelms eigenem Gesichtsfeld aus sieht es allerdings anders aus. Er sieht kein Ziel vor sich. Erst im Rückblick — am Ende des Romans — enthüllt sich sein Leben als Bildungsvorgang, als Lehrjahre, die zu einem Ziel geführt haben. Da äußere Einflüsse und inneres Erleben seine Gestalt doch in wesentlichen Punkten verändern, trifft die Bezeichnung „Entwicklungsprozeß" nicht auf seinen Werdegang zu. Doch sollte, wie Kurt May verlangt, der Begriff des Bildungsideals noch weiter eingeschränkt werden[123]. Es ist weniger ein Bildungsideal im Sinne umfassender Kenntnis von Wissensgütern und Lebenserfahrung als das Ideal einer besonderen Tätigkeit. Diese Einschränkung des Begriffes darf aber keineswegs zu der Behauptung führen, daß Wilhelms Bildung einen unwesentlichen Teil des Romans ausmache. Im Gegenteil, diese Begriffsbeschränkung bewußt vorausgesetzt, die Max Wundts maßgebliche Ansichten[124] zu diesem Thema berichtigt, kann das Werk ein Bildungsroman genannt werden. Schließlich ist die Bildung Wilhelms ein wesentlicher Teil seines Erlebens. Er ist darum bemüht, sich auszubilden. Das sei, so sagt er selbst im Rückblick, «schon immer dunkel von Jugend auf mein Wunsch und meine Absicht gewesen[125]». Wir dürfen diesen Worten Gewicht zumessen, mag auch anzuzweifeln sein, ob es sachlich begründet ist, daß sich der Bürger im achtzehnten Jahrhundert nicht wie der Edelmann ausbilden konnte. Die subjektive Überzeugung Wilhelms verlangte, daß er sich dem Theater zuwandte, um durch Bildung und Entwicklung seiner Anlagen zur Persönlichkeit zu reifen. Er lernt erkennen, daß man nur das tun darf, wozu man geeignet ist, nur mit den Anlagen wirken kann, die man besitzt. So muß er einsehen, daß er nicht zum Schauspieler oder zum Schöpfer eines Nationaltheaters bestimmt ist. Er sieht ein, daß er «weder Schauspieler noch Dichter[126]», sondern ein Bürger ist. Der positive Teil seiner Bildung besteht dagegen darin, daß er zu einer konkreten Erfassung der Wirklichkeit gelangt. Er sieht die Welt nicht mehr aus dem Gefühl, er weiß nunmehr, daß sie auch von Erfahrung und Verstand bestimmt ist. So sieht er sie klarer. Seine Bildung kann durch einen inneren Prozeß bestimmt werden, der ihm aber auch seinen äußeren Lebensweg vorschreibt und ihn von einer ihm nicht gemäßen Tätigkeit in der Welt des Handels und Theaters zu einem ihm gemäßen Leben im Kreise des Landadels führt.

Aber von einer Tätigkeit, die er in diesem Kreise ausübt oder ausüben soll, erfahren wir nichts. Alles, was wir hören, ist, er sei in einen Kreis gelangt, wo er die Welt mit ruhigem Blick betrachten kann, wo Voraussetzungen zu einer praktischen Tätigkeit gegeben sind. Es bleiben aber zunächst nur Voraussetzungen.

Dichtung ist nicht allein Bild, sondern auch Vorbild. Gibt der Roman Anleitung zum Sich-Bilden? Zweifelsohne enthält er eine didaktische Intention, die der Lehrbrief ausdrücklich hervorhebt. Darin werden Maximen aufgestellt, aber es sind nicht so sehr Lehrsprüche, die den Leser derselben auffordern, sie in die Praxis umzusetzen. Es sind eher Reflektionen, die über das Leben Auskunft geben und durch ihre Vernünftigkeit einleuchten. Im Roman kommen vor allem verschiedene Ansichten über die Art der Bildung eines Menschen zum Vorschein. Der Abbé, dessen Ansicht vorherrscht, glaubt, Menschen könnten sich nur entwickeln, wenn man ihnen die Möglichkeit zum Irrtum ließe[127]. Diese Ansicht wird heftig von Jarno bestritten, der in der Meinung, man müsse den Irrenden warnen, niemanden, wenn er eine falsche Richtung verfolgt, schonen möchte; eben weil er ihn auf die richtige Bahn bringen will. Gleichzeitig muß er zugeben, daß der Abbé gewissermaßen die Herrschaft über alle besitzt, weil die Natur ihm einen freien, scharfen Blick über alle Kräfte, die dem Menschen innewohnen, gegeben hat[128]. Die Anschauungen des Abbé erhalten durch die Wirkung seiner Persönlichkeit eine gewisse Berechtigung. Auch entspricht ihnen der Lebensgang Wilhelm Meisters. Aber der Abbé weiß, daß der Mensch sich oftmals selbst zugrunde richtet, daß er schuldig oder unschuldig zugrunde gerichtet werden kann[129].

So ist Bildung zunächst doch eine Gnade, die aber keineswegs jedem zuteil wird. Wilhelm aber ist ein Mensch, in dem sie sich verwirklicht, der, wie Schiller es definiert hat, «von einem leeren und unbestimmten Ideal in ein bestimmtes tätiges Leben eintritt, aber ohne seine idealisierende Kraft dabei einzubüßen[130]». Sein Bildungsweg ist nicht vollendet. Es ist die Frage, inwieweit ein solcher Weg überhaupt abgeschlossen werden kann.

Mindestens die weitere Richtung wird angezeigt, hat er doch am Ende des Romans einen Punkt seines Lebensweges erreicht, von dem er auf vergangene Irrtümer beruhigt zurückblicken kann. Nicht alle Gestalten erreichen eine ähnliche «Warte». Ihr Beispiel bedeutet Warnung, während erfolgreiche Menschen als Vorbilder gelten dürfen. Zwar machen, wie im Lehrbrief behauptet wird, «nur alle Menschen die Menschheit aus[131]», nicht alle entwickeln oder bilden sich aber auf gleiche Weise. Der Leser sieht, wie es dem einen gelingt, das Leben auf eine glückliche Bahn zu bringen, seine Mitmenschen geistig zu fördern, während andere durch eigene Schuld oder äußere Umstände in ihrer Entwicklung aufgehalten werden. Zu den letzteren gehört Mignon, deren dämonisches Schicksal ihren Lebensfaden zu früh abreißen läßt, aber auch der Harfner, der in Schuld und Irrtum so sehr verstrickt ist, daß er zu keiner vernünftigen Einstellung in der Welt kommt und darüber den Verstand verliert; ferner auch Aurelie, die — durch Liebesenttäuschungen verbittert — zugrunde geht; ebenso, wenn auch in geringerem Maße, Werner, dessen Fähigkeiten verkümmern, dessen Gesundheit durch falsche Einseitigkeit und Beschränktheit untergraben wird. Auch die Stiftsdame ist ein Beispiel für einseitige Bildung; bei ihr ist alles nur auf das Geistige konzentriert. Indes sie einen hohen Grad geistiger Stärke entfaltet, ist ihre Wirkung auf andere positiv. Mangelt es Werner an Empfänglichkeit für wahre Bildung, weil er sein Auge zu sehr auf die praktische Tätigkeit richtet, so besitzt Laertes jene zwar in hohem Maße, aber indem er sich dieser verschließt, verbaut er sich jeden Bildungsweg. Serlo — sein Lebenslauf wird näher geschildert — erwirbt ohne Zweifel eine gewisse Bildung. Im Gegensatz zu Melina in seinem Beruf wirklich zu Hause, besitzt er zwar Klarheit des Blickes, versäumt aber das eigentlich Menschliche seines Wesens, weil es ihm im Grunde am Interesse an anderen Menschen mangelt. Innere Kälte und Gefallsucht vervollkommnen ihn als Schauspieler; aber als Mensch schadet er sich; er lebt nicht frei, sondern heimlich, künstlich, ja fast ängstlich. Bei ihm sind Skepsis und Mißtrauen gleich stark entwickelt; auf seine Weise teils ironisch, teils spöttisch spielt er den Sophisten und läßt niemals zu, daß ein ernsthaftes Gespräch zustande kommt. Es fehlt ihm nicht an der Gabe, gewisse gesellschaftliche Formen zu wahren, aber er weiß sie nicht mit wertvollem Gehalt zu erfüllen.

Philine und Friedrich haben kaum Neigung, sich zu bilden; selbst ihre Ehe gibt ihnen kaum ein Gefühl von Verantwortung, da es ihnen an ernster Beständigkeit fehlt. Sie leben zu leicht dahin, als daß sie sich wirklich bilden könnten. Friedrichs Beschreibung, wie er und Philine sich aus Langeweile und Zeitvertreib aus einem auf dem Tische liegenden Buche vorlesen, das ihnen gerade ins Auge fällt, bezeichnet das Gegenteil einer wahren Bildung. Nataliens Bemerkung, daß es Philine bei aller Ausgelassenheit doch nicht ganz wohl sei, da ihr «die Mitte» fehle, trifft den Kern der Situation.

Andere Gestalten haben dagegen eine Lebensstufe erreicht, von der aus wir zwar nicht im einzelnen ihren Weg verfolgen können; doch deuten Sicherheit, Klarheit des Blickes und Wirklichkeitssinn an, daß sie einen gewissen Bildungsgrad erreicht und den damit verbundenen Platz im Leben erworben haben, ohne dabei ihre Menschlichkeit eingebüßt zu haben.

Solcherart sind Natalie, Lothario, der Abbé, ja selbst Jarno, dieser Erz-rationalist.

Es sind Menschen, die von Geburt die Vorteile einer gewissen Unab-hängigkeit besitzen, welche sie im Denken und Handeln weiter bestätigt haben; sie führen in einem besonderen Lebenskreis ein tätiges Leben. Man darf von ihnen nicht erwarten, daß sie einen bürgerlichen Beruf ausüben. Ihre Lebensform ist traditionell aristokratisch, die meisten von ihnen sind als Gutsbesitzer tätig. In dieser Eigenschaft können sie immerhin frucht-bar walten und schalten; ihr Besitz, ihre Tätigkeit geben ihnen anscheinend Selbstsicherheit, Ansehen, Lebenserfahrung und schließlich auch Bildung. Diese Menschen scheinen nicht gebildet, nur weil sie etwa belesen sind. Sicherlich besitzen sie gewisse Grundlagen einer literarischen Kultur, sind augenscheinlich auch in der Lage, sich mindestens in gutem Deutsch aus-zudrücken und, wenn es darauf ankommt, klug zu unterhalten. Einige von ihnen sind, wie Jarno, sogar mit Shakespeare vertraut, was auf eine tiefere Kenntnis der Literatur schließen läßt. Andere wiederum, wie der Abbé und der Onkel, sind scharfsinnige Kenner der schönen Künste. Allen aber gemeinsam ist die Gabe, tätig zu sein, darüber nachzudenken und ihr Tun daraus zu befruchten. Die Turmgesellschaft ist letztlich eine Gruppe von Menschen, welche über derartige Fragen nachdenken und durch Kenntnis und Einsicht in so manches strittige Problem klarer sehen gelernt haben.

Wenn nun Bildung in den *Lehrjahren* Ziel und Maß des Romangesche-hens ist, so ist sie auch ein Maßstab, welcher die Einstellung des Menschen zur Außenwelt bestimmen soll. Bildung ist nur dann möglich, wenn der einzelne in einem fruchtbaren Verhältnis zur Wirklichkeit steht. Welcher-art ist nun das Bild der Wirklichkeit, das Goethe in den *Lehrjahren* ent-wirft? Im Gegensatz zu Werther ist Wilhelm ein Mensch, der zur Wirk-lichkeit ein festes Verhältnis zu finden vermag, d. h. einer, der vom Leben wahre Bildung erlernt hat oder zum mindesten die Fähigkeit zu ihrem Erwerb mitbekommen hat. Die Tendenz des Romans ist also gegen die-jenigen gerichtet, die sich nicht zu einer praktischen Lebenshaltung hin-wenden können, aber auch gegen diejenigen, die völlig in der praktischen Tätigkeit aufgehen. Denken und Handeln, seelische Empfindsamkeit und praktische Tätigkeit sollen sich verbinden, um den wahrhaft gebildeten Menschen zu schaffen. Dieser ist zwar einseitig; die Gesellschaft jener Zeit verlangt diese Einseitigkeit, die keine allgemeine Bildung zuläßt; das aber bedeutet nicht, daß er wegen einer einseitigen, individuellen Betäti-gung sich unbedingt dem Blick für andere Sphären verschließen sollte.

Wilhelm Meister bildet sich selbst so weit, daß er bald an der Schwelle zu neuen positiven Aufgaben steht. Die Welt, wie sie in den *Lehrjahren* gestaltet wird, ist nicht auf den Gang seiner Bildung beschränkt. Eine bunte Welt vieler Lebenswege und Möglichkeiten wird geschildert. Es ist zunächst die Welt, wie sie in Wilhelms Sicht aussieht und beurteilt wird. Ihm scheint es, als ob vieles im bürgerlichen Leben, in der Welt des Schauspielers oder im Leben der Edelleute fragwürdig sei, weil es den Menschen an seiner Bildung hindert; anderes wertvoll, weil es ihm zu nützen scheint. Die Ironie des Erzählers bedeutet uns, daß der Maßstab, den Wilhelm selbst anlegt, nicht unbedingt richtig ist. Später, als sich das Lebensziel Wilhelms ändert, als er die Leidenschaft zum Theater hinter sich läßt, als er realistische, d. h. realisierbare Projekte ins Auge faßt, sieht vieles anders aus. Manche Hindernisse erscheinen im Rückblick nicht mehr bedeutend; andererseits erscheinen auch manche Erfolge — etwa auf dem Theater — nur von bedingter Art.

Erfolg und Mißerfolg werden auf verschiedenen Lebensstufen anders gemessen; Ansichten über diese Fragen auf einer gewissen Stufe sind nicht mehr dieselben auf einer anderen und späteren. Aber nicht nur hier herrschen verschiedene Maßstäbe, auch das Leben eines einzelnen, selbst wenn es wie bei Wilhelm Erfolge zeitigt, darf nicht in den Einzelheiten seines Bildungsweges als Vorbild erscheinen. Typisch ist eher sein Lebenslauf. Wilhelm ist ein Mensch, der nur durch Irrtum reift. Was ihn aber dazu bringt, ist Fähigkeit und Glück; so vermag er aus Irrtümern Fruchtbares herauszuholen. Wert und Reife des Menschen werden letztlich unter Berufung auf die Idee der Ganzheit beurteilt. Dieser Begriff durchläuft den ganzen Roman. Am Anfang erkennt Wilhelm schon, daß die Macht des Theaters sich ihm in dem Maße vermittelt, in dem es ein Ganzes darstellt[132], und er behauptet, daß man ohne dieses Empfinden des Ganzen dem Theater nicht gerecht wird. Der Glaube an die Wirkungskraft eines Kunstwerkes, den der Oheim und der Abbé haben, entspringt demselben, aber schärfer formulierten Gedanken. So bietet das Haus des Oheims ein harmonisches Bild[133] — die Bücher seiner Bibliothek sind fast alle ausgewählt, um den Leser nicht nur zu klaren Erkenntnissen, sondern auch zu einer rechten Ordnung zu führen. Dieser Sinn für das Ganze ist zur Betrachtung eines Kunstwerkes notwendig. Nur so kann die Gestalt des Werkes erfaßt werden, ohne die der Gehalt nie erkennbar ist[134]. Das Haus des Oheims, die Kunstgegenstände, die darin enthalten sind, strahlen Harmonie aus. Aber nicht alle Menschen sind sich dessen bewußt, und nicht alle Lebenskreise besitzen dieselbe Vorstellung von der Ganzheit, wenn sie auch alle streben, ein Ganzes darzustellen oder zu vollenden.

Mancherlei Gesellschaftskreise und verschiedenartige Menschen formen das Bild der *Lehrjahre*. Der Roman beschränkt sich nicht nur auf einen Sektor der Welt[135]. Im Gegensatz zu *Werther* ist der Ausgangspunkt kein Protest gegen die Bedingungen des Daseins. Wilhelm ist mit dem Leben als Ganzem nicht grundsätzlich unzufrieden; im Gegenteil: er betrachtet es positiv. Zwar übt er Kritik an Zuständen und Mißbräuchen, denen er begegnet; zwar erscheinen ihm Lebensformen, in die er Einblick hat, innerhalb derer er leben muß, oft als beschränkt und unzulänglich; aber er weiß sich den Umständen anzupassen, und daraus trotz gelegentlicher Verzweiflung und offensichtlichen Versagens Nutzen zu ziehen. Er lebt nicht im prinzipiellen Widerstreit mit dieser Welt, und so vernichtet sie ihn nicht. Selbst die Stiftsdame bekämpft sie nicht, für sie ist allerdings die äußere Welt nur ein Bruchteil der Wirklichkeit; für sie kommt es auf die inneren Empfindungen an, auf ihre Bildung, wofür die äußere Welt wiederum nur den Rahmen hergibt. Der einzige, der sich zeitweise völlig von seinen Mitmenschen und deren Welt abwendet, ist der Harfner. Er allein findet die Welt von Grund auf ungenügend, er allein erleidet, was man ein fast tragisches Ende nennen könnte. Sogar Aurelie, die dem Dasein kompromißlos gegenübersteht, oder Laertes, der es misanthropisch betrachtet, stehen nicht in einem absoluten Gegensatz zu ihr; denn Aurelie lehnt die Welt ab, weil ihre Leidenschaft enttäuscht wird, während Laertes eben nur seinem Temperament nachgibt, wenn er negative Ansichten vertritt. Mignon andererseits ähnelt Hamlet, wie ihn Wilhelm deutet; beide sind für die Welt nicht stark genug; Hamlet bewußt, Mignon unbewußt.

Die Wirklichkeit wird, und darauf deutet die Einheitlichkeit des Stils hin, nicht zwiespältig gesehen. Es gibt keine verschiedenen Lebensauffassungen, die hier, wie in *Werther*, darum kämpfen, als maßgebliche Anschauungen zu gelten. Vielmehr werden verschiedene Auffassungen gleichberechtigt nebeneinandergestellt, aus ihnen allen zieht Wilhelm dank seiner Empfindsamkeit und Aufgeschlossenheit späteren Nutzen.

Werther ist der Roman eines Einzelschicksals. Da sich dieses auf einem eingeschränkten Lebenssektor abspielt, repräsentiert es ein äußerst intensives, aber beschränktes Bild der Wirklichkeit. Die *Lehrjahre* aber sind der Roman eines einzelnen; Wilhelm Meister ist nicht nur ein Mensch, um dessen Werdegang sich vieles gruppiert; der Roman beschreibt zur gleichen Zeit auch das Leben von Persönlichkeiten aus der Gesellschaft, ihre Entwicklung und ihr Leben. *Werther* spricht für eine Generation und darüber hinaus für die Jugend überhaupt; er ist der Advokat, welcher die spezifische Tendenz einer Generation darstellt. Wilhelm Meister dagegen ist eher Repräsentant aller bildungsfähigen, empfindsamen Menschen überhaupt; er hat zwar unter gewissen Umständen eine bestimmte Laufbahn ergriffen, hätte aber ebensogut einen anderen Lebensweg verfolgen können. Wohl ist Wilhelm Meister Mittelpunkt des Romans, aber dieser ist nicht allein auf ihn konzentriert. Je weiter Werther fortschreitet, desto schärfer fällt Licht auf ihn (wie es schon die tagebuchartige Briefform verlangt). In den *Lehrjahren* dient zwar auch so manches Geschehen dazu, Wilhelms Werdegang zu beleuchten, aber da die Struktur des Romans nicht so straff ist, treten andere Geschehnisse und Ereignisse der Geschichte von Wilhelms Entwicklung zur Seite. Gerade weil der Roman sich nicht auf einen kurzen Zeitraum, auf ein rasch vorüberziehendes Geschehen konzentriert, erhalten wir ein viel umfangreicheres Bild der Wirklichkeit. Was die *Lehrjahre* an Breite gewinnen, verlieren sie an Schärfe, aber Goethe war augenscheinlich darauf aus, die Dinge einem weiteren Umkreis zu schildern; denn die Enge der Welt war ungenügend geworden für ihn, der nunmehr nur größere Verhältnisse darstellen wollte. *Werther* ist die Geschichte eines jungen Menschen, der aus seiner Jugend nicht herauswachsen kann; die *Lehrjahre* aber sind der Roman eines jungen Menschen, der zu reifen vermag, indem er sich aus der Beschränktheit seiner jugendlichen Ansichten löst. Um sich daraus zu befreien, muß er in weitere Erlebnissphären eindringen. Werther macht niemals einen Versuch, sich seiner selbstgewählten Einschränkung zu entziehen; er tritt in den diplomatischen Dienst, führt aber diesen Versuch nicht konsequent durch und bricht ihn ab, bevor er darin durch längeres Verbleiben auf fruchtbare Weise hätte tätig sein und sich eine gediegenere Lebensweise hätte schaffen können.

Obwohl weitere Sphären in den *Lehrjahren* geschildert werden, sind sie doch gleichfalls beschränkt. Das lag, wie Goethe selbst sagte, an den elenden Verhältnissen der Zeit. Daß es Wilhelm für unmöglich hielt, eine praktische Tätigkeit zu ergreifen; die auch seinen Bildungsansprüchen genügte, lag zum Teil aber auch an seinen eigenen hochgespannten Erwartungen. Hier muß man jene Theaterepoche als wichtiges Element berücksichtigen. Aber dies erscheint im Rückblick keineswegs als eine Schwäche des Romans, vielmehr als ein etwas feindseliger Kommentar gegenüber den gesellschaftlichen Verhältnissen Deutschlands; denn der repräsentative Bildungsroman im 18. Jahrhundert spielt nicht mitten im sozialen und politischen Deutschland, vielmehr entweder in der Scheinwelt der Vergangenheit, wie im *Agathon*, oder in der Theatersphäre, wie in den *Lehrjahren*. Die Bühne mag zwar manches bieten, was das unmittelbare Erlebnis einer praktischen Tätigkeit oder einer politischen Aufgabe nicht vermittelt, aber sie besitzt doch nie dieselbe sozialpolitische Gültigkeit.

Vergleicht man die *Lehrjahre* mit anderen großangelegten europäischen Romanen, so fehlt Goethes Roman trotz seines gedanklichen Gehaltes die Verwebung in das soziale und politische Geschehen seiner Zeit, wie es etwa die Werke von Balzac und Stendhal, Trollope und Dickens, Flaubert und Zola, Tolstoi und Dostojewskij kennzeichnet.

Die gesellschaftliche Struktur Deutschlands im achtzehnten Jahrhundert erlaubte keinem Bürger, so begabt er auch sein mochte, einen unmittelbaren Einfluß in den einzelnen Ländern (mit Ausnahme des beschränkten Kreises der Städte) kraft eines eigenen Ranges auszuüben[136]. Selbst der Einfluß des Edelmannes war, verglichen mit demjenigen der englischen Aristokraten, gering, da die Macht durchaus in Händen der Territorialfürsten lag. Weil es für den empfindsamen, der Kunst und Literatur, der praktischen Tätigkeit und Wirkung aufgeschlossenen jungen Bürger so wenig Möglichkeit zur Betätigung im öffentlichen Leben gab, war der Theaterroman für Goethe das Gegebene.

*

Goethe ging in den *Lehrjahren* von dieser Theaterwelt und den Beschränkungen des Bürgers aus, aber trotz aller Gegensätze zwischen den verschiedenen Sphären sah er, wie die Einheitlichkeit seines Stils andeutet, diese Welt nicht in einem unauflöslichen Konflikt, an dem der Held zerbrechen sollte. Denn der gleichmäßige Stil des Erzählers spiegelt ein Wirklichkeitsbild wider, das ein Gleichgewicht hält, zwischen äußerem und innerem Erleben, zwischen Denken und Tun, zwischen den Verpflichtungen, die der einzelne der Gesellschaft gegenüber hat, und denen, die er seiner eigenen Bildung schuldet. Es ist ein harmonisches Weltbild, das Goethe entworfen hat[137]. Der Mensch erreicht hier den Zenit seines Erlebens, wo in einem Augenblick Vergangenheit und Zukunft in symbolischen Bildern gegenwärtig werden. Es ist eine Welt, in welcher ein fruchtbarer Bildungsgang für den einzelnen möglich ist, wenn das Glück ihn begünstigt. Ein solcher kann sich hier des Daseins erfreuen, ohne befürchten zu müssen, daß er an den Forderungen der Gemeinschaft oder an dem Drängen des eigenen Ich zugrunde geht.

Die Vollendung der *Lehrjahre* fällt nicht nur in Goethes klassische Periode, sondern auch in die Zeit seiner ersten bedeutenden naturwissenschaftlichen Schriften. Wichtig sind hier vor allem Goethes Versuche, morphologische Gesetze zu ergründen. Dieser geistigen Entwicklung kann man auch in der Verwandlung der Gestalten des Romans nachspüren, Günther Müller hat versucht[138], Goethes morphologische Methode auf den Roman selbst anzuwenden; aber, wie der Verfasser selbst zugibt, war es ein Versuch, der nicht völlig gelingen konnte. Im allgemeinen dürfte es kaum zu bestreiten sein, daß in diesem Roman eine Reihe von Lebensläufen einander gegenübergestellt werden, die den Menschen nicht in einem unveränderlichen seelischen und körperlichen Zustand, oder auch nur von einer einzigen Phase seiner Entwicklung aus beschreiben. Im Gegenteil, die Hauptzüge des Bildungsganges eines Menschen werden geschildert. Ist der Roman vom Standpunkt der Bildungsidee ein auf ein bestimmtes Ziel zugeschnittener Bildungsroman, so vollzieht sich darin nicht nur ein pädagogischer Werdegang, sondern auch ein biologischer Prozeß vor unseren Augen. Verschiedene Menschen bilden sich; die Charaktere wandeln sich langsam im Verlaufe ihres Lebens. Es sind Metamorphosen, die einander folgen. Die Analogie des Heranwachsens, wie sie Goethe in *Die Metamorphose der Pflanzen* auf anderem Gebiete schildert, kann hier getrost herangezogen werden. Aber man muß behutsam vorgehen, um die Analogie nicht zu weit zu treiben. Die grundsätzliche Beziehung dürfte unbestritten sein. Es ist bisher aber nicht geglückt, in den Einzelheiten der individuellen Lebensläufe irgendwelche Gesetzlichkeiten und typische Veränderungen aufzuspüren. Doch sind die Beziehungen zwischen Goethes Naturforschung und den *Lehrjahren* nicht nur auf diesen Aspekt beschränkt. Im Gegenteil, es lassen sich viel tiefgehendere Beziehungen finden. Goethes naturwissenschaftliche Anschauung aus der Zeit nach seiner Rückkehr aus Italien und seine Auffassung von der Art der menschlichen Bildung in den *Lehrjahren* weisen eine wesentliche Parallelität auf. Ein bedeutsamer Aufsatz zur allgemeinen Naturwissenschaft, *Der Versuch als Vermittler von Subjekt und Objekt,* — er drückt Goethes naturwissenschaftliche Methode und Erfahrung in knappgefaßten, allgemeingültigen Sätzen aus — beweist, daß seine Auffassung vom Bildungsweg des Menschen mit der Erkenntnis, die er aus dem Stadium der Natur gewonnen, in gewissem Sinne übereinstimmt. Wilhelms Bildungsweg ist ein natürlicher, da er nicht einem äußeren Zwang unterworfen ist, sondern durchaus den Gesetzen folgt, die ihm naturgemäß sind. Welcherart sind nun diese Gesetze? Darüber belehrt uns jener Aufsatz. Dort liest man:

«Je weiter wir diese Betrachtungen fortsetzen, je mehr wir Gegenstände untereinander verknüpfen, desto mehr üben wir die Beobachtungsgabe, die in uns ist. Wissen wir in Handlungen diese Erkenntnisse auf uns zu beziehen, so verdienen wir klug genannt zu werden. Für einen jeden wohlorganisierten Menschen, der entweder von Natur aus mäßig ist, oder durch die Umstände mäßig eingeschränkt wird, ist die Klugheit keine schwere Sache: denn das Leben weist uns bei jedem Schritte zurecht. Allein wenn der Beobachter ebendiese scharfe Urteilskraft zur Prüfung geheimer Naturverhältnisse anwenden, wenn er in einer Welt, in der er gleichsam allein ist, auf seine eigenen Tritte und Schritte Acht geben, sich vor jeder Übereilung hüten, seinen Zweck stets in Augen haben soll, ohne doch selbst auf dem Wege irgendeinen nützlichen oder schädlichen Umstand unbemerkt vorbeizulassen; wenn er auch da, wo er von niemand so leicht kontrolliert werden kann, sein eigner strengster Beobachter sein und bei seinen eifrigsten Bemühungen immer gegen sich selbst mißtrauisch sein soll: so sieht wohl jeder wie streng diese Forderungen sind und wie wenig man hoffen kann sie ganz erfüllt zu sehen, man mag sie nun an andere oder an sich machen. Doch müssen uns diese Schwierigkeiten, ja man darf wohl sagen diese hypothetische Unmöglichkeit, nicht abhalten das Möglichste zu tun, und wir werden wenigstens am weitesten kommen, wenn wir uns die Mittel im allgemeinen zu vergegenwärtigen suchen, wodurch vorzügliche Menschen die Wissenschaften zu erweitern gewußt haben; wenn wir die Abwege genau bezeichnen, auf welchen sie sich verirrt, und auf welchen ihnen manchmal Jahrhunderte eine große Anzahl von Schülern gefolgt, bis spätere Erfahrungen erst wieder den Beobachter auf den rechten Weg einleiten [139].»

An dieser Stelle spricht Goethe über die Erfahrungen, die wir aus der Geschichte der Naturwissenschaften, aber auch aus eigenen naturwissenschaftlichen Versuchen gewinnen können. Das Bild eines klugen und wohlorganisierten Menschen, den Goethe beschreibt, ist ohne Zweifel das Ziel, das Wilhelm erreichen will. So kann auch selbst ein von Natur so wohlorganisierter Mensch wie Wilhelm den hohen Erwartungen, die er sich selbst von der Bildung gemacht hat, kaum genügen. Er ist zwar von Natur aus eher mäßig, zudem durch die Umstände eingeschränkt, und doch wird er vom Leben zurechtgewiesen. Da er sich zu sehr mit der eigenen Bildung beschäftigt, ist er trotz aller guten Absichten nicht in der Lage, auf all seine Schritte achtzugeben, sich vor jeder Übereilung zu hüten, noch vermag er das Bildungsideal, das er erstrebt, immer als Ziel vor Augen zu haben. Zur gleichen Zeit entgeht ihm auch manches von Bedeutung. Trotzdem er sich von Zeit zu Zeit aufs strengste beobachtet und bei seinen erfolglosen Bemühungen oft gegen sich mißtrauisch geworden sein dürfte, ist er doch keineswegs imstande, alle diese hohen Bedingungen zu erfüllen. So ist es nicht überraschend, daß er, wie der Wissenschaftler, auch auf Abwege gerät und ab und zu einen jener tausend Irrtümer, wie sie Versuchen eigen sind, an sich selbst erfährt; das ist nur natürlich und notwendig. Doch darf man die Parallelität nicht übertreiben.

Von anderen Gesichtspunkten aus läßt sich aber noch gleichfalls die Einwirkung von Goethes naturwissenschaftlichen Anschauungen auf diesen Roman erkennen. Er hatte sich nämlich im Laufe der Jahre die Ansicht zu eigen gemacht, es herrsche in der Natur ein Gesetz der Kompensation:

«daß keinem Teil etwas zugelegt werden könne, ohne daß dem andern etwas abgezogen werde, und umgekehrt [140].»

Diese Auffassung entspricht Wilhelms Werdegang, wie ihn der Roman uns bietet. Wilhelm Meister mag zwar an Stetigkeit und Festigkeit des Handelns gewinnen, hat aber zur gleichen Zeit sichtlich an Spontaneität und Begeisterungsfähigkeit verloren. Diese Eigenschaften mögen zwar oft als Schwärmerei ausgelegt worden sein, aber sie bezeugen bei ihm doch eine sehr lebhafte geistige Aufnahmefähigkeit. So ist bei einer geistigen Bildung nicht alles Gewinn. Wilhelm erlangt zwar ein fest umrissenes Bild vom Leben, seinen eigenen Wirkungsmöglichkeiten und von seinen Mitmenschen, aber er verliert auch an Frische und Intensität des Empfindens. Das Gefühl für Natalie ist zwar nicht weniger tief als seine Liebe zu Mariane; hatte sich doch ihr Bild schon lange als das der Amazone in sein Gefühlsleben eingeprägt; aber diese Liebe bewegt sich in anderen Bahnen. Wilhelm mag zwar nunmehr ein wichtiger Mitbürger geworden sein. Mehr Bedächtigkeit und tieferes Verständnis sind gewiß nützlich; aber die Wandlung zu einer realistischeren Lebensauffassung bedeutet gleichzeitig eine Abnahme an Gemüt und Phantasie, was indes letztlich dem natürlichen und vernünftigen Reifeprozeß eines Menschen nur angemessen zu sein scheint.

*

Entspricht das Bild, das von Wilhelm Meisters Bildungsjahren bis jetzt entworfen wurde, Goethes Bemerkungen zu diesem Roman? Bestätigen oder widerlegen seine Ansichten es? Goethes Kommentar zu den meisten seiner Werke sind spärlich und zufallsgebunden. Das trifft auch auf die *Lehrjahre* zu. Seine Korrespondenz mit Schiller gibt uns indes weitere Möglichkeiten der Erhellung, da Schiller sich in seinen Briefen in längeren Ausführungen über dieses Werk ausließ. Die *Lehrjahre* wurden in der Zeit verfaßt, als Goethes Freundschaft mit Schiller in ihrer ersten Blüte stand; beide begannen in äußerst lebhaftem geistigem Austausch zusammenzuarbeiten. Dieser fruchtbare Gedankenaustausch konnte seinen Niederschlag in Briefen finden, welche die Dichter von Weimar oder Jena aus aneinander richteten. Doch da sie gerade in den Hauptpunkten der Romantheorie übereinstimmten, gibt Schillers Kritik der *Lehrjahre* im allgemeinen einen verläßlichen Hinweis auf Goethes künstlerische Intention. In seinen Briefen über die *Lehrjahre* besitzt Schiller ein sehr großes, durchaus sympathisierendes Verständnis für den Roman, das ihn hinsichtlich dieser Dichtung als einen praktischen Kenner von Format erscheinen läßt. In der Geschichte der deutschen Literatur gibt es wenig Vergleichbares, und in der Interpretation eines Goetheschen Werkes kann sich kaum eine kritische Betrachtung mit Schillers Deutung der *Lehrjahre* messen.

Was sind nun die Hauptpunkte, die Schiller in seinen Betrachtungen über die *Lehrjahre* hervorhebt? Auch er deutet den Roman aus den Beziehungen der Gestalten zueinander. Er betrachtet das Verhältnis von Wilhelm zu Therese und Natalie; sieht Berührungspunkte, wie die zwischen der Stiftsdame, Therese und Natalie. Auch ist seine Analyse anderer Gestalten, wie etwa Mignons, des Grafen, der Gräfin und der Marchese, tiefschürfend. Für Schiller ist die Vollendung des Werkes, die Vertilgung der Materie durch die Form, von äußerster Bedeutung, und so wird sein Blick immer wieder auf diesen Aspekt hingelenkt. Er sucht zu ergründen, wie die Gestalten mit dem Ganzen des Romans zusammenhängen und wieweit ihr Erscheinen aus den Zusammenhängen erfolgt, oder bis zu welchem Grade sie an gewissen Punkten nicht ganz in die Entwicklung verflochten sind. An manchen Stellen, etwa bei der zweiten Erscheinung der Gräfin im achten Buche, ist er der Ansicht, daß sie nicht völlig aus der Entwicklung hervorgeht, sondern zufällig hinzukam[141]. Er verteidigt das sechste Buch, das ihm als eine wahre Notwendigkeit für das Ganze erscheint, nicht nur weil wir auf diese Weise mit dem Charakter der Stiftsdame vertraut werden, sondern weil wir auf diese Weise schon die Familie Nataliens — mittelbar — kennenlernen, bevor sie uns als ein Kreis selbständig handelnder Personen entgegentritt.

Vor allem hat Schiller den Werdegang des Helden selbst beschrieben; seine Deutung gilt heute noch als grundlegend. Für ihn führt die Hauptlinie in Wilhelms innerem Werden zu einer sicheren Erfassung der Wirklichkeit. Seine Reife besteht darin, daß der Held am Ende eine glückliche «Mittlerstellung» zwischen Philisterei und Phantasterei zu finden vermag. Er sieht vor allem, daß Wilhelm den Zweck des Ganzen aufs glücklichste erfüllt. Sein Weg liegt im Fortschritt seiner Bildung, in seinem Streben, nicht in den Wirkungen; daher muß ihm sein Leben, sobald er sich darüber Rechenschaft gibt, gehaltlos vorkommen. Tatsächlich bezeichnet er den Roman als Experiment[142]. «Lehrjahre sind ein Verhältnisbegriff; sie fordern ihr Correlatum, die Meisterschaft, die nur das Werk der gereiften und vollendeten Erfahrung ist, den Helden des Romans nicht selbst leiten; sie kann und darf nicht als sein Zweck und Ziel *vor* ihm stehen, denn sobald er das Ziel sich dächte, so hätte er es *eo ipso* auch erreicht; muß also als Führerin *hinter* ihm stehen. Auf diese Art erhält das Ganze eine schöne Zweckmäßigkeit, ohne daß der Held einen Zweck hätte; der Verstand findet also ein Geschäft ausgeführt, indes die Einbildungskraft völlig ihre Freiheit behauptet[143].»

Schiller lobt nun geradezu, wie Goethe bei diesem Zweck — dem einzigen, der im Roman wirklich zu Worte kommt — «alle Schwere und Strenge» vermieden habe. Seiner Ansicht nach ist das eine «von den Ihnen eigensten Schönheiten». Gerade an diesem Punkte scheiden sich die Ansichten der beiden Dichter. Schiller wollte über dem antithetischen Aufbau, über den neuen, über die poetische Notwendigkeit der Ereignisse Klarheit gewinnen[144]. Goethe sah es anders. Er wich Schillers Drängen in diesem Punkte höflich, aber bestimmt aus. Er muß es gewiß als ein wesentliches Mißverständnis empfunden haben, wie man aus seinem späteren Verhalten schließen darf; spricht er doch deutlich sein Mißfallen über Schillers Versuche aus, ihn zu einer Änderung zu bringen[145]. Goethe mußte sich sozusagen gegen Schillers Auffassung mit Berufung auf seinen eigenen, ihm gemäßen «realistischen Tic[146]» verteidigen. Er war gerne bereit, vielen Ratschlägen zu folgen, war aber nicht willens, das Gerüst seines Romans allzu klar für den Verstand hervortreten zu lassen. Er wollte der Einbildungskraft des Lesers Raum gewähren und wollte der poetischen Suggestionskraft seines Werkes keinesfalls Abbruch tun. Zwar stimmte er Schillers Deutung im allgemeinen bei, allein auch hier dürfte er eine etwas weniger klare verstandesmäßige Darstellung vorgezogen haben, um dem Werk noch andere Deutungsmöglichkeiten offenzulassen. Schiller dagegen wollte die Entwicklung des Romanes scharf skizzieren. Er war sich der ästhetischen Wirkung und der Bedeutung des ästhetischen Bereiches überhaupt vollauf bewußt; deswegen drängte er auf eine schärfere Profilierung der unklaren Stellen, wünschte den Roman und seinen Helden selbst viel exakter angelegt, als es wohl Goethes Absicht war.

Schillers Deutung des inneren Bildungsweges Wilhelms ist immerhin heute noch gültig. Dasselbe gilt für seine Auffassung von der Gesamttendenz. So bleibt bei einer späteren Betrachtung des Romans dem Interpreten hauptsächlich die Aufgabe, die Umrisse der von Schiller skizzierten Deutung auszufüllen, die von ihm gegebenen Hinweise weiterzuentwickeln und an einigen Punkten, wenn möglich, schärfer zu profilieren.

Andererseits darf man Schillers Deutung nicht ohne Vorbehalte als richtungsweisend akzeptieren. Mit den Hauptzügen kann man übereinstimmen; die Lehrjahre sind beendet, sobald Wilhelm sich eine realistischere Auffassung der Wirklichkeit zu eigen gemacht hat. Aber Wilhelms Bildung ist keineswegs abgeschlossen; Gefahren bedrohen immer wieder Vollendung und Abschluß seiner Bildung. Da Goethe dies betonen wollte, schließt der Roman nicht mit der Erklärung, die Lehrjahre des Helden seien nun beendet. Ein anderer Aspekt des Romans betrifft die Turmgesellschaft. Der Eindruck sollte nicht klar, sondern zwiespältig sein; die Spekulation des Lesers sollte geweckt und zur gleichen Zeit der Wirksamkeit dieser Turmgesellschaft einen ästhetischen Wert oder vielmehr «ihr ästhetischer

Wert ins Licht» gestellt werden[147]. Gerade darin liegt die Bedeutung dieser unmittelbaren Mächte, daß sie symbolischen Gehalt besitzen und für den Leser auch das Einwirken positiver Kräfte auf das Leben entsprechend versinnbildlichen. So bleibt der Roman sowohl in seiner Entwicklung als auch im Ausgang mehr in der Schwebe, als es Schillers Deutung zulassen würde.

Weiteren Aufschluß gewinnt man, wenn man den Roman in Gegensatz zum Drama stellt. In den *Lehrjahren* selbst betont Goethe im siebenten Kapitel des fünften Buches, Drama und Roman seien verschiedene Welten; im Roman gelte es, wie es in den *Lehrjahren* geschieht, die Welt in ihrer Weite zu entfalten. In dem zusammen mit Schiller verfaßten Aufsatz *Über Epische und Dramatische Dichtung* wird dann nochmals die epische Richtung gegen die dramatische abgegrenzt. Betrachtet man die innere und nicht die äußere Form, so sieht man, daß der epische Dichter die Begegebenheiten als vergangen, der Dramatiker sie durchaus als gegenwärtig darstellt. Daher kennzeichnet den epischen Rhapsoden eine ruhige Art, mit der er das vollkommen Vergangene vorträgt, und eine Besonnenheit, mit der er die von ihm poetisch hingestellte Welt betrachtet. Er erscheint abgeklärt und weise, und das sind gerade die Eigenschaften, welche den Erzähler der *Lehrjahre* charakterisieren. Goethe und Schiller war es nur daran gelegen, allgemeine Züge aufzuzeichnen. Goethe hatte erkannt, der Verstand hat Anteil an der Schöpfung des Romans und: alle retardierenden Momente in einer Handlung sind episch. Allerdings dürfen sie keine Hindernisse sein. Schiller definiert den Gegensatz noch schärfer und formuliert in Antwort auf Goethes These das Problem in folgenden lapidaren Sätzen:

«Es wird mir aus allem, was Sie sagen, immer klarer, daß die Selbständigkeit seiner Teile einen Hauptcharakter des epischen Gedichtes ausmacht. Die bloße, aus dem Innersten herausgeholte Wahrheit ist der Zweck des epischen Dichters. Er schildert uns bloß das ruhige Dasein der Dinge. Sein Zweck liegt schon in jedem Punkt seiner Bewegung[148].»

Diese Beschreibung trifft auch auf die *Lehrjahre* zu. Die verschiedenen Situationen, in die Wilhelm gerät, haben zwar im Rückblick einen bestimmten Anteil an seinem Bildungsgang, aber das Mariane-Erlebnis, die Mignon-Szenen, das Leben auf dem gräflichen Schloß, die Shakespeare-Aufführungen, seine Unterhaltungen mit Serlo, das Haus Theresens, der Landsitz des Oheims — um nur einige Szenen herauszugreifen — haben alle zunächst eine unabhängige Wirkung, die man erst bei einer eingehenden Betrachtung ins Ganze einordnet. So ist der Gang des Romans gemächlich. Gerade weil er zögernd ist, soll nicht das Schicksal, wie im Drama, sondern der Verstand herrschen. So erklärt sich auch die Abneigung der

Turmgesellschaft gegen den Glauben an eine Herrschaft des Schicksals und ihre kategorische Forderung, daß der Verstand auf das Leben eine Wirkung habe. Daraus läßt sich auch die bedeutsame Funktion der Turmgesellschaft im Roman ableiten. Auch scheint der Zufall in den *Lehrjahren* vorzuherrschen, wie es im Gespräch zwischen Serlo und Wilhelm über den Roman im fünften Buch (7. Kapitel) betont wird. Der Lebensweg Wilhelm Meisters ist aus vielen zufälligen Ereignissen zusammengesetzt, wie auch die schicksalhafte Deutung des Lebens vom Abbé abgelehnt wird. Auch in dieser Hinsicht entsprechen die *Lehrjahre* Goethes Anschauung vom Roman. Zur Zeit der Hochklassik ist das Drama, nicht der Roman, der Raum des Schicksals; erst später in der Periode der *Wahlverwandtschaften* scheint sich diese Auffassung zu wandeln[149].

Die Übereinstimmung zwischen Theorie und Praxis, die sich in dem dichterischen und ästhetischen Plan der Klassik abzeichnet, betrifft nicht nur die Gattungstheorie Goethes, sondern auch seine Kunstanschauung überhaupt. Die Umarbeitung und Vollendung der *Lehrjahre* vollzog sich nicht bloß, weil Goethe die Welt des Theaters nunmehr von einem anderen Standpunkt aus betrachtete, sondern weil seine Kunstanschauung sich inzwischen entwickelt und herauskristallisiert hatte. Die *Lehrjahre* entstanden in der Zeit, als Goethe und Schiller ihre klassische Kunstanschauung definierten. Es ging für Goethe nicht darum, im Roman diese klassische Theorie sich an einem praktischen Beispiel der Kunst bewähren zu lassen; *Wilhelm Meisters Lehrjahre* sind keine epische Algebra. Doch wäre es überraschend, wenn der Roman nicht auch nach diesen Prinzipien zu beurteilen wäre. Goethe mußte für seinen Versuch, die gesellschaftlichen und geistigen Probleme in einem konkreten Fall zu schildern, eine angemessene Form finden: und das war eben der Bildungsroman. Diese Form aber kann nur wirken, wenn der Gehalt bedeutend ist; Bedeutung und Würde allein verleihen dem Gegenstand für Goethe einen bedeutenden Gehalt; dieser Gehalt ist in den *Lehrjahren* weitaus bedeutender als in der *Sendung*. Es wird darin der Ideensphäre der Bildung und Religion Raum gegeben; sie beide erhalten ihren Anteil an der Form des Werkes. Wilhelms Bildung ist nicht mehr einseitig nur auf das Theater ausgerichtet; er hat ein weitgespanntes inneres Leben, er lernt andere Aspekte des gesellschaftlichen Lebens kennen; zur gleichen Zeit aber sind diese weiteren Erfahrungen von Beschränkung des Bildungszieles und Festigung der geistigen Sicht begleitet, so daß Wilhelms Bestrebungen und Erkenntnisse nicht mehr ins Uferlose verlaufen.

Goethe schildert zwar Situationen aus dem Leben eines einzelnen; aber es war für seine klassische Kunstanschauung wesentlich, daß dieses Besondere etwas Allgemeines darstelle. Seine bekannte Formulierung spricht dies aus:

«Das ist die wahre Symbolik, wo das Besondere das Allgemeinere repräsentiert, nicht als Traum und Schatten, sondern als lebendig-augenblickliche Offenbarung des Unerforschlichen[150].»

Dieser Aphorismus läßt sich weit mehr auf die *Lehrjahre* als auf die *Sendung* beziehen; denn dort erwirbt Wilhelm eine durchaus gesunde Geistesbildung, was in der *Sendung* nicht der Fall ist. Diese Bildung entspricht der Theorie der Metamorphose, die besagt, daß Irrtümer wie Krankheiten eines gesunden Menschen sind, die er mit Gewinn für sich überwindet. Wenn das Besondere etwas Gesundes ist, so wird sich darin ein Allgemeines darstellen.

«Der Poet soll das Besondere ergreifen, und er wird, wenn dieses nur etwas Gesundes ist, darin ein Allgemeines darstellen[151].»

Es ist das Tüchtige und Gesunde, das einer Erscheinung den Charakter der Wahrheit gibt. Das Reine und Allgemein-Menschliche, das über allem Zufälligen und nur Momentanen steht, verleiht dem Gegenstand seine Bedeutung und Würde, den geistigen Gehalt[152].

Jene Allgemeinheit, die dem Roman als klassischem Kunstwerk eigen ist, gibt ihm symbolische Kraft. Das allein erklärt die unerhörte Wirkung, die er auf die literarische Mitwelt und Nachwelt gehabt hat. Für die Macht dieser Wirkung ist Friedrich Schlegels extravaganter, aber eindrucksvoller Satz ein Zeugnis:

«Die französische Revolution, Fichtes Wissenschaftslehre und Goethes Meister sind die größten Tendenzen des Zeitalters[153].»

Diese Behauptung hat zwar eher subjektive als objektive Gültigkeit, aber sie läßt die ganze Tragweite dieses Romans für das geistige Leben in Deutschland erahnen. Solch allgemeine Wirkung ist indes auf alle Fälle ein Zeichen seiner inneren Wahrhaftigkeit.

«Wahrheit» ist nur eine der Forderungen, die Goethe zur Zeit seiner klassischen Kunstanschauung an das Kunstwerk stellte; «Schönheit» ist eine andere. Für ihn ist Schönheit der Inbegriff und gleichzeitig die Hülle eines organischen Ganzen. In den *Lehrjahren* sind die Teile, wie wir sahen, organisch miteinander verwoben. Motive und Bilder lassen auf organische Kontinuität schließen. Wilhelm aber und die anderen Personen sind lebendige, hochorganisierte Naturen. Für die Dichtung gilt daher, was Goethe von Werken der bildenden Kunst in seinem Aufsatz *Über Laokoon* forderte: daß nur Personen dieserart dargestellt werden sollen.

Der Roman besitzt eine Ordnung, ein Maß; doch läßt sich nicht bestreiten, daß die Proportionen nicht einer symmetrisch angelegten Ordnung angehören, wie sie von Goethes größeren Werken allerdings nur *Hermann und Dorothea* besitzt, ein Epos, das er auf dem Zenit seiner klassischen Periode schuf. Bezüglich der technischen Vollendung lassen sich gewisse Bedenken nicht unterdrücken, so z. B. daß das Verhältnis der ersten fünf, des sechsten und der letzten zwei Bücher zueinander nicht völlig harmonisch ist. Die Funktion dieser Teile ist klar, aber die Unterschiede erschweren es, das Werk als Ganzes zu sehen. Sie schwächen die Wirkung gewissermaßen ab. Es wäre aber falsch, eine symmetrisch organisierte Form als die allein gültige zu betrachten. Die *Lehrjahre* bleiben trotz allem ein Werk mit einer abgerundeten, in sich abgeschlossenen Form; «äußerliche Regelmäßigkeit» erscheint dagegen doch nur von beschränkter Bedeutung. Wenn man aber die Struktur von anderen Gesichtspunkten aus ansieht, so entspricht die Dreiteilung des Romans durchaus den Gesetzen, die für die Gestalt des Werkes maßgeblich sind; diese aber ist asymmetrisch. Im ersten Teil wird hauptsächlich die Theaterwelt dargestellt, in die Wilhelm eindringt und in welcher er sich verirrt; der zweite Teil — von geringerem Umfang — ist die religiöse Sphäre, die Wilhelm keineswegs so intensiv beschäftigt; die er daher nur mittelbar erlebt, da sie seiner Natur fremd ist. Im dritten, wieder etwas gewichtigerem Teil erschließen sich Wilhelm die Bezirke sinnvoller Tätigkeit. Vollendung eines Kunstwerkes bedeutet für Goethe keineswegs «Regelmäßigkeit, säuberliche Ordnung und Zierlichkeit, sondern Verkörperung oder Verwirklichung einer lebendigen und natürlichen Gesetzlichkeit[154]». Natürliche Gesetzlichkeit in der Kunst ist bei Goethe als eine organische Entwicklung — analog zur Natur — zu verstehen. So waren die *Lehrjahre* für ihn ein natürliches Gebilde, weil sie den organischen Bedingungen eines sich entwickelnden Geschehens entsprechen. Daher können wir in dem Werk einen charakteristischen Stil erkennen. Einstimmigkeit des Stils, die aus organischen Beziehungen der Teile und Aspekte des Werkes zueinander resultiert, weist den Roman als klassisches Kunstwerk aus.

Trotzdem fand Goethe die Romangattung unzulänglich. Er wußte, daß man von ihr keine Vollkommenheit erwarten dürfe. Vollendung des Werkes, d. h. Ausgeglichenheit der Sprache, organische Beziehung der Bilder, Kontinuität der Intention, Einstimmigkeit des Stils machen es nicht allein; die Romanform selbst ist unrein; sie kann den Vergleich mit der dramatischen Form nicht aushalten.

«Was Sie von Meister sagen, verstehe ich recht gut, es ist alles wahr und noch mehr. Gerade seine Unvollkommenheit hat mir am meisten Mühe gemacht. Eine reine Form hilft und trägt, da eine unreine überall hindert und zerrt. Er mag indessen sein, was er ist, es wird nicht leicht wieder begegnen, daß ich mich im Gegenstand und in der Form vergreife[155].»

Was man von dieser Form erwarten darf, erschwert die Wirkung des Romans also eher, als daß es sie fördert. Trotz der scheinbaren, leichten Zugänglichkeit verlangt er vom Leser mehr als Drama und Lyrik, die — in sich selbst geschlossener — dem Betrachter als Formen gegenüberstehen, deren Gehalt auf ihn durch die Eindeutigkeit der Gestalt unmittelbarer wirkt. So wird der Roman eher mißverstanden, und Goethe betrachtete es geradezu als einen Glücksfall, wenn die dichterische Mitteilung den Leser wirklich ansprach:

«Die Form behält immer etwas Unreines und man kann Gott danken, wenn man im Stand war, soviel Gehalt hineinzulegen, daß fühlende und denkende Menschen sich beschäftigen mögen, ihn wieder daraus zu entwickeln[156].»

Goethe verriet keinerlei Unzufriedenheit mit dem Gehalt des Romans; seine ärgerlichsten Äußerungen betreffen den Stoff, den ihm das damalige Deutschland lieferte. Er wollte einen für die gesellschaftliche Wirklichkeit der Zeit repräsentativen Roman schreiben. Aber die Wirklichkeit war in Deutschland so beschaffen, daß der Held keinen eigentlichen Platz im Leben finden konnte; er verstrickt sich zunächst in eine Scheinwelt, aus der er sich befreit, um dann in einer fast utopischen Welt einen Platz finden zu können. Dieser Umstand hat offenbar die Wirkung der *Lehrjahre* außerhalb des deutschen Sprachgebiets beeinträchtigt; Goethes Roman vermochte nicht ein ernsthafter Rivale der großen französischen, englischen und später russischen Romane zu werden. Die *Lehrjahre* leiden unter der nationalen und politischen Lage des Deutschlands der damaligen Zeit, die auf die Kultur — trotz ihrer großen Blüte — nur hemmende Wirkungen ausübte. Lessing hat diese Schwäche deutlich geschildert, als er von dem «gutherzigen Einfall» sprach, «den Deutschen ein Nationaltheater zu verschaffen, da sie noch keine Nation sind[157]».

Ursprünglich dürfte *Wilhelm Meisters Theatralische Sendung* aus dem Bedürfnis Goethes entstanden sein, den Lebensgang eines jungen Menschen im damaligen Deutschland, in eben diesem Jahrhundert zu schildern. In *Werther* hatte er das allzufrühe Ende eines derartigen jungen Menschen dargestellt; im nächsten Roman sollte der Lebensgang des Helden nicht nur als negatives Bild, als Kritik der Übelstände und seelischen Ausschweifungen, sondern als Vorbild gelten; als symptomatisch für einen Menschen, der aus Verwirrung und Begeisterung heraus wahrscheinlich zum Schöpfer einer Institution ausersehen war, die als Brennpunkt des derzeitigen Bildungsstrebens angesehen werden konnte. Wilhelm Meister war solches zuzutrauen, weil er als Dichter Talent und Kraft genug besaß, Gefühle in Leistungen umzuwandeln, was Werther völlig abging. Wilhelm Meister sollte also manches für seine Zeit zu leisten imstande sein, was jenem unmöglich war. Das gilt für mehrere Bereiche. Er sollte als schöpferischer Mensch ein reiches Arbeitsfeld finden. Indes war die Verbindung mit dem Theater aus mehreren Gründen gegeben, — für den Dramatiker Goethe war es eine naheliegende Welt; außerdem gestatteten die gesellschaftlichen Verhältnisse im Deutschland des 18. Jahrhunderts es gewöhnlich dem Bürger nicht, eine bedeutende politische Rolle zu spielen. Keinesfalls entsprach es Goethes Wesen, ein politisches Programm herauszugeben oder gar ein politisches Traktat zu verfassen. Die moralische Bedeutung der Kunst im allgemeinen und der Dichtung im besonderen war in einer unpolitisch orientierten Gesellschaft Hauptthema der Ästhetik geworden. In gewissem Sinne sollte das Theater in einer säkularisierten Welt die Aufgabe der Kanzel übernehmen. Ebenfalls war es das Theater, dessen Existenz im achtzehnten Jahrhundert als moralische Anstalt entweder gelobt oder als Stätte der Unmoral angegriffen wurde; Namen wie Gottsched, Lessing, Rousseau, Diderot, Schiller, um nur einige der bedeutenden Männer des 18. Jahrhunderts zu erwähnen, die sich mit dieser Frage auseinandersetzten, bezeugen, daß Goethe hier durchaus in traditionellen Bahnen wandelte. Aber Goethe sah dieses Problem als ein sinnlich konkretes an. Für ihn ließ sich diese Frage unmittelbar und um so eindringlicher gestalten, vielleicht sogar lösen, wenn er das Theatererlebnis eines schöpferischen Menschen schilderte, anstatt es nur abstrakt zu betrachten.

Wie wir sahen, veränderte sich die Thematik, als Goethe eine neue Reife erlangte. Es galt jetzt nicht mehr, einen schöpferischen, sondern einen empfindsamen Menschen zu schildern. Künstler schienen in der Situation des Jahrhunderts weniger als gewöhnliche Menschen geeignet zu sein, die allgemeinen Bestrebungen stellvertretend darstellen zu können. Gestalten und Lebenskreise wurden symbolisch; sie schienen Repräsentanten für ihre Zeit zu sein. Dazu mußte die Sprache, wie wir bereits sahen, geglättet und besondere sprachliche Eigenheiten ausgemerzt werden. Es galt, das Vollkommene, das Wahre, das Schöne in harmonischen Gleichklang zu bringen; ein Ideal, welches die Atmosphäre und vor allem den Ausklang des Romans bestimmte.

Die *Lehrjahre* haben also ihren Platz inmitten der Hochklassik Goethes. Zwar sind sie keineswegs das organisch komponierte Werk, das Goethe in *Hermann und Dorothea*, und eigentlich nur dort, geschaffen hat. Dafür sind sie doch zu sehr heterogenen Ursprungs. Auch weilt Wilhelm noch nicht auf dem Zenit seines Daseins, das Werk ist zu umfangreich, um den höchsten Augenblick der Erfüllung zu schildern. Ein einziger Augenblick, der den Menschen allein schön erscheinen läßt, kann nicht der Mittelpunkt eines Romans sein. Es wird der Weg zum Zenit beschrieben, wo sich dann — allerdings nur für einen Augenblick — Vergangenheit und Zukunft in der Gegenwart begegnen.

Die Zukunft Wilhelm Meisters ist nicht klar ersichtlich, wenn auch das Verlöbnis mit Natalie, die Aufnahme in die Turmgesellschaft und die gleichberechtigte Beteiligung an ihren Plänen getrost in die Zukunft schauen läßt. Der weitere Bildungsweg, die Verwirklichung der theoretischen Erfahrung, die ihm die Freunde aus der Turmgesellschaft mitgeteilt haben, die Auswirkung seiner eigenen Erkenntnisse, all das bleibt offen. Goethe gestaltete in den *Lehrjahren* das klassische Problem der Menschwerdung eines Individuums im Kampfe mit den Gefahren, die seiner «Humanität» drohen, im bunten Spiele der Möglichkeiten, die es für sie gibt. Der Roman ist nicht wie *Iphigenie auf Tauris* oder *Torquato Tasso* oder *Faust* in der Vergangenheit angesiedelt, sondern entstammt der Problematik des eigenen Jahrhunderts. Diese Zeitnähe, die zunehmende Reife und Einsicht, die wachsende Erkenntnis der Vielfältigkeit des Lebens waren Gründe, warum der Bereich des Werkes sich immer breiter gestaltete. Nicht nur Wilhelms eigenes Erleben galt es zu schildern; auch andere, verwandte, untereinander höchst verschiedene Personen und Begebenheiten wurden in den Bannkreis der Interessen um Wilhelm Meister gezogen; sie sollten in Fortführung der Geschichte als Erzählungen sein Leben erläutern bzw. ergänzen. Die Wandlungen, die durch das Altern des Dichters, die politischen Geschehnisse der Zeit, die ungeheure Erscheinung Napoleons, den Tod Schillers und die scharfe Abwehr gegen die Romantik hervorgerufen wurden, brachten eine veränderte Lebenshaltung hervor. Die neue Lebensanschauung ist zwar keine radikal andere, verrät aber doch eine Wandlung der inneren Vision. Aus der Bedrängnis, welche sie mit sich brachte, entstand ein Werk, das eben das «Ungeheuerliche», das der Dichter der *Lehrjahre* meiden wollte, in den Mittelpunkt des Geschehens stellte. Dieses Thema sprengte deshalb die Erzählungen aus dem Kreise Wilhelm Meisters, die als Fortsetzung der *Lehrjahre* gedacht waren und die *Wanderjahre* benannt wurden. Dieses neue Werk, das erst in Novellenform innerhalb eines Kranzes von Erzählungen konzipiert wurde, dann aber auf ein eigenes, umfangreicheres Dasein zu pochen schien, sind die *Wahlverwandtschaften*. Sie entstanden 1808 in verhältnismäßig kurzer Zeit und wurden bereits 1809 veröffentlicht. Goethes Worte erläutern den Wandel dieser Novelle zum Roman — die Gewalt des Stoffes forderte eine bedeutendere Form — am deutlichsten:

«Die ... kleinen Erzählungen beschäftigten mich in heitern Stunden, und auch die Wahlverwandtschaften sollten in der Art kurz behandelt werden. Allein sie dehnten sich bald aus; der Stoff war allzu bedeutend und zu tief in mir gewurzelt, als daß ich ihn auf eine so leichte Weise hätte beseitigen können [158].»

Um diesem Stoff gerecht zu werden, mußte Goethe einen Weg beschreiten, der zu einer neuen Art der Romangestaltung führte. Die *Wahlverwandtschaften* sind ein Ertrag dieser Bemühung.

IV. DIE WAHLVERWANDTSCHAFTEN

Die *Wahlverwandtschaften* führen die Hauptzüge des *Werther* und der *Lehrjahre* weiter. Einerseits erzählt der Roman — wie *Werther* — vom Scheitern menschlichen Strebens; andererseits nehmen — wie in den *Lehrjahren* — die Probleme der Gesellschaft breiten Raum ein. Beides ist möglich, weil im Gegensatz zu *Werther* nicht das Schicksal eines einzelnen, sondern die tragischen Verwicklungen einer Gruppe von Menschen geschildert werden. Herrscht in *Werther* das lyrische Element vor, so haben die *Wahlverwandtschaften* einen dramatischen Einschlag, der sich aus der Konstellation der vier Hauptgestalten ergibt. Allerdings ist das Dramatische durch die Forderung des Epischen stark eingeschränkt[1]. In einem strukturellen Aspekt unterscheidet sich dieser Roman aber völlig von den beiden Vorgängern: Die vier Personen: Eduard, Charlotte, der Hauptmann (später Major genannt) und Ottilie bestimmen in größerem oder geringerem Maße das Romangeschehen. Ihr Verhältnis zueinander ist der eigentliche Kern der Handlung, worauf der Titel des Romans hinweist, der ihre Beziehungen beschreibt; er ist Symbol, denn der Begriff, dessen Bedeutung im vierten Kapitel des Romans ausführlich erklärt wird, ist zwar ein Symbol für die Lösung der Gefühlsbeziehungen zwischen Eduard und Charlotte und für die darauffolgende Bindung Eduards an Ottilie und Charlottes an den Hauptmann, aber zur gleichen Zeit ist die Bezeichnung irreführend. Sie spricht von einer Gesetzmäßigkeit, die in der Natur waltet, welche sich aber nicht unmittelbar auf menschliche Beziehungen übertragen läßt. In der Welt der Menschen herrscht das Naturgesetz nicht uneingeschränkt, denn Sitte und Wille üben hier ihren Einfluß aus. Wie der Titel, so ist auch der Stil des Romans symbolisch. Vieles wird erst bei näherer Betrachtung klar, manches erscheint weit hintergründiger, als man es beim ersten Lesen vermuten möchte; anderes wiederum bleibt oder wird undurchsichtig trotz der Transparenz des Stils, weil, oder gerade wegen der Vielfalt von Gedanken.

Die *Wahlverwandtschaften* sind knapper gefaßt als die *Lehrjahre*. Ihr Gefüge ist straff und gleicht deshalb eher *Werther* als den weitgespannten *Wilhelm-Meister*-Romanen. Wie *Werther* sind die *Wahlverwandtschaften* in zwei Bücher eingeteilt; da aber nicht ein einziges Geschehen den Roman beherrscht, darf man weniger von Straffheit der Handlung als von Sparsamkeit der Darstellung sprechen.

*

Zunächst wird einem Betrachter der Romanstruktur die Einteilung in zwei Bücher von je achtzehn Kapiteln auffallen. Genau wie bei *Werther* fällt das Ende des ersten Buches mit einem tiefen Einschnitt der Handlung zusammen, während das zweite Buch mit dem Tode zweier Hauptgestalten endet. Wenn am Ende des ersten Buches von *Werther* der Held des Romans weggeht — zwar nicht in den Tod, aber in die Ferne, weg von Lotte —, so fällt das Ende des ersten Buches der *Wahlverwandtschaften* mit Eduards Abreise zusammen; er zieht es vor, Ottilie bei Charlotte geborgen zu wissen. Seine lieblose Ehe mit Charlotte weiterzuführen ist ihm unmöglich; unmöglich, Ottilie aus seinem Lebenskreis verbannt zu sehen. Aber bei genauerer Betrachtung ergeben sich in der Strukturanlage doch gewaltige Unterschiede zwischen den beiden Romanen. In *Werther* wird der Stil des ersten Buches zunächst weitergeführt, der Einschnitt ergibt sich durch eine Veränderung des Wohnortes, durch Werthers Trennung von Lotte. Der Stil ändert sich erst gegen Ende des zweiten Buches. In den *Wahlverwandtschaften* herrscht derselbe Sprachstil, derjenige des Erzählers, den ganzen Roman hindurch. Dies wirkt sich in anderen Stilnuancen, nicht im Sprachstil, sondern im Erzähltempo aus. Im ersten Buch vollzieht sich eine straffe, fast ausschließlich auf die vier Hauptgestalten konzentrierte Handlung; im zweiten Buch ändert sich das Tempo der Erzählung, indem Nebenpersonen hervortreten und zwei Hauptgestalten, Eduard und der Hauptmann, abwesend sind. Die Richtung unseres Interesses wird nicht dadurch verändert, daß Albert und Lotte fern von der Szene des Geschehens sind. Werthers Erlebnisse bestimmen das Geschehen weiterhin, während in den *Wahlverwandtschaften* durch die Abwesenheit jener zwei Hauptgestalten — in der ersten Hälfte des zweiten Buches — die Handlung vor allem auf das Erleben der beiden anderen Hauptgestalten konzentriert wird, wodurch sich ein ganz anderes Bild ergibt. Diese Veränderung des Blickfeldes wird auch durch das Einschieben der Auszüge aus Ottilies Tagebuch und der Novelle *Die wunderlichen Nachbarkinder* betont.

Die Auswirkung dieser Veränderung ist, daß die Beziehungen zwischen den vier Hauptgestalten, die im ersten Buch beinahe symmetrisch angelegt sind, nun nicht mehr im Vordergrunde stehen. Das Interesse verlagert sich auf eine einzelne Person, auf Ottilie. Im ersten Buch werden vier Hauptgestalten vor allem im Lichte ihrer Beziehungen zueinander gesehen; im zweiten sind diese Beziehungen festgelegt. Die Betonung liegt nicht mehr auf der Entwicklung, sondern darauf, in welcher Art sich die Gestalten in der Krise, wie sie sich durch ihre Beziehungen entwickelt hat, zueinander verhalten. Die innere Entwicklung wird hervorgehoben, soweit es die inneren Möglichkeiten und geistigen Reserven der Gestalten überhaupt erlauben. So fehlt dem zweiten Buch die Geschlossenheit des ersten, eine Geschlossenheit, welche sich durch das straffe Ineinander der Gestalten ergeben hatte.

Bei einer näheren Betrachtung der Struktur wird offenbar, daß sich die achtzehn Kapitel des Romans nicht ohne weiteres in ein festes Schema einteilen lassen. Es wäre zwar möglich, das erste Buch in jeweils drei Abschnitte von sechs Kapiteln einzuteilen, von denen das erste der Exposition dient, das zweite zum Höhepunkt führt, bis die Leidenschaft Eduards und Ottilies, des Hauptmanns und Charlottes, offen ausbricht, während im letzten Abschnitt die unmittelbaren Folgen dieser Leidenschaft beschrieben werden. Im zweiten Buch könnte man eine ähnliche Gliederung feststellen, indem man die ersten sechs Kapitel dem Architekten, die nächsten sechs dem Gehilfen, dem Grafen, der Baronesse und dem Lord zuschreibt, wozu noch Eduards Gespräch mit dem Major kommt. Diese beiden Teile könnten als das Vorspiel zur eigentlichen Katastrophe bezeichnet werden, während die letzten sechs Kapitel, die Rückkehr Eduards und des Majors, den Tod des Kindes, Ottilies und Eduards enthalten. Allerdings läßt sich eine derartige Einteilung — da zu konstruiert — kaum aufrechterhalten. Man könnte z. B. ebensogut die letzten sieben Kapitel als eine Einheit zusammenfassen.

Man wird kaum von einer in Einzelheiten sichtbaren symmetrischen Struktur des ganzen Romanes sprechen. Die zwei Bücher sind zu ungleich angelegt. Außerdem herrscht im ersten Buch der Dialog in höherem Maße vor als im zweiten[2]. Die Wirkung dieser Verteilung ist nicht ohne Bedeutung für das Ganze des Romans. Die aus Dialogen bestehenden Romanteile wirken viel unmittelbarer. Das Geschehen vollzieht sich wie im Drama: direkt. Es wirkt auf den Leser mit einer viel stärkeren Eindringlichkeit und Wucht. Darüber hinaus vermittelt der Dialog den Eindruck der Objektivität der Darstellung. Es wird dem Leser überlassen, für sich selbst die Beziehungen zwischen den Gestalten zu erkennen; das wäre nicht möglich, wenn der Erzähler dauernd zwischen den Leser und die Charaktere träte. Eine andere Folge des im ersten Buch derart überwiegenden Dialogs ist, daß eine straffere Darstellung des Geschehens vorherrscht. Ein in Dialogform wiedergegebenes Gespräch schildert zwar das Geschehen langsamer, aber wirkungsvoller, so daß die Erzählzeit mit der Lesezeit mehr oder weniger zusammenfällt. Ist die Darstellung im ersten Buch unmittelbarer, das Geschehen auf einige Höhepunkte zusammengeballt, so eröffnet die Erzählweise des zweiten Buches andere Möglichkeiten. Ein breiter angelegtes Bild der Gesellschaft wird entworfen. Die mittelbare Form der Darstellung gibt die Möglichkeit, Erkenntnisse und Erlebnisse der Gestalten zu vertiefen. Das erste Buch handelt vom Entstehen und Ausbrechen der Leidenschaft und den alsbald eintretenden Folgen. Die unmittelbare Form der Darstellung ist also angemessen. Im zweiten Buch vertieft sich die Auswirkung der Leidenschaft. Der Dichter beschreibt, wie diese Leidenschaft nicht nur das ganze Wesen der Personen erfaßt, sondern auch, wie der Mensch — Ottilie — aus seiner Natur selbst heraus Kräfte entwickelt, um dieser Leidenschaft zu begegnen und sie bis zu einem gewissen Grade umzugestalten. Da ein großer Teil des Geschehens sich auf das Innenleben Ottilies bezieht, ist die beschreibende Erzählungsart wirksamer. Darüber hinaus erlauben die Auszüge aus Ottilies Tagebuch noch weitere Einsicht in ihre Gedankenwelt. Sie sind im Gegensatz zum Dialog nicht zeitgebunden und vertiefen auf viel stärkere Weise das Wesen dieser Gestalt. Sie sind Vorläufer des inneren Monologes, allerdings in straff disziplinierter Form. Dem verhältnismäßig seltenen Auftreten des Dialogs entspricht eine im ganzen viel weniger konzentrierte Handlung. All das ist nur relativ; es gibt auch dort knappe Zeitspannen, in denen Höhepunkte des Geschehens durch Dialoge gekennzeichnet werden, wie es auch im ersten Buch Teile gibt, in denen die Zeit schnell dahinfließt, weil das Geschehen zusammengerafft erzählt wird. Aber im großen und ganzen springen diese Unterschiede zwischen den beiden Büchern in die Augen. Der Erzähler jedoch spielt in beiden, ob er als Kommentator oder als unmittelbarer Berichterstatter auftritt, eine große Rolle. Wir fragen uns nun: Was für ein Mensch ist der Erzähler? In *Werther* gab es keinen, wenn auch der Herausgeber eine wichtige Funktion hatte, indem sein Bericht eine Kritik an Werthers Wirklichkeitsauffassung bedeutete. In den *Lehrjahren* wirkt der Erzähler dadurch, daß er — fast ein Gegenspieler Wilhelms — dessen Naivität und Unklarheit des Denkens durch seine Ironie bloßstellt, wodurch der Leser Abstand von Wilhelm gewinnen kann. Diese ironische Distanzierung ist ein wichtiger Bestandteil des Romans. Sie erlaubt es uns, Wilhelms geistigen Werdegang klarer zu erkennen. In den *Wahlverwandtschaften* ist der Erzähler unabhängiger. Es handelt sich nicht mehr darum, das Weltbild eines einzelnen, mit dessen Augen bis zu einem gewissen Grad die Welt gesehen wurde, zu berichtigen, es ist vielmehr die Funktion des Erzählers, die Erlebnisse mehrerer Gestalten und ihrer Beziehungen zueinander zu analysieren. Begebenheiten und Gefühle werden von dem Erzähler dadurch kommentiert, daß er allgemeinere Behauptungen oder Beobachtungen vorangehen oder folgen läßt. Er ist bestrebt, nicht nur den besonderen Fall zu beschreiben, sondern darin den symbolischen Wert zu finden, also das Allgemeingültige, das in jedem Besonderen liegt, zu ergründen[3].

Zugleich besorgt das Kommentieren eine Distanzierung vom Geschehen; denn der Erzähler begibt sich auf eine andere Ebene, auf die der allgemeinen Betrachtung; er bewirkt dadurch, daß der Leser die Handlung nicht unmittelbar, sondern quasi mit den Augen eines anderen sieht. Dem Geschehen wird zwar manches an Unmittelbarkeit genommen; dafür aber das Blickfeld des Lesers erweitert; Beziehungen werden erkennbar, die sonst verborgen geblieben wären. Diese Reflexionen sind so formuliert, als ob sie allgemeingültige Gesetze über das Leben wären, und treten deshalb dem Strom des Geschehens hervor[4]. Das Verhalten der Menschen läßt sich daran orientieren.

Diese Betrachtungen des Erzählers verraten einen wachen Sinn für die Art seiner Erzählung. Sie lassen auch verstehen, daß er ihr, wenn nicht unbedingt selbstkritisch, so doch mindestens beobachtend und einsichtig gegenübersteht. Es ist bezeichnend, daß er den Leser schon am Ende des ersten Buches auf die Bedeutung, die Ottilie im zweiten Buche einnehmen wird, vorbereitet. Das Buch endet mit einem Ausblick auf Ottilie:

«Ottilie, nachdem auch ihr Charlottens Geheimnis bekannt geworden, betroffen wie Eduard, und mehr, ging in sich zurück. Sie hatte nichts weiter zu sagen. Hoffen konnte sie nicht, und wünschen durfte sie nicht. Einen Blick in ihr Inneres gewährt uns ihr Tagebuch, aus dem wir einiges mitzuteilen gedenken[5]».

Diese einfachen, sachlichen Sätze besagen mehr, als es zunächst erscheinen mag. Sie deuten an, daß Ottilie mehr als vorher das Geschehen bestimmen und ihr Handeln aus der Tiefe ihres Innenlebens herkommen wird; die Worte, die ihre Reaktion auf jene Nachricht mitteilen, «betroffen wie Eduard, und mehr» sind trotz ihrer Zurückhaltung sehr aufschlußreich. Eduards seelisches Betroffensein war gewaltig. Noch größer war die Erschütterung von Ottilie, was die Worte «und mehr» andeuten, da schon das Wort «betroffen» den Gemütszustand Eduards gar nicht ausreichend beschrieb. Ottilies Schweigen wird in dem darauffolgenden Satz: «Sie hatte nichts weiter zu sagen» vorweggenommen. Die Tragik ihrer Liebe wird durch die Aussichtslosigkeit ihres Hoffens und durch ihre spätere Rückkehr zum moralischen Handeln angedeutet, indem sie ihre zärtlichen Wünsche verleugnet. Zugleich aber hören wir, daß sie sich in sich zurückzog, daß ihr Tagebuch uns einen Blick in ihr Inneres gewähren wird; ein deutlicher Hinweis, daß wir ihr Erleben nur indirekt erfahren können.

Der Anfang des zweiten Buches ist ebenfalls charakteristisch für die Art des Erzählens; er bereitet uns darauf vor, daß nun der Ton der nächsten Kapitel von den früheren verschieden sein wird, daß wir uns dem Geschehen von einer anderen Seite her nähern müssen. Wir lesen:

«Im gemeinen Leben begegnet uns oft was wir in der Epopöe als Kunst-
griff des Dichters zu rühmen pflegen, daß nämlich, wenn die Hauptfiguren sich
entfernen, verbergen, sich der Untätigkeit hingeben, gleich sodann schon ein
Zweiter, Dritter, bisher kaum Bemerkter den Platz füllt und, indem er seine
ganze Tätigkeit äußert, uns gleichfalls der Aufmerksamkeit, der Teilnahme, ja
des Lobes und Preises würdig erscheint [6].»

Die Erklärung, beinahe Entschuldigung dessen, was oft geschieht, macht
den Leser auf den Unterschied zwischen dem ersten und zweiten Buch aufmerksam. Sie besagt, daß die Handlung — anders orientiert — nicht mehr
auf die Hauptpersonen gleichmäßig konzentriert sein werde, eine andere
Art der Perspektive sei nunmehr vorherrschend. Auch hier distanziert sich
der Erzähler vom Geschehen; indem er es überblickt und die Wandlung
der Struktur erklärt, gibt er auch dem Leser die Möglichkeit, sich dieser
Veränderung, die er für wesentlich hält, bewußt zu werden.

Diese Distanzierung ist ironisch, aber die Ironie des Erzählers ist weniger auf die Bekämpfung und Berichtigung von Naivität und Unklarheit des
Denkens hingerichtet, als gegen ein allzu ausgeprägtes Vertrauen auf Vernunft und Willen. Die einleitenden Worte weisen darauf hin, von welcher
Art der Erzähler sei.

«Eduard — so nennen wir einen reichen Baron im besten Mannesalter — hatte
in seiner Baumschule die schönste Stunde eines Aprilnachmittags zugebracht,
um frisch erhaltene Pfropfreiser auf junge Stämme zu bringen. Sein Geschäft
war eben vollendet, er legte die Gerätschaften in das Futteral zusammen und
betrachtete seine Arbeit mit Vergnügen, als der Gärtner hinzutrat und sich an
dem teilnehmenden Fleiße des Herrn ergetzte [7].»

Ein Mensch, der zunächst das Thema seiner Erzählung behutsam angreift, der kein Wort zuviel gebraucht und der manches andeutet, dessen
Sinn erst nach reiflicher Überlegung und oft erst im Rückblick erkennbar
wird. So deuten schon die ersten Worte des Erzählers an, daß Eduards
Name ein angenommener ist. Das wird aber erst später klar. Gleichzeitig
wird der gesellschaftliche Stand Eduards bezeichnet. Wir erfahren, daß die
Arbeit, die er leistet, oder vielmehr die Beschäftigung, mit der er an Stelle
von Arbeit seine Zeit ausfüllt, keine Lebensaufgabe sei. Andererseits haben
auch die Parkanlagen, die Charlotte geplant hatte, für ihn keine tiefere
Bedeutung.

Der Erzähler berichtet mit Ruhe und Überlegenheit. Eigene Kommentare
zum Geschehen sind selten. Was er zu sagen hat, wird eher angedeutet
als ausgesprochen. Nur gelegentlich werden die Handlungen der Charaktere mit einer kurzen Bemerkung näher bezeichnet. Wenn er Mittler mit
den Adjektiven «närrisch [8]» und «seltsam [9]» beschreibt, oder wenn er

Eduards Charakter in knappen Zügen schildert — «sich etwas zu versagen, war Eduard nicht gewohnt [10]» —, so ist es zwar ein Kommentar über Eduard, aber dieser Kommentar ist so behutsam angelegt, daß man ihn nicht als einen solchen empfindet. Diese Methode steht im Gegensatz etwa zu der Wielands, der das Eingreifen des Erzählers mit Absicht stark betont. Auf dieselbe Weise wird das Erscheinen des Hauptmanns berichtet, von dem wir lesen, daß er einen verständigen Brief geschrieben habe [11]. Auch hier muß man den Kommentar des Erzählers im Adjektiv suchen; dasselbe trifft zu, wenn wir lesen, daß er «ein geübtes Auge und dabei ein genügsames Auge [12]» habe. Auf diese Weise werden dem Leser sozusagen, ohne daß er sich dessen bewußt wird, die charakterlichen Hauptzüge des Hauptmanns eingeprägt. Ein derartiger Gebrauch von Adjektiven wiederholt sich vielfach.

Die Distanzierung des Erzählers kennzeichnet auch sein Kommentar zu Ottiliens Tagebuch. Er weist kurz auf eine allgemeine Funktion hin, indem er sagt: «einen Blick jedoch in ihr Inneres gewährt ihr Tagebuch, aus dem wir einiges mitzuteilen gedenken [13].» Später spricht er von dem roten Faden, der seiner Meinung nach durch das Tagebuch gehe [14]. Auch hier greift er zur Selbstkritik, indem er das, was er dem Leser mitteilt, kritisch unter die Lupe nimmt. Zwar wird auf diese Weise die Glaubwürdigkeit des Erzählers erhöht, aber gleichzeitig die Unmittelbarkeit der Darstellung vermindert oder gar aufgehoben, da sich die Persönlichkeit des Erzählers zwischen das Geschehen und den Leser schiebt.

Sein Kommentar zu der Art von Maximen und Reflektionen, woraus Ottilies Tagebuch zu bestehen scheint, verrät, daß er nicht von allem weiß, was er berichtet oder mitteilt; es ist bisweilen sogar auf Vermutungen angewiesen. Er weiß nicht genau, woher Ottilie diese Maximen und Sentenzen genommen, und kann nur vermuten, daß sie dieselben abgeschrieben habe. Die vornehme Distanzierung, die immer wieder betont und bis zum Ende, bis zu Ottilies und Eduards Tod, durchgeführt wird, zeigt sich bei der Schilderung des angeblichen Wunders an Ottilies Bahre oder in der Beschreibung von Eduards Tod. «Und so lag denn auch dieses vor kurzem zu unendlicher Bewegung aufgeregte Herz in unstörbarer Ruhe; und wie es in Gedanken an die Heilige eingeschlafen war, so konnte man wohl ihn selig nennen [15].» Dasselbe gilt für die letzten Worte des Romans; sie mildern die Erschütterung, welche die Katastrophe ausgelöst hat.

«So ruhen die Liebenden neben einander. Friede schwebt über ihrer Stätte, heitere, verwandte Engelsbilder schauen vom Gewölbe auf sie herab, und welch ein freundlicher Augenblick wird es sein, wenn sie dereinst wieder zusammen erwachen [16].»

Eine andere Eigenheit des Erzählers ist die knappe, souveräne Art, mit der er über dem Geschehen steht. Selbst in Augenblicken der Krise verliert seine Sprache nie die Gleichmäßigkeit des Ausdruckes, ob nun vom unerhörten Ereignis «des Ehebruches im Ehebette [17]», vom Tode des Kindes oder Ottilies die Rede sei. Immer bleibt die Sprache ruhig; höchstens kürzere Hauptsätze zeigen Nuancen an. Manchmal, wie etwa in der Szene, in der das Kind ertrinkt, wird das Tempo der Handlung dadurch forciert, daß der Erzähler plötzlich vom Präteritum zum Präsens übergeht und so besondere Intensität erzielt. Da Nebensätze dann völlig fehlen, kommt es zu einer Beschleunigung des Erzähltempos, welche der Szene gewisse Wucht verleiht und so die Katastrophe sprachlich widerspiegelt. Diese prägnanten Sätze sind intensiver, unmittelbarer und gehören einer dynamischen Ausdrucksweise an [18], aber sie fügen sich nahtlos in das Gewebe der Erzählweise ein.

Der Erzählstil ist von Natur aus ruhiger als der des Dialogs. Doch gibt es Züge, welche beiden Stilarten gemeinsam sind. Man findet in allen Teilen des Romans häufig Antithesen, die oft durch Konjunktionen wie «Aber doch» eingeleitet sind. Nicht alles Gegenüberstellen ist indes unbedingt antithetisch. Oft ist es eher ein Rhythmus, der sich aus dem Gegenüberstellen zweier Satzpaare ergibt. Der Satz ruht im Gleichgewicht und ist doch gleichzeitig aufgelockert, er verrät Beweglichkeit und Festigkeit der Anschauung. Es ist Prosa, die einen ausgeglichenen Geist verrät. Wessen Worte wir auch vorfinden, die des Erzählers oder der Personen des Romans, *eine* Konsequenz der Auffassung beherrscht die ganze Erzählung. Erregung wird eher durch Häufung von einzelnen Sätzen als durch längeres Aneinanderreihen von Nebensätzen bezeichnet. Eine Krise wird mittelbar durch die Sprache ausgedrückt; es kann dann eine gewisse Verschärfung und Beschleunigung des Tempos eintreten; Goethe versucht nie, eine erregte, unbeherrschte Sprache darzustellen. Sie wirkt eher wie ein Filter, so daß der Leser die Gefühle nicht direkt miterlebt, vielmehr indirekt erfassen soll. Die Sprache der *Wahlverwandtschaften* erscheint äußerst ruhig und sicher. Zwar wird oft eine Beobachtung durch eine andere ergänzt, eingeschränkt oder verbessert, aber diese Einschränkungen scheinen nicht aus einer Unzulänglichkeit der ersten Beobachtung hervorzugehen; sie stellen einen Versuch dar, das Bild des Geschehens genauer zu bestimmen. Sie schaffen mehr Klarheit; es ist, als ob eine entfernte Landschaft zunächst mit bloßem Auge und nachher mit Hilfe eines Fernrohrs betrachtet wurde. Die strenge Beherrschung der Sprache, die Ausgeglichenheit des Stils verraten geistige Souveränität, die den Roman zwar der Frische und Unmittelbarkeit beraubt, aber dem ruhigen Betrachter erlaubt, in größere Tiefen einzudringen, etwa wie man bei einer ruhigen Oberfläche tiefer ins Wasser blicken kann als bei stürmischer See.

Diese Bändigung der Sprache hindert den Erzähler, und damit auch den Leser, sich den Gefühlen, welche die Geschehnisse in ihm erwecken müßten, völlig hinzugeben. In Augenblicken der Krise kommt es kaum zum Dialog, da dieser zu kraß wirken und damit die behutsame Seelendarstellung stören würde.

*

Der Sprachstil selbst verrät das Gewalttätige und Tragische der Handlung kaum. Das Zusammenkommen und das Auseinandergehen der Gestalten dagegen läßt Freude und Leid, wie es im menschlichen Zusammentreffen und Abschiednehmen liegt, um so schärfer hervortreten. Binden und Lösen menschlicher Beziehungen sind Hauptelemente des Geschehens. Das wird schon durch den Titel symbolisch angedeutet. Goethe schreibt:

«Grundeigenschaft der lebendigen Einheit: sich zu trennen, sich zu vereinen, sich ins Allgemeine zu ergehen, im Besonderen zu verharren, sich zu verwandeln, sich zu spezifizieren und, wie das Lebendige unter tausend Bedingungen sich dartun mag, hervorzutreten und zu verschwinden, zu solideszieren und zu schmelzen, zu erstarren und zu fließen, sich auszudehnen und sich zusammenzuziehen. Weil nun alle diese Wirkungen im gleichen Zeitmoment zugleich vorgehen, so kann alles und jedes zu gleicher Zeit eintreten. Entstehen und Vergehen, Schaffen und Vernichten, Geburt und Tod, alles wirkt durcheinander, in gleichem Sinn und gleichem Maß; deswegen denn auch das Besonderste, das sich ereignet, immer als Bild und Gleichnis des Allgemeinsten auftritt [19].»

So ist es auch dieser Wortkomplex, der uns am ehesten einen Blick in den Kosmos dieses Romans gewährt. Zwar sind Sich-Vereinen, Trennen und Wiedervereinen von Menschen Kennzeichen aller Romane, in den *Wahlverwandtschaften* aber treten sie besonders hervor, weil das Interesse auf Personen konzentriert ist, deren Beziehungen zueinander in vielen Schattierungen dem Erzähler als wesentlich erscheinen, deren gegenseitige Anziehungskraft in ihren Wandlungen beschrieben wird. So tritt uns von den Hauptpersonen zuerst Eduard entgegen, dessen Tod den Roman abschließt. Er gesellt sich zu Charlotte, beide bilden scheinbar ein glückliches Paar. Zu ihnen kommt Mittler als nicht dazugehöriger Fremder, was durch seine baldige Entfernung noch betont wird. Das Gleichgewicht der Ehe wird erst durch das Auftreten des Hauptmanns gestört. Nach Ottilies Ankunft gesellen sich beide Männer und beide Frauen zueinander. Diese Konstellation hält nicht an. Eduard und Ottilie, Charlotte und der Hauptmann treten einander nahe. Bevor es zu einer richtigen Bindung dieser

Paare aneinander kommt, wird die neue Konstellation durch das Eintreffen des Grafen und der Baronesse gestört; aber bevor sich der Hauptmann auf die Einladung des Grafen hin entfernt, wird eine enge Bindung des Hauptmanns an Charlotte wie auch Eduards an Ottilie sichtbar, allerdings erst nachdem kurz vorher eine flüchtige Wiederverbindung zwischen Eduard und Charlotte vollzogen wurde. Diese Bindung aber ist nur Schein, denn auf der Ebene der Einbildungskraft verstärken sich für Eduard wie auch für Charlotte die Bindungen an Ottilie bzw. den Hauptmann. So intensiv diese auch im Augenblick dünken mag, so entfernt sie die Eheleute eher, als daß sie diese aneinanderketten würde. Selbst die natürlichen Folgen der ehelichen Vereinigung, das Kind, das Charlotte gebiert, vermag — lebendig oder tot — diese Trennung nur zu verschärfen. Charlottes Einstellung bewirkt, daß der Hauptmann und Eduard sich entfernen. Mittlers Versuch, Eduard und Charlotte wieder zusammenzubringen, schlägt fehl. Charlotte und Ottilie bleiben allein zurück. Damit endet das erste Buch, damit beginnt das zweite. Mehrere Gestalten treten hervor, die das Leben der Hauptgestalten nur so berühren, wie eine Tangente die Peripherie eines Kreises berührt. Es sind der Architekt, Luciane und ihr Kreis, der Gehilfe, Mittler, der Graf und die Baronesse, der englische Lord und seine Begleiter. Keiner bleibt, da nur Beziehungen von geringerem Gewicht geformt werden. Die Anziehungskraft, welche Eduard und Ottilie aufeinander ausüben, wird nicht vermindert; der Tod des Kindes erscheint als ein Symbol, welches besagt, das Kind sei nun überflüssig. Feste Bindung zwischen Eduard und Ottilie wird nur durch den Tod unterbrochen. Die Trennung scheint allerdings nur für das Diesseits zu gelten, denn im Grabe werden sie, so sagt der Erzähler, wieder vereint. Für Charlotte und den Major gibt es eine derartige Wiedervereinigung nicht. Der Major bleibt im Hintergrund, Charlotte aber beherrscht sich und verzichtet.

Wie wesentlich die Funktion der menschlichen Beziehungen in den *Wahlverwandtschaften* ist, läßt sich an der Entwicklung der Hauptgestalten ermessen, die nur im Rahmen ihrer Beziehungen zueinander sichtbar wird. Zunächst erscheinen sie als harmonisch; wer aber auf Nebentöne reagiert, kann die latente Unzufriedenheit erkennen. Eduards Wunsch, einen dritten um sich zu haben, sein Gefühl, daß die Hütte, dieses Sinnbild häuslicher Zufriedenheit, zu eng sei, verrät die drohenden Gefahren. Die Ankunft des Hauptmanns verändert die Beziehung zwischen Charlotte und Eduard. Charlotte wird isoliert. Das Gleichgewicht wird erst durch Ottilies Ankunft wiederhergestellt; aber am Ende geschieht es auf andere Weise, als zu erwarten war. Das Blickfeld des Lesers ändert sich. Nicht mehr die Beziehungen zwischen Eduard und Charlotte, sondern die zwi-

schen Eduard und Ottilie ziehen die Aufmerksamkeit des Lesers auf sich;
das Verhältnis zwischen dem Hauptmann und Charlotte steht ihnen nur
wenig nach. Die Beziehungen zwischen dem Grafen und der Baronesse,
welche eine neue, besondere Lebenseinstellung enthüllen, heben sich von
den drei anderen Gruppierungen — Eduard und Charlotte, Eduard und
Ottilie, Charlotte und Hauptmann — völlig ab. Mittler ist von allen anderen Menschen isoliert. Er steht in keiner unmittelbaren Beziehung. Deshalb geht die Aufgabe des Vermittelns, die er sich gestellt hat, über seine
Kräfte. Sein Name entspricht ganz und gar nicht dem, was er vollbringt.
Das Geschehen ist zunächst auf Ottilie konzentriert; aber ihr Seelenleben
wird eher mittelbar als unmittelbar dargestellt. Die Handlung schreitet
fort, indem die Wirkungen anderer auf Ottilie und umgekehrt beschrieben
werden, oder indem, wie im Falle Lucianes, ein Mensch auftritt, dessen
Leben demjenigen Ottilies diametral entgegengesetzt zu sein scheint. Trotz
der Geburt ihres Kindes bleibt Charlotte im Hintergrund. So ist es bezeichnend, daß sich Ottilie vorwiegend seiner Erziehung annimmt und daß sie
es ist, die von Charlotte beim Tode des Kindes getröstet werden muß.
Eigentlich müßte doch Charlotte als Mutter die Hauptleidtragende sein und
Trost empfangen statt ihn zu spenden. Selbst Eduard kann bei seiner
Rückkehr nicht als ebenbürtiger Partner Ottilie gegenüber eintreten. Sein
Innenleben ist dafür nicht reich genug entwickelt.

Verbinden und Trennen sind wesentliche Merkmale der *Wahlverwandtschaften*, was vor allem die folgenden zwei Begebenheiten bezeugen.
Erstens erkennt Eduard, daß das Kind, anstatt ihn an Charlotte zu binden,
ihn von ihr trennt, da es seiner Auffassung nach während eines doppelten
geistigen Ehebruchs gezeugt wurde. Zweitens wird Ottilies Isolierung dadurch hervorgehoben, daß sie nach dem Tode des Kindes von allen abgesondert ist. Die gewaltsame Isolierung Ottilies nimmt ihre spätere freiwillige Isolierung vorweg, die besonders dann hervortritt, wenn die Anziehungskraft, die sie Eduard gegenüber verspürt, in ihrer geradezu magi-
schen Kraft beschrieben wird. Auf der physischen Ebene sind Eduard und
Ottilie aneinandergebunden; sie besitzen nicht mehr die Kraft, sich zu
trennen. Trotz aller Nähe leben sie auf verschiedenen geistigen Ebenen.
Die wahre seelische Gemeinschaft, welche eine Ehe zwei Menschen bieten
kann und soll, ist ihnen verwehrt, wie es mitunter die völlige Wortlosigkeit ihres Verhältnisses andeutet. Zuletzt werden Eduard und Ottilie im
Grabe durch den Tod vereint, nachdem dieses für sie, wie für die andern,
die endgültige Trennung bedeutet hatte.

*

Es gibt auch andere Wort- und Bildfelder, die uns einen Blick in das Gefüge des Romans gewähren. Darunter die Bilder der Hütte, die des Grabes
und der Parkanlagen[20]. Die Hütte, ein äußerst wichtiges Symbol bei
Goethe[21], hat im Roman eine besondere Funktion. Goethe läßt durch die
Hütte die Einstellung der Gestalten zu den Realitäten des Lebens im Gegensatz zur bloßen Fassade einer Ehe, wie es das Schloß versinnbildlicht,
sichtbar werden[22]. Eduards innere Unzufriedenheit wird zunächst dadurch
deutlich, daß diese Hütte ihm zu eng erscheint. Aber Enge ist nur ein Vor-
wand für das seelische Bedrängtsein, dessen er sich noch nicht bewußt ist.
Wenn Charlotte, der dieser Lebensstil zusagt, ihm widerspricht: «Für uns
beide ist Raum genug», antwortet Eduard: «Nun freilich ... für einen Dritten ist auch wohl noch Platz[23].» Wenn die Hütte das nächste Mal erwähnt
wird, herrscht scheinbare Zufriedenheit; Eduard, Charlotte, der Hauptmann
suchen sie zu dritt auf, sie wird sogar zur Szene der festlichen Vereinigung
der Freunde, aber tatsächlich ist Eduard immer noch unzufrieden, obwohl
er sich zufrieden glaubt; so macht er Charlotte darauf aufmerksam, daß
nun auch noch für ein Viertes Platz sei. Der Trieb zur Veränderung liegt in
Eduards Innerem; allem Anschein nach sind Eduard, der Hauptmann und
Charlotte in festlicher Stimmung und ausgesprochen zufrieden. Als später
alle vier Hauptgestalten zum ersten Male in der Mooshütte sind, erscheint
es nur natürlich, daß ein neuer Pfad gebaut werde, so daß man den Weg
dorthin nicht mehr langsam und mit Beschwerlichkeit, sondern gesellig,
schlendernd und mit Behaglichkeit zurücklegen könne. Man ahnt, daß
dieses seltsame Quartett nun ganz natürlich lebt, und gerade deswegen
ist es möglich, daß sich die Beziehungen nun verändern und von dem
Naturell der vier Gestalten bestimmt werden. Diesen Andeutungen folgen erst langsam die Ereignisse. Als Charlotte gemerkt hat, daß sie den
Hauptmann liebt, aber ihn gerade deswegen verlieren muß, eilt sie in die
Mooshütte zurück und überläßt «sich ganz einem Schmerz, einer Leidenschaft, einer Verzweiflung, von deren Möglichkeit sie wenige Augenblicke
vorher auch nicht die leiseste Ahnung gehabt hätte[24]». So wird die Hütte
zum ersten Male zu einem Ort, wo Schmerz und Leid, die später den
Roman beherrschen, ihre Macht ausüben. Charlotte ist einsam; sie ist nicht
mit anderen verbunden. Hier wird die künftige Entwicklung vorweggenommen, die im Auseinanderreißen menschlicher Bindungen besteht. Nach
der Geburt des Kindes sind Charlotte und Ottilie in der Mooshütte allein.
Charlotte sieht noch zwei leere Plätze. Ihre Hoffnungen, die nun ver-
ständlicherweise genährt worden sind, kommen offen an den Tag, sind
aber nicht auf festen Grund gebaut. Ihr Plan einer Heirat des Hauptmannes mit Ottilie ist widersinnig, weil er dem psychologischen Tatbestand

widerspricht, selbst wenn es nicht so erscheint. Damals nämlich, als sie alle
in der Hütte saßen und Charlotte diesen Plan hegte, bestand kein inneres
Verhältnis zwischen dem Hauptmann und Ottilie. Der Zeitpunkt war ein-
getreten, an dem die erste Neigung zwischen Eduard und Ottilie einerseits, zwischen dem Hauptmann und Charlotte andererseits im Entstehen
war. So läßt die Mooshütte die Beziehungen der Hauptgestalten an wichtigen Schnittpunkten sichtbar werden, ohne daß dieses Symbol zum
Schema würde. Es beleuchtet einen Aspekt der sich entwickelnden Handlung, aber es wirft kaum Licht auf die Entwicklung der Charaktere.

*

Das Symbol der Parkanlagen steht in naher Beziehung zu demjenigen der
Mooshütte. Man kann ersehen, was die Gestalten leisten und was ihr
Verhältnis zur Außenwelt ist. Gleich zu Anfang wird Eduards Interesse
an den Gartenanlagen geschildert. Der Dilettantismus kennzeichnet sein
Handeln. Wir hören, er habe in seiner Baumschule die schönste Stunde
eines Aprilnachmittags zugebracht, um frisch erhaltene Pfropfreiser auf
junge Stämme zu pflanzen. Diese Arbeit macht ihm augenscheinlich
Freude; sie dürfte, nach der Bewunderung des Gärtners zu urteilen, gut
ausgeführt worden sein. Aber sie ist auch zur gleichen Zeit nichts mehr als
der Zeitvertreib eines reichen Edelmannes, ist die Verfeinerung des schon
Verfeinerten [25]. Diese Anfangszene enthält schon eine Symbolik, welche
die Beziehungen zwischen Eduard und Charlotte widerspiegelt. Ein Berg
und ein Tal trennen Eduard von Charlotte [26]. Er weiß nicht, was seine Frau
tut und wie ihre Pläne reifen. Hier wird die Dürftigkeit der inneren Beziehung zwischen den beiden Ehegatten symbolisch dargestellt, genau wie
später die Beschäftigung in den Parkanlagen ihre Trennung verstärkt und
die Bindung des Hauptmanns und Charlottes, Eduards und Ottilies bestätigt. Auch Charlotte verbringt einen Teil ihrer Zeit mit der Anlage von
Parkgeländen. Besonders die Mooshütte ist das Ergebnis ihres Planens.
Aber auch das ist ungenügend. Zwar sind ihre Anlagen mit Liebe erdacht
und geschaffen worden, aber der sachlichere Hauptmann legt ohne weiteres
dar, daß diesem Planen der richtige Rhythmus fehle. Es ist jedoch Eduard,
und nicht der Hauptmann, der durch diesen Fehler persönlich betroffen ist.
Da er fühlt, daß er dadurch seiner Frau noch mehr entfremdet würde,
schließt er sich um so mehr an den Hauptmann an, mit dem er viele
gemeinsame Pläne zu besprechen hat.

Die nächste Beschreibung der Parkanlagen und Baupläne bewirkt eine
weitere Enthüllung der Charaktere Eduards und des Hauptmanns. Eduards
Pläne beruhen auf der Tatsache, daß er nur dann mit Bauern und Bür-

gern umzugehen weiß, wenn er ihnen befehlen kann. Der Hauptmann stimmt mit ihm darin überein, aber sein Urteil — nicht intuitiv wie dasjenige Eduards — beruht auf einer festen Überlegung. Andererseits ist der Hauptmann nicht einverstanden, daß Eduard Charlotte seine Kritik zu ihren Parkanlagen mitteilt. Er tadelt dessen Mangel an Diskretion und Taktgefühl; besitzt also mehr Verständnis für Charlotte als Eduard selbst. Der Hauptmann wirkt mit seinem bestimmenden Sinn auf die Frau seines Freundes, und da sie beide dieselben Interessen haben, kommen sie einander näher. So sind es schließlich gerade die Parkanlagen, welche Eduard von Charlotte trennen und an den Hauptmann knüpfen, schon bevor Eduard sich seiner Leidenschaft für Ottilie klar geworden ist. Doch ist er völlig in dieser Welt befangen. Ottilie dagegen fordert ein Haus auf der Höhe, das ihren Wunsch symbolisiert, eine Warte zu haben, ein Wunsch, der weit über den narzistischen Träumen steht, in die sich Eduard einspinnt[27].

Auch im weiteren Verlauf des Romans werden Charlotte und der Hauptmann durch ihre Haltung zu den Parkanlagen gekennzeichnet. Der Hauptmann überläßt dem Architekten gerne die Arbeit am Teich, weil er nicht wünscht, daß man ihn vermißt. Für ihn ist Arbeit wichtiger als die eigene Persönlichkeit. Ähnliches gilt für Charlotte. Auch sie läßt an den Parkanlagen weiterarbeiten; so werden diese zum Sinnbild ihrer Hoffnung, daß Eduard zurückkehren, ihre Ehe wiederhergestellt würde; sie hofft, er werde in dieser Arbeit eine fruchtbare Beschäftigung finden und letztlich Freude daran haben. Aber hier waltet Ironie: Charlotte begreift nicht, was eigentlich vor sich geht. Eduards Interesse an ihren Plänen war immer beschränkt und oberflächlich gewesen.

Parkanlagen erwecken Gefallen. Was dieses Gefallen sichtbar verkörpert, ist der Kreislauf der Wege; ihnen entspricht das Kontrast das Bild des Labyrinths, dessen Verwirrung stiftende Macht an zwei Höhepunkten des Romans evident wird[28]; im ersten Teil gewinnt der Weg, der Eduard am Ende zu Charlottes Schlafzimmer führt, diese Gestalt, und im zweiten Teil ist es sein Nacheilen Ottilies ins Wirtshaus, wo sie ihn dann endgültig abweist.

Für Ottilie ist es der Obstgarten, der ihr heimliche Freude bereitet; aber diese Freude hat einen indirekten Ursprung. Sie fühlt sich mit dem Geliebten verbunden, wenn der Gärtner ihr von Eduards Interesse an seinem Garten erzählt. So vertieft sie sich in diese Materie; alle Pflanzen werden Ottilie durch ihre Beziehung zu Eduard wert, bilden eine Brücke der Erinnerung zu ihm. Ottilie sucht Eduard in der Umwelt: die Liebe bestimmt ihr Leben, die Natur spricht zu ihr. Das erfüllt sie mit Hoffnung, aber auch mit Furcht; sie fragt sich, ob es ihr gegönnt sein werde, Eduards Geburtstag mit zu feiern. Die Einstellung zu Garten und Parkanlagen verrät ihre Unfähigkeit, Eduard gänzlich zu entsagen.

*

Ein anderes Wort- und Bildfeld, das im Roman von Anfang an eine große Rolle spielt, bezieht sich auf die Bilder des Grabes und Todes. Eduard ist nicht fähig, am Kirchhof vorbeizugehen. Zuerst wird zwar beiläufig erwähnt, daß er einen anderen Weg vorzieht. Erst später wird die Bedeutung dieses Motivs deutlich. Bei der Ankunft Mittlers schlägt Eduard, um sich zu beeilen, den Pfad über den Kirchhof ein, den er sonst zu meiden pflegte. Das Traurige ist ihm zu fremd und störend, als daß er gewillt wäre, es direkt zu betrachten. Deswegen gefällt es ihm auch besonders, daß Charlotte den Kirchhof umgeordnet hat, der nun «wie ein angenehmer Raum erschien, worauf das Auge und die Einbildungskraft gerne verweilten[29]». Andere Hinweise, die erst später in ihrer vollen Bedeutung verständlich werden, sind die Vorbereitungen Charlottes, die Hilfsmittel für den Fall bereitstellt, daß jemand in die Gefahr des Ertrinkens kommen sollte. Aber als das Kind dann wirklich umkommt, sind diese Vorbeugungsmaßnahmen nutzlos; die Hilfsmittel kommen nicht zum Einsatz. Es ist auch von einem Ereignis im Leben des Hauptmanns die Rede, das sich auf das Ertrinken bezieht; worauf indes nicht näher eingegangen wird. Während Eduard bereit ist, seinen Gedanken freien Lauf zu lassen, sieht der Hauptmann schweigend vor sich hin, und Charlotte geht verständnisvoll nicht auf das Thema ein, so daß hier wiederum die Charakteranlage jeder Gestalt deutlich wird: das unbeherrschte Denken Eduards, das maßvolle Benehmen des Hauptmanns, die verständige Beherrschung Charlottes. Die spätere Rettungstat des Hauptmanns wirkt ganz anders und beweist, in welcher Richtung und wie weit die Entwicklung der Handlung gegangen ist. Eduard und Charlotte — einander innerlich fremd — verstehen sich nicht mehr. Ihre Auffassungen von der Bedeutung dieses Zwischenfalls weichen stark voneinander ab. Eduard hält es für ein Zeichen des Schicksals, daß er mit Ottilie verbunden ist. Für Charlotte gelten vor allem die Gebote der Sitte: deshalb ihr Wunsch, das Fest abzubrechen. Die Novelle «Die zwei wunderlichen Nachbarkinder» wiederholt dieses Motiv. Auch hier tritt der Tod nahe an die Menschen heran; aber der Unfall verwandelt sich in ein glückliches Ereignis, denn zwei von Natur füreinander bestimmte Menschen werden fürs Leben verbunden, und ihrer Verbindung steht in sittlicher Hinsicht nichts entgegen. Beim Tode des Kindes aber erscheint das Sterben als ein von dämonischen Umständen gefordertes

Opfer. Bei seiner Zeugung wurde gegen die Liebe gesündigt, obwohl man
den Forderungen der Gesellschaft Genüge getan hatte. Der Tod wurde
indirekt herbeigeführt, als Ottilie durch ihr zu langes Verweilen mit
Eduard, mit dem sie zum ersten Male «entschiedene freie Küsse» wech-
selte[30], das Gebot der Sitte übertreten hatte.

Das Todesmotiv macht auch den Unterschied zwischen dem ersten und
dem zweiten Buch klar. Im ersten wird dieses[31] nur flüchtig gestreift, denn
die Gestalten sind noch zu sehr dem Leben und seinen Hoffnungen zugewandt. So wird die Bedeutung des Motivs erst im Rückblick erkannt. Verschiedene Andeutungen, die mit dem Teich zusammenhängen — etwa der
Spaziergang dahin am Tage nach der Zeugung des Kindes —, sind erst
später in ihrer Bedeutung als Hinweis auf die Katastrophe erkennbar.
Hier waltet eine Ironie des Schicksals, welche der Leser erst nach Kenntnis der ganzen Handlung verstehen kann. Im zweiten Buch tritt das Todesmotiv langsam in den Vordergrund des Geschehens. Zunächst dadurch,
daß der Architekt die Kapelle ausschmückt, die als dereinstige Begräbnis-
stätte Ottilie zum ersten Male dem unmittelbaren Getriebe des Lebens
entrückt. Dies nimmt ihre spätere Einstellung zum Tode vorweg[32]. Ottilies Tagebuch aber verrät, wie intensiv sie sich mit dem Tode beschäftigt.
Luciane tritt im Maskenfest als Artemisia, als Witwe des Königs Mausolos
auf, sie inspiriert den Architekten, jenes Grabmal zu entwerfen. Auch
hören wir die Geschichte des Mädchens, das unschuldigerweise das Ende
eines Angehörigen verursacht hatte. Ein Todesfall kommt darauf in der
Romanhandlung selbst vor, als der Pfarrer bei der Taufe des Kindes um-
sinkt, was als böses Omen gedeutet werden kann. Der Geistliche stirbt
während Mittlers Rede, wie später dessen Ausführungen über die Ehe
Ottilies Hinscheiden auslösen. Ihr Tod wird durch ihre eigene Reaktion
vorweggenommen. Das physische Leben scheint überflüssig geworden,
weil ihre Liebe darin nicht zu lebendiger Entfaltung kommen durfte. Der
Tod ist für sie eine Antwort auf Eduards erotische Wünsche. Schon bei der
Grundsteinlegung wird auf das Bild des Grabes angespielt; ein wohlge-
hauener Stein, der in diesen engen, ausgegrabenen Raum gelegt wird.
Auch der Architekt kann als Bote des Todes gedeutet werden, als er die
Kapelle baut, oder das Mausoleum für die Artemisia-Scharade aufzeichnet.
Das trifft auch auf Luciane zu, als sie beinahe aus ihrer Rolle als Artemi-
sia fällt und in jene der gleich berühmten Witwe von Ephesus abgleitet,
die nach dem Ableben ihres Mannes ihr Ende durch Hunger erzwingen
wollte. Ebenfalls wird durch die Verwandlung des Hochzeitsbildes in der
Novelle die spätere Erfüllung der Liebe Ottilies im Tode vorweggenommen[33]. Ottilie gelingt es, über sich hinauszugehen.

«Alles Vollkommene in seiner Art muß über seine Art hinausgehen, es muß etwas anderes Unvergleichbares werden [34].»

Eduard dagegen, dem Künstler der Liebe, ist dies unmöglich. Wie dem Baumeister ist ihm das Bewohnen des von ihm errichteten Gebäudes versagt. Er wird am Portale zurückgehalten. Wenn Ottilie sich auf den Tod vorbereitet, so wirkt doch der Gedanke an Eduard bisweilen als Gegenmittel. Er hat sich für sie zu einem festen, unverrückbaren Bild verdichtet. Sie sieht ihn im Waffenschmuck vor sich, als Gegensatz und als Trost. Erst wenn dieser letzte Trost ihr genommen, wenn sie Eduard wirklich vor sich sieht und doch der Tod des Kindes ihr unwiderruflich beweist, daß sie dem Geliebten entsagen muß, wendet sie sich selbst endgültig vom Leben ab. Aber auch zu dieser inneren Wendung kommt es erst, nachdem Eduard ihr selbst durch sein voreiliges Eingreifen und durch die unglücklichen Umstände ihrer Begegnung die Möglichkeiten geraubt hat, eine fruchtbare Tätigkeit auszuüben. Das Ertrinken des Kindes zeigt die Charakterunterschiede zwischen den Hauptgestalten deutlich. Der Major und Eduard sind zunächst nicht direkt davon betroffen. Der Major betrachtet es ruhig, Mitleid und Interesse sind auf Charlotte konzentriert. Eduards Haltung ist ähnlich; er betrachtet das Ereignis in erster Linie in seiner Auswirkung auf Ottilie. Ohne es sich ganz eingestehen zu wollen, sieht er den Fall als eine Fügung, durch welche jedes Hindernis auf einmal beseitigt worden ist. Ist Eduard sich keines Vatergefühls, aber um so mehr seiner Liebe zu Ottilie bewußt, so ist Charlotte als Mutter tief betroffen; aber sie verliert ihre Fassung keineswegs. Sie wahrt Haltung, weil sie glaubt, Ottilie beschützen zu müssen. Charlotte fühlt sich immer durch Verpflichtungen anderen gegenüber gebunden. Aber der Todesfall zwingt sie, ihre Einstellung bezüglich einer Scheidung völlig zu ändern. Während sie vorher zögerte, sich scheiden zu lassen, glaubt sie jetzt, am Tode ihres Kindes schuld zu sein. Beide Male verkennt sie die Lage: zunächst glaubt sie, ihre Ehe aus sittlichen Gründen bewahren zu müssen. Dann aber überschätzt sie die Auswirkung eigenen Handelns; denn es ist doch wohl verfehlt, eine kausale Beziehung zwischen ihrer Weigerung, sich scheiden zu lassen, und dem Tode des Kindes herstellen zu wollen. Charlottes Fassung ist trotz allem vorbildlich. Sie steht dem Tod wahrhaft gelassen gegenüber [35]. Sie sucht sich gegen das Angsterregende, das vom Tode ausgeht, durch eine besondere Tätigkeit zu wappnen; ein Zug, der sie wiederum mit dem Major verbindet. An das Leben, an die es befruchtende Tätigkeit gebunden, sucht sie sich auf diese Weise zu beherrschen; in Abwehr gegen die Natur und etwaige irrationale Kräfte, denen sie sich nicht gerne unterwirft. Für sich selbst erwartet sie aber nichts; wenn sie den Major nicht unbedingt abweist, so lehnt sie doch eine baldige Heirat ab. Sie ist bereit, in die Scheidung einzuwilligen, aber nicht um ihrer selbst willen, sondern um die Verbindung zwischen Eduard und Ottilie zu ermöglichen, eine Lösung, welche von dieser, die sich im Angesicht des Todes als Schuldige fühlt, verworfen wird. Am unmittelbarsten trifft der Tod des Kindes also Ottilie, nicht nur, weil sie sich mit ihm am meisten beschäftigt, sondern weil sie sich schon durch frühere Gedanken der Sphäre des Sterbens nahegefühlt hatte. Der Todesfall führt sie zum festen Entschluß, Eduard auf immer zu entsagen. Sie hält daran mit einer Konsequenz fest, welche sie nicht einmal vor dem eigenen Tode zurückschrecken läßt.

Eduards Haltung ist zwiespältig. Er sucht den Tod im Kriege «wie jemand, der zu leben hofft[36]». Was ihn eigentlich dazu antreibt, ist seine Liebe zu Ottilie. Die Hoffnung auf sie will er nicht aufgeben, und so kann er selbst den bereits eingetretenen Tod Ottiles nicht akzeptieren. Zwar möchte er zunächst sterben, aber gleich darauf verspricht er weiterzuleben. Auch sein Tod ist ein Sinnbild seines Charakters. Er ist nicht ein Akt der Entsagung wie bei Ottilie. Da ihm zum Märtyrertum das Genie fehlt, stirbt er sozusagen in der Nachfolge Ottiles, ohne sich zu einer eigenen sittlichen Haltung dem Tode gegenüber aufgeschwungen zu haben. Das war nur Ottilie gegönnt, welche ihrem Hinscheiden durch freiwillige Entsagung eine persönliche Note aufprägte, auch wenn ihre Abkehr vom Leben sittlich nicht vertretbar sein mochte.

Mittler dagegen steht diesem Tode völlig verständnislos gegenüber. Auch er fühlt nicht unmittelbar für das Kind und seine Angehörigen; er ist nur insofern betroffen, als seine beinahe zur fixen Idee gewordenen Pläne zur Wiederherstellung der Ehe damit durchkreuzt werden. Seine Gefühlsarmut, sein Egoismus werden dadurch bloßgestellt. Rationalistisches Denken mag ihm zwar die richtigen theoretischen Ansichten vermitteln, aber es fehlt ihm an der wahren Menschlichkeit. So bringt das Todesmotiv die spezifischen Charaktereigenschaften der Gestalten ans Licht, ist aber zugleich völlig in die Komposition des Romans verflochten.

*

Die *Wahlverwandtschaften* sind jedoch weniger ein Roman des Todes als vor allem der Liebe. Beide Sphären sind eng miteinander verflochten, denn hier führt die Liebe, die an und für sich dem Leben gilt, die Menschen dem Tode zu. Der Roman beginnt mit der Liebesbeziehung zwischen Eduard und Charlotte. Hebbel hat sie zwar «eine von Haus nichtige, ja unsittliche Ehe» genannt[37], und diese Worte haben ein gewaltiges Echo gefunden[38]. Man hat behauptet, es sei eine nicht mehr wirkliche Liebe, da

sie nur auf der Erinnerung an Vergangenes beruhe. Diese Ansicht verrät
eine sehr einseitige Auffassung von der Liebe. Es ist eher anzunehmen,
daß beide Ehepartner einander zwar lieben, daß ihre Beziehung aber nicht
stark genug ist, um sie beide auf die Dauer ganz zu erfüllen. Das gilt vor
allem für Eduard. Es gibt verschiedene Schattierungen dieses Gefühls. Die
Liebe zwischen Eduard und Charlotte ist nicht eben so in der Tiefe ihres
Wesens verankert wie die spätere Liebe zwischen Eduard und Ottilie, die
erste Liebe muß diesem neuen Gefühl sodann weichen. Wie sich die Tätigkeit, die den Neigungen entspringt, anderen Interessengebieten der Ehegatten zuwendet, wie sie ein Berg und Tal am Anfang des Romans voneinander trennt, so fehlt ihrer Beziehung die magische Anziehungskraft,
die gewaltige Naturkraft, welche zwei Menschen bedingungslos aneinan-
derkettet, welche ihre Interessen unweigerlich auf gemeinsame Wege führt.
Weil ihre Liebe nicht ihr ganzes Wesen bedingungslos erfaßt hatte, hatten
sie die äußeren Hindernisse nicht überwunden, die sich in ihrer Jugend
gegen eine Verbindung auftürmten und keineswegs gegen die Sitte verstoßen hatten. Ihre Bindung ist ruhigerer Art. Sie genießen ein spätes
Glück. Eduard glaubt wirklich, seine Frau zu lieben; für ihn erscheint sie
als das «A und O[39]». So glaubt er auch, daß die erste Begegnung mit
Ottilie auf ihn nicht tiefer wirkt.

Es werden, wenn nicht alle, so doch viele Formen der Liebe beschrieben.
So sehen wir die späte, allerdings nicht zu tief gehende Liebe zwischen
Eduard und Charlotte. Wir erleben das Stürmisch-Leidenschaftliche, das
quasi «Naturnotwendige» zwischen Eduard und Ottilie; es ist zunächst
ohne Maß und Grenzen, weil keine vom Verstand errichteten Schranken
entgegengestellt werden. Die Liebe zwischen Charlotte und dem Hauptmann ist dagegen, wie es ihrem Charakter entspricht, viel beherrschter,
denn sie sind beide durch Verstand und Sitte gezügelte und gemäßigte
Naturen. Die Liebe des Grafen und der Baronesse sehen wir nur von
außen; obwohl sie gegen die Sitten der Gesellschaft verstößt, befinden sich
beide in voller Zufriedenheit. Ganz anders geartet ist die Liebe zwischen
den beiden jungen Menschen in der Novelle *Die beiden wunderlichen
Nachbarkinder*. Diese Liebe verstößt nicht gegen die Sitte, und sie kann
ihrer Natur entsprechend zu einem glückbringenden Abschluß gebracht
werden. Außerdem hört man noch, nur andeutungsweise, von der uner-
widerten Liebe, die der Gehilfe für Ottilie hegt.

Die Liebe wird nicht nur in vielen ihrer Möglichkeiten, sondern auch in
ihren verschiedenen Stadien dargestellt. Auf alle dürfte die Bemerkung des
Erzählers zutreffen: «Denn so ist die Liebe beschaffen, daß sie allein Rechte
zu haben glaubt und alle anderen Rechte vor ihr verschwinden[40]». Es wird

mittelbar ein Bild der Jugendliebe von Eduard und Charlotte entworfen, wie auch ihrer späteren Liebe, die ein Abbild dieser Jugendliebe ist. Von den ersten Anzeichen bis zum Ausbruch der Leidenschaft ist der Gang der Liebe mit einer Feinheit aufgezeichnet, welche an beste Rokokodichtung, etwa an die Lustspiele von Marivaux, erinnert.

Die Entwicklung der Liebe der beiden Paare wird weiter verfolgt. Aus der gemeinsamen Beschäftigung des Hauptmanns und Charlottes mit den Parkanlagen entsteht zuerst eine unbewußte Neigung. Ottilies Gefühl für Eduard prägt sich in der besonderen Art ihrer Dienstfertigkeit — vor allem in Kleinigkeiten — aus. Diese verraten ihre Neigung, bevor sie sich selbst darüber im klaren ist. Die gewisse Kindlichkeit in seinem Gemüt erlaubt es Eduard, Ottilie auf gleicher Ebene zu begegnen.

Die Stärke der Zuneigung läßt sich daran ermessen, daß sie Unruhe schafft. Eduard und der Hauptmann können ihre Arbeit nicht mehr in ehemaliger Gelassenheit ausführen, sie leisten nicht mehr, was sie sonst verrichteten. Eduard, der seiner Leidenschaft weit mehr verfällt, gelingt es noch weniger als dem Hauptmann, eine Aufgabe zu vollenden. Das Zeitempfinden der beiden schwindet dahin, als ihre Leidenschaft, noch unbewußt, zu wachsen anfängt. Diese wird zunächst in vielen Handlungen des täglichen Lebens erkennbar, bevor sie voll ausbrechen kann und von dem Betroffenen völlig erkannt wurde. Die Menschen nehmen zunächst die neue Neigung, die neuen Gefühle, in sich auf, Gefäßen ähnlich, aus denen dann plötzlich eine gärende Leidenschaft aufschäumt und den Rand übersprudelt. Da Eduards und Ottilies Neigung impulsiver ist, eilen sie, Pfade wählend und Wege bahnend, voran, während der Hauptmann und Charlotte «in bedeutender Unterhaltung[41]» folgen. Eduard und Ottilie dringen immer weiter vor, verlieben sich dann immer mehr, bis sich Eduard endlich über seine Gefühle klar wird; er hofft, daß sie beim Gehen straucheln werde, damit er sie in seinen Armen auffangen, an sein Herz drücken kann, obwohl er das — aus Furcht, sie zu beleidigen, sie zu beschädigen — doch nicht gewagt hätte. Er gibt dann den ersten bestimmten Anstoß zum Niederbrechen jener Scheidewand, welche zwei Menschen voneinander trennen kann, als er Ottilie um das Medaillon bittet, das ein Bild ihres Vaters enthält. Es ist gewiß — wie er selber sagt — die Befürchtung, sie könnte sich beim Straucheln verletzen, welche ihn zu diesem Schritt treibt. Seine Bitte hat aber auch symbolische Bedeutung: das Bild des Vaters muß erst entfernt, Ottilie dadurch frei werden, bevor sich ihre Liebe zu Eduard frei entfalten kann[42]. Als sie einen Einfall, den Bau des Hauses betreffend, ausspricht, gibt Eduard sofort seine Zustimmung. Er ist entzückt, obwohl er ihren Vorschlag gar nicht näher untersucht hat. Das verhaltene Kommentar des Erzählers, der bemerkt, daß Eduard das Viereck «recht stark und derb[43]» aufzeichnet, nimmt die stillschweigende Mißbilligung des Hauptmannes vorweg, der seinen Plan nicht gerne verunstaltet sieht, obwohl er sodann auf den Einfall eingeht. So entfalten sich die Leidenschaften weiter; das gemeinsame Musizieren Eduards und Ottilies einerseits, Charlottes und des Hauptmanns andererseits legt es deutlich dar. Hier wird der natürliche Dilettantismus, der Eduard und Ottilie verbindet, im Gegensatz zur musikalischen Ausbildung des Hauptmanns und Charlottens dargestellt.

Nicht nur beim Musizieren wirkt Eduard unkritisch, er ist überhaupt unsachlich, sobald es um Ottilie geht. «Denn der Haß ist parteiisch, aber die Liebe ist es noch mehr[44].» Findet er doch immer wieder Umstände, aus denen er schließlich will, daß seine Liebe zu ihr vom Schicksal gewollt sei. Diesen Aberglauben findet er durch allerhand Umstände bestätigt, wie z. B. daß die Platanen im selben Jahr gepflanzt wurden, als Ottilie geboren wurde, oder daß das Glas, in welchem die Initialen E und O eingeschnitten sind, nicht zerschellt, als es von dem Maurergesellen bei der Grundsteinlegung in die Höhe geworfen wird. Ähnlich wird Charlottes Liebe zum Hauptmann erst durch das innere Behagen, welches in ihr durch das vom Grafen und Hauptmann gewidmete Lob erzeugt wird, deutlich; darauf bringt der Schmerz, den der Gedanke an die Möglichkeit eines Verlustes einflößt, ihr die Leidenschaft nun erst recht zum Bewußtsein. Eduards Neigung ist bereits so stark geworden, daß sie anderen nicht mehr verborgen bleibt. Als Eduard und Charlotte zwar nicht gegen die Ehe, aber gegen die Liebe sündigen, führt es sie dem ersten Höhepunkt der Leidenschaft entgegen, der in den Liebesgeständnissen der beiden Paare gipfelt. Von diesem Augenblick an wird alsbald ihr passionierter Zustand klar und deutlich, obwohl man ihn zunächst noch voreinander verbergen muß. Eduard und Ottilie leben in seligem Taumel, während Charlotte und der Hauptmann ihre Gefühle bemeistern. Je mehr Eduard und Ottilie sich näherkommen, desto mehr entfernen sie sich von den anderen, stehen schließlich isoliert da, nur sich selbst zugewandt.

Die Krise läßt sich also nicht mehr aufhalten. Zunächst kommt es zur unvermeidlichen Auseinandersetzung zwischen den Gatten. Charlotte setzt ihre Ansicht durch, indem sie sich weigert, in eine Scheidung einzuwilligen. Zudem wird sie in ihrer Weigerung bestärkt, als sie bemerkt, daß sie ein Kind erwartet.

Auf diese Krise folgt die Darstellung der jeweiligen Seelenhaltung, welche die Trennung vom Geliebten bei den verschiedenen Gestalten hervorruft. Während Charlotte und der Major, ihrer Grundhaltung gemäß, zu entsagen versuchen, was ihnen auch glückt, bleibt Eduards und Ottilies gegenseitige Liebe unverändert; aber indes sie sich bei Eduard auf dieselbe, unbedingte, maß- und haltlose Weise äußert, setzt bei Ottilie eine innere Entwicklung ein, welche am Ende das ganze Bild der Liebesbeziehung verändert. Wir sehen zwar, wie sie alles auf Eduard bezieht, wie aber ihre innerliche Reife, ihre geistige Welt sich dabei erweitert und vertieft. Nachdem sie Eduard zum ersten Mal nach langer Trennung wiedergesehen und ihrer Liebe durch Küsse auch im physischen Sinne Ausdruck gegeben hat, sieht sie das Unrecht ihrer Liebe ein und entschließt sich zu entsagen, wozu Eduard sich nie aufraffen kann. Von Eduards Innenleben erfahren wir zunächst nicht viel; wir wissen, er glaubt, Ottilies und sein Schicksal seien nicht zu trennen. Als er erkennen muß, daß die Geliebte nicht die Seinige werden will, ist er aufs tiefste betroffen, das Dasein erscheint ihm nicht mehr lebenswert. Ottilie, weil sie feiner empfindet und vielleicht naiver, fühlt den Schmerz noch tiefer, noch intensiver. Ihre spätere Entsagung wird jetzt schon angedeutet. Für sie steht alles, was wesentlich ist, in Beziehung zu Eduard. Er ist das Zentrum ihres Lebens. Der Erzähler faßt diese Gefühlslage in den folgenden Worten zusammen: «Es schien ihr in der Welt nichts mehr unzusammenhängend, wenn sie an den geliebten Mann dachte und sie begriff nicht, wie ohne ihn noch irgend etwas zusammenhängen könne[45].»

Das Bild des Abwesenden ist gegenwärtig; es wird zu einem festen Bestandteil ihres Erlebens[46]. Ihre Gedanken, die über das Leben hinausgehen, sind an Eduard geknüpft. «Neben denen dereinst zu ruhen die man liebt, ist die angenehmste Vorstellung, welche der Mensch haben kann, wenn er einmal über das Leben hinausdenkt[47].» In ihrem Herzen ist, wie es an ihrer Beziehung zum Architekten deutlich wird, kein Platz mehr für andere. Nur «die Gottheit, die alles durchdringt, könnte dieses Herz zugleich mit ihm [Eduard] besitzen[48]». So betrachtete sie gerne Bilder von Gegenden, von welchen Eduard viel zu erzählen pflegte, Orte, wo er gern verweilt, wohin er öfter zurückgekehrt war. Aber es sind die Bemerkungen des Lords über seine Wanderungen, die Ottilie vor allem berühren; lassen sie sich doch auf Eduard beziehen. Die Bemerkung des Lords, ein Leben ohne Bindung und ohne Heim genüge, weil doch weder Heim noch Bindung zufriedenstellend seien, bewegen Ottilie aufs tiefste, sie sieht, wie verödet das Gut Eduards ist, weil er so lange fort gewesen. Das Leben — in Gefahr und Not fern von der Heimat — scheint ihr voll von Jammer und Beschwerlichkeit. Ihre Liebe zu Eduard überträgt sie auf das Kind, auf Charlotte. Während Ottilies Gefühl in den feinsten Schattierungen aufgezeichnet wird, tritt uns Eduard erst dann wieder entgegen, als er vom Feldzug zurückkehrt. Seine Liebe hat sich nicht im geringsten geändert. Im Augenblick, da Ottilie und Eduard sich wiedersehen, kennt ihre Leidenschaft keine Grenzen; für Ottilie aber gilt immer noch das Gesetz, die Pflicht. Sie fühlt Verantwortung für das Kind, welches ihrer Obhut übergeben ist. Hier will es die Ironie des Schicksals, daß Ottilie einesteils aus Leidenschaft, andererseits aus Nachlässigkeit gegen ihre Absicht länger im Park verweilt. Es ist das nun erwachte Pflichtgefühl, das sie bewegt, über den Teich zu rudern, da sie es eilig hat. So wird das Unglück möglich. Ihre Liebe stirbt nicht, nachdem sie sich entschlossen hat, Eduard zu entsagen. Die große Anziehungskraft, welche beide wie eine Naturgewalt beherrscht, wirkt weiter: sie sind nur dann völlig ruhig, wenn sie zusammen sind. Während es Ottilie gelingt, sich zu beherrschen, d. h. sich selbst als Opfer für ihre Verletzung der Sitte zu betrachten, reagiert Eduard ganz anders. Er liebt Ottilie auch nach ihrem Tode, aber ohne ihr Sterben tiefer verstanden zu haben. Die Liebe zwischen Charlotte und dem Major dagegen, auf ihrem Höhepunkt gebändigt, bewegt sich, nachdem Charlotte eine Verbindung als unzeitgemäß abgewiesen hat, nur im Hintergrund. Sie verblaßt und scheint nicht mehr die starke, unbedingte Kraft zu besitzen, die von Eduard und Ottilie ausgegangen war. Der Major hat zwar nach dem Tode des Kindes nicht alle Hoffnung aufgegeben. Im Gegenteil, er träumt von einer Zukunft an Charlottes Seite; aber danach wird jene Beziehung nicht mehr erwähnt. Die Liebe berührt Menschen auf verschiedene Weise; eine Naturmacht, welche ihr Tun beherrscht. Ihretwegen verändert sich der Gang des Lebens; ihretwegen werden weitere Kreise des Daseins berührt, ja gefährdet, so die Parkanlagen, Eduards Teilnahme am Feldzug, das Leben der Kreatur, wie im Falle des Kindes und Ottiles. Die Liebe ist zugleich eine symbolische Macht, denn sie weist auf jene irrational dämonischen Kräfte hin, welche das Leben derjenigen zu durchkreuzen vermögen, die für sie empfänglich sind. «Gewohnheit, Neigung, Freundschaft» können sich zu Liebe und Leidenschaft steigern, welche «wie alles Absolute, was in die bedingte Welt tritt, vielen verderblich zu werden drohte[49]». Die Liebe ist eine Erscheinung, welche wie eine Naturgewalt zum Guten und zum Schlechten tendiert. Gleichzeitig stehen dieser Gewalt andere Mächte gegenüber, wie z. B. Sitte und Gesellschaft. Ehe heißt die Form, in welche diese Instanzen die Liebe zu bannen suchen.

*

Die Ehe steht ohne Zweifel im Zentrum des Romans, der oft eine Ehetragödie genannt worden ist; eine Ansicht, die aber nicht selten bestritten wurde[50]. Von Goethes eigenen Bemerkungen zum Roman sind einige darauf angelegt, die Bedeutung der Ehe zu betonen und die tragische Schuld im Verstoß gegen die sittliche Ordnung zu suchen. Aber bei genauerer Betrachtung wird die Ehe in ganz anderem, unerwartetem Sinne gedeutet. Zuerst fällt auf, daß im Roman keine glücklich dargestellt wird [51]. Die ersten Ehen von Eduard und Charlotte, von denen wir hören, liefen zwar äußerlich ohne Katastrophe ab, aber sie dürften auch keine tiefinnere Befriedigung gewährt haben. Eduards und Charlottes Spätehe ist anscheinend glücklich, bis sie unversehens zerbricht. Andere Ehepaare treten nicht auf, Luciane, Charlottes Tochter, ist erst verlobt. Ihr Verlobter — keineswegs eifersüchtig, wenn sie mit anderen tändelt — ist stolz darauf, daß Luciane im Mittelpunkt alles Treibens steht; aber alles, was diese betrifft, scheint an der Oberfläche zu bleiben; ihre Beziehung zu ihrem Verlobten wird aber so kurz gestreift, daß man kaum beurteilen kann, ob sich hier ein tiefinnerliches Verhältnis als Grundlage einer dauerhaften und beispielhaften Ehe entwickeln könnte. Dieser erste Eindruck mag zwar trügen, denn Lucianes Treiben mit anderen ist nur oberflächlich. Sie empfindet ein Bedürfnis, andere anzustoßen, zu zerren oder sonst zu necken, sie aber immer sich gegenüber in den strengsten Grenzen der Sittlichkeit zu halten. Ihr Betragen ist also gesitteter, als es den Anschein hat.

Das andere Paar von Nebengestalten, das im Roman auftritt, sind: Graf und Baronesse. Sie lieben einander, können aber nicht heiraten, da beiden aus gesellschaftlichen Gründen die Scheidung verwehrt ist. Erst gegen Ende des Romans werden sie durch den Tod von den Fesseln einer lästigen Ehe befreit und erhoffen nun eine Bindung für die Zukunft. So ist auch für sie die Heirat ein Hafen, in den sie sich einschiffen möchten. Die Ansichten des Grafen sind zwar diejenigen eines Weltmannes: Ehen sollen nur auf fünf Jahre geschlossen werden, sie können dann gelöst werden, wenn sie nicht mehr glücklich sind. Gerade das, so meint er, würde ein Ansporn zur Dauer bedeuten. Diese Auffassung, die mit dem christlichen Dogma und der herkömmlichen sittlichen Tradition im Widerspruch steht, entspricht aber gar nicht — so will es die Ironie des Geschehens — seinem eigenen Handeln; seine Beziehung zur Baronesse ist, obwohl nicht gesetzmäßig verankert, dauerhaft. Allerdings besteht hier die Hoffnung auf eine spätere Eheschließung; außerdem hat sich die Beziehung der beiden auf dem Gebiete des Menschlichen bewährt, bevor sie in der Institution der Ehe einen festen gesellschaftlichen Rahmen erhalten soll. — Der Mann aber, welcher sie als die heiligste aller Institutionen bezeichnet, der jeden Übergriff dagegen als Sünde betrachtet, der seine Aufgabe darin sieht, die Ehen anderer zu behüten und Streitigkeiten zu verhindern, gerade dieser, Mittler, ist unverheiratet. Er ist eine tragisch-komische Figur [52]; seine Ansichten über die Ehe sind deshalb — obwohl lobenswert — keineswegs gültig. Die Ironie ist nicht so gelagert, daß die Ansichten, welche Mittler vorbringt, entwertet werden sollen. Sind es doch die Leitideen der abendländischen Moral, welche auf der christlichen Lehre und dem gesellschaftlichen Herkommen beruhen. Was ironisiert wird, ist Mittlers Glaube, man könne von außen durch Predigten, durch leere, wenn auch richtige Worte, die Urmächte des Lebens bekämpfen und in feste Bahnen lenken. So wird Mittler als allzu eifernder Apostel einer bedeutsamen und gültigen Institution stillschweigend gerichtet und vom Autor verurteilt. Es ist bezeichnend, daß er nicht mehr Geistlicher ist. Seine Anmaßung besteht darin, anderen durch eigenes Bestreben und Lehren in dem schwierigen Problem, das er zudem nur von außen sieht, helfen zu wollen. Er wird durch die Fruchtlosigkeit seiner eigenen Bemühungen verurteilt, ohne daß irgendeine direkt gegen ihn gerichtete Kritik im Roman zu finden wäre. Sein Mühen um die Ehe Eduards und Charlottes ist vergeblich. Bei anderen muß er allerdings Erfolg gehabt haben, denn solange er Geistlicher war, gab es innerhalb seines Wirkungsbereiches keine Scheidungen; die Anzahl der Streitigkeiten war gewaltig vermindert worden. Man darf den Eindruck gewinnen, daß Mittler bei seinen Bemühungen erfolgreich war, solange es sich eher um Vernunft- als um Liebesehen gehandelt hat und eine Naturgewalt wie die Liebe nicht unbedingt vorherrschte. In diesem Fall ist sein Eingreifen in das Leben anderer verfehlt, da er ohne Verständnis und ohne Selbstkritik handelt; seine Rastlosigkeit macht den Eindruck, es fehle ihm an innerer Kraft; es läuft alles bei ihm auf äußere Geschäftigkeit hinaus. Tatsächlich weiß Mittler, daß ein Ratschlag in einer so undurchsichtigen Angelegenheit nutzlos sein muß. Deshalb will er sein Einwirken auf konkrete Dinge beschränken. Das konkrete Problem aber in dieser Ehe liegt jenseits der Grenzen seines Verstandes, genau wie die Beziehung des Grafen und der Baronesse. Mittler denkt zu rational über die Ehe. Er hat das, was Jahrhunderte aus Erfahrung und Tradition entwickelt haben, zu einem unbedingten geistigen Leitbild erhoben. Deshalb versagt er völlig[53]. Es gelingt ihm nicht, in die Tiefen der menschlichen Seele Einblick zu nehmen; er äußert nur allgemeine Formeln, so eindrucksvoll diese auch klingen mögen, wenn er seine programmatische Rede hält:

«Wer mir den Ehstand angreift ... wer mir durch Wort, ja durch Tat diesen Grund aller sittlichen Gesellschaft untergräbt, der hat es mit mir zu tun; oder wenn ich sein nicht Herr werden kann, habe ich nichts mit ihm zu tun. Die Ehe ist der Anfang und der Gipfel aller Kultur. Sie macht den Rohen mild, und der Gebildete hat keine bessere Gelegenheit, seine Milde zu beweisen. Unauflöslich muß sie sein; denn sie bringt so vieles Glück, daß alles einzelne Unglück

dagegen gar nicht zu rechnen ist. Und was will man von Glück reden? Ungeduld ist es, die den Menschen von Zeit zu Zeit anfällt, und dann beliebt er
sich unglücklich zu finden. Lasse man den Augenblick vorüber gehen, und man
wird sich glücklich preisen, daß ein so lange Bestandenes noch besteht. Sie zu
trennen, gibt's gar keinen hinlänglichen Grund. Der menschliche Zustand ist
so hoch in Leiden und Freuden gesetzt, daß gar nicht berechnet werden kann,
was ein Paar Gatten einander schuldig werden. Es ist eine unendliche Schuld,
die nur durch die Ewigkeit abgetragen werden kann. Unbequem mag es manchmal sein, das glaube ich wohl, und das ist eben recht. Sind wir nicht auch mit
dem Gewissen verheiratet, das wir oft gerne los sein möchten, weil es unbe-
quemer ist, als uns je ein Mann oder Frau sein könnte [54].»

Mittler ist Prediger, und so liest man, daß er wohl noch lange fortge-
sprochen hätte, wenn nicht blasende Postillione die Ankunft der Herrschaf-
ten (d. h. des Grafen und der Baronesse) verkündet hätten. Ironische Bemerkungen von seiten des Erzählers legen sein mangelndes Verständnis
für das Denken und Empfinden anderer und seine Gefühlsarmut bloß. Er
ist Prediger, aber weder Seelsorger noch Seelenarzt. Von Anfang an ist es
klar, daß er sich seiner selbst so anmaßend gesetzten Aufgabe, die Ehe
zwischen Eduard und Charlotte wieder zusammenzukitten, nicht gewachsen
ist. Mittler überschätzt die Kraft des Wortes. Sein Verstand ist so unerbittlich genau, wie sein Temperament lebhaft und hitzig ist. Was er zu sagen
hat, ist zwar vernünftig, aber keineswegs eine Verbesserung der traditionellen Gebote und Formen. Was er über den Aberglauben ausführt, leuch-
tet zwar ein, aber zugleich verkennt er völlig das irrationale Element im
menschlichen Denken und Handeln.

Charlotte ist in einem viel höheren Maße als Mittler ein Advokat der
Ehe. Sie kann sie aus eigener Erfahrung beurteilen, empfindet Achtung vor
ihr und ist bereit, aus Respekt für den sittlichen Wert einer Ehe ihre Liebe
zum Hauptmann zu opfern, obwohl sie von Eduards Gefühlen für Ottilie
weiß. Charlotte fordert viel von sich, aber auch von anderen. Sie will ihre
eigene Ehe mit Gewalt aufrecht erhalten, nachdem diese bereits innerlich
zusammengebrochen ist. Das wäre für sie möglich, aber nicht für ihren
Gatten. Sie verkennt seinen Charakter völlig. Temperament und Erziehung
machen eine derart gewaltsame Beherrschung für ihn unmöglich. Charlottes Rettungsversuch schlägt fehl. Es geläng ihr nicht, noch als die Ehe un-
angetastet war, die Einladung des Hauptmanns zu verhindern. Es ist, als
ob sie damals schon unbewußt erkannt habe: weil die Beziehung zu Eduard
anfällig sei, werde das Dazukommen des Hauptmanns und Ottilies ihre
Ehe untergraben. Später erweist sich ihre eigene Entschlossenheit zum
sittlichen Handeln als nicht stark genug, Gewalt und Hemmungslosigkeit

ihres Mannes in Schach zu halten. Erst der Tod des Kindes ändert ihre Einstellung. Sie vermeint zu erkennen, daß es verfehlt war, ihre Ehe unbedingt aufrecht erhalten zu wollen. Sie glaubt aber nur, falsch gehandelt zu haben. Solche Ansichten sind hier — in aller Inkonsequenz — doch verständlich. Wenn ihre Auffassungen von der Ehe auf absolutem sittlichem Anspruch beruhen, sollten sie nicht von Ereignissen, wie erschütternd diese auch immer sein mögen, verändert werden können.

Ottilie denkt und handelt viel bedingungsloser und konsequenter als Charlotte. Als sie sich endlich darüber klar geworden war, daß eine Liebeserfüllung mit der Heiligkeit der Ehe unvereinbar sei, wird ihr Entschluß, Eduard zu entsagen, unabänderlich, wenn auch ihre Liebe weiterbestehen bleibt. Es ist Ottilies Wunsch, Eduard und Charlotte wieder zusammenzuführen. Das bezeugt ihre Gebärde nach dem Erwachen aus der tiefen Ohnmacht, in die sie nach dem Tode des Kindes gefallen war: sie legt Eduards und Charlottes Hände ineinander. Ottilie hat erkannt, daß ihre Liebe zu Eduard sittenwidrig ist. Sie ist bereit, die Konsequenzen zu ziehen. Die sittliche Macht der Ehe muß Vorrang vor der außerehelichen Liebe haben. So reift in ihr der Entschluß zu entsagen. Obwohl, oder vielleicht gerade weil Ottilie Eduard liebt, verkennt sie, daß Eduard sich niemals zu einer ähnlichen Entsagung aufraffen kann. Darin liegt das tragische Moment in Ottilies Opfer. Für sie gibt es keinen anderen Weg. Sie muß der sittlichen Forderung gehorchen; nur so kann sie ihrem inneren Selbst gerecht werden. Sie erkennt, daß sie sühnen muß, und gehorcht so der moralischen Verpflichtung, die Ehe heiligzuhalten. Nachdem Ottilie erkannt hat, daß sie aus ihrer «Bahn geschritten ist[55]», indem sie ihren Trieben folgte, fühlte sie sich verpflichtet, das Vergehen zu sühnen. Es ist ihr unmöglich, auf dem falschen Wege — nachdem sie ihn als falsch erkannt hatte — weiterzugehen. Ihr erscheint jetzt die Ehe als etwas Bedeutendes, dem alle Freuden und Wünsche ihrer Liebe weichen müssen. Es kommt dann zur Katastrophe, weil Eduard unfähig ist, einen ähnlichen seelischen Verzicht zu leisten und sich weigert, das sittliche Primat der Ehe anzuerkennen. Weder er noch der Hauptmann sehen die Ehe vom selben Standpunkt wie Ottilie oder Charlotte. Es ist bezeichnend, daß es die Frauen sind, die vermöge ihres Handelns die Ehe aufrechterhalten. Daß eine glückliche Beziehung nur in der fiktiven Welt der Novelle besteht, kann als Kritik an der Gesellschaft gedeutet werden[56]. In der Novelle wird zwar nur ein Augenblick glücklicher Liebe geschildert, aber dieser Augenblick ist der Zenit der Handlung; Vergangenheit und Zukunft sind mit eingeschlossen[57]. Es ist vielleicht gerade ein Symbol für die menschliche Unzulänglichkeit überhaupt, daß die Ehe hier im Bild der Hochzeit dargestellt wird und dazu nur glücklich, unbeschwert wie im Märchen[58]. Obwohl die Verwirklichung des von Mittler gepredigten und von Ottilie und Charlotte in der Praxis hochgehaltenen Ideales im Roman also nicht erreicht wird, steht die Ehe trotz allem als Leitbild richtunggebend für das Denken und Handeln mehrerer Charaktere da. So zerbrechen an Idee und Wirklichkeit der Ehe das Wollen, ja sogar das Leben auch anderer Menschen, die indirekt betroffen werden. Keine der Ansichten über die Ehe erscheint absolut gültig. Man kann wie Charlotte (vor dem Tode ihres Kindes), wie Ottilie (nach dessen Tode) oder auch wie Mittler an die absolute Aufrechterhaltung der Ehe glauben, kann wie Eduard, der Hauptmann, der Graf und wie Charlotte nach der Katastrophe die Auflösbarkeit solcher Bindung vertreten. Keine Ansicht ist ausschließlich richtig. Gewiß ist nur eines: die Ehe kann nie ernst genug genommen werden. Bedroht, fordert sie sittliche Entscheidungen von großer Tragweite.

*

Die Ehe ist zudem als religiös-moralisch bedingte Gemeinschaft der Menschen repräsentativ. Ist sie doch ein Symbol für die gesellschaftlichen Institutionen als solche, für das Eingreifen der Gesellschaft in das Leben des einzelnen. In den *Wahlverwandtschaften* wird nicht nur das Leben des Menschen als Individuum beschrieben, sondern auch das Zusammenwirken in der Gesellschaft. Hier ist die Gefährdung der Ehe durch Naturgewalten ein Symbol für die Bedrohung der Gesellschaft durch irrationale Kräfte. Ehe und Gesellschaft müssen zerbrechen, wenn sie durch Zwang Dauer erreichen wollen, wo Wechsel notwendig geworden ist. Aber die Gesellschaft und die Institutionen brauchen Kontinuität und Beständigkeit. Sie können sich nur langsam wandeln. Ein plötzlicher Wandel kann ihre Existenz nicht nur bedrohen, sondern sogar zerstören. Zwar würde ein solcher Wandel oft Neues und Fruchtbares mit sich bringen. Es mag zwar scheinen, als ob neue Ehen, die aus einer Heirat zwischen Eduard und Ottilie einerseits, Charlotte und dem Hauptmann andererseits entstehen würden, fruchtbarer wären als die Zwangslage, in der sich jene vier Hauptgestalten befinden. Das soll auch nicht bestritten werden; aber durch die Zerstörung der alten Bande wurde innerer Schaden angerichtet, der für eine empfindsame Seele nicht ohne bedenkliche Folgen sein kann. Darüber hinaus enthält fast jede Situation ein Beständigkeitsmoment, das sich gegen jeden Wechsel sträubt. Dieses Moment wird oft durch Berufung auf übermenschliche Weisung, auf ein moralisch-religiöses Gebot gestützt. Das kann bedeuten, daß das Individuum an der wandlungsfeindlichen Beständigkeit der gesellschaftlichen Institutionen zugrunde geht. Es kann auch als Kritik an der Struktur des gesellschaftlichen Lebens in damaliger Zeit aufgefaßt werden, obwohl man sich mit Recht die Frage stellen müßte, ob nicht das gesellschaftliche Leben immer Unzulänglichkeiten aufgewiesen habe. Bei einer derartigen Deutung werden die Gestalten des Romans, wenn auch nicht gerade zu Repräsentanten ihres Standes, so doch zu Symbol-Trägern, an denen die Mängel ihres Standes sichtbar werden. Eduard ist zweifellos ein reicher Mann, dem das Leben keine sinnvolle Aufgabe beschieden hat und der sich keine zu schaffen weiß. Seine Tätigkeit, ob auf seinen Gütern oder im Kriege, entbehrt eines tieferen Sinnes. Seine Gartenarbeit, sein Musizieren sind Dilettantismen, ästhetische Spielereien. Die Betreuung des Gutes ist ihm lästig; deswegen wünscht er die Gegenwart des Hauptmannes, von dessen Zielstrebigkeit er Rat und Führung in seinen ökonomischen Problemen erwartet. Er ruft aber den Gefährten nicht herbei, weil er glaubt, die Bewirtschaftung des Gutes würde so etwas verlangen, sondern eher aus einer Laune heraus, aus Zuneigung zu seinem Freund, dem er helfen, und schließlich aus Langeweile, welche er sich nicht recht eingestehen möchte.

Eduard muß als repräsentativer Edelmann betrachtet werden, der in gesellschaftlichen Fragen ohne tiefere Überzeugung handelt, der einen privilegierten gesellschaftlichen Status genießt, ohne die Pflichten dieses Privilegs auf sich nehmen zu müssen. Seine Haltung zu anderen wie auch zu sich selbst bestärkt diese Auffassung. Er weist den Bettler nicht zurück, sondern beschenkt ihn im Glücksgefühl seiner Liebe zu Ottilie, ohne sich indes Gedanken über das Leben eines Bettlers zu machen. Wie diesen, so behandelt er auch sich selbst. Er zieht in den Krieg nicht etwa, weil er ihm als eine gerechte Sache erscheint, sondern weil er vor einer inneren Traurigkeit (ob seiner unerfüllbaren Liebe zu Ottilie) Ablenkung suchen und sich deshalb sogar dem Tod aussetzen wollte.

Charlotte, im Gegensatz zu Eduard, weniger sprunghaft, besitzt mehr Selbsterkenntnis und Beherrschung, sie ist darauf erpicht, die Ordnung zu wahren. Ihr liegt das Planen der Parkanlagen und das Betreuen des Gutes mehr als Eduard; das ist wohl auch ein Grund, warum sie sich zum Hauptmann hingezogen fühlt. Für sie erscheint ihre Aufgabe als Gemahlin eines Landedelmannes noch sinngemäß; deshalb hielt sie es für natürlich, auf dem Gut auszuharren. Auch die Mooshütte wird zum Symbol ihrer Seßhaftigkeit. Ebenso ordnet sie an, die Kapelle auszuschmücken und andere bauliche Verbesserungen vorzunehmen. Verwandelt sie doch die Umgebung nur, weil sie sich von Natur aus fest daran gebunden fühlt. Das enge Verhältnis wird durch ihr Bestreben, jeder Umgebung eine persönliche Note zu geben, charakterisiert.

Vom Hauptmann weiß man nicht mit Sicherheit, ob er bürgerlich oder adlig ist[59]. Goethe wollte wahrscheinlich dieses Moment nicht deutlich hervorheben. Er steht bestimmt adeligen Kreisen nahe, wenn es ihm auch an finanzieller Unabhängigkeit fehlt. Gewisse Einblicke in das Leben des Adels erhalten wir auch durch Luciane und ihr Treiben. Im Gegensatz zu dieser steht Ottilies Verinnerlichung; ganz folgerichtig möchte sie den Beruf einer Lehrerin ausüben, nur Eduards Dazwischentreten hindert sie daran. Fruchtbare Tätigkeit also ist wesentlich für sie, es ist eine Reaktion auf ihre innere Not. Ihre Nähe zum Architekten und zum Gehilfen, zweier auf praktische Tätigkeit bedachter Menschen, unterstreicht diese Haltung.

Auch der Lord gehört der Gruppe von Menschen an, die — wie Eduard — ohne fruchtbare Tätigkeit leben. Dieser Mangel wird — im besonderen Fall — noch dadurch unterstrichen, daß er sich von jeglicher Tätigkeit in einem angestammten Aufgabenkreis freigemacht hat. Vom Grafen und der Baronesse können wir kein Bild einer bestimmten Tätigkeit gewinnen. Wir hören nur, daß sie am Hofe leben, und damit scheint sich der Kreis ihrer Tätigkeit zu erschöpfen. Der Adel, wie er hier geschildert ist, zeichnet sich nicht durch Übermaß nützlicher Betätigung aus[60]. Indessen, wenn der Roman auch eine stillschweigende Kritik an gewissen Lebensformen des Adels enthält, so ist er doch nicht offensichtlich gesellschaftskritisch. Soziale Mißstände als solche werden nicht verurteilt. Es wird nur dargestellt, daß manches in der Lebensweise des Adels für die privilegierte Stellung des Standes gefährlich ist, wenn auch die Feudalordnung nicht etwa offen angegriffen oder als unzeitgemäß hingestellt wird.

Außer durch den Architekten und den Gehilfen ist das Bürgertum nur durch Mittler vertreten. welcher als entwurzelter Bürger erscheint. Er hat ein Vermögen geerbt und den Beruf aufgegeben. Er ist der Situation der plötzlichen Unabhängigkeit aber nicht gewachsen. Es fehlen ihm Veranlagung und Kraft dazu. Gerade das, was Mittler erstrebt, nämlich außerhalb eines festumrissenen Berufsfeldes zu wirken, ist äußerst schwer.

Von den anderen Klassen der Gesellschaft werden nur die Handwerker noch erwähnt, ohne daß auf sie näher eingegangen würde. Zwar fällt die überlegene und kluge Rede des Maurergesellen auf; es läßt sich daraus schließen, daß gesunde Kräfte im Handwerkerstand zu finden seien, Menschen, welche geistige Anregung vermitteln könnten. Aus den untersten Klassen treten der Gärtner und der Bettler auf. Sie sind aber zu sehr am Rande des Geschehens, als daß sie das gesellschaftliche Leben näher erhellen könnten. Von Nanny allein erfahren wir Näheres. Hier repräsentiert sie den Wunder- und Aberglauben des Volkes; sie bereitet uns darauf vor, daß Ottilie bald als Heilige verehrt werden wird.

Aus den *Wahlverwandtschaften* gewinnt man also kein allzu reichhaltiges Bild des gesellschaftlichen Lebens im späten 18. Jahrhundert. Das Geschehen wird weitaus mehr von der tragischen Gegenüberstellung von Natur und Sitte beherrscht. Das Gesellschaftliche spielt eine wesentliche Rolle, aber mehr durch die grundsätzlichen Hindernisse, welche es den Wünschen und Trieben des Menschen entgegenstellt, als durch die Schilderung des Lebens einzelner Stände. Durch die Tatsache, daß die Handlung unter Menschen spielt, die keine finanziellen Sorgen kennen, kann sich das Tragische voller entfalten. Letztlich sind es diese allgemein gesellschaftspsychologischen Aspekte, welche dem Roman seinen hohen Rang verleihen.

*

Die Gesellschaft muß dauernd auf die Natur der Menschen, das «Innere» sozusagen, Rücksicht nehmen; diese innere Natur bildet eine der unter der Oberfläche liegenden Schichten des Romans, die erst bei wiederholtem Lesen sichtbar werden. Die äußere Natur, etwa als Landschaft, ist von geringerer Bedeutung, obwohl auch sie wesentliche Aspekte der Beziehungen unter den Hauptgestalten erhellt. Hier ist der Wechsel des Hintergrundes bedeutsam; aus der Tatsache, ob die Gestalten in die Parkanlagen oder in die wildere freie Landschaft eilen, kann man ermessen, in welcher Art die Gefühle bereits entbrannt sind. Hier wird der Wunsch des Menschen versinnbildlicht, den strengen Grenzen der gesellschaftlichen Verpflichtungen zu entfliehen. Der Mensch ist der Natur entfremdet. Sie dünkt ihm unserem Schicksal gegenüber indifferent. Die Platanen scheinen Eduard zwar zunächst eine glückliche Erfüllung seiner Liebe zu versprechen. Später führt Ottilies liebster Weg mit dem Kind zu den Bäumen hin; man sollte denken, daß sie sich an Eduards Worte erinnert: Er hatte sie auf die zufällige Parallele ihres Lebens mit derjenigen der Alleebäume aufmerksam gemacht. Aber nach dem Tode des Kindes bietet der Park ein Beispiel, wie falsch es ist, menschliche Wünsche an solche Bäume zu ketten; wenn der Wind den Kahn zu den Platanen treibt, sieht man darin ein Bild, wie die innere und die äußere Natur ihre eigenen Wege gehen. Auch die Blüte der Astern und Ottilies Trauer um Eduards Abwesenheit stehen ja nicht im Einklang.

Handelt der Mensch seiner inneren Natur entgegen, so wird er noch mehr der äußeren Natur entfremdet; deshalb erscheint es Eduard am Morgen nach seinem «Ehebruch im Ehebette», als ob die Sonne ein Verbrechen beleuchte.

Was Eduard und Ottilie, Charlotte und den Hauptmann verbindet, ist

Natur; ein natürlicher Trieb im Menschen, welcher hier in Konflikt mit seinen Institutionen und Ordnungen gerät. In der Natur, wie die Chemie lehrt, ist es üblich, daß Beziehungen getrennt und neue geschaffen werden. Die chemische Formel der «Wahlverwandtschaften» enthüllt in ihrer knappen, wissenschaftlichen Form Grundbeziehungen, welche in der Natur walten und übermächtige, durchaus magische Kraft besitzen können. Dieses Vermögen liegt in der Art solcher naturwissenschaftlicher Formeln; denn «die unglaublichen Entdeckungen der Chemie sprechen ja schon das Magische der Natur mit Gewalt aus, so daß wir ohne Gefahr wagen dürfen, ihr in einem hohen Sinne entgegenzukommen [61]». Aber Atome fühlen nicht, sie haben keine sittlichen Verpflichtungen. Eduard ist sich eines solchen Unterschieds nicht bewußt; als der Hauptmann, der diesen Naturvorgang für Charlotte anschaulich schildern will, von Paaren spricht, benutzt Eduard diesen Vergleich, um ihn sofort auf die eigenen Verhältnisse zu übertragen, was keineswegs im Sinne des Hauptmanns lag. Charlotte zeigt darauf eine gewisse Verstimmung und bemerkt, daß dieses «Beispiel, wie mir scheint, nicht ganz auf unsern Fall paßt [62]». Sie verwahrt sich von vornherein gegen Eduards temperamentvolle Deutung, eine unbewußte Abwehr gegen die Richtung, in die sein Temperament zu führen droht. Die Menschen haben die Macht, anders zu sein; sie können zu einem gewissen Abstand von der Natur gelangen. Eigenen, naturbedingten Trieben sind sie nicht unbedingt ausgeliefert; ihr Charakter ist mehr als Natur, er ist, wie die Baumschule, ein Produkt von Natur und Sitte.

Eduard und Ottilie, die der Natur nahe stehen, sind von ihren dämonischen Kräften mehr gefährdet als Charlotte und der Hauptmann, bei denen Sitte und Verstand schließlich doch den Trieben immer wieder Einhalt bieten können. Ottilie findet in der Besinnung auf die höheren Aspekte der Natur die Kraft, Eduard zu entsagen, Aspekte, welche Eduard nie verstehen wird. Man darf Natur und Trieb nicht gleichsetzen. Natur ist ein in viel höherem Grade bedeutungsreicher Begriff, als man zuerst annehmen könnte. Bei dem Menschen, der ein «Höheres», Geistiges in sich birgt, ist die Natur etwas anderes als eine allgemeingültige Kombination chemischer Reaktionen. Der Mensch ist kein rein materielles Wesen, sein Denken kann durchaus auf Verbindungen, wie sie die chemischen Elemente schließen, einwirken und so den Gang des Geschehens bestimmen.

So entspringt auch Ottilies Liebe für Eduard nur einem Teil ihrer Natur. Achtung vor den Gesetzen der Religion und der Gesellschaft, vor der Heiligkeit des Sakramentes und der Institution der Ehe gehört genauso zu ihrem Wesen wie jene Leidenschaft für Eduard. Es wird ihr zur Lebensaufgabe, beide Elemente in Einklang zu bringen. Es scheint ein innerer

Widerspruch in der Natur zu walten[63]. Die natürliche Anziehungskraft Eduards steht im Gegensatz zur Achtung vor dem Bestehenden und Heiligen[64]. Aus diesem Widerspruch heraus ergibt sich die Tragik des Romans; darin liegt auch etwas wie eine tiefere Ironie verborgen, welche bereits der Titel des Romans verrät. Das Gesetz der Wahlverwandtschaften, wie es in der Natur herrscht, kann nicht auf den Menschen angewandt werden, ohne Verwirrung zu schaffen. Da es nicht zu einer klaren Erkenntnis verhilft, trübt es den Blick derjenigen, welche damit in Berührung kommen. Das deutlichste Zeichen dieses tragischen Widerspruches ist der «Ehebruch im Ehebett». Hier geschieht eine Tat, welche zwar nach anerkannten Gesetzen und Gebräuchen der Gesellschaft völlig legitim ist, aber im Gegensatz zu den wahren Gefühlen der Ehepartner steht, da diese einander nicht mehr lieben. Jeder Partner liegt in der Phantasie in den Armen des bzw. der Geliebten. Was Gesetz und Sitte billigt und für Recht erklärt, erscheint dem Gefühl als Verbrechen. Die Tat ist eine Verletzung der eigentlichen Grundlage jeder Ehe und ihres inneren Rechts, mag sie auch mit dem äußeren Recht noch in Einklang stehen. Hier hatte zunächst die Triebwelt über tiefere Gefühle die Oberhand gewonnen; die Anziehungskraft aber, die Charlotte in jener Nacht auf Eduard ausübte, war eine rein physische; sie fußte wohl nur auf dem Recht der Gewohnheit. Äußeres und inneres Recht, das Recht der Gesellschaft und der Gefühle, stehen hier in schroffem Widerspruch; die Folge (das Kind) vermag nicht die so geschaffene Kluft zu überwinden und die Ehegatten wieder zusammenzuführen. Das Kind wird schließlich sogar die Liebenden am Ende trennen. Die innere Natur der Personen liegt hier im Streit mit sich selbst und stört dadurch die Ordnung der Welt.

*

Dieser Widerspruch in der inneren Natur tritt auch im Gegensatz zwischen Vernunft und Leidenschaft zutage. Die Vernunft allein ist unzulänglich. Die ironische Darstellung Mittlers, der lediglich mit der Stimme der Vernunft spricht, bezeugt es. Auch Charlotte will vernünftig handeln, indem sie versucht, unter Berufung auf Sitte und Herkommen die Leidenschaften einzudämmen und dadurch die Ehe zu retten. Die Vernunftehen, die Eduard und Charlotte geschlossen hatten, befriedigten nicht; dasselbe gilt für ihre späte Heirat, welche mit der Vernunft übereinzustimmen schien, da beide frei und ihre Neigung noch nicht erloschen war. Auch der Hauptmann, der sich erst aus Vernunftsgründen von Charlotte entfernt und später deswegen wieder hofft, sie könnte doch noch die seinige werden, erfaßt die volle Bedeutung des Geschehens nicht; ebensowenig werden Eduards Überlegungen der Situation gerecht, als er annimmt, die Einwilligung in die Scheidung und der Tod des Kindes würden die letzten Hindernisse auf dem Wege zu einer Ehe mit Ottilie ausräumen. Diese Ansichten sind genauso abwegig wie diejenigen, welche die Pensionsvorsteherin vorbringt. Jedesmal werden zwar Vernunftgründe ins Treffen geführt, aber sie gehen am eigentlichen Kern des Geschehens vorbei, weil sie die Wirklichkeit nur teilweise erfassen und oft nur Ausdruck irgendeines Wunsches sind, der dann durch Vernunftargumente gerechtfertigt werden soll. Gleichzeitig erfassen solche Rationalismen meistens die Irrationalität des Lebens nicht. Der Verstand ist äußerst beschränkt, und die vernünftigen Gründe, welche die einzelnen Gestalten des Romans anführen, sind letztlich unzulänglich. Charlotte sagt zu Eduard: «Das Bewußtsein ... ist keine hinlängliche Waffe, ja manchmal eine gefährliche für den, der sie führt[65].»

Diese irrationalen Geschehnisse bewegen sich unter der Oberfläche des Bewußtseins. Bilder und Zeichen können Entwicklungen, welche den Gestalten selbst nicht bewußt sind, andeuten. Solche gibt es viele im Roman. So sieht man aus dem Schreiben, das Eduard an den Hauptmann richtet, daß Eduard seinen Willen durchgesetzt hat; sein Brief wird durch die von Charlotte in Hast geschriebene Nachschrift mit einem Tintenfleck verunstaltet. Eduards geglückter Versuch, Charlotte zur Einladung Ottilies zu bewegen, nimmt seine spätere Überredung Charlottes in der Liebesnacht vorweg. Die Beziehungen zwischen den Gestalten werden durch das gemeinsame Musizieren angedeutet. Das Spielen von Eduard und Charlotte ist nicht gut aufeinander eingestellt; die Affinität zwischen Eduard und Ottilie, dem Hauptmann und Charlotte, wird dadurch sichtbar, daß sie beim Musizieren miteinander harmonisieren. Eduards Beziehungen zu Charlotte und Ottilie werden gleicherweise erhellt: — daß es ihm an Stoff zur Unterhaltung mit Charlotte fehlt, daß ihm Ottilie dagegen als unterhaltend erscheint, obwohl sie kein Wort gesprochen hat[66]. Ähnliches wird gesagt, als es Eduard stört, daß Charlotte ihm, als er liest, in das Buch schaut, während er Ottilie dasselbe später gerne gestattet. Beim Gespräch zwischen Eduard, Charlotte und dem Hauptmann über den chemischen Prozeß der Wahlverwandtschaften[67] erkennt man, daß die Argumente der einzelnen Gestalten von unbewußten Kräften bestimmt werden. Es ist bezeichnend, daß Eduard von der Scheidung der Elemente spricht, er lobt die Menschen als Scheidekünstler und verrät eine Einstellung, die beweist, daß seine späteren Ansichten über Scheidung seiner grundsätzlichen Lebensauffassung nicht widersprechen, während Charlotte sich mit aller Macht gegen das Lob des Scheidens, selbst in der Chemie, wehrt und das Vereinigen für die größere Kunst ansieht. So ist sie nicht bereit, die Notwendigkeit des Trennens bei den chemischen Wahlverwandtschaften einzusehen. Sie versucht, diese Notwendigkeit zu bagatellisieren, unbewußt schon fürchtend, sie könnte sich auch auf ihre eigenen Verhältnisse beziehen. Eduard erkennt die Sachlage teilweise, aber ihm fällt nur der vordergründige Teil ihres Argumentes auf; er versteht nicht, wie sehr Charlotte als Frau an ihre Ehe gebunden ist. Er meint, daß Charlottes Bemerkung über Kalk, Gips und Schwefel seine Beziehungen zum Hauptmann berühren. Später aber wird Eduards rasche, zur willkürlichen Veränderung neigende Natur charakterisiert, wenn er zum Hauptmann von den Paaren A und B, C und D spricht. Sobald er diese anonymen Paare auf die eigenen Verhältnisse überträgt, ruft er die Mißbilligung Charlottes hervor. Hier zeichnet sich halb scherzhaft, halb andeutungsweise schon die spätere Entwicklung ab. Aus dem Brief des Gehilfen kann man entnehmen, daß Ottilies Denken und Handeln weitaus mehr als bei anderen auf der Ebene eines «Unbewußten» verläuft. Diese Entwicklung, welche im Unbewußten vor sich geht, gibt ihrem Sich-bewußt-Werden in der zweiten Hälfte des Romans Bedeutung. Ihr Kopfweh auf der linken Seite, die Gebärde der Handbewegung und des Blickes, mit dem sie andere abweist, erlauben einen Einblick in die Tiefe dieses Innenlebens. Die Ausdrucksformen ihres inneren, unbewußten Lebens gewinnen tiefere Bedeutung und werden ganz allmählich in den Zusammenhang des bewußten Lebens hineinverflochten. Das Kopfweh erinnert Eduard später an Ottilie, da er es auf der rechten Seite hat und er sich deshalb als komplementäre Erfüllung Ottilies betrachten kann. Es wird im Scherz erwähnt, aber aus dem Scherz wird Ernst. Es ist die Gebärde des Abweisens, die sich wiederholt, als Ottilie Eduard zurückweist; dort wird der charakteristische Zug ihres Wesens zu einem wesentlichen Moment der Handlung. Diese Geste ist ein Zug in Ottilies Wesen, der das Ende des Romans bestimmt, wie ihre Gabe der Anpassung, wie sie im sechsten Kapitel beschrieben wird, es ihr erlaubt, sich Eduards ungestümem Temperament zu fügen. Ottilies plötzliche Erkenntnis, daß sie einen falschen Weg gegangen sei, ist auch vorbereitet: die Naivität ihres Charakters hindert sie daran, an der Sünde mitschuldig zu werden, die Eduard in der Einbildungskraft begeht, wenn er erklärt, sie sei die Seine, und er schon die Hochzeit in der Phantasie vorbereitet[68]. Ottilies Reaktion ist eine andere. Wenn sie das Medaillon Eduard gibt, ist sie mehr gegen den Himmel als gegen Eduard gewendet; ja, sie behält das Bild des Vaters, das sie Eduard gegeben, in einem höheren Sinne bei sich. Sie akzeptiert hier die edlere Seite in Eduards Wünschen[69].

Auch Charlotte verrät früh einen Zug ihres Wesens, der sie in Gegensatz zu Eduard bringt; sie behauptet im Gespräch, sie könne ihre Willkür besser beherrschen als ihr Mann. Sie nimmt hier ihre vom Sittlichen her bestimmten Entschlüsse vorweg; sie glaubt, von dem Gatten dieselbe Haltung fordern zu dürfen.

Ohne sich darüber bewußt zu sein, ist Ottilie Eduard gegenüber anfangs zu aufmerksam, was deutlich ihre Zuneigung beweist. Andererseits kommt Charlottes Zuneigung zum Hauptmann dadurch zum Vorschein, daß sie ihm einen schönen Ruheplatz, den sie sich beim ersten Planen besonders ausgesucht und verziert hatte, zerstören läßt, ohne dabei auch nur die mindeste unangenehme Empfindung zu haben. Selbst beim Hauptmann, dem äußerst selbstbewußten Mann, gibt es Zeichen, daß auch seine Gefühle sich zuerst auf unbewußter Ebene vorbereiten. Sogar ihm, dem Planer, ist die Zeit unwichtig geworden; denn «er vergaß zum ersten Mal seit vielen Jahren seine chronometrische Sekundenuhr aufzuziehen[70]»! Bei Eduard und Ottilie sind diese Anzeichen unbewußten Ursprungs allerdings viel ausgeprägter. Geringfügige Anlässe bewirken ein gewaltiges Echo in Eduards Innerem. Die Bemerkung des Hauptmannes über Eduards Flötenduselei, welche Ottilie ihm berichtet, verdrießt ihn über alle Maßen, weil sein Musizieren mit Ottilie verknüpft ist. Er glaubt, daß ihn nie etwas derart geärgert habe; er fühlt sich aller Pflichten ledig. So weigert er sich nach dem Unfall, jenes Fest mit anschließendem Feuerwerk abzubrechen, weil ihn niemand an seiner Liebe zu Ottilie hindern soll. Wie tief die Liebe zwischen Eduard und Ottilie ist und wieweit sie schon ins Unbewußte eingedrungen ist, beweist die Tatsache, daß Eduards Träume sich auf Ottilie beziehen und diese später von Traumerlebnissen erzählt, welche mit Eduard zusammenhängen.

Im zweiten Teil des Romans spielt das Unbewußte keine so wichtige Rolle wie im ersten Buch, wenn auch hier Anzeichen vorhanden sind, daß ein Teil des Geschehens sich auf der inneren, unbewußten Ebene bewegt. Das ist nicht überraschend, denn die Entwicklung der Handlung führt von jener nur dunkel gefühlten Neigung zu einer klar sichtbaren Leidenschaft. Die Handlung bewegt sich nicht mehr auf dem Weg zu einer Krise menschlicher Beziehungen, nein, sie spitzt sich langsam auf die Katastrophe zu.

Der Erzähler beschreibt die Macht des Unbewußten, wie sie sich im Roman auswirkt, mit folgenden Worten:

«Was einem Menschen gewöhnlich begegnet, wiederholt sich mehr, als man glaubt, weil seine Natur hiezu die nächste Bestimmung gibt. Charakter, Individualität, Neigung, Richtung, Örtlichkeit, Umgebungen und Gewohnheiten bilden zusammen ein Ganzes, in welchem jeder Mensch wie in einem Elemente, in einer Atmosphäre schwimmt, worin es ihm allein bequem und behaglich ist[71].»

Dieser Bemerkung zufolge ist oft das, was zufällig erscheint, Glied einer

Kette von Begebenheiten. So wird die Tat im Unbewußten vorbereitet; so ist das äußere Geschehen bisweilen ein unverkennbarer Ausdruck des inneren Erlebens, auf welches dieses allerdings auch wieder einwirkt. Daraus ergibt sich andauernd ein Wechselspiel von Innen und Außen, Außen und Innen.

Diese anwachsende Erkenntnis im Bewußten ist bei den einzelnen Personen verschieden; nicht jede erreicht einen ähnlich ausgeprägten Stand. Bei Ottilie ist das Bewußtwerden besonders ausgeprägt: Bei ihr, welche keineswegs zu abstrakten Überlegungen neigt, läßt es sich aus den Tagebüchern ermessen. Die Tagebuchform entspricht also Ottilies Charakter. Hier schreibt sie ihre Gedanken nieder, Gedanken eines nach innen gerichteten Menschen. Das Tagebuch ist ein Spiegel ihrer selbst. Das ausgesprochene Wort, die direkte Kommunikation nach außen, liegt ihr weniger. Das Tagebuch nimmt sozusagen ihr späteres Schweigen vorweg. So entspricht es der Grundtendenz ihrer Persönlichkeit.

*

Die Tagebucheinträge fallen, wie der Erzähler selbst angibt, in zwei Gruppen, welche der Richtung von Ottilies Gedanken entsprechen. Einesteils finden wir die Einträge, welche Eduard betreffen und die sich «wie ein roter Faden durch das Tauwerk der englischen Marine[72]» durch das Tagebuch ziehen; anderteils solche, welche maximenartig anmuten. Die letzteren konnte sich Ottilie nur aneignen, weil sie diese, wie der Erzähler selbst behauptet, von anderen vernommen hat. Das bedeutet nicht, daß ihr die Maximen unverständlich geblieben waren, vielmehr daß sie diese nicht aus eigener Kraft hätte sich ausdenken können. Die Maximen gleichen in manchem den allgemeinen Gesetzen, welche der Erzähler und andere Gestalten aufstellen. Sie stellen eine Art Erweiterung des Romans dar. Dem Leser wird abstraktes Gedankengut vorgestellt.

Ottilies Einträge lassen sich nach dem Inhalt ordnen. Bei einigen, die sich unmittelbar auf Eduard und Luciane beziehen, läßt sich der Sinnzusammenhang klar festlegen; bei anderen kann die Beziehung zu ihrem Inhaltsbereich nur mittelbar skizziert werden. Folgende Hauptgruppen lassen sich unterscheiden, welche allerdings nicht zu scharf voneinander getrennt werden dürfen, da sie sich überschneiden. Es gibt Betrachtungen über Tod, Vergänglichkeit und Wandel des Lebens wie auch über Gesetze, die sich aus dem gesellschaftlichen und seelischen Leben der Menschen ergeben. Diese Art der Betrachtungen entstammt einer seelischen und geistigen Krise, wie sie sich bei einem reiferen Menschen abspielt. Sie entfernen sich, wie der Erzähler selbst angibt, immer mehr vom unmittelbaren persönlichen Erleben und bedeuten eine Entwicklung zur Reife durch Abstrahierung und weiteres Erfassen der Erfahrung. Diese aber wird nicht unmittelbar ausgedrückt; es sind eher allgemeine Betrachtungen, die symbolische Kraft besitzen. Sie zeigen ein doppeltes Gesicht: einerseits sind es allgemeine Reflexionen und gleichen den Maximen des Erzählers, andererseits sagen sie etwas über Ottilie aus, nicht nur hinsichtlich ihrer Reife, sondern auch über Art und Richtung der inneren Entwicklung. Ottilie ist in vieler Hinsicht von Geheimnissen umwoben; die Forschung hat es immer wieder betont[73]. Man denke an Goethes Ausführungen, wie sie Sulpiz Boisserée überliefert hat:

«Unterwegs kamen wir dann auf die ‹Wahlverwandtschaften› zu sprechen... Er legte Gewicht darauf, wie rasch und unaufhaltsam er die Katastrophe herbeigeführt. Die Sterne waren aufgegangen; er sprach von seinem Verhältnis zu Ottilie, wie er sie lieb gehabt, und wie sie ihn unglücklich gemacht*. Er wurde zuletzt fast rätselhaft ahnungsvoll in seinen Reden[74].»

Ottilie nimmt in Goethes Welt eine besondere Stellung ein. Vieles, was sie umgibt, ist rätselhaft, wenn auch ihre Tagebucheinträge das Dunkel bisweilen lichten.

So sind die Betrachtungen über die Kunst zunächst aus ihrer Beschäftigung mit dem Architekten und seiner Bildersammlung zu erklären. Die Abwesenheit Eduards weckt ein Bedürfnis, ihn vor sich zu sehen, ob es nun sein Porträt, das im Schloß hängen dürfte, oder ob es das Bild sei, welches sich in ihrem Geiste geformt hat. Die Bemerkungen über den Tod werden durch den Friedhof und dessen Veränderungen unmittelbar veranlaßt. Sie werfen ein Licht auf ihre Todessehnsucht, aber auch auf die Art ihres Todes. Betrachtungen über das Gesellschaftliche entspringen der Begegnung mit Luciane, sind ein Zeichen, daß Ottilie versucht, eine befriedigendere Einstellung zum Sozialen zu finden. Die Beschäftigung mit dem Menschen und seinem Leben entspringt dieser Todessehnsucht sowohl wie ihrer Liebe zu Eduard.

Der erste Tagebucheintrag spricht bereits davon:

«Neben denen dereinst zu ruhen, die man liebt, ist die angenehmste Vorstellung welche der Mensch haben kann, wenn er einmal über das Leben hinausdenkt. Zu den Seinigen versammelt werden ist ein so herzlicher Ausdruck[75].»

Diese Beobachtung spricht also auch von der Hoffnung, mit Eduard nach dem Tode wiedervereint zu sein. Diese Worte weisen sowohl auf ihr Ende als auch auf das Grab hin, das sie später mit Eduard teilen wird. Eduards

---

* Diese Worte deuten auf eine persönliche Beziehung Goethes zu Ottilies Schicksal.

Abwesenheit ist für Ottilie eine Art von Tod. Deshalb sind solche Gedanken natürlich; sie möchte seine Nähe fühlen, wünscht sich deshalb, ihn im Bilde zu sehen; so fallen Gedanken über die Kunst, welche der Architekt anregt, bei ihr auf fruchtbaren Boden. Ihr späteres Schweigen wird vorweggenommen, wenn sie sagt, daß das Verhältnis zu einem Menschen durch seine Gegenwart bestehen, ja sogar wachsen kann, ohne «daß er etwas dazu tut, ohne daß er etwas davon empfindet, daß er sich eben bloß wie ein Bild verhält[76]». Je durchgeistigter die Sicht Ottilies wird, desto mehr distanziert sie sich innerlich von Kunst und Leben, denn sie weiß, daß alles, selbst die Kunst, vergänglich ist.

«Aber auch dieses Bild, dieses zweite Dasein verlischt früher oder später. Wie über die Menschen so auch über die Denkmäler läßt sich die Zeit ihr Recht nicht nehmen[77].»

So verliert für Ottilie das Bild auch wieder an Wert.

Die Begegnung mit dem Architekten ist die äußere Ursache, warum der zweite Auszug so viele allgemeine Betrachtungen über die Kunst enthält. Manche verraten eine tiefe Einsicht in ihr eigentliches Wesen. So erkennt Ottilie, wie wenig ein vom Künstler geschaffenes Werk für ihn selbst von Nutzen ist. Die Betrachtung führt sie auf den Gedanken, daß Menschen sich selbst kaum ohne die Sehfähigkeit vorstellen können:

«Man mag sich stellen, wie man will, man denkt sich immer sehend[78].»

Diese Aussage ist für einen Menschen wie Ottilie bezeichnend; für sie wie für Goethe ist das Auge das Symbol ihres Wesens[79]. Doch auch diese Reihe von Tagebucheinträgen endet wieder mit Gedanken an die Vergänglichkeit. Wie im ersten Tagebuchauszug wird der Gedanke betont, daß selbst das Absterbende Lebendiges enthält. Sie gebraucht deshalb das Bild der abgeschnittenen Ähre, in welcher so viel Nährendes und Lebendiges verborgen sei.

Die nächsten beiden Tagebuchauszüge sind von allgemeinerer Art, worauf der Erzähler besonders aufmerksam macht:

«Um diese Zeit finden sich in Ottiliens Tagebuch Ereignisse seltner angemerkt, dagegen häufiger auf das Leben bezügliche und vom Leben abgezogene Maximen und Sentenzen. Weil aber die meisten derselben wohl nicht durch eigene Reflexionen entstanden sein können, so ist es wahrscheinlich, daß man ihr irgendeinen Heft mitgeteilt, aus dem sie sich, was ihr gemütlich war, ausgeschrieben. Manches Eigene von innigerem Bezug wird an dem roten Faden wohl zu erkennen sein[80].»

Hier wird vor allem auf geistiges Leben Bezug genommen. Ottilie erkennt seine Wesenszüge; es ist bemerkenswert, daß jene Aphorismen zwischen geistigem und gesellschaftlichem Dasein unterscheiden. Unter den Einträgen, welche der letzten Gruppe angehören, ist die Bemerkung: «Sich mitzuteilen ist Natur; Mitgeteiltes aufzunehmen wie es gegeben wird Bildung[81]» wohl am bedeutendsten. Es wird hier zwischen demjenigen, der nur aus der Natur lebt und demjenigen, der Natur durch Verständnis verfeinert hat, unterschieden und Ottilies innere Beschäftigung mit dem Problem der Bildung betont*.

Andere Überlegungen betreffen verschiedene Arten des gesellschaftlichen Betragens, aber ihre Überlegungen enthalten immer eine persönliche Wendung. So schreibt sie:

«Wir befinden uns nicht leicht in großer Gesellschaft, ohne zu denken: der Zufall, der so viele zusammenbringt, solle uns auch unsre Freunde herbeiführen[82].»

Zunächst vermag sie ihre eigene Lage nicht zu erkennen. Die Liebe zu Eduard macht sie blind. Allgemeine Reflexionen bereiten uns aber auf ihren späteren Verzicht vor. In diesem Sinne fassen wir Bemerkungen wie die folgenden auf:

«Große Leidenschaften sind Krankheiten ohne Hoffnung. Was sie heilen könnte, macht sie erst recht gefährlich[83].»

Sie will es sich nicht eingestehen, wie sehr sie in ihrer Leidenschaft gegen sich selbst sündigt. Nimmt ein Eintrag wie «Man sagt: er stirbt bald, wenn einer etwas gegen seine Art und Weise tut[84]» ihr späteres Handeln und ihre Wendung zum Tode, vorweg, so läßt die Bemerkung «Die Leidenschaften sind Mängel oder Tugenden, nur gesteigerte[85]» doch die Frage offen, ob sie ihre Leidenschaft nicht als Tugend betrachtet[86]. Denn die Eintragungen lassen die in den vorigen Auszügen angedeutete Distanz erkennen, die Ottilie vom äußeren Leben trennt und ihre spätere, selbstgewählte Isolierung vom gesellschaftlichen Leben vorbereitet. Die Feinheit der Unterscheidungen, die die Maximen kennzeichnet, verraten ihre Sensibilität.

Sie versucht auch allgemeingültige Betrachtungen zu verschiedenen Arten des gesellschaftlichen Lebens anzustellen, und die Bedeutung der Persönlichkeit im sozialen Leben und die Auswirkung der Sitten auf den Gang des menschlichen Lebens zu ermessen. Zwei Kennzeichen, Sensibilität und sittlicher Ernst, herrschen auch in ihren persönlichen Bemerkungen vor. Sie wird z. B. durch das Schaukeln mit einem Stuhl in Charlottes Gegenwart gestört, weil sie weiß, daß es wider Charlottes Schicklichkeitsgefühl verstößt. Mitgefühl ist ein Wesenszug Ottilies; so hat sie Mitgefühl für Karl I. von England, von dem sie am Anfang des Buches erzählt:

* Inwieweit sich die Bemerkung auf Eduards Beschäftigung, Pfropfreiser auf Bäume zu verpflanzen, bezieht, muß dahingestellt bleiben.

Der König fand niemanden, der ihm den heruntergefallenen goldenen Knopf des Stöckleins vom Boden aufhob; er mußte sich bücken und ihn selbst aufheben. Ottilie ist dadurch so gerührt, daß sie sich bückte, wenn jemandem etwas zu Boden fiel.

Wie der Erzähler andeutet, verweilt ihr Denken nicht beim Persönlichen, es wendet sich vielmehr dem Allgemeinen zu. Trotzdem ist ihr Denken oft einseitig. Man sieht es, wenn sie schreibt: «Die größten Vorteile im Leben wie überhaupt in der Gesellschaft hat ein gebildeter Soldat [87].» Hier mag die Liebe zu Eduard die Klarheit ihrer Sicht beeinträchtigen; ihre Beurteilung Mittlers indessen ist scharfsinnig, denn der folgende Eintrag dürfte sich auf ihn beziehen:

«Niemand ist lästiger als ein täppischer Mensch vom Zivilstand. Von ihm könnte man die Feinheit fordern, da er sich mit nichts Rohem zu beschäftigen hat [88].»

Aber die innere Tiefe und Güte ihrer Natur zeigt sich doch immer wieder, ein Wesenszug, ohne welchen auch die Gewalt der Liebe für Eduard undenkbar wäre.

«Gegen große Vorzüge eines andern gibt es kein Rettungsmittel als die Liebe [89].»

Sie will auf das Beste im Menschen nur mit dem vollen Einsatz ihrer Persönlichkeit antworten.

Die nächsten Einträge spielen auf die Auswirkung der Kunst und deren Verhältnis zur Natur an. Es ist, als ob Ottilies Verständnis reife, während sie solche Einträge aufzeichnet und die Beziehung der Kunst zur Welt betont. Sie würdigt die Aufgabe des Künstlers, denn die Kunst sei für das Leben notwendig.

«Selbst im Augenblick des höchsten Glücks und der höchsten Not bedürfen wir des Künstlers [90].»

Die Kunst dient dem Menschen zur Flucht und zur Rettung.

«Man weicht der Welt nicht sicherer aus als durch die Kunst, und man verknüpft sich nicht sicherer mit ihr als durch die Kunst [91].»

Fruchtbares Wirken ist nur im Einklang mit der Natur möglich. So handeln die nächsten Tagebucheinträge von Ottilies Abneigung gegen Abbildung der Natur, eine Abneigung, welche vom Gehilfen geteilt wird. Ihrer Ansicht nach stimmen diese keineswegs mit der Natur überein. Ottilie möchte sie in der ihr gemäßen Umgebung erleben. Von der Natur, so meint sie, sollten wir nichts kennen, als was uns unmittelbar lebendig umgibt [92]. Deshalb befürchtet sie, daß Reisen in fremde Länder die Gesinnung der Menschen verändern. «Es wandelt niemand ungestraft unter

Palmen. Die Meinungen ändern sich gewiß in einem Lande wo Elefanten und Tiger zu Hause sind[93].»

Nur der Naturforscher kann deshalb verehrenswert sein, «der uns das Fremdeste, Seltsamste ... jedesmal in dem eigensten Elemente zu schildern und darzustellen weiß[94]», denn er distanziert sich von der Natur und erkennt so, wie Ursache und Wirkung in der fremden Umgebung zusammenhängen. Von ihm darf man annehmen, daß er den Lebendigen nachspürt, kann man lernen, wie von einem Lehrer, «der das Gefühl an einer einzigen guten Tat, an einem einzigen guten Gedicht erwecken kann[95]». Ein solcher ist ein besserer Lehrer als derjenige, «der uns ganze Reihen untergeordneter Naturbildungen der Gestalt und dem Namen nach überliefert[96]». Fruchtbares Studium ist nur möglich, wenn man sich nicht mehr im einzelnen verliert, sondern den Zusammenhang sieht, nicht mehr seiner eigenen Vorliebe folgt, sich dafür auf das Eigentliche konzentriert, denn «das eigentliche Studium der Menschheit ist der Mensch[97]».

Die letzten Einträge sprechen von ihrer Erkenntnis des Wechsels der Dinge. Sie bezeugen noch einmal die Wirkung, welche die Vergänglichkeit des Lebens auf Ottilie hat. Sie geben auch ihre Hoffnung wieder, daß man aus dem Vergänglichen Dauerndes gewinnen könne.

«Warum nur das Jahr manchmal so kurz, manchmal so lang ist, warum es so kurz scheint und so lang in der Erinnerung! Mir ist es mit dem vergangenen so, und nirgends auffallender als im Garten, wie Vergängliches und Dauerndes ineinandergreift. Und doch ist nichts so flüchtig, das nicht eine Spur, das nicht seinesgleichen zurücklasse[98].»

Selbst der Winter kann ihr die Hoffnung nicht rauben, er gewährt ihr Freiheit, und mit dem Frühling ergreift sie dann Ungeduld.

Doch Erinnerung, Wunsch und Hoffnung sind nur ein Aspekt des komplizierten Innenlebens Ottiles. Ihr Denken gilt dem Geliebten, da sie glaubt, das Leben sei ohne ihn zweitrangig. Alle Beziehungen mit anderen erscheinen dagegen ungenügend.

«Ein Leben ohne Liebe, ohne die Nähe des Geliebten ist nur eine ‹Comédie à tiroir›, ein schlechtes Schubladenstück. Man schiebt eine nach der andern heraus und wieder hinein und eilt zur folgenden. Alles, was auch Gutes und Bedeutendes vorkommt, hängt nur kümmerlich zusammen. Man muß überall von vorn anfangen und möchte überall enden[99].»

Alles ohne Eduard ist ohne Zusammenhang für sie; es lohnt sich deswegen nicht — so erscheint es ihr — neue Beziehungen anzuknüpfen, da man sie doch nicht weiterentwickeln will. Hier wie überhaupt ist Ottiles Maßstab das Absolute. Sie will das Vollkommene. Dies enthüllt den inne-

ren Grund ihres späteren Entschlusses. Nicht nur in ihrer Liebe zu Eduard
sucht sie das Vollkommene, sondern auch in der Entsagung.

Zwar wird in diesen Auszügen aus dem Tagebuch ihr seelisches Leben
dem Leser nicht unmittelbar zugänglich, aber er kann doch erkennen, wie
sehr sich Ottilie mit den Problemen der Vergänglichkeit, der Beziehung
des einzelnen zur Gesellschaft, der Bewahrung des Vergänglichen und der
Fruchtbarkeit menschlichen Handelns auseinanderzusetzen sucht. Wie zu
erwarten, löst sie die Probleme nicht, noch versucht sie, auch nur allgemeingültige Lösungen zu finden. Ihre Aufgabe dürfte eher im praktischen
Wirken liegen, bestimmt nicht in der Formulierung abstrakter Lebensregeln. Von den Tagebüchern muß man keine Lösung von Problemen,
vielmehr ein Reifen und Steigern des Bewußtseins erwarten. Obwohl Ottilies Geist nach außen nicht sprüht, weiß sie doch mehr, als man im allgemeinen bemerkt, wie es schon der Gehilfe in seinem Bericht über ihre
Arbeit zuerst auch bedeutet. Ottilies Inneres birgt also nicht nur Tiefe der
Leidenschaft, sondern auch Besinnung und Nachdenklichkeit; das letztere
wissen wir andeutungsweise durch das Tagebuch. Die Einträge sind ja nur
Auszüge; sie stellen nicht das Ganze dar.

*

Was man erkennen kann, sind Art und Richtung ihres Nachdenkens. Ottilie beurteilt das Leben nach dem Maßstab des Fruchtbaren. Sie stellt sich
die Frage, inwieweit ihr Leben wirklich fruchtbar gewesen oder es noch
sein könne. Das Schicksal hat ihr die unmittelbare Fruchtbarkeit der Frau
versagt. Sie bleibt ohne Kind, eine mütterliche Jungfrau, der zudem —
schuldig-unschuldig — das Kind, an welchem sie stellvertretende Mutter-
pflichten übt, entrissen wird. Auch ihre Liebe zu Eduard bleibt unfruchtbar, weil sie selbst sich die Erfüllung versagen muß. Obwohl sie nicht unmittelbar als Frau fruchtbar ist, vermag sie doch gewaltig, wenn auch nur
mittelbar, zu wirken. Die ästhetische Wirkung, welche sie zunächst ausstrahlt, bezeugt es; die meisten Menschen verspüren ja in erster Linie die
Macht ihrer Schönheit, nicht diejenige ihres Charakters.

Die Grenzen, welche — dem menschlichen Wirken gesetzt — seine
Fruchtbarkeit bestimmen, sind eines der Themen, die unter der Oberfläche
dieses Romangeschehens verborgen sind. Sätze wie «Säen ist nicht so beschwerlich als ernten[100]» und «Sich mitzuteilen ist Natur, Mitgeteiltes aufzunehmen wie es gegeben wird ist Bildung[101]» sind Wegweiser zu dieser Thematik. Beide besagen, wieviel schwerer die Vollendung eines geistigen Pro-
zesses ist als dessen Beginn. Die Verpflanzung der Pfropfreiser auf Bäume
darf als ein Symbol für Eduards unbewußte Beschäftigung mit diesem Problem

gelten; wenn auch sein späteres Handeln wenig damit zu tun hat, so ist die Aufgabe, die er sich hier gestellt hat, doch ein Versuch, gesteigerte Qualität auf einem Gebiete zu erzielen. Auch seine Einladung an den Hauptmann ist ein derartiger Versuch, sein Leben durch das Zusammenwirken mit dem Freunde zu einem fruchtbar tätigen Dasein ausreifen zu lassen. Doch es fehlt Eduard an Geduld oder Talent dazu, sich ein praktisches Wirkungsfeld zu schaffen. Der Krieg bietet ihm die Möglichkeit, der Problematik seines eigenen Lebens wenigstens teilweise auszuweichen. Er ist dort erfolgreich, aber das Erlebnis bestimmt sein eigenes Schicksal nicht. So ist es unfruchtbar für seine Weiterentwicklung und diejenige der anderen. Bezeichnend übrigens, daß wir nichts von seinem Kriegserlebnis vernehmen. Nur in der Liebe findet Eduard seine wahre Berufung. Er ist sich dessen selbst bewußt; auf den Vorwurf der Stümperei antwortet er: «Ich hatte das noch nicht gefunden, worin ich mich als Meister zeigen kann. Ich will den sehen, der mich im Talent der Liebe übertrifft[102].» Hier also findet Eduard ein Wirkungsfeld, das fruchtbar sein könnte; aber da er nicht imstande ist, Abstand von seiner Liebe zu gewinnen und da sich diese Liebe nicht wirklich erfüllen kann, ist ihm auch hier ein fruchtbares Streben versagt. Er bringt es nicht einmal fertig, Ottilie zu verstehen. Seine Liebe besteht — genau so grenzenlos — weiter, nachdem sie ihm endgültig entsagt hat. Ihr Innenleben ist ihm verschlossen; er besitzt weder Einbildungskraft noch das geistige Vermögen, ihr auf derselben Ebene seelischen Erlebens nachzufolgen. Wie wenig er imstande ist, fruchtbar zu wirken, wird augenscheinlich, als er sein Haus verläßt und ziellos in die Welt eilt, wodurch er die Hoffnung auf Geborgenheit aufgibt[103].

Für Charlotte ist fruchtbares Wirken Lebensaufgabe; das Symbol der Mooshütte deutet an, daß ihr Streben auf ein in seiner Wirkung beschränktes, aber dafür gesichertes Ziel gerichtet ist. Sie will bewahren; deswegen auch sucht sie ihre Ehe zu retten; sie wehrt sich gegen die Liebe, welche der Hauptmann und sie selbst füreinander empfinden. Ihre ganze Tätigkeit im Guten strebt auf Bewahrung, nicht auf Veränderung hin. So verfahren die Pläne der zwei Männer viel gewaltsamer mit der Landschaft als die ihren. Durch diese Manier werden die drei Teiche in einen einzigen verwandelt, was den Unglückstod des Kindes ermöglicht. Charlotte versucht stets durch sittliche Haltung und bewußtes Handeln zu wirken; die Schranken, die ihrer Wirksamkeit gesetzt sind, werden indes erkennbar, als sie einer Katastrophe, eben dem Tode ihres Kindes, gegenübersteht und einsehen muß, daß die Prinzipien ihres Handelns nicht auf alle Lagen anwendbar sind. Am Ende des Romans bleibt ihr keine andere Möglichkeit, als das Grab Eduards und Ottilies zu pflegen, obwohl sie für Kult und Pflege derartiger Stätten wenig Verständnis hat. Doch bewahrt sie das Gedächtnis an Ottilie, indem sie das Pilgern zur Kapelle, welche ihr Grab enthält, gestattet.

Für den Hauptmann, zielstrebig wie er ist, ist fruchtbares Handeln Lebensinhalt; allerdings scheint sein Planen, und damit auch Wirken, beschränkt. Er ist nur mit der praktischen Bemeisterung der Außenwelt beschäftigt. Für geistige Betätigungen und seelische Empfindungen hat er weniger übrig.

Fruchtbarkeit ist auch ein Wert-Maßstab für das Leben der Nebenfiguren. Mittler, die tragikomische Gestalt des Mannes, der unbedingt fruchtbar wirken will, es aber nicht vermag. Er ist der Mensch, der säet, ohne zu ernten, der sich mitteilt, aber Mitgeteiltes nicht aufnehmen kann. Ähnlich unfruchtbar ist das Leben des Lords; sein Begleiter aber erzählt auf interessante Weise das Leben anderer und ist so einigermaßen gerechtfertigt, während Mittler im Sentenzenhaften erstarrt. Architekt und Gehilfe sind bemüht, unmittelbar zu wirken. Ihnen ist zwar ein bestimmter Wirkungskreis vorgeschrieben, über den sie sich aber doch hinausheben, indem sie auf andere, wie etwa Ottilie, einwirken. Graf und Baronesse scheinen zunächst ein unfruchtbares, nur dem äußeren Dasein gewidmetes Leben zu führen. Tatsächlich ergibt sich jedoch bei näherer Betrachtung, daß sie, wie auch Charlotte, durch ihr Dasein und Handeln die Kontinuität des gesellschaftlichen Daseins gewährleisten. Zwar kann bei ihnen noch weniger als beim Hauptmann von einer bewußten Wirkung in geistiger Hinsicht die Rede sein. Trotzdem verraten das väterliche Handeln des Grafen, die gütige Haltung der Baronesse ein Interesse an Eduards und Charlottes Ehe. So darf man das Paar doch nicht nur für weltliche Zyniker halten, als welche sie sich auszugeben scheinen. Auch Lucianes Leben darf keineswegs als unfruchtbar betrachtet werden. Sie ist nicht nur die gewisse Äußerlichkeiten liebende, glänzende Dame[104]. Ihre Sittenstrenge steht im Gegensatz zu Ottilies Verfehlung. Zwar vergeht sie sich durch ihren Ton gegen das arme Mädchen und schadet hier, wirkt aber günstig auf den jungen Mann mit der verstümmelten Hand ein, so daß sich alsbald sein Leben zum Bessern wendet. Luciane ist kritisch, indem sie bereit ist, das, was ihr mißfällt, lächerlich zu machen. Dagegen wehrt sich Ottilie, aber Goethe läßt es durchaus offen, ob Lucianes Kritik nicht eigentlich berechtigt ist. So muß man ihre Wirkung als zwiespältig betrachten, was auch für Ottilie gilt, wenn auch auf andere Weise.

*

Fruchtbares Wirken wird nicht nur unmittelbar, sondern auch mittelbar wahrgenommen. Das wird besonders im Falle Ottilies klar. Sie lebt in der Kunst weiter. Der Architekt hat sie gemalt; für das Volk wird sie eine Heilige. Ihr Leben und Tod werden zur Legende. Die Ironie des Erzählers jedoch verschont nicht einmal die Kunst, obwohl ihre Bedeutung nicht bestritten wird[105]. Unter den Künsten wird wie in den *Lehrjahren* der bildenden Kunst vor allem Raum gewährt. Von Literatur oder Theater ist nicht die Rede; Musik spielt nur eine untergeordnete Rolle; sie wird als unabhängiges Phänomen nicht beachtet. Dagegen werden Form und Gehalt der bildenden Kunst anläßlich der Gestaltung lebender Bilder vor allem erörtert. In allen drei lebenden Bildern, in denen Luciane eine Rolle spielt, wird das Thema der väterlichen Ermahnung angeschnitten[106]; Heiligenbilder werden verwendet, die für Ottilies Schicksal symbolisch sind. Das Bildmotiv wird sogar in einer Szene des Romans angeschlagen. So sitzen sich Eduard und Ottilie gegenüber. Beide leiden an Kopfweh und halten den Kopf in die Hand gestützt. In den drei mit Lucianes Hilfe verkörperten Bildern ist das Thema der Autorität außerordentlich wichtig. In diesen sind noch andere Motive enthalten, die aufs Romangeschehen einwirken. So ist Belisarius, obgleich unschuldig, doch ein schuldiger Mensch, der aus der Gemeinschaft ausgestoßen wird. Auch Ottilie muß der Welt als schuldig erscheinen, obgleich sie sich zuerst ihres Vergehens gar nicht bewußt ist. Ihr Glaube an die Möglichkeit, eine neue Bahn zu wählen, entpuppt sich als verfehlt. Die Heiligenbilder, in denen Ottilie erscheint, bereiten vor auf die spätere Verehrung, welche ihr das Volk darbringen wird. So sind ihr die engelartigen Figuren, die auf das Grabmal herunterschauen, ähnlich. Diese Auffassung wird aber nicht kritiklos akzeptiert und stimmt zudem nicht unbedingt mit Goethes eigener Anschauung überein. Es ist umstritten, ob der Dichter, der Kunst und Wirklichkeit scharf trennte, für lebende Bilder sehr eingenommen war[107]. Auch die Einstellung des Architekten, welcher Ottilie als Heilige verehrt, muß kritisch betrachtet werden[108]. Eduard liebt anders; es darf angenommen werden, daß Goethe seine Art des Liebens hochschätzte, schrieb er doch von Eduard, daß dieser «mir wenigstens ganz unschätzbar scheint, weil er unbedingt liebt[109]». Außerdem ist der Gehilfe keineswegs mit der Darstellung von Heiligenbildern unter Ottilies Mitwirkung einverstanden. Luciane besichtigt zwar die Kapelle, aber man könnte ihre Reaktion auch als eine Kritik an der Kunstanschauung des Architekten deuten, obwohl ihre Ansichten im allgemeinen keineswegs maßgebend sind. Ihre Affenbilder erinnern daran, daß das Betrachten und Bewundern von Porträts nicht unbedingt sinnvoll sei, ja sogar eine lächerliche Seite haben könne. Obwohl Luciane absichtlich alles ins Lächerliche ziehen will, dürfen wir nicht vergessen, daß ihr zwar die Tiefe und die Stille der Leidenschaft, wie sie Ottilie besitzt, mangeln, daß sie dafür aber das Leben eher meistern kann. So haftet selbst den Schöpfungen der bildenden Kunst Zweideutiges an.

*

Wenn menschliches Wirken fruchtbar ist, so ist sein Streben erfüllt. Aber die Frage taucht auf, inwieweit denn ein solches überhaupt erfüllbar sei. Oft schlägt es fehl; dies kann zur Tragik führen, der strebende Mensch mag in Abgründe geraten. Abeken[110] und Solger[111], die ersten bedeutenden Rezensenten, haben diese Auffassung vertreten. Zwar ist sie ein Jahrhundert später von Walter Benjamin[112] bestritten worden, aber im ganzen ist die Forschung doch den ersten Deutungen, welche Goethes Beifall erhielten, gefolgt[113]. Die Tragik wird im allgemeinen in dem Konflikt von Leidenschaft und Vernunft, Natur und Sitte gesehen. Deshalb besitzt der Roman das Erbarmungslose einer griechischen Tragödie. Es wird das Unauflösliche in all unseren irdischen Verhältnissen dargestellt. Nicht nur der Widerstreit des Guten mit dem Bösen, sondern derjenige des Guten mit dem Guten, ja des Göttlichen mit dem Göttlichen, die Personen selbst sind ahnungslos[114].

Soweit die Forschung. Diese tragischen Züge sind in den *Wahlverwandtschaften* zwar vorhanden, aber sie machen das Werk keineswegs zur Tragödie. Trotzdem darf man diese Züge hervorheben. Das Geschehen ist im Roman wie in der Tragödie auf die Personen konzentriert. Nur durch das Scheitern menschlichen Strebens verdient ein Drama die Bezeichnung Tragödie; dasselbe trifft auf den Roman zu. Eine Handlung kann nur dann als tragisch bezeichnet werden, wenn die Charaktere sich bewußt oder unbewußt in Schuld verstricken. So sehr sie sich in der Folge bemühen, diese zu tilgen, es mißlingt; durch beste Absichten motivierte Handlungen verstricken sie noch mehr in Schuld.

Welche von den Hauptgestalten der *Wahlverwandtschaften* sind nun tragische Gestalten[115]? Es gilt zunächst, den Charakter jeder Hauptgestalt näher zu betrachten. In den ersten Kapiteln werden die wesentlichen Charaktermerkmale dargestellt; später wird nur wenig hinzugefügt. Eduard ist ein Mann, der ungefähr vierzig Jahre alt sein mag. Sein Charakter besteht darin, charakterlos zu sein. «Wenn man annimmt, daß Charakter nur durch Überlegung, persönliche Erfahrung, Einflüsse der Erziehung und Umwelt geformt wird, dann ist Eduards Wesen ganz ungeformte Natur. Seine Natur ist bodenloser, durch nichts gemilderter Egoismus[116]. Sein Egoismus ist ohne Maß; er fördert seine Leidenschaft, und so

wird auch diese maßlos und steht in keinem vernünftigen Verhältnis zu
seiner Umwelt. Dieser Maßlosigkeit wegen dürfte Goethe behauptet haben,
er möge ihn nicht leiden.

«Ich kann ihm [Solger] nicht verdenken», sagte Goethe, «daß er den Eduard
nicht leiden mag, ich mag ihn selber nicht leiden, aber ich mußte ihn so machen,
um das Faktum hervorzubringen. Er hat übrigens viele Wahrheit, denn man
findet in den höheren Ständen Leute genug, bei denen ganz wie bei ihm der
Eigensinn an die Stelle des Charakters tritt [117].»

Eduard ist wie ein Kind; er offenbart dessen Eigensinn und Starrköp-
figkeit, ist berechnend, schlau, zu Langmut und Geduld fähig, wenn es
gilt, seine Pläne durchzusetzen. Er vertritt eine quasi-ptolemäische Auffassung des Kosmos, d. h. er denkt und handelt, als ob die Welt sich um
ihn als Mittelpunkt drehe. Daraus entspringt auch sein Aberglaube; Ereignisse sind für ihn Symbole, die er als Zeichen für den Gang seines
Schicksals deutet, denen er indes immer den zur Erfüllung seiner Wünsche
günstigen Sinn unterschiebt. Seine Beschäftigungen sind Liebhabereien,
Pläne bleiben Pläne. Er ist ein Dilettant, der sich keinem Zwang unterwerfen will [118]. Trotz allem besitzt er eine Liebenswürdigkeit, die ihn
sympathisch, ja bestechend macht. Er hat das Gewinnende eines Kindes,
er will gefallen; da er Intuition besitzt, wählt er die Mittel, welche dieses
Gefallenwollen fördern. Was ihn erfüllt und jene Liebenswürdigkeit
durchaus überschattet, ist seine Leidenschaft [119]. Er liebt tief, ja unbedingt;
so macht er ihr alles dienstbar. Er ist ein Meister im Lieben. Was ihm
abgeht, ist Distanz, Erkenntnis und volles Bewußtsein dessen, was er tut.
Gerade weil er so sehr Natur ist, mangelt es ihm an Erkenntnis. Seine
Intelligenz ist ganz dem Triebhaften ausgeliefert; er ist innerlich nicht
gereift, um sich zu einer höheren Warte emporzuschwingen. Weil er weder
seinen Charakter noch sich selbst versteht, weil er — mangels innerer
Distanz zu seinem Tun — immer wieder unbewußt handelt, ohne sich
seiner Verfehlungen bewußt zu werden, kann er nicht als tragischer Held
bezeichnet werden. Zum eigentlich Tragischen gehört die Erkenntnis, daß
man falsch gehandelt habe. Er kann nicht (wie Ottilie) ein Märtyrer werden; denn dazu gehört bewußtes Handeln, bewußte Opferbereitschaft.
Der Gang seines Lebens wird ihm von der Natur vorgeschrieben. Erst
wenn Wollen und Wünschen, Tat und Gedanke, Trieb und Vernunft,
Pflicht und Liebe im Widerstreit miteinander stehen, ergibt sich Tragik.
Eduard ist zu einseitig, zu sehr instinktiv dabei, um als Repräsentant des
Tragischen zu gelten.

Ähnliches gilt, wenn auch aus anderen Gründen, für den Hauptmann.
Er ist, im Gegensatz zu Eduard, ein Mensch, der natürlichen Trieben keine

Macht über sich einräumt, vielmehr seinen Lebensgang dem Verstande unterordnet. Ein tätiger Mensch, von ausgesprochen praktischer Art. Sein Blick ist klar und scharf. Sein Handeln rasch und bestimmt. Er scheint seine Gefühle völlig in der Gewalt zu haben; um so mehr erstaunt jene leidenschaftliche Liebe. Sentimentalität, Gefühlsempfindung scheinen ihm abzugehen, doch schlummern sie nur, vielleicht hat Goethe deshalb sein Jugenderlebnis mit der Erzählung von den «wunderlichen Nachbarkindern» verknüpft. Daraus ließe sich schließen: der Hauptmann sei ein Mensch, der in seinem früheren Gefühlsleben einmal tief verwundet worden war, woraus sich auch sein Tätigkeitsdrang erklären ließe. Er besitzt zwar Klarheit über seinen Lebensweg, aber sein Handeln ist allzu beherrscht; es steht dem Kern des Romangeschehens zu ferne, um darauf tiefer einzuwirken, die Katastrophe herbeizuführen oder zu beschleunigen. Er verstrickt sich durch seine Taten nicht in tragische Schuld, noch weicht er von seiner Lebenslinie ab. Daraus erklärt sich auch die verständliche Hoffnung, Charlotte am Ende doch noch für sich zu gewinnen. Das dürfte auch der Grund sein, warum seine Teilnahme am Tode des Kindes nicht tiefer geht.

Aus diesen Gründen kann man die beiden männlichen Hauptgestalten des Romans nicht als tragische Helden bezeichnen. Bei den Frauengestalten ist es anders. Charlotte und Ottilie besitzen Charakterzüge, die uns erlauben, in ihrem Fall von tragischen Gestalten zu sprechen. Charlotte kann wohl als solche gelten, weil sie aus einem sittlichen Verantwortungsgefühl heraus so handelt, daß gerade das Gegenteil von dem, was sie wirklich wünscht, verwirklicht wird. Ihre Willensanstrengung, ihr auf Prinzipien aufgebautes Handeln sind der Gewalt der Natur und der Liebe gegenüber machtlos. Sie sind keine Bollwerke gegen die zerstörende Macht irrationaler Kräfte, sondern dienen im Gegenteil nur dazu, diesen zerstörerischen Gewalten den Weg zu ebnen. Charlotte ist, wie der Hauptmann, eine gemäßigte Natur; sie weiß sich trotz aller Versuchung zu beherrschen und ihre Leidenschaft im Zaume zu halten. Vor allem ist sie eine Frau, die das Leben kennt[120], die vieles beobachtet und über ihre Beobachtungen nachgedacht hat. Sie hat «Charakter[121]» und erscheint so als das genaue Gegenteil von Eduard. Von Natur aus ist sie gesetzt, ruhig; ihr Denken ist stets klar und logisch. Um so tragischer ist ihre Verstrickung in Schuld. Auch Eduard wird schuldig, aber er ist sich nicht klar darüber. Charlotte irrt, weil sie der Stimme der Vernunft und nicht der Stimme des Herzens folgt. Indem sie das Beste will und sucht, wird sie zur tragischen Gestalt; denn sie verkennt das Wesentliche und Wichtige. Sie vereinfacht sich das Leben und vergißt, daß man Heiteres, Ausgeglichenes, innere Harmonie immer wieder behutsam und mit dem Einsatz der ganzen Persönlichkeit erringen muß. Sie denkt nicht daran, daß das Leben sich nicht immer auf einer ruhigen Wasserfläche bewegen kann, sondern Stürmen ausgesetzt ist. Vor allem aber versteht sie den Charakter ihres Gatten nicht. Zwar liebt sie ihn oder glaubt, ihn zu lieben [122]. So willigt sie in eine Ehe ein, wenn auch die Vernunft sie deutlich warnt. Sie heiratet Eduard teils aus Liebe zur Vergangenheit, teils aus Hoffnung auf ein ruhiges, spätes Glück an seiner Seite. Was sie stark macht, ist ihr bestimmter, klarer Sinn, ihre Festigkeit, sich selbst und anderen gegenüber, ihr treues Festhalten an einer Ehe, die nur dem Scheine nach besteht, die Versuche, Ottilie auf einen anderen, gesünderen Lebensweg, Eduard wieder zu sich selbst zurückzuführen: Alle diese an und für sich lobenswerten Versuche bewirken gerade das Gegenteil von dem, was sie erreichen möchte, führen unaufhaltsam zur Katastrophe, zum Tode ihres eigenen Kindes. Wenn sie später bereit ist, in die Scheidung einzuwilligen, kommt der Entschluß zu spät und bestärkt Ottilie nur darin, Eduard zu entsagen.

Ähnliches gilt für Ottilie. Ihr Charakter ist zwar ganz verschieden, und ihre Schuld entsteht aus anderen Gründen. Sie ist eine tragische Gestalt, nicht weil sie aus Überzeugung und Prinzipientreue Unglück hervorruft, sondern weil sie aus einem großen, tiefen Gefühl heraus handelt, welches zwar wahr und verpflichtend ist, aber trotzdem Sünde und Schuld erzeugt [123]. Aus Liebe verletzt sie Gesetze, welche sie sich selbst gegeben, welche mit den sittlichen Normen der Welt übereinstimmen. Für Ottilie sind die Gesetze ihres Innern verpflichtend, denn sie ist eine «nach innen gewandte Natur, eine in ihrer Schale verborgene Frucht [124]».

Ihr Inneres und nicht die Außenwelt bestimmt also ihr Handeln. Gemüt aber, nicht der Verstand, beherrscht ihr Inneres. Deshalb werden ihre gewaltigen inneren Kräfte in der Schule, in einer fremden Umgebung nicht offenbar, sie ist eine schlechte Schülerin gewesen, aber ihr Gemüt zieht die Menschen an. Sie wird zum Ansporn für Künstler, zum Symbol des Heiligen für das Volk werden. Die Intensität ihres Innenlebens bringt sie der Natur besonders nahe [125]. Ihr Handeln ist intuitiv. Sie ist — wie Eduard — ein Naturwesen, aber sie hat sich selbst Gesetze gegeben. Sie erkennt, daß sie diese verletzt hat, weil ihre Liebe zu Eduard sündig ist; aber ihre Versuche, ihm zu entrinnen, wie auch ihr Mitgefühl für Charlotte, führen das Unglück um so sicherer herbei. Ihre Liebe zu dem Kind bringt sie dazu, mit ihm spazierenzugehen, ihre Liebe zur Natur führt sie in die Nähe des Teiches. Dann zwingen ihre Bindung an Charlotte sowohl wie ihr Sinn für das Schickliche sie dazu weiterzueilen, so wird der Unglücksfall im Boot möglich. Sie wird aber erst zur tragischen Gestalt, als sie erkennt, daß sie die sich selbst gesteckten Grenzen überschritten hat. Sie sieht, daß ein wertvolles und tiefes Gefühl sie in Irrtum und Schuld verstrickt, ja sogar zum Tode eines anderen geführt hat. Sie lernt auch begreifen, daß ihre Versuche, sich langsam aus diesem vom Schicksal gesponnenen Netz zu lösen, durch die Ungunst der Umstände vereitelt werden und sie nur tiefer ins Unglück verstricken. Ihre Erkenntnis verrät tragische Größe; sie nimmt die Buße auf sich. Hier tritt uns das Erhabene der Handlung, wie es Schiller beschrieben hat, entgegen; sie erträgt das Schicksal nicht nur gefaßt, sondern ist auch bereit, für ihre Schuld einzustehen. Sie weigert sich, ein zwar mögliches, aber gegen ihre eigenen Gesetze verstoßendes Glück zu wählen. Ihr Leben, wie das Eduards, ist zu sehr in Leidenschaft verstrickt, als daß sie noch einen Ausweg sehen könnte. So wählt sie am Ende den Tod und besiegelt dadurch die Tragik ihres Lebens.

Auf die anderen Gestalten des Romans trifft die Bezeichnung «tragisch» kaum zu. Entweder ist ihr Auftreten wie im Falle des Lords, des Architekten oder des Gehilfen, zu episodisch, um einen wesentlichen Anteil an der Handlung zu haben; man weiß nicht genügend über sie, um sie tragische Figuren nennen zu können. Andere, wie der Graf, die Baronin oder Luciane, sind offensichtlich keine tragischen Gestalten. Eher könnte Mittler diese Bezeichnung verdienen, da er aus bester Absicht Unheil anrichtet; er ist aber eher ungeschickt als schuldig. Auch ist sein Wesen und Treiben zu ironisch geschildert, als daß man ihn im Lichte der Tragik sehen könnte. Seine Worte tragen gewiß zur Katastrophe bei; aber Mitschuld an der Tragik des Geschehens rückt keinen in die tragische Sphäre. Auch erkennt Mittler die Folgen seiner Worte und Taten; er ist höchstens eine pathetische Erscheinung.

Die *Wahlverwandtschaften* müssen in diesem Zusammenhang auch als Roman, der von einer Gruppe von Menschen handelt, betrachtet werden. In dieser Gruppe brechen alle Konstellationen, die zu Anfang bestehen, zusammen. Zwar kann eine Gruppe kein Bewußtsein ihres Handelns haben; aber alle ihre Mitglieder wünschen ein glückliches Zusammenwirken; ihre Taten vereiteln jedoch solche Wünsche. Je nach dem Grad ihrer Einsicht sind sie sich darüber im klaren, daß sie als Gemeinschaft aus eigener Schuld versagt haben. Das Gefühl dafür ist bei den Frauen stark ausgeprägt, bei den Männergestalten indes kaum vorhanden. Doch könnte man den Begriff des Tragischen so weit fassen, daß er sich auf den Zusammenbruch der Gruppe anwenden ließe.

Das Ende der *Wahlverwandtschaften*, das über Katastrophe und Tod hinaus einen versöhnlichen Ton anschlägt, entspricht auch Goethes Auffassung, welche sich im Einklang mit der Theorie der griechischen Tragödie entwickelt hat. Es liegt für ihn — wie auch für die Griechen — im Wesen des Tragischen, daß die Katastrophe nicht das Ende bedeutet, daß sich vielmehr eine Weiterentwicklung anbahnt, die religiöse Bedeutung besitzt und sicherlich auf mythischem Ursprung beruht. In den *Wahlverwandtschaften* kann man diese Linie verfolgen, denn am Ende mildern die Legende und der Ausblick auf das Leben nach dem Tod den Zwiespalt.

Die *Wahlverwandtschaften* verdienen also den Namen eines tragischen Romans, da zwei Personen, die beiden weiblichen Hauptgestalten, tragische Züge aufweisen. Da Ottilie den letzten Teil des Romans fast völlig beherrscht, so könnte man von einer tragischen Zuspitzung sprechen, selbst wenn die beiden anderen Hauptgestalten solche Züge entbehrten. Das Wort «tragisch» kann — in der Sphäre des Dramas am Platze — nur im analogen Sinne auf einen Roman angewandt werden. Die Kunstanschauung der deutschen Klassik verlangt säuberliche Trennung der Gattungsformen. Solange man sich bewußt ist, den Begriff «tragisch» in übertragenem Sinne zu verwenden, ist es sicherlich nicht verfehlt, den Roman tragisch zu nennen, besonders da durch die verhältnismäßig geschlossene Form eine gewisse Verwandtschaft mit dem Drama besteht. Diese Analogie zur Tragödie entspricht Goethes Ansicht. Sie ergibt sich «aus dem Contrast der Charaktere, aus dem Widerstreit der physischen und moralischen Kräfte[126]». Auch meinte er, die Katharsis, die man seit Aristoteles von der Tragödie erwartete, sei in den *Wahlverwandtschaften* zu finden. So schreibt er an Zelter: «daß ich in meinen ‹Wahlverwandtschaften› die innige wahre Katharsis so rein und vollkommen als möglich abzuschließen bemüht war[127].»

Zur Erzeugung der Katharsis ist laut Aristoteles auch Furcht notwendig. Furcht wird nun, so meint Goethe, in den *Wahlverwandtschaften* dadurch erregt, «wenn wir ein moralisches Übel auf die handelnden Personen heranrücken, und sich über sie verbreiten sehen[128]». Dieses Übel dürfte für ihn «das grenzenlose Streben, was uns aus der menschlichen Gesellschaft, was uns aus der Welt treibt, unbedingte Leidenschaft[129]», sein, welche mit dem Sittlichen in Konflikt gerät und den Menschen zugrunde richtet.

*

Das tragische Element steht in enger Beziehung zum Übersinnlichen, denn es verlangt eine über das unmittelbare Ereignis hinausgehende Deutung des menschlichen Schicksals. Bewußte Aufnahme dieses Übersinnlichen ist die Religion. Die *Wahlverwandtschaften* sagen nicht allzuviel über sie aus. Sie ist niemals unmittelbar das Thema des Romans; man könnte sogar sagen, der ganze Vordergrund der Handlung sei von verweltlichtem Geschehen bestimmt. Nur im Hintergrund zeichnet sich Religiöses ab. Es gibt weder Gespräche über Religion, noch wird das darauf bezogene Leben der Gestalten näher beleuchtet. Selbst der Todesfall führt keine Wendung zu einer mehr religiösen Lebensauffassung herbei. Im ersten Teil wird überhaupt nicht davon gesprochen. Auch Mittler, noch am ehesten durch Reden und Gebaren dahin orientiert, schweigt. Es ist für den Ton des ersten Buches bezeichnend, daß er ein Pfarrer ist, der sein Amt aufgegeben hat. So wird auch die Grundsteinlegung des Hauses von keinem religiösen Zeremoniell begleitet, noch weckt der Besuch des Kirchhofs Überlegungen über diese Seite des Lebens. Erst im zweiten Teil, als Ottilies Heranreifen geschildert wird, tritt das religiöse Moment in Erscheinung; aber auch ist es nicht im Vordergrund des Geschehens. Im Gegensatz zu *Werther*, wo die Anlehnung an das Johannes-Evangelium wesentlich ist, oder zum sechsten Buch der *Lehrjahre*, wo Religion die innere Entwicklung der Stiftsdame beherrscht, oder auch zu den *Wanderjahren*, wo die Bedeutung der pädagogischen Provinz nicht ohne Beziehung zur Religion verständlich ist. In den *Wahlverwandtschaften* dagegen ist Religion nur für den Gehilfen ein wesentliches Thema, als er die Heiligenbilder, in denen Ottilie erscheint, grundsätzlich ablehnt. Er glaubt nämlich, das Gefühl des Religiösen sollte uns überall begleiten, es sei deshalb zur Verehrung Gottes kein besonderer Raum nötig.

Die einzige sakramentale Handlung ist die Taufe des Kindes. Sie hat aber keine vorwiegend religiöse Bedeutung in der Romanhandlung, sie wird als Gegenmotiv zum Tode des Geistlichen eingeführt und gibt Mittler Gelegenheit zu einer langen Rede, in welcher er, ohne es zu wissen, im voraus Ottilies Todesart erwähnt. Am wesentlichsten tritt das religiöse Element hervor, als der Glaube des Volkes geschildert wird, das in Ottilie eine Heilige sieht. Dieser Kult, der durch die Ausschmückung der Kapelle mit Heiligenbildern vorbereitet wird, entsteht aus der Verehrung, welche andere für Ottilie empfinden. So erscheint das innere Reifen Ottilies den einfachen, leichtgläubigen Menschen als ein religiöses Geschehen. Nur so können sie tiefste Verinnerlichung erfassen. Sie halten Ottilie für eine Heilige, und Eduard, dem Liebenden, erscheint sie als Märtyrerin.

Ob Ottilie wahrhaft eine Heilige sei? Müßige Frage; sie wäre aus dem Roman heraus allein nicht zu beantworten. Die Sanktion der römisch-katholischen Kirche, die allein in der abendländischen Welt, wo unser Romangeschehen spielt, das Recht beansprucht, Menschen heiligzusprechen, wird nicht erwähnt. Es ist mindestens zweifelhaft, ob Ottilie überhaupt die nötigen Voraussetzungen besäße, die zur Heiligsprechung gehören; ihr Märtyrertum ist kaum christlicher Art. Es ist keineswegs die Rede von einer Aufopferung um Jesu Christi willen. Was hier geschildert wird, ist

eine an keine Konfession gebundene, innere Reifung, die das Volk auf
Grund überlieferter religiöser Vorstellungen zu deuten versucht. So entsteht die Legende[130]. Ob Goethe Ottilie für eine Heilige hielt, ist nicht
klar. Jene oben zitierten Worte, die Boisserée überliefert hat[131], sind geheimnisvoll. Sie erwecken den Anschein, als ob der Dichter in Ottilie mehr
gesehen habe, als er sich erlaubte, ausdrücklich darzustellen. Der Erzähler
selbst allerdings gibt keine Hinweise zu dieser Frage. Weder Charlotte,
noch der Architekt äußern sich dazu.

*

Das religiöse Element greift also tiefer in den Roman ein, als man zunächst
vermuten möchte; aber man ersieht auch daraus, daß Goethe nur mittel-
bar seine Anschauungen gestalten wollte; denn gerade das Letzte und
Wichtigste, das Heilige, wollte er andeutungsweise dargestellt haben. Die
Schichten in diesem Roman sind tiefer, als es zunächst erscheinen möchte.
Am Anfang bewegt sich das Geschehen nur auf der Ebene des Gesellschaftlichen und Weltlichen. Nur dem aufmerksamen Beobachter künden gewisse
Zeichen an, daß der Roman außerordentlich tiefgründig ist. Das Bild der
Wirklichkeit, das er gewährt, entwickelt sich erst im Laufe der Handlung.
Nur die Unterhaltung über das Phänomen «Wahlverwandtschaften» weist
zu Beginn darauf hin, daß in der Natur und im menschlichen Leben Gesetze
walten, welche menschliche Freiheit einschränken. Im zweiten Teil des Romans wandelt sich das Bild, als unser Blickfeld sich immer mehr auf die Verinnerlichung Ottilies konzentriert. Das rein Weltliche — das Leben des
Grafen, der Baronesse und Lucianes — wird zwar als äußerlich befriedigend
dargestellt, es scheint aber, als ob es dieser Sphäre an Tiefe fehle und sie mindestens keiner echten Prüfung ausgesetzt sei. Selbst wenn Tiefe vorhanden
wäre, mangelt es auf alle Fälle an wahrer Wirkungskraft. Die Wirklichkeit,
welche diese Menschen erfassen, stellt nur einen äußerst beschränkten
Sektor menschlichen Erlebens dar. Das heißt nicht, daß diese Gestalten
verurteilt würden. Wir hören ja, daß der Graf und die Baronesse sich
lieben und bemerken, daß kein Grund vorhanden ist, an Lucianes Liebe zu
ihrem Verlobten zu zweifeln.

Anders ist es bei Eduard. Auch sein Bild der Wirklichkeit ist beschränkt.
Er ist narzißtisch und wird so zum Urheber des «Ehebruchs im Ehebette[132]», einer Sünde in der Phantasie, als «die Einbildungskraft ihre
Rechte über das Wirkliche[133]» behauptet. Es entspricht der ganzen Veranlagung Eduards. «Reales wird als Phantasiewelt betrachtet[134]». Diese
Worte Goethes beschreiben die Handlungs- und Denkweise Eduards. Eduard sieht die Welt als ein Spielzeug seiner Laune und später als Szene für

seine zur Leidenschaft aufgeloderten Gefühle[135]. Wie ein Kind erwartet er von der Welt unbedingte Befriedigung momentaner Wünsche. Zwar ist sein Gefühl für Ottilie, nachdem es zur Leidenschaft geworden, konstant, aber die Reaktion auf Hindernisse, welche ihm die Welt entgegenstellt, läßt vermuten, daß es ihm an tieferer Einsicht fehlt. Er begegnet der Welt — und hierin liegt die Ähnlichkeit seines Charakters mit demjenigen Werthers — nur vom Gefühl her. Er glaubt, sich auf das Recht der Natur berufen zu können. Im Gegensatz zu Goethes Jugendroman enthalten die *Wahlverwandtschaften* keinen Protest dagegen, daß es Eduard unmöglich ist, der Welt seine Wirklichkeitsauffassung aufzuzwingen. Deshalb fehlt Eduard jegliche Tragik. Da er nicht reift, bleibt es bei einer unbefriedigten Beziehung zur Wirklichkeit.

Auch der Hauptmann vermag keine befriedigende Einstellung zur Wirklichkeit zu erzielen. Seinem aufs Tätige gerichteten Sinn bleibt die Welt nie stumm. Seine praktische Anschauung beruht auf einer Wirklichkeitsauffassung, deren Bestätigung in der Leistung liegt. Aber es fehlt ihm, wenn nicht an Tiefe des Gefühls, so doch an Weite und Intensität des Mitgefühls. Da es ihm genausowenig wie Eduard gelingt, den Gang des Geschehens zu bestimmen oder auch nur vorauszusagen, steht er den ungeheuerlichen Ereignissen ebenso verständnislos gegenüber. Ähnliches gilt für Charlotte, obwohl sie in vielem ein reiferer Mensch als die beiden Männer ist. Ist Eduard zu wenig, so ist sie zu sehr vom Willen zur sittlichen Haltung getrieben. Sie glaubt noch daran, daß der Mensch seinen Lebensweg bestimmen könne. Aus solch selbstsicherem, überlegenem Handeln ergibt sich die Tragik ihres Lebens. Doch findet ein gewisser Reifeprozeß statt. Ihr Verhalten während der letzten Krise des Romans deutet doch an, daß sie eine Lebenshaltung gewonnen hat, welche eine weitere und tiefere Erfassung der Wirklichkeit erlaubt. Bei Ottilie ist es wieder ähnlich wie bei Charlotte. Auch hier vertieft sich die Anschauung von dem, was wirklich ist. Sie lernt erkennen, daß das Leben nach gewissen Gesetzen zu führen sei, welche mit dem inneren Wesen eines Menschen harmonisieren müssen. Sie erfährt auch, daß es für jeden im Leben eine Bahn gibt, der zu folgen Weisheit bedeutet, von der man aber durch das Dämonische abgelenkt werden kann. Die Achtung, die Ottilie genießt, die Macht, welche ihre Persönlichkeit auf andere im steigenden Maße ausübt, die Wirkung ihres Todes, die Anteilnahme, mit welcher der Erzähler sie betrachtet, und die Bedeutung, die er ihr zumißt, weisen auf eine tiefere Erfassung der Wirklichkeit. Sie erkennt, daß diese nicht nur im äußeren tätigen Erleben — von ihr allerdings keineswegs verachtet — besteht — lernt sie doch wie eine, die lehren will —, sondern auch in der Entwicklung und Förderung der Kräfte des Geistes und des Gewissens und in der Harmonie dieser Kräfte mit der äußeren Natur. Doch Ottilie mangelt es trotz aller Erkenntnis an genügend Kraft, diese Wirklichkeitsauffassung völlig in der Welt zu bewähren. Darin liegt auch eine gewisse Schwäche ihrer Einstellung. Solche Erkenntnis mag zwar berechtigt sein, aber sie überfordert sich und wendet sich vom Leben ab; allerdings in dem Glauben, daß die menschliche Persönlichkeit auch nach dem Tode als Vorbild und Erscheinung weiterwirken kann, daß geistige Kräfte nicht ungenützt vergehen.

Von den Nebenfiguren des Romans hat Mittler ein falsches Bild von der Wirklichkeit entworfen; sie läßt sich nicht in starren Maximen einfangen. Vom Architekten und Gehilfen wissen wir zu wenig, um einen genauen Eindruck zu gewinnen. Beiden scheint es noch an Tiefe des Gefühls, an Reife zu fehlen, wenn auch der Architekt durch Ottilies Tod gewiß ein weiteres Stadium der Reife erreichen wird.

Fragen wir uns jetzt, wie es um die Beziehung des Erzählers zur Wirklichkeit steht. Weiß er Wirkliches und Scheinendes, Mögliches und Unmögliches zu scheiden, sind seine Auffassungen realistisch und erfaßt er in dieser Hinsicht das Leben, wie es wirklich ist? Einfühlungsvermögen und Weite des Blickes fehlen ihm nicht. Er weiß die Probleme behutsam aufzurollen; er kennt die irrationalen Kräfte, welche sich unter dem rationalen Äußeren verbergen; er weiß andererseits, wie es um Ottilies Inneres bestellt ist. Er versucht, die Entstehung der Liebe zwischen den Gestalten sorgfältig aufzuzeichnen. Wenn er vieles unausgesprochen läßt, so ist es ein Zeichen, daß er sich der Grenzen sprachlicher Ausdrucksmöglichkeiten bewußt ist. Er weiß, daß man vieles nur andeutungsweise wiedergeben kann, daß Symbole und Bilder oft mehr aussagen als eine scharfe Analyse und daß sich auf diese Weise das sich im Unbewußten abspielende Geschehen besser darstellen läßt. Es scheint, als ob er auch erkenne, daß es einem einzelnen nicht gelingen kann, die Wirklichkeit des Lebens voll zu ermitteln und darzustellen. Goethes Perspektive hat sich seit *Werther* und den *Lehrjahren* gewandelt. Das Leben kann nicht mehr auf ein Bild oder auf den Bildkreis einer Persönlichkeit beschränkt werden. Zu vielfältig, läßt es sich nur durch das Ineinanderwirken von Blick- und Erlebniskreisen mehrerer Persönlichkeiten erfassen. Auch auf diese Art bleibt noch viel Ungenügendes und Unerklärliches. Manches muß ungesagt bleiben, wie ja auch Ottilie am Ende schweigt. Je klarer und bewußter Goethes eigene Sicht wird, um so vielfältiger und verwobener erscheint das Bild, welches man sich von der Wirklichkeit des Lebens entwerfen mag. Schon die *Lehrjahre* hatten auf die Erkenntnis hingewiesen; die *Wahlverwandtschaften* aber stellen eine weitere Steigerung der Einsicht dar, daß Vielfalt und

Nuancierung allein dem Leben gerecht werden. Diese Erkenntnis wird jetzt zum Leitstern des Werkes. So fallen die *Wahlverwandtschaften*, 1809 geschrieben und veröffentlicht, in eine Epoche der eigenen Wandlung Goethes. Die Zeit der Hochklassik war vorbei[136]. Ein neuer Stil kündigte sich an. Zwar ist es noch nicht extreme Altersprosa, wie in den späten Kapiteln der *Wanderjahre*, aber der Wandel im Stil wie auch im Grundton — im Vergleich zu den Werken der klassischen Periode — ist auffallend. In den *Wahlverwandtschaften* begegnet man einer Welt, die sich von derjenigen der *Lehrjahre* grundsätzlich unterscheidet. Eine Welt der Bedrohung, des Unheimlichen, des menschlichen Scheiterns, wie sie in den *Lehrjahren* nur in den Randbezirken des Daseins auftreten durfte. Darüber können am ehesten zwei Bemerkungen Goethes Aufschluß geben, welche den Ausgangspunkt erhellen. Die erste bezieht sich darauf, daß er bei diesem Werk von einer Idee ausging:

«Das einzige Produkt von größerem Umfang, wo ich mir bewußt bin nach Darstellung einer durchgreifenden Idee gearbeitet zu haben, wären etwa meine Wahlverwandtschaften[137].»

Die andere Bemerkung ist persönlicher Art. Sie bezieht sich auf Goethes Gefühlsleben:

«Niemand verkennt an diesem Roman eine tief leidenschaftliche Wunde, die im Heilen sich zu schließen scheut, ein Herz das zu genesen fürchtet. Schon vor einigen Jahren war der Hauptgedanke gefaßt, nur die Ausführung erweiterte, vermannichfaltigte sich immerfort und drohte die Kunstgrenze zu überschreiten[138].»

Beide Aussprüche müssen doch wohl mit Behutsamkeit aufgenommen werden. Allzu wörtliche Deutung würde uns leicht irreführen. Versucht man, diese Bemerkungen in Goethes geistige und persönliche Biographie zu übertragen, so wird man sofort in Schwierigkeiten verwickelt. Auf dem Gebiet des Biographischen ist es besonders offensichtlich. Forschungen, die feststellen wollen, ob nun wirklich die Liebe zu Minna Herzlieb oder Sylvie von Ziegensar den Ansporn zu den *Wahlverwandtschaften* gegeben habe[139], dürften uns den Roman kaum erläutern, selbst wenn sie das Geheimnis, in welches sich der Dichter selbst verhüllte, ergründen könnten. In dem Sonett *Mächtiges Überraschen*, dessen innere Nähe zu den *Wahlverwandtschaften* oft betont wurde, hat er dieses Problem in knapper Form ausgedrückt.

*

Mächtiges Überraschen

Ein Strom entrauscht umwölktem Felsensaale,
  Dem Ozean sich eilig zu verbinden;
  Was auch sich spiegeln mag von Grund zu Gründen,
  Er wandelt unaufhaltsam fort zu Tale.
Dämonisch aber stürzt mit einem Male —
  Ihr folgen Berg und Wald in Wirbelwinden. —
  Sich Oreas, Behagen dort zu finden,
  Und hemmt den Lauf, begrenzt die weite Schale.
Die Welle spruht, und staunt zurück und weichet,
  Und schwillt bergan, sich immer selbst zu trinken;
  Gehemmt ist nun zum Vater hin das Streben.
Sie schwankt und ruht, zum See zurückgedeichet;
  Gestirne, spiegelnd sich, beschaun das Blinken
  Des Wellenschlags am Fels, ein neues Leben [140].

In diesem Gedicht schuf Goethe ein Bild, das eindringlich darstellt, wie der Gang des Lebens plötzlich unterbrochen werden kann; der Strom, der unaufhaltsam seinem Lauf zu folgen scheint, wird aufgehalten und auf einen anderen Weg gedrängt. Hier durchkreuzt das Dämonische einen Lebensweg des Menschen, wie es Goethe im zwanzigsten Buch von *Dichtung und Wahrheit* beschrieb:

«Obgleich jenes Dämonische sich in allem Körperlichen und Unkörperlichen manifestieren kann, ja bei den Tieren sich aufs merkwürdigste ausspricht; so steht es vorzüglich mit dem Menschen im wunderbarsten Zusammenhang und bildet eine der moralischen Weltordnung, wo nicht entgegengesetzte, doch sie durchkreuzende Macht, so daß man sie die eine für den Zettel, die andere für den Einschlag könnte gelten lassen.

Für die Phänomene, welche hiedurch hervorgebracht werden, gibt es unzählige Namen: denn alle Philosophien und Religionen haben prosaisch und poetisch dieses Rätsel zu lösen und die Sache schließlich abzutun versucht, was ihnen noch fernerhin unbenommen bleibe.

Am furchtbarsten aber erscheint dieses Dämonische, wenn es in irgendeinem Menschen überwiegend hervortritt. Während meines Lebensganges habe ich mehrere teils in der Nähe, teils in der Ferne beobachten können. Es sind nicht immer die vorzüglichsten Menschen, weder an Geist noch an Talenten, selten durch Herzensgüte sich empfehlend; aber eine ungeheure Kraft geht von ihnen aus, und sie üben eine unglaubliche Gewalt über alle Geschöpfe, ja sogar über die Elemente, und wer kann sagen, wie weit sich eine solche Wirkung erstrecken wird? Alle vereinten sittlichen Kräfte vermögen nichts gegen sie; vergebens, daß der hellere Teil der Menschen sie als Betrogene, oder als Betrüger verdächtig machen will, die Masse wird von ihnen abgezogen. Selten oder nie finden sich Gleichzeitige ihresgleichen, und sie sind durch nichts zu überwinden als durch das Universum selbst, mit dem sie den Kampf begonnen; und aus solchen Bemerkungen mag wohl jener sonderbare aber ungeheure Spruch entstanden sein: Nemo contra deum nisi deus ipse [141].»

Weder Eduard noch Ottilie sind reine Verkörperungen des Dämonischen. Doch tritt es zweifelsohne in ihnen hervor; da weder sittliche Kräfte, noch sie selbst etwas gegen die dämonische Anziehungskraft, die sie aufeinander ausüben, zu tun vermögen, wird die Katastrophe unvermeidbar. Ähnliche dämonische Kräfte hatten in den *Sonetten*, in *Pandora*, in der *Natürlichen Tochter* Gestaltung gefunden; sie waren auch in Goethes Leben erlebt oder mindestens in der Einbildungskraft gefühlt worden. Sie drückten sich in der politischen und gesellschaftlichen Sphäre durch die gewaltigen Veränderungen aus, die sich in der Französischen Revolution ergeben hatten. In Frankreich wurde die gesellschaftliche Ordnung genauso zerstört wie die gesellschaftliche Institution der Ehe in den *Wahlverwandtschaften*. Ungeheures kann sich vollziehen, wenn den Gesetzen der Wandlung, wenn dem natürlichen Rhythmus des Lebens nicht gefolgt wird. In anderen Werken, in den Revolutionsstücken wie *Der Großkophta, Die Aufgeregten, Der Bürgergeneral*, besonders aber in einem Drama wie *Die Natürliche Tochter* und in *Pandora* hat Goethe dieser Erkenntnis Gestaltung gegeben. Zur reifsten Darstellung dieses Problems ist er erst in den *Wahlverwandtschaften* gekommen. Es ist das erste vollendete größere Werk seit *Hermann und Dorothea*. *Die natürliche Tochter* war nur der erste Teil einer geplanten, jedoch nicht ausgeführten Trilogie und hatte eine andere Grundtendenz: Bewahrung, Ausgleich und Abwehr gegen die zerstörenden Kräfte der Revolution.

Soviel zur Frage der biographischen Hintergründe. Sucht man nach der Idee, von welcher Goethe ausgegangen ist, so gerät man ebenfalls in Schwierigkeiten. Wenn man einen konkreten Anhaltspunkt sucht, so wäre wohl zunächst an Goethes Berufung auf das Christuswort zu denken:

«Der sehr einfache Text dieses weitläufigen Büchleins sind die Worte Christi: *Wer ein Weib ansieht, ihrer zu begehren* pp. Ich weiß nicht, ob irgend jemand sie in dieser Paraphrase wieder erkannt hat [142].»

Für diese Deutung spricht noch eine andere Bemerkung, die Varnhagen von Ense aufgezeichnet hat:

«General von Rühle erzählte mir, Goethe selbst habe ihm einmal gesagt, er habe die erste Anregung zu den ‹Wahlverwandtschaften› durch Schelling erhalten, wie Kapp in seinem Buche richtig bemerkt... Goethe sagte einmal zu Rühle: ‹Ich heidnisch? Nun, ich habe doch Gretchen hinrichten und Ottilien verhungern lassen, ist denn das den Leuten nicht christlich genug? Was wollen sie noch Christlicheres?› Das erinnert an die empörte Antwort, die er Knebeln wegen der sittlichen Bedenken desselben gegen die ‹Wahlverwandtschaften› gab: ‹Ich hab's auch nicht für Euch, ich hab's für die jungen Mädchen geschrieben![143].›»

Aber in den *Wahlverwandtschaften* einen christlichen Eheroman zu sehen, wäre gewiß falsch. Auch verspürt man in diesem Zitat Goethes Ironie. Da käme schon eher eine andere Deutung des Bibelzitates in Frage, welche besagt, schon der Gedanke sei Sünde, nicht erst die Tat. Eduard und Charlotte sündigen, indem sie im Ehebett in Gedanken Ehebruch begehen. Aber es wäre abwegig, dieses Zitat als die Idee des Romans zu präzisieren. Der folgende Ausspruch Goethes, den Riemer festgehalten hat, kommt der Sache gewiß näher.

«Er äußerte, seine Idee bei dem neuen Roman ‹Die Wahlverwandtschaften› sei: sociale Verhältnisse und die Konflicte derselben symbolisch gefaßt darzustellen[144].»

Diese Fassung der Idee ist allgemeinerer Natur; ist der Gedanke, die chemische Formel der Wahlverwandtschaften auf menschliche Verhältnisse zu übertragen. Tatsächlich verraten hier die *Wahlverwandtschaften* die Nähe der *Farbenlehre*, welche kurz vorher abgeschlossen worden war. Goethe selbst hat auf diese Verwandtschaft in seiner Anzeige des Romans hingewiesen:

«Es scheint, daß den Verfasser seine fortgesetzten physikalischen Arbeiten zu diesem seltsamen Titel veranlaßten. Er mochte bemerkt haben, daß man in der Naturlehre sich sehr oft ethischer Gleichnisse bedient, um etwas von dem Kreise menschlichen Wissens weit Entferntes näher heranzubringen, und so hat er auch wohl in einem sittlichen Falle eine chemische Gleichnisrede zu ihrem geistigen Ursprung zurückführen mögen, um so mehr, als doch überall nur Eine Natur ist und auch durch das Reich der heitern Vernunftfreiheit die Spuren trüber, leidenschaftlicher Notwendigkeit sich unaufhaltsam hindurchziehen, die durch eine höhere Hand und vielleicht auch nicht in diesem Leben, völlig auszulöschen sind[145].»

So groß der Einfluß der *Farbenlehre* auch gewesen sein mag, man darf trotzdem nicht annehmen, Goethe wolle die Gesellschaft rein naturwissenschaftlich verstehen; er dachte symbolische Verhältnisse hervorzuheben und daran das Wesen der Gesellschaft, der Beziehungen zwischen den Menschen innerhalb der Gemeinschaft zu erläutern. Während er sich in *Werther* und in den *Lehrjahren* mehr mit der Bildung des einzelnen befaßte, ersieht man aus der Anlage der *Wahlverwandtschaften*, daß hier die gesetzmäßige Entwicklung verschiedener Individuen innerhalb des gesellschaftlichen Ganzen im Mittelpunkt steht.

Goethe hat die Gesetzmäßigkeit der Natur aufs eindringlichste formuliert, als er von den zwei großen Triebrädern der Natur sprach, von dem Begriff

«von *Polarität* und *Steigerung*, jene der Materie, insofern wie sie materiell, diese ihr dagegen, insofern wir sie geistig denken, angehörig; jene ist in immerwährendem Anziehen und Abstoßen, diese in immerstrebendem Aufsteigen. Weil aber die Materie nie ohne Geist, der Geist nie ohne Materie existiert und wirksam sein kann, so vermag auch die Materie sich zu steigern, so wie sich's der Geist nicht nehmen läßt, anzuziehen und abzustoßen [146].»

Dieses Grundgesetz der Polarität und Steigerung, das Goethe auf dem Gebiete der Natur erkannte, läßt sich auf das gesellschaftliche Zusammenleben übertragen. Der Gegensatz zwischen den Personen im Roman ergibt Spannungen, welche sich unter dem Gesetz des Anziehens und Abstoßens, der Zuneigung und Abneigung betrachten lassen. Ein Tagebucheintrag der «Chromatische Betrachtungen und Gleichnisse» heißt, läßt sich darauf beziehen [147]:

«Lieben und Hassen, Hoffen und Fürchten sind auch nur differente Zustände unsres trüben Innern, durch welches der Geist entweder nach der Licht- oder Schattenseite hinsieht. Blicken wir durch diese trübe organische Umgebung nach dem Lichte hin, so lieben und hoffen wir; blicken wir nach dem Finstern, so hassen und fürchten wir [148].»

Zwar ist von Liebe und Hoffnung viel, von Fürchten weniger und von Haß gar nicht die Rede, was charakteristisch für Goethe ist; aber der Grundgedanke einer Verteilung von Licht und Finsternis im Roman, um das Handeln der Gestalten zu ermessen, ließe sich aufspüren, indem man die aufbauenden und zerstörenden Kräfte sondert. Die Polarität wirkt hier nicht fruchtbar, richtet vielmehr die Menschen zugrunde. Wegen dieser Nähe von Gesellschaft und Natur, Dichtung und Wissenschaft, die den Roman kennzeichnet, versprach sich Goethe daraus eine Würdigung seines naturwissenschaftlichen Werkes. In einem Brief an den Grafen Reinhard schrieb er:

«Da Sie mir meine liebe Ottilie so echt, gut und freundlich nehmen und auch dem Eduard Gerechtigkeit widerfahren lassen, der mir wenigstens ganz unschätzbar scheint, weil er unbedingt liebt, so gewinnen Sie gewiß diesem zweiten Teil des Farbenwesens so viel ab, daß er dem ersten, der Ihre Gunst erwerben konnte, die Waage hält [149].»

Aber nicht nur das Gesetz der Polarität waltet, sondern auch dasjenige der Steigerung, gerade im zweiten Teil des Romans wirkt es, wo, speziell für Ottilie, in geringerem Maße auch für Charlotte, eine Steigerung ihrer Seelenkräfte stattfindet, während Eduard versagt, weil er zu dieser Steigerung seiner selbst nicht fähig ist*. So ist es Gesetzmäßiges, was Goethe in den *Wahlverwandtschaften* aufspürt, denn der Glaube an die Gesetzmäßigkeit liegt dem Werk zugrunde. Diesen Gedanken spricht Goethe in *Euphrosyne* aus:

> «Ach Natur, wie groß und sicher in allem erscheinst du!
> Himmel und Erde befolgt ewiges, festes Gesetz
>
> ....
>
> Alles entsteht und vergeht nach Gesetz; doch über den Menschen
> Leben, dem köstlichen Schatz, herrscht ein schwankendes Los [151].»

In den *Wahlverwandtschaften* untersteht der Mensch zwar der Natur, aber besitzt doch Freiheit [152]. Die Gesetzmäßigkeit besteht darin, daß jede Dichtung, jeder Roman Menschen zeichnet, die irgendwie verwandt sind. Alle diese Sympathien und Zusammenhänge sind Wahlverwandtschaften. Trotz des einmalig ungeheuerlichen Geschehens ergibt sich ein allgemeingültiges Bild.

«Es ist die Sache, ohne die Sache zu sein, und doch die Sache; ein im geistigen Spiegel zusammengezogenes Bild, und doch mit diesem Gegenstand identisch [153].»

Das Gesetzmäßige ist gar nicht vom Individuellen zu trennen, denn der Charakter enthält das Gesetz, die Handlung beruht auf der Wiederholung derselben Charakterzüge und Geschehnisse, die durch diese Wiederholung und die Einstellung der Gestalten dazu erst zu einem Gesetzmäßigen werden [154].

Dieses, besonders das der Polarität und Steigerung, bildet die Grundlage der *Wahlverwandtschaften*. Einsicht in den gesetzmäßigen Verlauf des Lebens beherrschte auch Goethes spätes Denken. Das Schöne selbst beruht auf Gesetzmäßigkeit; so der Glaube der klassischen Ästhetik.

«Das Schöne ist eine Manifestion geheimer Naturgesetze, die uns ohne dessen Erscheinung ewig wären verborgen geblieben [155].»

Es gilt nun, das Gesetzmäßige auch in Goethes letztem Roman, in *Wilhelm Meisters Wanderjahren*, zu erforschen. Dort allerdings wird die Mög-

---

* Der Begriff der «Steigerung» darf hier gewiß gebraucht werden, denn Goethe hat auf die Art der Entfaltung und Beherrschung der Liebe, die sich über den Naturtrieb weit hinaus entwickelt hat, den Ausdruck «steigern» verwendet:

«Die Formel der Steigerung läßt sich auch im Ästhetischen und Moralischen verwenden. Die Liebe, wie sie modern erscheint, ist ein Gesteigertes. Es ist nicht mehr das erste einfache Naturbedürfnis und Naturäußerung, sondern ein in sich kohobiertes, gleichsam verdichtetes und so gesteigertes Wesen. Es ist einfältig, diese Art zu verwerfen, weil sie auch noch einfach existiert und existieren kann [150].

lichkeit der Steigerung unter positiven, nicht negativen Aspekten gestaltet, denn der Roman führt die Thematik der *Lehrjahre* fort, ein glückbegünstigter, gottgeführter Mensch darf sich seine Lebensbahn trotz widriger Umstände selbst gestalten.

V. WILHELM MEISTERS WANDERJAHRE
ODER DIE ENTSAGENDEN

Dieses Spätwerk Goethes scheint auf den ersten Blick von den drei anderen Romanen gänzlich verschieden zu sein. Hier liegt allem Anschein nach kein einheitliches Werk vor, sondern eine völlig unübersichtliche Reihe von Erzählungen, Berichten und Geschehnissen, die nur locker mit der Zentralfigur, dem Wilhelm Meister, verbunden sind. Viele von Goethes Äußerungen über die *Wanderjahre* bestätigen diese Ansicht, nannte er doch das Werk «ein wunderliches Opus[1]», «eine collective Arbeit[2], gewissermaßen nur zum Verband der disparatesten Einzelheiten unternommen[3]», «ein bedenkliches Unternehmen[4]», es «gebe sich nur für ein Aggregat aus[5]», «ein Straußkranz[6]», ein «Geschlinge[7]»; alles Äußerungen, die das Ungewöhnliche, das Offene der Form betonen. Auch die Sprache ist nicht mehr einheitlich wie in den *Lehrjahren* und *Wahlverwandtschaften*. Viele der Novellen haben einen anderen Sprachstil als die Rahmenhandlung.

Es stellen sich deshalb zuerst andere Probleme als bei den früheren Romanen. Zuerst muß die Frage gestellt werden, ob man die *Wanderjahre* als Roman bezeichnen kann. Inwieweit sind sie überhaupt ein einheitliches Kunstwerk und nicht eine Sammlung von Novellen und Fragmenten, die nur dadurch zusammenhängen, daß sie von der Feder desselben Denkers stammen und während der letzten drei Jahrzehnte seines Lebens geschrieben worden sind? Ist überhaupt ein organischer Zusammenhang zu finden, oder sind die verschiedenen Teile nur zufällig aneinandergereiht? Fragen wir Goethe selbst. Er hat das Werk als Roman bezeichnet, allerdings nur in der Fassung von 1821[8]. Das bedeutet viel. Doch können wir uns dieser Ansicht anschließen? Dürfen wir die *Wanderjahre* für einen Roman halten, oder handelt es sich um eine Art Weisheitslehre, sind sie vielleicht sogar ein gescheitertes Werk? Die letzte Ansicht widerspricht derjenigen Goethes, trotzdem wurde sie von der Forschung vertreten; noch Emil Staiger bemerkt:

«Die *Wanderjahre* wurden zum Gefäß, in dem der Dichter alles Mögliche unterzubringen gedachte, was sich sonst in seinen Papieren verloren oder in unerfreuliche Einzelschriften verzettelt hätte[9].»

Das Werk selbst muß uns die Antwort geben. Welches ist der erste Eindruck, den man beim Lesen gewinnt? Von einer straff organisierten Einheitlichkeit der Handlung kann nicht die Rede sein. So überrascht es nicht, wenn wir hören, daß trotz Goethes gewaltigem Ansehen die Aufnahme des Romans beim Erscheinen keine allzu begeisterte war[10]. Wenige Kritiker stellten sich positiv zu diesem Roman. Auf die erste, kürzere Fassung in zwei Bänden von 1821* folgte Pustkuchens unerfreuliche Imitation[12]. Aber jenes Werk hatte nicht die gewaltige Wirkung von Nicolais *Freuden des jungen Werthers*, der geringeren geistigen Wirkung wegen, welche die *Wanderjahre* selbst auslösten, obwohl Goethes Ruhm inzwischen wesentlich gewonnen hatte. Die Forschung hat zunächst mit den *Wanderjahren* nicht viel anzufangen gewußt. Lange Zeit wurde nichts Positives über den Roman als Ganzes geschrieben; allerdings wurde einzelnen Aspekten Beachtung geschenkt, z. B. behandelten Ferdinand Gregorovius und später Gustav Radbruch die sozialpolitischen Elemente[13]. In seinem Buch zum Bildungsideal in den *Wilhelm-Meister*-Romanen hat Max Wundt wesentliche thematische Fragen ausführlich behandelt[14]. Als Kunstwerk sind die *Wanderjahre* erst in den letzten zwei Jahrzehnten vollauf gewürdigt worden[15]. Das war erst möglich, als man nicht mehr mit einem festen Begriff der für einen Roman notwendigen Form an das Werk herantrat[16]. Hier mögen unbewußt die Veränderungen in der Romanform, die in diesem Jahrhundert stattfanden, die Betrachtungsweise beeinflußt haben. So wurde der Weg zu einem tieferen Verständnis der Eigenart des Werkes angebahnt; er war lange versperrt gewesen, weil die uneinheitlich wirkende Form des Werkes nicht mit den geläufigen Vorstellungen von einem klassischen oder auch nur ausgebildeten Kunstwerk in Einklang zu bringen war. Man muß die Wegzeichen suchen, wenn man tiefer in das Werk eindringen will, ohne sich zu verirren. Der Spätroman hat zwar wiederum Wilhelm Meister als Mittelpunkt, aber im Gegensatz zu den *Lehrjahren* ist die Handlung nicht ausschließlich auf ihn konzentriert. So kann man nicht von einer organischen, stilgleichen Fortsetzung reden. Die äußere Erscheinung des Romans ist nun eine andere. Die *Lehrjahre* — in acht

---

* Eine nähere Beschäftigung mit der ersten Fassung von 1821 schien mir hier fehl am Platze. Die Situation ist eine andere als im Falle der beiden Fassungen des *Werther* oder der Beziehung zwischen der *Theatralischen Sendung* und den *Lehrjahren*. Ist die zweite Fassung des *Werther* eine gereinigte, gesteigerte Form der ersten, so hat mit den *Lehrjahren* eine völlige Neuorientierung der *Sendung* bezüglich ihrer Grundtendenz stattgefunden. Bei den *Wanderjahren* ist die Lage anders. Die Fassung von 1829 ist weiter ausgefüllt, weiter ausgeführt, vielschichtiger als diejenige von 1821. In einer Hinsicht nur hat sich die Grundtendenz geändert. Das Ziel des Romans ist nicht mehr die unablässige Wanderschaft, sondern die Ausbildung Wilhelm Meisters zum Arzt und die Ablenkung der Wanderbestrebung anläßlich der Gründung des Auswandererbundes, dessen Aufgabe nunmehr «Ansiedlung» heißt[11]. Wandern wird als *eine* Lebensmöglichkeit gesehen, die genau so wenig wie Seßhaftigkeit Anspruch darauf erheben darf, die einzig richtige zu sein. Dazu kommt noch, daß durch die Einfügung der Makarie-Kapitel und der Aphorismen ein höherer Grad geistigen Bemühens erreicht wurde.

Bücher eingeteilt — sind so ein sehr umfangreiches Werk geworden, welches mit Ausnahme des sechsten Buches und gelegentlicher Rückblicke eine zeitlich fortschreitende Erzählung darstellt. Dagegen sind die *Wanderjahre* nur in drei Bücher eingeteilt, die allerdings länger sind. Dem zweiten und dritten Buch sind eine Reihe von Aphorismen und ein bedeutendes Gedicht nachgestellt worden: «Vermächtnis» und «Im ernsten Beinhaus*». Wilhelm tritt in allen drei Büchern auf; die Handlung, die sich zwischen ihm und einer Reihe von anderen Charakteren abspielt, wird als Rahmenhandlung bezeichnet, die mehrere Novellen umfaßt. Zwar fließen Novellen und Rahmenhandlung ineinander über; es läßt sich deswegen keine säuberliche Sondierung vornehmen. Die Novellen hinterlassen beim ersten Lesen einen lebhafteren Eindruck als die Rahmenhandlung. Es ist zunächst kaum möglich, den Grund anzugeben, warum Goethe eine Novelle gerade hier einschob und nicht anderswo. Erst die nähere Betrachtung kann hoffen, darauf etwas Licht zu werfen. Ob Klärung endgültig möglich sei, muß dahingestellt bleiben. Die Rahmenhandlung wird auch noch durch die eingeschobenen Briefe, Maximen und Kommentare des Erzählers unterbrochen. Dies bewirkt, daß es dem Werke an Unmittelbarkeit und Spannung fehlt. Es ist schwer, das Ganze mit ungeteilter Aufmerksamkeit zu lesen. Das liegt teils daran, daß die Personen der Rahmenerzählung nicht genug hervortreten, teils, daß diese unterbrochen wird. Sie erinnert an einen Strom, den der Betrachter der Landschaft nur in Unterbrechungen zu sehen vermag, da das Wasser immer wieder von Felsblöcken oder Waldlandschaften verdeckt scheint. Man kann aber hoffen, manches werde beim wiederholten Lesen klarer werden.

Inwiefern man von einer Rahmenhandlung sprechen kann, ist fraglich, denn beinahe die Hälfte des Romans, zwanzig Kapitel von einundvierzig sind den persönlichen Erlebnissen der Gestalten Wilhelm, Felix und Hersilie gewidmet [17]. Im Gegensatz zu den *Lehrjahren* bezieht sich die Haupthandlung nicht auf eine, sondern auf drei Personen. Ihr Leben aber ist nicht so unerbittlich miteinander verknüpft wie die Schicksale der vier Hauptgestalten in den *Wahlverwandtschaften*. Darüber hinaus treten im Verlaufe der Handlung andere Gestalten und Lebensläufe in den Vordergrund. Die verhältnismäßige Unübersichtlichkeit der Handlung unterscheidet sich in dieser Hinsicht vom klaren Aufbau der meisten anderen europäischen Romane, die diesem vorangingen. Wenn man in der Literatur des achtzehnten Jahrhunderts nach Vorgängern sucht, so sind gleichartige kaum zu finden. Zwar gibt es unter den Romanen des siebzehnten Jahrhunderts ge-

---

* Nicht alle Herausgeber haben diese beiden Gedichte als Teile des Werkes betrachtet, obwohl sie Goethe selbst dorthin gestellt hatte.

nügend Werke, die eine weitverzweigte Handlung aufweisen, aber kaum
solche, in denen weitere Strecken der Handlung auf ein oder zwei Seiten
zusammengedrängt werden, in denen so viel Gewicht auf allgemeine Reflexionen gelegt wird, Reflexionen, die nicht nur eingestreut sind, sondern
sogar ihren eigenen Bereich in den beiden Spruchsammlungen haben.
Außerdem gibt es keinen anderen Roman, in welchem zwei so bedeutende
weltanschauliche Gedichte erscheinen, die mit dem Werk in keinem offensichtlichen Zusammenhang stehen. Ein anderer Roman des achtzehnten
Jahrhunderts, als Bild ebenfalls ungewöhnlich, ist Laurence Sternes *Tri-
stam Shandy;* es ist bezeichnend, daß gerade diesem mehrere bedeutende
Aphorismen der *Wanderjahre* gewidmet sind.

*

Eine Untersuchung der Sprache und Struktur des Romans kann diese Tendenz klarer enthüllen. Es entspricht dem Wesen seiner Alterskunst, daß
Goethe nicht mehr ein ausgeglichenes Werk schaffen, sondern auch den verschiedenen Aspekten, die sich seinen Anschauungen darboten, gerecht werden wollte. Er versuchte, das Leben unter mehreren Gesichtspunkten zu
schildern. Das zeigt schon seine Sprachgestaltung. Die Altersprosa des
Dichters entwickelt sich immer mehr in einer Richtung, die ihn von der
eigenen «Klassik» distanziert[18]. Jene Ausgewogenheit der Sprache in den
Lehrjahren beherrscht auch noch den Stil der *Wahlverwandtschaften,* aber
in den *Lehrjahren* bewegt sie sich mehr in der Sphäre sinnlicher Darstellung als in der abstrakter Reflexionen. Nur in den Maximen des Lehrbriefs,
den Unterhaltungen Wilhelms mit dem Unbekannten und dem Landgeistlichen über das Schicksal und im Gespräch zwischen Serlo und Wilhelm
über Hamlet findet man formelhaft anmutende Bemerkungen. Das Haupt-
interesse gilt mehr dem Gemüte Wilhelms, seinen Erlebnissen, die oft
sinnlicher Art sind, auch wenn sie ein geistiges Werden widerspiegeln. In
den *Wahlverwandtschaften* tritt oft eine mehr gedankliche Sprache in den
Vordergrund. Abstrakte, formelhafte Bemerkungen bestreiten wesentliche
Teile des Werkes.

In den *Wanderjahren* ist das Bild anders. Es gibt dort nicht mehr nur
vereinzelte «Felsen» (d. h. Formeln), sondern wahre «Felsmassen», zwischen denen sich die Erzählung wie ein kleiner Bach hindurchschlängelt.
Andererseits ist wiederum auf Kosten der Einheit die Sprache der Erzählung prägnanter. Auch kommen abrupte Sprachbildungen vor, die oft aus
Partizipialkonstruktionen, Einschiebseln von Satzteilen und Anhäufungen
von Adjektiven bestehen und derart das Geschehen genauer nuancieren.
Sie wirken sich wie Stromschnellen aus. Das Sprachbild ist als Ganzes

nicht einheitlich. Der Ton wechselt beinahe von Kapitel zu Kapitel. So sind die Novellen — meistens früher entstanden — von größerer sinnlicher Anschaulichkeit als die spät verfaßten Makarienkapitel. Dieser Gegensatz zeugt dafür, daß Goethe keine äußere Einheit im Sprachstil erstrebte. Die anschaulichen Beschreibungen in den Novellen zeigen uns Goethe auf einer anderen, geistig weniger bestimmten Lebensstufe als die später vollendeten Kapitel der Rahmenerzählung, in denen das Reflektierende überwiegt. Die knappere Art der Darstellung weist darauf hin, daß der Autor ein weiteres Feld des Lebens in zusammengedrängter Form erfassen, tiefere Erfahrung und Einsicht gedanklich präzisieren wollte. Da bei dieser Darstellungsart das Werk notwendigerweise an Unmittelbarkeit und direkter Wirkung einbüßt, liest es sich zunächst nicht leicht. Manches erscheint fast unbeholfen. Aber die geistige Wirkung ist um so nachhaltiger. So bietet der Roman nicht nur im alltäglichen Leben verharrende Erzählungen, sondern auch gedanklich ausgereifte Betrachtungen, deren Zusammenhang mit dem Ganzen erst allmählich klar wird. Bei den *Wanderjahren* ist dies in höherem Maße der Fall als bei den *Wahlverwandtschaften*, wo die Handlung als solche stärker dominiert und Formeln und Aphorismen eine weniger unabhängige Rolle spielen.

Der größte Teil des Romans ist in einer abgewogenen Prosa abgefaßt, die sich zwar von Goethes klassischer Prosa unterscheidet, aber doch immer wieder daran erinnert. Sorgfältig angelegte Sätze, in einem inneren Gleichgewicht ruhend, lösen einander ab. Es sind Konstruktionen, in welchen Hauptsätze vorherrschen, denen Nebensätze auch dem Sinn gemäß untergeordnet sind; selbst wenn diese komplizierterer Art sind, werden sie doch noch von den Hauptsätzen beherrscht. Die folgende Stelle kann als typisches Beispiel dienen:

«Auf dem Wege nach dem Schlosse fand unser Freund zu seiner Verwunderung nichts was einem älteren Lustgarten oder einem modernen Park ähnlich gewesen wäre; gradlinig gepflanzte Fruchtbäume, Gemüsefelder, große Strecken mit Heilkräutern bestellt, und was nur irgend brauchbar konnte geachtet werden, übersah er auf sanft abhängiger Fläche mit Einem Blicke. Ein von hohen Linden umschatteter Platz breitete sich würdig als Vorhalle des ansehnlichen Gebäudes, eine lang, daranstoßende Allee, gleichen Wuchses und Würde, gab zu jeder Stunde des Tages Gelegenheit, im Freien zu verkehren und zu lustwandeln. Eintretend in das Schloß, fand er die Wände der Hausflur auf eigene Weise bekleidet; große geographische Abbildungen aller vier Weltteile fielen ihm in die Augen; stattliche Treppenwände waren gleichfalls mit Abrissen einzelner Reiche geschmückt, und, in den Hauptsaal eingelassen, fand er sich umgeben von Prospekten der merkwürdigsten Städte, oben und unten eingefaßt von landschaftlicher Nachbildung der Gegenden, worin sie gelegen

sind, alles kunstreich dargestellt, so daß die Einzelheiten deutlich in die Augen
fielen und zugleich ein ununterbrochener Bezug durchaus bemerkbar blieb[19].»

Diese Beschreibung ähnelt zwar in vielen Sätzen der klassischen Prosa,
etwa der *Lehrjahre*; aber bei näherer Betrachtung ergibt es sich, daß die
Sätze mehr Bedeutung enthalten, als es dort der Fall war. Einschiebsel wie
die Partizipialkonstruktionen «große Strecken mit Heilkräutern bedeckt»,
«eintretend in das Schloß», «in den Hauptsaal eingelassen», «oben und
unten angefaßt von landschaftlichen Nachbildungen der Gegenden», «alles
kunstgerecht dargestellt»; andere wie «gleichen Wuchses und Würde» und
Präpositionalkonstruktionen wie «ohne weitere Einleitung» erwecken den
Eindruck einer großen gedanklichen Konzentration. Zugleich wird das
innere Erleben des Helden vom Erzähler nur durch das Wort «Verwunderung» angedeutet, so wie er Art und Intensität der Anschauung Wilhelms
durch den Ausdruck «mit *einem* Blick» wiedergibt. Diesem Stil haftet
Schwere an; nicht Schwerfälligkeit, sondern Gewichtigkeit.

Viel flüssiger dagegen sind die meisten Beschreibungen in den Novellen.
Typisch für ein schnelleres Tempo — in vielem der Manier der *Lehrjahre*
ähnlich — ist der Anfang der Erzählung «Die neue Melusine»:

«Als ein lebhafter Bursche hatte ich von jeher die Gewohnheit, sobald ich in
ein Wirtshaus kam, mich nach der Wirtin oder auch nach der Köchin umzu-
sehen, und mich schmeichlerisch gegen sie zu bezeigen, wodurch denn meine
Zeche meistens vermindert wurde.

Eines Abends, als ich in das Posthaus eines kleinen Städtchens trat und
eben nach meiner hergebrachten Weise verfahren wollte, rasselte gleich hinter
mir ein schöner zweisitziger Wagen, mit vier Pferden bespannt, an der Türe
vor. Ich wendete mich um und sah ein Frauenzimmer allein, ohne Kammerfrau, ohne Bedienten. Ich eilte sogleich, ihr den Schlag zu eröffnen und zu
fragen, ob sie etwas zu befehlen habe. Beim Aussteigen zeigte sich eine schöne
Gestalt, und ihr liebeswürdiges Gesicht war, wenn man es näher betrachtete,
mit einem kleinen Zug von Traurigkeit geschmückt. Ich fragte nochmals, ob
ich ihr in etwas dienen könne. — ‹O ja!› sagte sie ‹wenn Sie mir mit Sorgfalt
das Kästchen das auf dem Sitze steht herausheben und hinauftragen wollen;
aber ich bitte gar sehr es recht stät zu tragen und im mindestens nicht zu
bewegen oder zu rütteln.› Ich nahm das Kästchen mit Sorgfalt, sie verschloß
den Kutschenschlag, wir stiegen zusammen die Treppe hinauf, und sie sagte dem
Gesinde, daß sie diese Nacht hier bleiben würde[20].»

Hier wird auf einfachere Weise erzählt. Auch der Ton ist lebhafter. Besonders die Häufung von kurzen Hauptsätzen am Ende des zweiten Abschnittes beschleunigt das Tempo. Die Sprache ist knapp, von wenigen
Einschiebseln unterbrochen; aber selbst wenn sie auftreten, so verlangen
sie nur geringe Gedankenkonzentration. Die Attribute erscheinen erst am

Ende des Satzes, wie «mit vier Pferden bespannt», «ohne Kammerfrau», «ohne Bedienten».

Die *Wanderjahre* enthalten nicht nur Anklänge an die klassische Prosa Goethes, sie verraten auch eine Erneuerung des Sprachstils, gemessen an der Diktion seiner *Sturm-und-Drang*-Zeit. In dieser Stilart wird das plötzliche Hereinstürzen Flavios in das Haus seines Vaters geschildert:

«Heftiges Pochen und Rufen an dem äußersten Tor, Wortwechsel drohender und fordernder Stimmen, Licht- und Fackelschein im Hofe unterbrachen den zarten Gesang. Aber gedämpft war der Lärm, ehe man dessen Ursache erfahren hatte; doch ruhig ward es nicht, auf der Treppe Geräusch und lebhaftes Hin- und Hersprechen heraufkommender Männer. Die Türe sprang auf ohne Meldung, die Frauen entsetzten sich. Flavio stürzte herein in schauderhafter Gestalt, verworrenen Hauptes, auf dem die Haare teils borstig starrten, teils vom Regen durchnäßt niederhingen; zerfetzten Kleides wie eines der durch Dorn und Dickicht durchgestürmt, greulich beschmutzt, als durch Schlamm und Sumpf herangewatet [21].»

Hier begegnet man einer Unmittelbarkeit der Sprache, die zwar an Goethes Frankfurter Zeit erinnert, sich aber doch in manchem sehr davon unterscheidet. Unmittelbarkeit ist mit Distanzierung des Sprachtons verbunden und wahrt auf diese Weise den Zusammenhang mit anderen Stilarten der Altersprosa. Leidenschaft wird hier in einer von keiner Besinnung gemilderten Haltung dargestellt. Die ersten Sätze, die — abrupt — zum Teil ohne Zeitwort dastehen, geben die Dringlichkeit des Geschehens wieder. Schon die Anfangsworte, die Infinitive des ersten Satzteiles, erregen Furcht und Bedrängnis, was besonders nach der ruhigen Erzählweise der vorangehenden Kapitel auffällt. Diese Erregung wird durch «o»-Laute, welche besonders im Gegensatz von «drohend» und «fordernd» hervortreten und durch «r»-Konsonanten intensiviert sind, sowie durch die knappe Zusammenfügung der Sätze, welche ohne eine verbindende Konjunktion aneinandergereiht sind, erheblich verstärkt. Die Dringlichkeit, ja das Ungeheuerliche des Geschehens, gipfelt in dem Satz, worin geschildert wird, wie Flavio hereinstürzt. Kurze Satzteile wie «in schauderhafter Gestalt», «verworrenen Hauptes», «zerfetzten Kleides», «greulich beschmutzt» bezeichnen das Ungewöhnliche und Stürmische des Auftretens; sie tragen dazu bei, daß die Sprachordnung aus dem gewöhnlichen Gefüge gerissen wird.

In der Tat: Dieses Geschehen ist ungeheuerlich, wie die Sprache ungewöhnlich ist; denn es werden gesellschafts- und sittenwidrige Vorgänge beschrieben. Flavio, «dem Boden der modernen Sozietät entrückt, erscheint den aufgestörten Frauen ‹als Orest, von Furien verfolgt, nicht durch die

Kunst veredelt, sondern in greulicher, widerwärtiger Wirklichkeit› eine
dem Ursprung nahe Gestalt, die keine zarte Vermittlung und keine scho-
nenden Umständlichkeiten mehr kennt, doch eben so auch wieder für die
Kräfte des Ursprung offen ist[22]». Dies gesellschaftswidrige Verhalten erscheint um so fürchterlicher, weil es sich vor dem Hintergrund einer geordneten Gemeinschaft abspielt, zudem in einem Milieu, wo es nicht üblich
ist, daß die Tür ohne Meldung aufgeht. Es sind Ereignisse, die als greu-
liche, widerwärtige Wirklichkeit in starkem Kontrast zu einer behaglichen,
glanzvoll eingerichteten Wohnung stehen. Aber in der Welt der *Wanderjahre* sind solch ungeheuerliche, gesellschaftswidrige Geschehnisse nur von
kurzer Dauer. Felix wird am Ende des Romans nach seinem Sturz vom
Pferde schnell «in den gesellig-anständigen Zustand» versetzt. Der Ton
wird alsbald wieder ruhiger, und ein minder bewegter Sprachstil setzt ein.
Der Erzähler führt das Geschehen auf die Ebene des Mythos. Aber auch
hier stimmen Sprache und Geschehen überein; mit vorsichtiger Nuancierung werden die zartesten Veränderungen und Schattierungen gestaltet:

«Mitternacht kam heran, die Baronin verlangte wenn er schlafe ihn zu
sehen; der Arzt widerstand, der Arzt gab nach; Hilarie drängte sich mit der
Mutter herein. Das Zimmer war dunkel, nur eine Kerze dämmerte hinter dem
grünen Schirm, man sah wenig, man hörte nichts; die Mutter näherte sich dem
Bette, Hilarie, sehnsuchtsvoll, ergriff das Licht und beleuchtete den Schlafenden.
So lag er abgewendet, aber ein höchst zierliches Ohr, eine volle Wange, jetzt
bläßlich, schienen unter den schon wieder sich krausenden Locken, auf das an-
mutigste hervor, seine länglichen, zartkräftigen Finger zogen den unsteten
Blick an. Hilarie leise atmend glaubte selbst einen leisen Atem zu vernehmen,
sie näherte die Kerze, wie Psyche in Gefahr die heilsamste Ruhe zu stören.
Der Arzt nahm die Kerze weg und leuchtete den Frauen nach ihren Zimmern[23].»

Wieder begegnet man kurzen Satzteilen, aber innerhalb des ruhigen,
vorsichtig abgestimmten Satzgefüges wirken sie nicht aufpeitschend, sondern nuancierend. Der schon vorher angedeutete Gegensatz von Licht und
Finsternis, von Kerzenschein und Dunkel wird erneut betont, die Beziehung zwischen Hilarie und Flavio, die später in Liebesleidenschaft auf-
flammt, wird schon durch den Satz «leise atmend», «glaubte selbst ein
leises Atmen zu hören» vorweggenommen; ein Satz, der ihre Beziehung
auf zarte Weise andeutet. Diese Beziehung und der Gegensatz zwischen
Dunkel und Hell, Orest und Psyche, läßt sich nicht mehr in Prosa ausdrücken; nur Lyrik vermag die ansteigende Leidenschaft anschaulich zu
machen, eine Lyrik, welche an die lyrische Wechselrede zwischen Hatem
und Suleika im *West-Östlichen Diwan* erinnert:

Flavio: Ein Wunder ist der arme Mensch geboren,
         In Wundern ist der irre Mensch verloren,
         Nach welcher dunklen, schwer entdeckten Schwelle
         Durchtappen pfadlos ungewisse Schritte?
         Dann in lebendigem Himmelglanz und Mitte
         Gewahr', empfind' ich Nacht und Tod und Hölle.

Hilarie: Bist noch so tief in Schmerz und Qual verloren
         So bleibst du doch zum Jugendglück geboren;
         Ermanne dich zu rasch gesundem Schritte,
         Komm in der Freundschaft Himmelsglanz zur Helle,
         Empfinde dich in treuer Guten Mitte,
         Da sprieße dir des Lebens heitre Quelle [24].

Ein Gipfel des Werkes ist erreicht, auf dem Goethe allerdings nicht verweilt; er fährt in der sachlichen Sprache des Erzählers fort, der sich damit begnügt, zu berichten: «Vielleicht ist es uns vergönnt den ganzen Verlauf dieser holden Kur gelegentlich mitzuteilen [25]».

Dieser Wechsel der Sprache innerhalb eines kurzen Handlungsraumes ist typisch für die Stilverschiedenheiten des Romans; man sieht, wie mehrere Lebenssphären aneinandergekettet werden.

Die äußerste Steigerung der Prosa ist in den Makarie-Kapiteln zu finden, welche auch wahre Gipfel der gedanklichen Gestaltung enthalten. Der erste Abschnitt im fünfzehnten Kapitel des dritten Buches mag als Beispiel dienen:

«Makarie befindet sich zu unserm Sonnensystem in einem Verhältnis, welches man auszusprechen kaum wagen darf. Im Geiste, der Seele, der Einbildungskraft hegt sie, schaut sie es nicht nur, sondern sie macht gleichsam einen Teil desselben; sie sieht sich in jenen himmlischen Kreisen mit fortgezogen, aber auf eine ganz eigene Art; sie wandelt seit ihrer Kindheit um die Sonne, und zwar, wie nun entdeckt ist, in einer Spirale, sich immer mehr vom Mittelpunkt entfernend und nach den äußeren Regionen hinkreisend [26].»

Die Sprache ist klar, aber Worte wie «Sonnensystem», «Verhältnis», «himmlische Kreise», «Spirale», «Mittelpunkt» wirken abstrakt. Es wird sogleich angedeutet, daß dieses Geheimnis nicht leicht zu klären sei. Das Wort «Verhältnis», welches die Beziehung zwischen Makarie und dem Sonnensystem beschreibt, wird durch einen Nebensatz näher bestimmt. Dieser sagt in einfacher Sprache aus, daß uns etwas ganz Seltsames, eigentlich Unbeschreibliches mitgeteilt werde. Was dann in äußerst prägnanten Sätzen geschildert wird, ist allerdings erstaunlich. Den ersten drei Hauptworten des zweiten Satzes: «Geist, Seele und Einbildungskraft», welche das Leben dieser Frau in ihrer ganzen Fülle erfassen, werden die Worte: «hegt sie,

schaut sie es nicht nur, sondern sie macht gleichsam einen Teil desselben»
als Gegengewicht entgegengestellt. Das Verbum «liegt» besitzt nicht genug
eigene Stärke, und eine Erklärung ist notwendig, die in den nächsten zwei
Teilen dieses Satzgefüges geboten wird. Es sind zwei einfache Hauptsätze.
Im ersten modifiziert die Präpositionalkonstruktion «aber auf ganz eigne
Art», im zweiten erfüllt ein lang ausgezogener Satzteil dieselbe Aufgabe,
ein Wortkomplex, der sogar einen Nebensatz einschließt und in einer
Partizipialkonstruktion endet. Die Präpositionalkonstruktion «aber auf
eigne Art» hat als Gegenstück einen viel längeren Satzteil, nämlich «und
zwar wie nun entdeckt ist, in einer Spirale, sich immer mehr vom Mittelpunkt entfernend und nach äußeren Regionen hinkreisend». Die Kompli-
ziertheit des Satzteils weist darauf hin, wie schwierig es ist, die Makarien
eigene Art zu beschreiben. Dieser Satzteil stellt wissenschaftliche Erfahrung
auf knappste Weise dar; im letzten Teil des Satzes wird durch das Partizip-
Präsens die ganze Bewegung der Spirale näher bestimmt; der Satz selbst
führt vom Mittelpunkt zur äußeren Region. Auch dies vollzieht sich in
logischer Form: der eingeschobene Nebensatz «wie nun entdeckt ist»
kommt, der gedanklichen Entwicklung entsprechend, vor dem, was über
Makariens Wesen entdeckt worden ist. Die Beschreibung entspricht — selbst
der Form nach — wissenschaftlicher Methode. Der nächste Abschnitt unterstreicht dies:

«Wenn man annehmen darf, daß die Wesen, insofern sie körperlich sind,
nach dem Zentrum, insofern sie geistig sind, nach der Peripherie streben, so
gehört unsere Freundin zu den geistigsten; sie scheint nur geboren um sich
von dem Irdischen zu entbinden, um die nächsten und fernsten Räume des
Daseins zu durchdringen. Diese Eigenschaft, so herrlich sie ist, ward ihr doch
seit den frühsten Jahren als eine schwere Aufgabe verliehen. Sie erinnert sich
von klein auf ihr inneres Selbst als von leuchtendem Wesen durchdrungen,
von einem Licht erhellt, welchem sogar das hellste Sonnenlicht nichts anhaben
konnte. Oft sah sie zwei Sonnen, eine innere nämlich und eine außen am
Himmel, zwei Monde, wovon der äußere in seiner Größe bei allen Phasen sich
gleich blieb, der innere sich immer mehr und mehr verminderte [27].»

Der erste Satz, der den Leser mit Geist, Seele und Einbildungskraft dieser Frauengestalt vertraut gemacht hat, ist äußerst kompliziert. Ein sehr
tiefgründiges Thema wird darin trotz der Klarheit der Satzordnung eher
angedeutet als erklärt. Eine andere Erklärung folgt, die wieder in antithe-
tischer Struktur dargestellt wird. Der polare Gegensatz zwischen den körperlichen und geistigen Wesen wird noch einmal betont, obwohl kaum ein
Zweifel besteht, daß Makarie in der Tat zu den geistigsten Wesen gehört.
Der Abschnitt gipfelt wieder in der Darstellung des Gegensatzes zwischen

äußeren und inneren Sonnen, bzw. Monden. Tatsächlich ist der ganze Abschnitt vom Gegensatz zwischen «außen» und «innen», körperlich und geistig, nah und fern durchdrungen.

Im darauffolgenden Abschnitt wird der Kontrast zwischen den gewöhnlichen Dingen und der Bildung, eine Variation des Gegensatzes zwischen «Äußerem» und «Innerem», betont. Bei Makarie hat er sich zu einer fruchtbaren Wirkung entwickelt, so daß sie wie ein Engel ihres Weges dahin wandelt. Dieser Gegensatz erreicht wieder einen Höhepunkt, denn im letzten Nebensatz des folgenden Zitats lesen wir, wie sich das geistige Ganze zwar noch in dieser Welt befindet, aber immer mehr dem Übersinnlichen zuwendet.

«Diese Gabe zog ihren Anteil ab von gewöhnlichen Dingen, aber ihre trefflichen Eltern wendeten alles auf ihre Bildung; alle Fähigkeiten wurden an ihr lebendig, alle Tätigkeiten wirksam dergestalt, daß sie allen äußeren Verhältnissen zu genügen wußte und, indem ihr Herz, ihr Geist ganz von überirdischen Gesichten erfüllt war, doch ihr Tun und Handeln immerfort dem edelsten Sittlichen gemäß blieb. Wie sie heranwuchs, überall hülfreich, unaufhaltsam in großen und kleinen Diensten, wandelte sie wie ein Engel Gottes auf Erden, indem ihr geistiges Ganze zwar um die Weltsonne, aber nach dem Überweltlichen in stetig zunehmendem Kreise sich bewegte[28].»

Hier ist die Weltsonne den überweltlichen Kreisen gegenübergestellt. Dieser Höhepunkt wird auch sofort durch das Wort «Überfülle» gekennzeichnet, das den nächsten Abschnitt eröffnet; ihm folgen dann die konkreten Ausdrücke «tagen» und «nachten», welche eine weitere Polarität in sich schließen.

Der nächste Abschnitt lautet dann:

«Die Überfülle dieses Zustandes ward einigermaßen dadurch gemildert, daß es auch in ihr zu tagen und zu nachten schien, da sie denn, bei gedämpften innerem Licht, äußere Pflichten auf das treuste zu erfüllen strebte, bei frisch aufleuchtendem Innerem sich der seligsten Ruhe hingab. Ja sie will bemerkt haben, daß eine Art von Wolken sie von Zeit zu Zeit umschwebten und ihr den Anblick der himmlischen Genossen auf eine Zeitlang umdämmerten, eine Epoche, die sie stets zu Wohl und Freude ihrer Umgebungen zu benutzen wußte[29].»

Der erste Satz dieses Abschnittes wird durch Nebensätze, die von zwei Konjunktionen beherrscht sind, abgeschlossen. Sie bezeichnen zwei polar entgegengesetzte und doch wieder sich gegenseitig befruchtende Tätigkeiten. Die verbindende Konjunktion «und» betont die enge Beziehung zwischen ihnen. In diesem Satze werden äußere Pflichten mit einem gedämpften inneren Lichte in Verbindung gebracht, Pflichten, welche Makarie anscheinend nur dabei erfüllen kann. Bei aufleuchtendem Innern dagegen befindet sich nichts mehr in Bewegung, wie es das aktiv mit einem Infinitiv verbundene Tätigkeitswort «strebt» anzeigt; Makarie sucht einen Ruhezustand zu erreichen, siehe das Reflexivverb «sich hingab». Hier beherrscht ein Inneres das Äußere, denn jedesmal geht die mit «bei» beginnende Präpositionalkonstruktion dem Gang der Handlung voran. Der Gegensatz zwischen dem *Partizipium Praesentis* und dem *Partizipium perfecti* verstärkt diesen Eindruck. Im ersten Fall ist das Innere — wie das Partizipium — passiv in seiner Kraft gemindert, im zweiten Fall ist es — wie das Partizipium — aktiv und entfaltet sich um so stärker.

Dieser ganze Abschnitt ist eine Beschreibung des Gegensatzes zwischen ihrem «Außen» und «Innen»; denn die Dämmerung, die, wie in einem Nebensatz des letzten Satzes geschildert wird, dieses starke Erleben für alle Zeiten verhüllte und ihren Blick auf die Sternenwelt trübte, wird zu einer «Epoche». Diese jedoch wird dann zur fruchtbaren Tätigkeit für andere ausgenützt. Hier ist der Höhepunkt der Goetheschen Altersprosa erreicht und ein Stil geschaffen worden, den es in früheren Epochen nicht gab. Ein ähnliches Sprachbild vermitteln die beiden Spruchsammlungen «Betrachtungen im Sinne der Wanderer» und «Aus Makariens Archiv», wenn auch in viel knapperer Form. Goethe gelang es in seiner Altersprosa, äußerst verflochtene Beziehungen zu enthüllen, die sich indes erst bei genauerem Studium ergründen lassen; denn die Konzentration der Darstellung macht ein sofortiges Verstehen unmöglich [30].

Sprachliche Zusammenraffung von gehaltschweren Ereignissen — nicht nur in der rein geistigen Sphäre — herrscht auch im gesellschaftlichen Leben vor. In wenigen Worten wird Bedeutendes ausgedrückt. Der lakonisch berichtende Erzählstil erinnert an die Sprache in Goethes *Annalen*. Eine Stelle aus dem vierzehnten Kapitel des dritten Buches kann als einschlägiges Beispiel dieser Stilart dienen:

«Wir aber kommen nunmehr in den Fall, das Wichtigste zu eröffnen, indem ja alles, worüber seit so mancher Zeit die Rede gewesen, sich nach und nach gebildet, aufgelöst und wieder gestaltet hatte.

Entschieden ist also auch nunmehr, daß die Schöne-Gute sonst das nußbraune Mädchen genannt, sich Makarien zur Seite füge. Der im allgemeinen vorgelegte, auch von Lenardo schon gebilligte Plan ist seiner Ausführung ganz nahe; alle Teilnehmenden sind sich einig; die Schöne-Gute übergibt dem Gehülfen ihr ganzes Besitztum. Er heiratet die zweite Tochter jener arbeitsamen Familie und wird Schwager des Schirrfassers. Hierdurch wird die vollkommene Einrichtung einer neuen Fabrikation durch Lokal und Zusammenwirkung möglich, und die Bewohner des arbeitslustigen Tales werden auf eine andere, lebhaftere Weise beschäftigt.

Dadurch wird die Liebenswürdige frei, sie tritt bei Makarie an die Stelle von Angela, welche mit jenem jungen Manne schon verlobt ist. Hiemit wäre alles für den Augenblick berichtet; was nicht entschieden werden kann, bleibt im Schweben.

Nun aber verlangt die Schöne-Gute, daß Wilhelm sie abhole; gewisse Umstände sind noch zu berichtigen und sie legt bloß einen großen Wert darauf, daß er das, was er doch eigentlich angefangen, auch vollende. Er entdeckte sie zuerst, und ein wundersam Geschick trieb Lenardo auf seine Spur; und nun soll er, so wünscht sie, ihr den Abschied von dort erleichtern und so die Freude, die Beruhigung empfinden, einen Teil der verschränkten Schicksalsfäden selbst wieder aufgefaßt und angeknüpft zu haben[31].»

In einfachen Sätzen werden hier viele Ereignisse zusammengebracht; beinahe jeder berichtet über ein neues Geschehen. Man sagt darin zwar das Allernötigste ohne Umschweife, aber, wie die drei aufeinanderfolgenden Verben der ersten Sätze andeuten, geschieht alles keineswegs schnell, sondern entwickelt sich langsam und wird umgestaltet. Die Sätze beziehen sich auf einen weiteren Zusammenhang, der im letzten durch das Bild der verschränkten Schicksalsfäden, die aufgefaßt und angeknüpft werden, deutlich hervorgehoben wird.

Diese Vielfältigkeit der Sprache, die Vielstimmigkeit der Satzformen erinnert an *Werther*, wo auch verschiedene Anschauungen durch verschiedene Sprachweisen geformt werden. Aber was in *Werther* Zweistimmigkeit war, ist hier zu einer Vielstimmigkeit angewachsen.

*

Was auf die Sprache des Romans zutrifft, gilt auch für seine Struktur. Hier herrscht nicht straffe Ordnung; man bemerkt eine sich dahinschlängelnde Handlung, die — mit lose verbundenen Novellen zusammenhängend — durch Aphorismen bisweilen unterbrochen wird. Es ist falsch, das Werk als ein fest verknüpftes Ganzes zu sehen. Tatsächlich läßt sich darin keine genauere Planung erkennen. Der Versuch ist unternommen worden, eine tektonische, eine dynamische Ordnung zu finden[32]. Die tektonische Hypothese behauptet, daß die Novellen und Ereignisse sich um die Novelle «Der Mann von 50 Jahren» in einer Art symmetrischen Anordnung gruppieren. Die dynamische Hypothese geht vom Inhalt des Werkes aus — von der Beziehung zwischen Individuum und Gemeinschaft. Es ist eine Art Hegelsche Ordnung: die Thesis findet sich im ersten Buch: das Leben des Individuums wird betont. Im zweiten Buch wird die Gemeinschaft in den Vordergrund gestellt, während im dritten die Synthese auf einer höheren Ebene stattfindet. Keine dieser Hypothesen überzeugt. Es scheint, als ob sich eine genaue strukturelle Anordnung nicht herausarbeiten lasse. Für diese Auffassung spricht Goethes Gleichgültigkeit, mit der er die Frage behandelte, an welcher Stelle die Spruchsammlung *Aus Makariens Archiv* einzureihen sei[33]. Zusammen mit «Im ernsten Beinhaus» sollte sie zuerst am Ende des ersten Buches angehängt werden; da dieser Band aber abgeschlossen war, wurde sie an das Ende des dritten Buches gesetzt. Alles weist darauf hin, daß Goethe geneigt war, von einer strafferen Form abzusehen. Die Form, die er gewählt, muß solche Umstellungen gestatten, so wie sie erlaubte, daß der Roman am Ende durch knappere, teils nur andeutende Zusammenfassungen und Berichte abgeschlossen wurde. Goethe war nicht bestrebt, ein bis aufs einzelne durchkomponiertes Werk zu schaffen, in dem jeder Teil einen genau vorgesehenen Platz einnahm. Seine Absicht war allem Anschein nach eine andere. Es galt, ein buntfarbiges Bild des Lebens zu entwerfen, das alles von der leicht faßlichen Schilderung eines Geschehens bis zu den schwierigsten Gedankengängen umfassen konnte. Das bedeutet keineswegs, daß die verschiedenen Elemente unter sich ohne Zusammenhang seien. Ein äußerlich lockerer Zusammenhang läßt sich erkennen, wenn man die Bilder und Symbole, deren sich Goethe im Roman bedient, beachtet[34]. Diese deuten an: der Roman bilde ein engeres Gewebe, als man beim ersten Lesen vermuten konnte. Einheitlichkeit ist da, weil der Roman aus ein und derselben Anschauung zweifellos entstanden, jeder seiner Teile derselben Geistesepoche Goethes entsprungen ist.

Einer der Leitausdrücke Goethes ist das Wort «Bild». Es erhellt, welche Anschauung die Menschen voneinander haben. In den *Lehrjahren* konnte mit Hilfe dieses Wortes gezeigt werden, in welchem Maße Wilhelm sich zu einem reiferen Menschen entwickelt hat. In den *Wanderjahren* wird die andere Funktion dieses Bildes sichtbar. Viele der Personen des Romans leben auf einer höheren geistigen Ebene. Es ist ihnen geglückt, über ihre Gefühle klar geworden zu sein, nicht mehr von ihnen abgelenkt, sich andere Menschen adäquat vorzustellen. Nur gelegentlich, wie etwa im Falle von Lenardos Beziehungen zum nußbraunen Mädchen, ergibt sich diese Entwicklung aus der Unklarheit zur Klarheit. Zunächst kann er sich ihres Bildes nicht erinnern, später aber tritt ihm das Mädchen wieder vor die Augen und spornt ihn an, sie zu suchen. Am Ende ist ihm ihr Bild völlig klar und gegenwärtig.

Doch gibt es im Roman Stufen der Klarheit; eine weitere Steigerung des Innenlebens wird sichtbar, wenn die Wirkung Makaries beschrieben wird. Sie verklärt die Bilder, welche Wilhelm sich von seinen Freunden macht.

Aber nicht nur geistige Bilder, sondern auch die bildende Kunst kann durch ihre Macht auf das Innenleben eines Menschen einen bestimmenden Einfluß haben. Das Leben St. Josephs des Zweiten beweist, wie Gemälde den Lebensgang eines anderen Menschen formen können; diese, die das Leben des heiligen Joseph beschreiben, bestimmen seine Haltung und dadurch das Handeln des Zimmermannes. Das Kunstwerk kann also auf das Leben wirken, weil man es nun oft klarer als vorher sieht. Der Onkel weiß dies; deshalb verwendet er Bilder, um Gefühle und Einbildungskraft zur Genauigkeit zu erziehen. Man muß Gemälde würdigen lernen, die, von einer genauen Einbildungskraft Zeugnis ablegend, selbst aus der Gegenwart stammen. Es wird aber auch eine andere Anschauung vertreten. Bilder können den Menschen nicht völlig erziehen, weil ihnen eine seltsam distanzierende Beziehung zur Vergangenheit innewohnt.

Ein anderes Motiv, das hierher gehört, ist das Bild des Spiegels. Ästhetisches und geistiges Bewußtwerden ausdrückend[35], tritt es immer wieder in diesem Roman auf. Der Onkel «bespiegelt sich» in den Sprüchen, die er über der Tür seines Hauses einschreiben läßt. Sie erregen und versetzen die Seele in Schwingung, wie der Satz: «Aufmerksamkeit ist das Leben[36]» besagt. Ja, es ist geradezu die Aufgabe des Spiegels, Aufmerksamkeit zu erregen. Die Briefe der Tante sind für Lenardo eine Art Spiegel, der ihn seine Entwicklung klarer erkennen läßt. Ähnlich kann die Biographie oder das Porträt ein Spiegel des Geistes sein, indem hier die Aufmerksamkeit auf den dargestellten Menschen konzentriert wird. Aber auch die Gegenstände, die ihn umgeben, z. B., was er geschaffen hat, wirken oftmals wie Spiegel. Sie geben dem Gelehrten und dem Sammler die Möglichkeit, die Vergangenheit zu rekonstruieren und den Wirklichkeitssinn zu entfalten. Auch die Kunst wirkt wie ein Spiegel, aber sie konzentriert menschliches Erleben und Anschauen. Sie erschafft und sie erneuert, während die Tätigkeit des Sammlers und des Architekten konzentriert.

Das Bewußtsein des Betrachters wird durch das Bild des Spiegels nicht nur geweckt, sondern auch gesteigert. Wir sehen es ganz besonders, wenn ein mit Kunst eingerichteter Spiegel den Betrachter zur Distanz zwingt und dann anregt, der Natur mehr Aufmerksamkeit zu widmen[37]. Und wenn wir dies in der Kunst nicht direkt erleben, wird der Verlust ausgeglichen, denn ihr konzentriertes Bild berührt unsere Einbildungskraft noch stärker als die Natur selbst.

Der Spiegel kann auch eine moralische Funktion haben. Goethe stellt dies deutlich dar, wenn er Makaries Gabe und Geschick beschreibt, das Leben anderer zu beeinflussen; er gebraucht hier das Bild des Spiegels, um ihre moralische Macht zu enthüllen. Wir lesen, «daß jene Treffliche im Vorhalten eines sittlich-magischen Spiegels einem Unglücklichen durch die äußere, verworrene Gestalt sein reines schönes Innere gewiesen und ihn auf einmal erst mit sich selbst befriedigt und zu einem neuen Leben aufgefordert hat[38]». Makaries Worte und Persönlichkeit haben also ethische und magische Kräfte; ethisch, weil sie verborgene Probleme ins Bewußtsein zurückrufen; magisch, weil sie unsere Gefühle in feste Kanäle leiten, indem sie eine bestimmte Stimmung erzeugen. Dem Spiegel gelingt es also, ein moralisches Chaos zur Ordnung umzubilden. Er steigert die Macht der Einbildungskraft und verfeinert ihre Sensibilität, lehrt, unsere Beschränkungen und Fehler zu erkennen, vertieft aber auch die jeweilige Einsicht, indem er unser Erleben konzentriert. Deshalb konnte er vor Umwegen und Gefahren behüten; er kann aber auch etwas von «Verzerrung» enthalten, wovor Goethe uns in einer in «Aus Makariens Archiv» enthaltenen Maxime ausdrücklich warnt:

«Nichts wird leicht ganz unparteiisch dargestellt. Man könnte hier sagen: hievon mache der Spiegel eine Ausnahme, und doch sehen wir unser Angesicht niemals ganz richtig darin, ja der Spiegel kehrt unsre Gestalt um und macht unsre linke Hand zur rechten. Dies mag ein Bild sein für alle Betrachtungen über uns selbst[39].»

So sind Porträt und Spiegel Mittel, inneres Erleben äußerlich festzuhalten.

Häufig im Roman wiederkehrend und von wesentlicher Bedeutung ist das Bild des Wanderers. Hier finden wir im hohen Maße: Selbstverwirklichung und Bewegung. In diesem Bild wird der Impuls zum Wandern geschildert[40]. Es ist nicht überraschend, daß dieses Bild in den *Wanderjahren* — es erscheint schon im Titel — eine wesentliche Rolle spielt. Die Stelle, an der es zum ersten Mal auftritt, deutet an, wie es im Verlaufe des Erzählens gebraucht werden wird. St. Joseph der Zweite und seine Familie werden «sonderbare Wanderer[41]» genannt. Man liest, daß jener Mann fähig geworden sei, zu entsagen, weil er geistig bereit war, sich in den Wechsel zu fügen. Der wahre Wanderer kann nicht als ein Mensch betrachtet werden, der auf ein Ziel zuwandert, weil ihm der Weg selbst zum Ziel geworden ist. Er eignet sich äußere Erfahrungen an und erlebt sie innerlich noch einmal, eben weil das Wandern für ihn nicht äußerliches Dahintreiben, sondern inneres Werden bedeutet. Auf diese Weise reift der Mensch.

Das Wandern dieser Familie kennzeichnet ihr Wirken und verrät, daß sie auf jeglichen Wechsel eingestellt sei. Auch Wilhelms Entwicklung kann an Hand dieses Bildes gemessen werden. Am Anfang empfand der Zimmermann zwar jenes Verwandtschaftsgefühl, wie es ein Wanderer für seinesgleichen empfindet; die Geisteshaltung der beiden ist ähnlich. Doch besteht noch eine große Kluft zwischen ihnen, da Wilhelm — erst am Anfang seiner Wanderschaft — noch nicht wie ein echter Wanderer zu entsagen gelernt hat. Er sieht das Wandern noch von außen, wie man wohl aus seinem Brief an Natalie schließen kann. Dort bezeichnet er zwar das Wesen seiner Wanderschaft, aber er hat ihre Notwendigkeit noch nicht seelisch erfaßt. In gewisser Hinsicht ist er ein Wanderer nur, weil es ihm befohlen wurde. Deshalb beneidet er den Zimmermann, dessen innere Entwicklung schon viel weiter fortgeschritten sei.

Wilhelm trifft mehrere Menschen, die wahre Wanderer geworden sind. Er erfährt, daß deren Einbildungskraft weder zerstreut noch schrankenlos geworden ist. Als er Makarie kennenlernt, kann er dieser Erfahrung nur im Traum Ausdruck geben, wo Makarie in Bewegung, im Wandel erscheint, was Wilhelm an das Bild eines zum höchsten Fluge fähigen Vogels erinnert. In der pädagogischen Provinz ist die Bewegung auch erkennbar, und zwar am Anfang der beiden Berichte. Goethe zeigt an diesen Stellen, daß man sein Wirken begrenzen lernt, sobald man sich des Wechsels bewußt wird. Man lernt es um so leichter, wenn man als Leser den oft im Roman hervorgehobenen Gegensatz erfaßt zwischen dem Strom der Geschäfte, der in dem Bild des Wanderers versinnbildlicht ist, und dem ruhigen, geplanten Leben, wie es das Bild einer gutangelegten Stadt oder einer umsichtig angelegten Galerie andeutet.

Verschiedene Tätigkeiten werden einander gegenübergestellt, die jedoch auch aufeinander wirken, denn das Werk des Sammlers, der im Bewahren seiner Aufgabe findet, ist für die Wandernden von Nutzen. Lenardo entwickelt das Motiv des Wanderns im Gegensatz zu den fest ansässigen Webern, die als symbolisch für das im Raume beschränkte menschliche Streben gelten mögen. Der polare Konflikt zwischen Wandern und Verharren wird gestaltet. Einerseits will sich der Mensch niederlassen und einen Sinn für Besitz und Tradition erwerben, andererseits reizt es ihn, zu neuen Fahrten aufzubrechen. Er muß erkennen, daß es notwendig ist, Tradition zu erhalten, aber auch zu verwandeln. Die Seßhaften, wie traditionsverfangen sie auch sein mögen, wünschen Beweglichkeit und Wechsel. Ein Wanderer muß sich der Weltbewegung anpassen. Wilhelm gelingt es; als ein wahrer Wanderer hat er gelernt, wie man innerhalb eines begrenzten Bereiches wirken kann, ohne an seelischer Beweglichkeit einzubüßen. Am Ende des Romans pflückt er die reife Frucht der Entsagung, indem er seinem schwer verunglückten Sohn hilft; denn gerade im Berufe des Arztes, in dem der Mensch der Unbeständigkeit des Lebendigen gegenübersteht, kann ein Wanderer Erfüllung finden. Die Funktion des «Wanderer»-Bildes also ist mit demjenigen des Spiegels, das ähnliches erwirkt, enger verknüpft, als man zunächst hätte vermuten können.

Wandern ist ein Motiv, das Veränderungen andeutet. Sie könnten leicht zur Zerstörung des Bestehenden führen, wenn nicht auch Gegenkräfte — in einem anderen Bild fixiert — zum Vorschein kämen; diese als «Kette» und «Faden», durch welche die Menschen miteinander verbunden sind, symbolisiert. Manchmal wird das Wort selbst erwähnt, manchmal wird es umschrieben. Dieses Bild erscheint häufiger gegen Ende des Romans. Zuerst in Wilhelms Brief an Natalie, es bezieht sich auf die Verbindung zwischen diesen beiden Menschen. Wenn es später auftritt, wirft es Licht auf Beziehungen zwischen mehreren Menschen, zwischen dem einzelnen und der Gemeinschaft. Wilhelm hört es von dem alten Freund, dem Sammler, der zwar, seit vielen Jahren sein Haus nicht verlassend, dem Leben keineswegs fernsteht. Der Sammler weiß um die Verbindungen und Zusammenhänge, die das Leben des Menschen ineinander verweben. Sein Wirken ist eigentlich realistischer als die Unrast vieler Tatmenschen.

Erkenntnis wird nicht leicht errungen. Es fällt zum Beispiel dem Major schwer, aus der Verwirrung zur Tat überzugehen. Andererseits werden in der Auswanderergesellschaft die verschiedensten Personen mittels dieses Bildes als Angehörige derselben Gemeinschaft beschrieben. Selbst Philine, die unnützeste von allen, kann ein nützliches Mitglied dieser Gruppe werden. Ein ähnliches Bild wird für Lenardo, den Führer der Gruppe, verwendet. Der Titel, «das Band», kennzeichnet seine Aufgabe, die verschiedenen Mitglieder der Gruppe wieder zusammenzubringen.

Verbinden und Trennen, Trennen und Verbinden, das ist das Werk des Lebens. Um etwas zu verstehen, müssen wir uns von Gegenständen — und Begriffen — lösen; dann werden die einzelnen Teile wieder mit anderen verbunden; ihre Verbindung mit dem Ganzen muß durchschaut werden. Wilhelm soll es als seine Aufgabe betrachten, ein unentbehrliches Mitglied der Gesellschaft zu werden. Allerdings besteht auch Gefahr, daß durch Zusammenbruch eines Gliedes der Kette das Ganze vernichtet wird. Aus dem Ganzen hört man Goethes Glauben heraus, daß der vom Glück begünstigte gute Mensch anderen nützen könne; so darf Wilhelm auch Lenardo und der Schönen-Guten helfen. Selbst wenn gewisse Organismen sich auflösen, werden andere daraus Nutzen ziehen.

In diesem Geflecht von Bildern gibt es noch andere, die in diesem Zusammenhang betrachtet werden müssen. Kästchen und Schlüssel, beide sind von großer, wenn auch unklarer Bedeutung[42]. Diese Gegenstände werden unter geheimnisvollen Umständen gesehen. Sie erscheinen Felix geheimnisvoll und werden aus dem Riesenschloß geraubt. Felix gibt das Kästchen nachdenklich an Wilhelm weiter und fällt danach in einen tiefen Schlaf, was bei Goethe oft Verwandlung einer Daseinsebene in eine andere bedeutet[43]. Kurz darauf verliebt er sich in Hersilie, aber er ist zu einer dauernden Verbindung noch nicht reif. Seine Leidenschaft bewirkt, daß er den Schlüssel zerbricht. Das Kästchen-Schlüssel-Motiv drückt hier, wie später in der Melusinen-Novelle, die Disharmonie zwischen den Liebenden aus, nur daß es sich im Falle Felix-Hersilie, im Gegensatz zum Märchen, nicht um zwei Menschen aus verschiedenen Welten handelt. Erst wenn Felix reifer und Hersilies Neigung eindeutig geworden ist, könnten sie zueinander finden. Dies wird wahrscheinlich erst geschehen, wenn Felix vom Stalljungen zum Stallmeister aufgerückt ist, also gelernt hat, seine Triebe ein wenig zu bändigen; wenn auch der Schlüssel zum Kästchen gefunden ist, was bedeutet, daß Felix Eingang in die reifere Welt Hersilies erlangt habe. Das Symbol kann auch noch anders interpretiert werden. Eine psychoanalytische Deutung ist gewiß berechtigt; Schlüssel und Kästchen wären dann offensichtlich sexuelle Symbole, auch lassen sie sich als Symbole der Vereinigung verschiedenen Sphären im Leben deuten. Darüber hinaus ist das Kästchen noch mit anderen Bedeutungskreisen verknüpft. Hier darf an die Beziehung zwischen dem Kästchen und dem Gestein des Riesenschlosses gedacht werden. Jenes deutet wohl auf ein Geheimnis hin, das dem Gestein — als Urgrund des Lebens — innewohnt. Das Mysterium des Kästchens ist zudem eine Spiegelung des Lebensgeheimnisses selbst.

Ein anderes Bildfeld, das dem Wanderer nahesteht, ist dasjenige des Pferdes[44]. St. Joseph bewegt sich auf ruhiger Grundlage, reitet nicht auf einem Pferde, sondern auf einem Esel. Bei ihm geht das Leben einen gelassenen Gang, nicht in jenem Galopp, den wir in der Novelle *Wer ist der Verräter?* dargestellt finden. Bildung besteht darin, seine Triebe zu zähmen; es ist die Aufgabe des Pädagogen der Provinz, die Zöglinge zu lehren, nicht nur die wilde, gewissermaßen rohe Beschäftigung, Pferde zu nähren, sondern als Ausgleich die zarteste Aufgabe der Welt, «Sprachübung und Sprachbildung[45]». Felix lernt zugleich reiten und schreiben, um immer mit Hersilie korrespondieren, immer zu ihr eilen zu können. Felix stürzt zweimal vom Pferd, zuerst auf dem Gut des Oheims, dann als er Wilhelm am Ende übereilig nachreitet. Beide Male hat er seine Triebe noch nicht gemeistert; in Makaries Bericht ist von keinem Pferd die Rede. Sie lebt in einer Welt, wo die Triebe nicht herrschen. Geistiger Wandel und triebhaftes Leben schließen sich gegenseitig aus.

Es würde zu weit führen, hier alle Bilder des Romans zu untersuchen. Denn es ist klar: aus diesem Geflecht einiger wesentlicher Bilder ist ein Zusammenhang geschaffen worden, welcher eine tiefliegende Einheit des Romans verrät. Zugleich deuten diese Bilder das eigentliche Prinzip der ganzen Struktur an. Die Bilder des Porträts und Spiegels können uns hier einen Hinweis geben. Man kann die verschiedenen Novellen in der Tat als Porträts betrachten, aber auch zugleich als Spiegel, welche gewisse dichterische Bilder aus der Sphäre des Verfassers reflektieren. Goethe spricht von diesem Verfahren:

«Da sich gar manches unseren Erfahrungen nicht rund aussprechen und direkt mitteilen läßt, so habe ich seit langem das Mittel gewählt, durch einander gegenüber gestellte und sich gleichsam ineinander abspiegelnde Gebilde den geheimeren Sinn dem Aufmerkenden zu offenbaren [46].»

Die Wechselwirkung der Novellen und der Rahmenerzählung besteht darin, daß die Novellen auf das Leben der Hauptcharaktere einwirken. Als Wilhelm Natalie die Geschichte jenes St. Joseph berichtet, schreibt er:

«Wenn es nicht ganz seine Worte sind, wenn ich hie und da meine Gesinnungen bei Gelegenheit der seinigen ausgedrückt habe, so war es bei der Verwandtschaft, die ich hier mit ihm fühlte, ganz natürlich» [47].»

Auf diese Weise lernen wir Wilhelm besser kennen. Auch über Hersilie erfahren wir mehr durch die Erzählung *Die pilgernde Törin*; sie bietet gewissermaßen nur ein Porträt, durch das verschiedene Aspekte der Charaktere sich offenbaren; wie es die Worte Hersilies andeuten, als sie zu Wilhelm sagt: «aber wenn ich jemals närrisch werden möchte, wie mir manchmal die Lust ankommt, so wär' es auf diese Weise [48].»

Die Verbindung zwischen der Haupthandlung und den dazwischen eingefügten Nebenhandlungen ist enger, als man beim ersten Lesen vermuten würde. Diese Erzählungen können als Parallelgeschichten bezeichnet werden [49] nach einem Satz aus *Die Unterhaltungen der deutschen Ausgewanderten* «Ich liebe mir sehr Parallelgeschichten: Eine deutet auf die andere hin und erklärt ihren Sinn besser als viele trockene Worte [50].» Der letzte Aphorismus, den wir in «Aus Makariens Archiv» finden, bestätigt diese künstlerische Intention:

«Wer lange in bedeutenden Verhältnissen lebt, dem begegnet freilich nicht alles, was dem Menschen begegnen kann, aber doch das Analoge, und vielleicht einiges, was ohne Beispiel war [51].»

Die Methode der Analogie ist das «Strukturprinzip» des Romans. Das Betrachten dichterischer Bilder steigert unser menschliches Bewußtsein. Spiegel und Bild liefern Beispiele für dieses Prinzip der Analogie. Die Gestalten des Romans befinden sich Geschehnissen gegenüber, die ihren eigenen Erlebnissen analog sind. Zur gleichen Zeit aber beschreiben andere Erzählungen Begebenheiten, die außerhalb ihres Erlebnisbereiches liegen. Auf diese Weise erweitert Wilhelm seinen geistigen Horizont: was ihm nicht möglich gewesen wäre, hätte er nur persönliche Begegnungen mit anderen gehabt. Dadurch aber besitzt er nun ein Kriterium, an welchem er seine Erfahrung überprüfen kann.

Die komplizierte Form der Darstellung läßt sich auch beim Erzähler erkennen, der in den *Wanderjahren* eine wesentliche Rolle einnimmt. Wir sahen schon, daß er sich zunächst sehr zurückhält und deshalb seine Einwirkung kaum zu bemerken ist. Nur bei genauerer Betrachtung erkennt man, daß er doch gelegentlich in den Gang der Erzählung eingreift. Dies läßt den aufmerksamen Leser hinhorchen.

Wilhelm erblickt unversehens St. Joseph und seine Familie, nichts war «natürlicher, als daß ihn dieses Gesicht aus seinen Betrachtungen riß[52]». Solche Bemerkungen lassen vermuten, daß der Erzähler weiß, was Wilhelms Geistesleben und Wesen angemessen ist, welches Geschehen notwendigerweise den Gang seines Denkens verändern muß. Die Zurückhaltung des Erzählers ist eher scheinbar als wirklich; weist er doch auf Ebenen hin, die ohne direkten Hinweis dem Blick des Lesers entrückt blieben. Je weiter die Romanhandlung fortschreitet, desto klarer erkennt man, daß der Erzähler eine immer stärkere Position einnimmt. Z. B. wenn er sagt, er werde das Gespräch mit Wilhelm und Montan nur «skizzenhaft wiederliefern[53]», gibt er zwar keine Gründe dafür an; aber im Verlaufe des Romans wird man sich immer mehr bewußt, daß er dem Leser nur Auszüge aus einem weitreichenden, viel bedeutenderen Geschehen mitteilt. Kurz nach dieser Bemerkung wird das klar erkennbar, wenn der Erzähler die Spannung dadurch zu erregen sucht, daß er vorgibt, nicht zu wissen, zu welchem Zweck Wilhelm ein Gerät braucht, «das halb wie eine Brieftasche, halb wie ein Besteck aussah, und von Montan als ein Altbekanntes angesprochen wurde[54]». (Es handelt sich um die Tasche und das Besteck des Wundarztes.) Dieser Eingriff des Erzählers hat zur Folge, daß man jener Stelle besonderes Gewicht zumißt. Auch ersieht man, daß der Erzähler den Gang der Wiedergabe doch bestimmt, indem er gewisse, ihm wesentlich erscheinende Momente betont. Derartige Eingriffe wiederholen sich. Wir hören, daß er nicht berichten will, wie sich Flavio allzu stürmisch der schönen Witwe genähert hat; angeblich aus Furcht, es könne ihm, dem Erzähler, «die jugendliche Glut ermangeln[55]», oder geradezu bekennt, er sei beunruhigt und frage sich, ob nicht Hilarie und Flavio sich bei der gemeinsamen Fahrt in zu große Gefahr begäben. Jedesmal wird unsere Aufmerksamkeit auf das von ihm erwähnte Geschehen gelenkt.

Ferner ist Ironie ein Hilfsmittel, das Geschehen in einem geselligen Ton zu erhalten. Immer wird zur rechten Zeit eingehalten, bevor es zu einem Verstoß gegen die guten Sitten kommen könnte. Als z. B. der Major Verse Ovids übersetzt, entsteht eine lustspielartige Lage. Es wird beschrieben, wie Arachne, eine ebenso geschickte wie hübsche und zierliche Weberin, durch die neidische Minerva in eine Spinne verwandelt wurde. Er muß nun befürchten, daß die schöne Witwe hier eine Analogie auf sich selbst erblicken könnte, und die Erzählung wird in dem kritischen Moment abgebrochen, teils damit sie nicht zu belastet wird, teils damit nicht mitgeteilt werden muß, wie unser Freund sich aus einer solchen Verlegenheit gezogen hat. So endet die Erzählung dieses Ereignisses mit der ironischen Entschuldigung, es sei ein Fall, über welchen die Musen sich wohl die Schalkheit erlauben dürften, einen Schleier zu werfen.

Dieser ironische Ton schafft Distanz, was der Erzähler jedenfalls wünscht. Auf diese Weise kann er das Geschehen in eine andere Perspektive stellen. Es wird dem Leser immer klar gemacht, daß man ihm nur einen Teil des Geschehens mitteilt. Der Erzähler spielt dann den Redaktor, der mit einigem Unwillen eine Stelle gerade noch durchgehen läßt. Wie er die Hauptmomente[56] berichtet und bereit ist, nur das Wichtigste zu eröffnen, so hat er den Brief, den er unter vielen ihm anvertrauten Papieren gleichfalls vorgefunden, nicht zurückhalten können.

Wie in den *Wahlverwandtschaften* spricht der Erzähler durch sentenzenhaft anmutende Sätze, welche die Bedeutung allgemeingültiger Gesetze zu besitzen scheinen. Diese weisen in den *Wanderjahren* keine besonderen Eigenheiten auf, die sie vor ähnlichen Sätzen in den anderen Romanen voraus hätten. Dagegen unterscheidet sich die Ironie hier doch in manchem von derjenigen in den *Lehrjahren*. War sie in den *Lehrjahren* eine Folge der Kritik an Wilhelms mangelndem Wirklichkeitssinn, so ist die Ironie in den *Wanderjahren* weniger gegen Wilhelm selbst gerichtet; denn das Interesse des Lesers ist ja nicht im selben Maße auf diesen konzentriert. Vor allem aber ist der Held reifer geworden, so daß der Erzähler gelegentlich ihn nur mit Ironie behandelt, z. B. bei seiner enthusiastischen Rede zugunsten der Anatomie. Hauptsächlich gilt diese, allerdings meist zurückhaltend geübt, anderen Gestalten: dem Herrn von Revanne, Lucidor, Lucinde, dem Oheim, dem Major und Flavio. In der Novelle «Die schöne Melusine» ist es allerdings manchmal nicht klar, ob der Erzähler des Romans sich ironisch äußert oder nur derjenige, der uns die Novelle mitteilt. Ironie ist gegen diejenigen Gestalten gerichtet, die noch nicht gereift sind; denn vor wahrhaft reifen Menschen, wie etwa Makarie, verstummt sie, und ein ehrfurchtsvoller, aber nicht pathetischer Ton herrscht vor. Die verständnisvolle Haltung des Erzählers, seine sanft angedeutete, feinfühlige Kritik, die weisen Formulierungen lassen erkennen, daß er mit Überlegung und Einsicht auf das Getriebe des Lebens schaut und das Nebeneinander verschiedener Gesichtspunkte anzuerkennen weiß. Sogar die Perspektiven des Romans, die nur der Erzähler eröffnet, werden einer Kritik unterworfen. Ja, man erkennt, daß die Ironie des Erzählers auch gegen sich selbst so gut wie gegen sein Publikum gerichtet ist. So lesen wir am Anfang des dritten Kapitels im zweiten Buch — Wilhelm hat sich aus der pädagogischen Provinz entfernt, und die Novelle «Der Mann von fünfzig Jahren» wird erzählt:

«Der Angewöhnung des werten Publikums zu schmeicheln, welches seit geraumer Zeit Gefallen findet sich stückweise unterhalten zu lassen, gedachten wir erst, nachstehende Erzählung in mehreren Abteilungen vorzulegen. Der innere Zusammenhang jedoch, nach Gewinnungen, Empfindungen und Ereignissen betrachtet, veranlaßte einen fortlaufenden Vortrag. Möge derselbe seinen Zweck erreichen und zugleich am Ende deutlich werden, wie die Personen dieser abgesondert scheinenden Begebenheit mit denjenigen die wir schon kennen und lieben aufs innigste zusammengeflochten worden [57].»

Der Berichterstatter nimmt hier von der Erzählweise, wie er sie an anderen Stellen des Romans verwendet hat, Abstand. Ähnliche Eingriffe sind erkennbar, wenn er sich genötigt fühlt, den Bericht dem Ende zuzuführen und dazu den Wandel in der Art seines Erzählens kommentiert:

«Unsere Leser überzeugen sich wohl, daß von diesem Punct an wir beim Vortrag unserer Geschichte nicht mehr darstellend, sondern erzählend und betrachtend verfahren müssen, wenn wir in die Gemütszustände, auf welche jetzt alles ankommt, eindringen und sie uns vergegenwärtigen wollen [58].»

Am krassesten kommt eine derart ironische Selbstkritik in der Zwischenrede zum Vorschein, worin der Erzähler durch das überlieferte Kommentar nicht nur den Leser auf den verstrichenen Zeitraum hinweist, sondern ihn auch auf die in den darauf folgenden Kapiteln stattfindende Rückkehr nach der pädagogischen Provinz vorbereitet; und außerdem das «Wie» seiner Erzählung in diesem Buch charakterisiert. Die Zwischenrede fällt ungefähr in die Mitte des Romans. Dadurch wird zugleich angedeutet, daß seine äußere Anordnung (die Einteilung in drei Bücher) nicht das einzige Merkmal der Struktur sei; und ferner eine zu genaue Anordnung nicht erwartet werden darf, daß man sich vielmehr auf das Prinzip der Analogie als wesentlichstes Strukturprinzip verlassen müsse.

Dieses Strukturprinzip ermöglicht es, den Blick des Lesers nicht nur auf eine einzige Person zu lenken, sondern mehrere Gestalten in ihrer Entwicklung und ihren Beziehungen gegeneinander zu schildern. Diese sind übrigens keineswegs so intensiv verflochten, wie es in den *Wahlverwandtschaften* der Fall ist. Aber diese stellen auch einen tragischen Sonderfall dar; sie wurden wohl deshalb nicht, wie geplant, in die *Wanderjahre* aufgenommen. Die *Wanderjahre* aber eröffnen einen viel weiter angelegten Lebensbereich, wobei die lockere Form der Darstellung adäquat sein dürfte. Der Mensch wird in seiner Vielfalt dargestellt; das zeigen allein die Themen, die in diesem Werk gestaltet wurden.

*

Die Handlung ist am Anfang und Ende von einem Bild der Natur eingerahmt. Es wird ihr also eine bedeutende Rolle zugewiesen. Welcherart ist nun dieses Bild?

Enge Verbundenheit besteht zwischen Natur und Geschehen. Wilhelm und Felix halten sich der Natur gegenüber verschieden. Charakter und Lebensstufe beider wird hier deutlich; einerseits Wilhelm, der nur schaut und nicht handelt[59], andererseits Felix, der — noch auf einer anderen Lebensstufe — sich nicht durch Schauen, sondern durch Suchen und Handeln der Natur zu nähern sucht. Wilhelms Aufnahme der Landschaft des Gebirges ist nach innen gerichtet; sie steht im Gegensatz zu Felix' spontaner Reaktion, wie sie seiner Jugend entspricht. Die Landschaft wirkt sich bei Wilhelm verspätet aus. Er sieht es an seiner Beziehung zu Natalie; er ist nämlich auf der Wasserscheide angelangt, auf der Höhe des Gebirges, «das eine mächtigere Trennung zwischen uns setzen wird, als der ganze Landraum bisher[60]». Doch Wilhelm erkennt, daß die Landschaft zwar eine einschneidende Wirkung haben kann, daß es für den Menschen aber möglich ist, durch innere Kraft diese Wirkung zu überwinden.

Derartige Naturbilder wiederholen sich. Die Orte, an denen sich das Geschehen entfaltet, werden von Goethe in eine genau geschilderte Lokalität gestellt. Wir lesen von dem Klostergebäude, das mitten in einer Landschaft liegt, dem Wiesenpfad, von dem aus wir das Gebäude betrachten können. Wir lesen, wie St. Joseph Frau Elisabeth im Gebäude trifft, wie die Kinder und Wilhelm Fels und Gebirge besteigen. Jarno erlaubt seinen Freunden, die Aussicht von oben aus zu genießen, so daß sie Berge, Seen, Flüsse und eine freundliche Gegend in der Ferne wie ein Meer ausgebreitet vor sich sehen. Der Besuch auf dem Besitz des Oheims führt Wilhelm in eine andere Landschaft; auch sie ist unabsehbar, aber diesmal reichlich bebaut und bepflanzt, so daß man Täler und Flüsse deutlich unterscheiden kann. In der Art der Landschaft wird schon der Gegensatz zwischen der Welt Jarnos und derjenigen Josephs sichtbar. Während dieser inmitten eines angenehmen Tales sein Leben verbringt und sein Weg ihn höchstens über mittlere Berge führt, lebt jener auf der Höhe eines großen Gebirges, wo sein unabhängiger Blick weit umherschweifen kann. Indem er so auf dem frühesten Gestein der Welt weilt, wird sein weitreichender Blick, der Wunsch, das Wesentliche zu ergründen und zu erschauen, bildhaft dargestellt. Für den stets planenden Onkel gilt indes eine andere Lebensweise. Deshalb ist alles in der Landschaft seines Gutes fest und geordnet.

Die Natur kann auch eine andere Funktion haben, indem sie die Gefühle unseres Innern widerspiegelt. Dies geschieht, als Lucidor glaubt, Lucinde verloren zu haben; der Palast, ja selbst der Park erscheinen ihm zu eng; er eilt ins weite Feld, um seine innere Natur von Zwang und Bedrückung zu befreien. Der Kampf in seiner Brust wird sichtbar, indem zwar die Natur immer noch herrlich erscheint, eine innere Stimme ihm aber unablässig die äußere Welt verleidet. Erst nachdem er Lucinde gewonnen, ist er wieder harmonisch mit der Natur verbunden. Lucidor — noch jung — erlebt eben unmittelbar. Im Gegensatz zu anderen Personen des Romans hat er bislang keine Reife, keine ausgeglichene Haltung zur Natur gewonnen. So dient die Einstellung zur Natur auch als Gradmesser der inneren Entwicklung.

Das sieht man auch im Falle Makaries. Ihre Beziehung zur Natur ist allerdings anderer Art. Beim Besuch auf ihrem Gut wird nur wenig über die Landschaft selbst ausgesagt. Der Leser vernimmt, es sei eine angenehme Gegend, ihr Haus stehe zwischen Buchen- und uralten Eichenstämmen. Aber Makarie kann nicht nur durch die sie umgebende Landschaft versinnbildlicht werden; um ihrer Persönlichkeit gerecht zu werden, ist Erhabeneres, Größeres notwendig. Deshalb wird sie in Beziehung zum Weltall gesehen, zu dem sie allerdings in einem höchst sonderbaren Verhältnis steht.

Am Anfang des zweiten Buches, das den Eingang in die pädagogische Provinz beschreibt, wird die Fruchtbarkeit der Ideen, die in der pädagogischen Provinz Gestaltung gefunden haben, dadurch angedeutet, daß jene ertragreichen Gegenden kurz beschrieben werden, welche die Wallfahrenden nach dem Überschreiten der Grenze betreten. Dasselbe geschieht beim zweiten Besuch in der pädagogischen Provinz. Die Landschaft läßt ihren Zweck ahnen, indem die Fruchtbarkeit des pferdenährenden Wiesengrundes hervorgehoben wird.

Auch Erotisches wird durch die Landschaft vermittelt: das Aufblühen der Liebe des Majors zu Hilarie wird anläßlich des Frühlings in seinem Garten verständlich gemacht. Ebenfalls findet das erotische Wesen Mignons, von dem berichtet wird, in der Landschaft des Lago Maggiore eine entsprechende Welt.

Die Natur kann aber auch zur Vernichtung des Lebens führen: die Vorliebe des Knaben für das Wasser, für die ganze Natur, schlägt plötzlich um, als er hört, daß sein Freund und dessen Brüder ertrunken sind. Ähnliches vollzieht sich am Ende des Romans. Im Gegensatz zum Naturbild des Anfangs befindet sich Wilhelm nicht auf einer Bergeshöhe, sondern in einem Tal: er ist auf einem Schiff, das über einem Fluß dahinfährt. Aber auch hier ist keine völlige Ausgeglichenheit zu finden. Das Ewig-Wandelbare kann das liebliche Bild schnell verändern. Die Natur bietet dazu die Möglichkeit. Felix' Unbedachtheit führt zum Unglück: er stürzt vom Lei-

nenpfad herunter. Es ist die Aufgabe des Menschen, dem Gräßlichen gewisser Naturvorgänge die Macht zu rauben; so rettet der Schiffer Felix
aus den Fluten; Wilhelms ärztliche Kunst bringt ihm das Leben zurück. Er
wird wiederhergestellt, und seine «Wiedergeburt» erinnert daran, daß der
Mensch das Ebenbild Gottes sei. An diesem Geschehen sieht man, daß die
innere Natur des Menschen und die äußere Natur denselben Gesetzen gehorchen.

> *Natur hat weder Kern*
> *noch Schale*
> *Alles ist sie mit einem Male* [61].

Daher erinnert dieses Geschehen an die zentrale Frage in den *Wahlverwandtschaften*: Wieweit ist es dem Menschen möglich, sich der Natur anzupassen oder über sie Herr zu werden. Von dem Grade der Bemeisterung
der Natur hängt es ab, ob ein Mensch fruchtbar wirken kann:

«Mir wird, je länger ich lebe, immer verdrießlicher, wenn ich den Menschen
sehe, der eigentlich auf seiner höchsten Stelle da ist, um der Natur zu gebieten,
um sich und die Seinigen von der gewalttätigen Notwendigkeit zu befreien;
wenn ich sehe, wie er aus irgendeinem vorgefaßten Begriff gerade das Gegenteil
tut von dem, was er will, und sich alsdann, weil die Anlage im Ganzen verdorben ist, im Einzelnen kümmerlich herumpfuschet [62].»

Der Mensch muß versuchen, seinem Leben eine Richtung zu geben, die
ihn befähigt, sich als Individuum voll und ganz zu entwickeln. Im Gespräch zwischen Makarie und Wilhelm wird ähnliches gesagt: Der Mensch
habe von Natur aus «keinen Fehler, der nicht zur Tugend, keine Tugend,
die nicht zum Fehler werden könnte [63].» Tugend, die zum Fehler wird, ist
besonders bedenklich. Es wird am Beispiel Lenardos besonders deutlich,
dessen hypersensible Gewissenhaftigkeit in grillenhafte Schwäche aus-
artet. Er glaubt irrtümlicherweise, die Tochter des Pächters verletzt zu
haben und weigert sich darum, nach Haus zurückzukehren; dabei ist seine
Besorgnis grundlos. Hier ist eine Naturanlage nicht dem Ganzen untergeordnet; sie hat die Schranken übertreten, wirkt sich daher störend und
schädlich aus.

Auf längere Dauer jedoch kann nichts gegen die Natur unternommen
werden. Sie behauptet immer wieder ihre Rechte [64]. Der Mensch kann zwar
die Natur meistern, indem er mit ihr geht, aber nicht, wenn er gegen sie
handelt. Dies entspricht Goethes Überzeugung, daß die Natur als ewig
tätige Kraft auftritt, eine Kraft, die aber keineswegs ins Leere plant, sondern nach festen Gesetzen das Gleichgewicht aufrechterhält. Um dies zu
erreichen, wird eine dauernde Bewegung vorausgesetzt:

«Die Natur tut nichts umsonst, ist ein altes Philisterwort. Sie wirkt ewig lebendig, überflüssig und verschwenderisch, damit das Unendliche immerfort gegenwärtig sei, weil nichts verharren kann[65].»

Eines dieser Gesetze ist, daß der Mensch von Natur aus zum Nachahmen veranlagt ist. Es ist natürlich, daß er leisten will, was er leisten kann; das Natürliche aber wäre, daß der Sohn des Vaters Beschäftigung ergriffe.

«Hier ist alles beisammen, eine vielleicht im Besonderen schon angeborene, in ursprünglicher Richtung entschiedene Fähigkeit, so daß eine folgerecht stufenweis fortschreitende Übung und ein entwickeltes Talent das nötigte, auch alsdann auf dem eingeschlagenen Wege fortzuschreiten, wenn andere Triebe sich in uns entwickeln und uns eine freie Wahl zu einem Geschäfte führen dürfte, zu dem uns die Natur weder Anlage noch Beharrlichkeit verliehen[66].»

Es liegt in der Naturanlage des Menschen, seine Kraft auf ein mögliches Feld zu lenken; beide, Lenardo und Wilhelm, lernen, im Einklang mit der Natur zu handeln, die ihnen gewisse Gaben geschenkt hat; durch sie wird Lenardo Leiter des Bundes, Wilhelm Arzt. Mit Jarno ist es ähnlich; seine analytische Forschungsgabe führt ihn zu besonderen Aufgaben; als Wissenschaftler, als Ratgeber nützt er anderen. Sein Skeptizismus entwickelt sich nicht zu einer verfehlten Anlage, führt ihn jedoch zu einer nüchternen, aber verständigen Betrachtung von Welt und Natur, die ihn die großen Gesetze erlernen läßt, auf welche alles ankommt, wie er in der bekannten Aussage über Tun und Denken behauptet:

«Denken und Tun, Tun und Denken, das ist die Summe aller Weisheit, von jeher anerkannt, von jeher geübt, nicht eingesehen von einem jeden. Beides muß wie Aus- und Einatmen sich im Leben ewig fort hin und wider bewegen; wie Frage und Antwort sollte eins ohne das andere nicht stattfinden. Wer sich zum Gesetz macht, was einem jeden Neugebornen der Genius des Menschenverstandes heimlich ins Ohr flüstert, das Tun am Denken, das Denken am Tun zu prüfen, der kann nicht irren, und irrt er, so wird er sich bald auf den rechten Weg zurückfinden[67].»

Später wird Jarno in den Kreis Makariens aufgenommen; denn Naturerlebnis und Wirkungskraft werden für ihn fruchtbar. Für St. Joseph gilt dasselbe; er findet in der Arbeit Aufgaben, die seinen naturgegebenen Kräften entsprechen. Diesen sich völlig widmend, erntet er reiche Früchte. Der Oheim und der Sammler stehen auf ihre Weise der Natur nicht feindlich gegenüber; durch ordnungsgemäße Einrichtung seines Gutes, die sich an der Bepflanzung der Landschaft ablesen läßt, führt der Oheim ein beispielhaftes Leben. Der Sammler hat er ein ähnliches Verhältnis zur Natur. Er weiß, daß es wesentlich ist zu entdecken, welche Kräfte in jedem Menschen schlummern, «wo seine Natur eigentlich hinstrebt[68]»; Aufgabe der Pädagogik ist, den Menschen auf diesem Wege konsequent weiterzuführen. Der Sammler weiß zudem, daß das Leben des Menschen dem Rhythmus

der Natur unterworfen ist. Wir können nicht immer auf Höhen schweben;
wir müssen mit Veränderung rechnen:

«Man sieht die Blumen welken und die Blätter fallen, aber man sieht auch
Früchte reifen und Knospen keimen. Das Leben gehört den Lebendigen an, und
wer lebt, muß auf Wechsel gefaßt sein [69].»

Auch Felix beginnt, dem Gang der Natur zu folgen. Wie er lernen muß,
Pferde zu zähmen, so auch, seine Triebe, seine Ungeduld zu bemeistern.
Aber Bildung setzt Reife der Persönlichkeit voraus. Er hat sie am Ende der
Romanhandlung noch nicht erworben; sein ungestümes Benehmen, das ihn
immer wieder in Gefahr bringt, verrät es. Gegen die Natur handeln, ist
verderblich. Dies muß auch der Major erfahren, als er sich zu verjüngen
sucht und als Fünfzigjähriger glaubt, die Liebe eines jungen Mädchens auf
die Dauer bewahren zu können. Auch Hilarie kann einen älteren Mann
nicht auf die Dauer lieben; ihre Liebe schwindet, als sie der ihr gemäßen
Neigung eines Gleichaltrigen begegnet. Ähnliches gilt für Flavio. Sie alle
haben gegen die Natur verstoßen. Auch Odoard in der Erzählung «Nicht
zu weit» hat sich gegen sie vergangen, weil seine Ehe nicht auf einem
natürlichen Gefühl beruht, sondern aus gesellschaftlichen und politischen
Erwägungen geschlossen worden war. Der Held der Erzählung «Die schöne
Melusine», der mit einer Frau aus einer anderen Sphäre sich verbindet,
frevelt nicht nur gegen alle Sitte, sondern auch gegen die Natur. Alle
diese Gestalten müssen erkennen, daß Liebe, die nicht den Naturbedingun-
gen entspringt, zu Verirrungen führt. Basiert Neigung aber auf der Natur,
dann kann sie ihr Ziel erreichen; Lucidor und Lucinde, Flavio und Hilarie,
St. Joseph und seine Frau sind Beispiele, die dafür zeugen. Aber auch die
Natur steht im Zeichen des Wandels; denn «die Natur tut nichts umsonst,
ist ein altes Philisterwort. Sie wirkt ewig lebendig, überflüssig und verschwenderisch, damit das Unendliche immerfort gegenwärtig sei, weil
nichts verharren kann [70].»

*

Die Natur im Kosmos der *Wanderjahre* ist eng mit der Gesellschaft verknüpft. Ihr Bild jedoch bleibt vielfältig, wie es in einem Roman, der auf
mehreren Ebenen spielt, zu erwarten ist. Hier stehen sich mehrere Stan-
desgruppen gegenüber, deren Leben näher geschildert wird. Wir gewinnen
zunächst einen Einblick in das Leben des Handwerkerstandes, den St. Joseph verkörpert. Zwar wird uns keine genaue Beschreibung seines täglichen Daseins gegeben, aber die Umrisse eben dieses Lebens und Treibens
werden enthüllt. Pflichttreue, Unternehmungsgeist, Frömmigkeit, eine beschränkte, aber fruchtbare Tätigkeit, von ausgeprägtem Berufsethos ge-

tragen, charakterisieren sein Dasein. Er weiß, durch die Kunst angeregt, seine Einbildungskraft zu nützen. Nicht nur das Handwerk, sondern auch jene ländlich-beschauliche Welt, in der er lebt, wird geschildert, so daß man ein durchaus überzeugendes Bild gewinnt.

Eine andere Seinsart tritt uns dann in Jarno-Montan entgegen; wie jeder wahre Wissenschaftler lebt er in Einsamkeit, ergibt er sich — allein im Gebirge — dem Wesentlichen, der Forschung. Dies aber ist nicht die einzige Lebensweise, die für einen Wissenschaftler in Frage kommt, denn auch der Astronom wird mit Achtung geschildert; er geht der Forschung in einem anregenden, ihm freundlich gesinnten Kreise nach und befruchtet durch täglichen Kontakt das Leben anderer, wie ja auch das seine durch die geistige Entwicklung anderer befruchtet wird. Sogar der Sammler könnte als eine Art Wissenschaftler beschrieben werden. Auch er lebt einsam, widmet aber sein Leben nicht der Natur, sondern den Schätzen der Vergangenheit. Trotz allem ist er nicht isoliert, betreibt vielmehr einen regen geistigen Verkehr mit anderen.

Auf dem Gute des Oheims herrscht eine andere Lebensweise; es ist die Welt des aufgeklärten, reichen Aristokraten. Die freie Geselligkeit, die wir in seinem Kreise treffen, kann sich nur auf wirtschaftlich unabhängigem Boden entfalten. Der Lebensstil basiert auf fest entwickelten, gesellschaftlichen Anschauungen. Das Leben des Herrn von Revanne, wenn es auch nicht an die Planmäßigkeit des Onkels herankommt, ist ähnlich. Wir hören, daß Revanne wie ein Fürst lebe. Auch bei ihm ist, wie beim Onkel, die äußere Umgebung dem Stand des Edelmannes angepaßt. Dieses Bild wird durch das Leben im Hause Makaries ergänzt. Man gewinnt auch hier den Eindruck einer souveränen Lebensweise, des Beharrens, in einer durchaus überlegenen Art der Daseinsführung.

Die aristokratische Welt ist mit derjenigen des reichen Bürgertums eng verbunden, wie dies in der Novelle «Wer ist der Verräter?» zutage tritt. Ein Unterschied zwischen dem Lebensstil der beiden Stände ist kaum festzustellen.

Der Adel hat in den *Wanderjahren* nicht dieselbe Funktion wie in den *Lehrjahren*. Zwar hat die adlige Welt in beiden Fällen die Aufnahme in eine Gemeinschaft und die Tätigkeit innerhalb dieser Gemeinschaft zum Ziel; hier der Kreis Lotharios und des Abbés, dort der Auswandererbund, in welchem Wilhelm alsbald Aufgabe und Wirkungskreis findet; aber es sind in jedem Fall verschiedene Wege. In den *Lehrjahren* gelingt es Wilhelm, zu einer realistischeren Auffassung zu gelangen, indem er sich von der illusorischen Welt des Theaters abwendet, um Einsicht in die Sphäre des religiösen Lebens und Ausbildung seiner ästhetischen Urteilskraft zu gewinnen. In den *Wanderjahren*, zu deren Beginn er bereits eine höhere Stufe der Bildung erreicht hat, ist es praktische Tätigkeit, die Aneignung der medizinischen Ausbildung, die ihn für die Auswanderergemeinschaft geeignet macht.

In den *Wanderjahren* schaut Goethe in die Zukunft. Er erkennt: das wirtschaftliche Leben habe auf die Kultur einen beherrschenden Einfluß gewonnen. Deshalb ist Ausbildung auf Grund einer praktischen Tätigkeit vonnöten. Die genaue Auseinandersetzung mit dem wirtschaftlichen Leben und dessen Analyse findet man indes im Roman nicht. Lebensbedingungen der Spinner und Weber z. B. werden nur angedeutet. Lediglich der Arbeitsprozeß ist genauer beschrieben. Goethe wünschte nicht, die Wirklichkeit in all ihren Einzelheiten zu gestalten. Er hatte Bedenken, daß jene äußerst minutiöse Darstellung der Technik, wie sie die *Wanderjahre* enthalten, ästhetisch gerechtfertigt werden könne.

«Besonders erfreut mich, daß Sie, durch unmittelbare Anschauung der Wirklichkeit, meinen Webern und Spinnern günstig geworden: Denn ich war immer in Sorge, ob nicht diese Verflechtung des strengtrocknen Technischen mit ästhetisch-sentimentalen Ereignissen gute Wirkung hervorbringen könne [71].»

Doch wagte Goethe es immerhin, weil das «Streng-trocken-Technische» für ihn eine notwendige Komponente des Lebens war [*].

Bei näherer Betrachtung des gesellschaftlichen Lebens im Roman ergibt sich, daß dieses aus der Perspektive der Wandlung gesehen wird. Wie können darin unumgängliche Veränderungen vollzogen werden? Im kleinen Rahmen ist jener St. Joseph ein Beispiel. Er bringt das Vergangene quasi zurück, indem er ein verlassenes Klostergebäude wiederherstellt; so baut er auch sein Leben auf dem Vergangenen auf. In größerem Zusammenhang ist dies das Problem, welchem der Wandererbund gegenübersteht. Eine neue Welt, die Welt des Maschinenwesens bricht herein. Dieses erscheint als eine irrationale Macht, welche, wie die Schöne-Gute treffend sagt, dem gewöhnlichen Dasein einer ländlichen Gemeinschaft drohend gegenübersteht.

«Was mich aber drückt ist doch eine Handelssorge, leider nicht für den Augenblick, nein! für alle Zukunft. Das überhandnehmende Maschinenwesen quält und ängstigt mich, es wälzt sich heran wie ein Gewitter, langsam, lang-

---

[*] Daß Goethes Schilderung der Technik der Spinner und Weber getreu und überzeugend war, läßt sich aus den etwas naiven Worten eines Fachmannes gegen Ende des 19. Jahrhunderts beweisen. Dieser schreibt:
Ich wiederhole, daß meine Herren Collegen die einschlagenden Kapitel der Wanderjahre lesen möchten; keiner von uns, die wir doch alle Fachmänner sind, wäre im Stande mit solcher Klarheit und Anschaulichkeit unsere industriellen Verhältnisse zu schildern und wie anmuthig unterbricht er die anscheinend trockene Berichterstattung [72].

sam; aber es hat seine Richtung genommen, es wird kommen und treffen. Schon mein Gatte war von diesem traurigen Gefühl durchdrungen. Man denkt daran, man spricht davon, und weder Denken noch Reden kann Hülfe bringen. Und wer möchte sich solche Schrecknisse gern vergegenwärtigen. Denken Sie, daß viele Täler sich durch Gebirge schlingen, wie das wodurch Sie herabkamen, noch schwebt Ihnen das hübsche frohe Dasein vor, daß Sie diese Tage her dort gesehen, wovon Ihnen die geputzte Menge allseits andringend gestern das erfreulichste Zeugnis gab; denken Sie, wie das nach und nach zusammensinken, absterben, die Öde, durch Jahrhunderte belebt und bevölkert, wieder in ihre uralte Einsamkeit zurückfallen werde [73].»

Eine derartige Bedrohung stellt den Lebensunterhalt all dieser Menschen in Frage. Nur zwei Möglichkeiten stehen ihnen offen, entweder das Neue zu ergreifen und durch Veränderungen mögliches Verderben zu beschleunigen oder aufzubrechen, die Besten-Würdigsten mit sich fortzuziehen. Beide Möglichkeiten sind nicht leicht. Eine wie die andere hat ihre Nachteile.

Das Auswandern ist für viele eine mögliche Lösung. Sie vereinigen sich unter Lenardos Führung zuerst zum Wandern, dann zum Auswandern. Die Auswandererbewegung wird von dem Grundsatz beherrscht: «in irgendeinem Fach muß einer vollkommen sein [74].» Es handelt sich also um eine Gesellschaft von Ausgebildeten oder von solchen, die gewillt sind, sich bilden zu lassen. Ein Bund wird gegründet, dessen Wesen in Tätigkeit besteht. Es erscheint allerdings vorläufig nur als Plan, als Utopie [75]. Diesen Eindruck vermittelt auch Lenardo Wilhelm, als er zum erstenmal die «Pädagogische Provinz» ihm gegenüber erwähnt. Er sagt:

«Als ich ihn [den Sammler] vor Jahren das letztemal sah, erzählte er mir gar manches von einer pädagogischen Verbindung, die ich nur für eine Art von Utopien halten konnte; es schien mir, als sei, unter dem Bilde der Wirklichkeit, eine Reihe von Ideen, Gedanken, Vorschlägen und Vorsätzen gemeint, die freilich zusammenhingen, aber in dem gewöhnlichen Laufe der Dinge wohl schwerlich zusammentreffen möchten [76].» Goethe selbst vertrat diese Auffassung, denn er gebrauchte dieselben Worte, als er zu Riemer über die ‹Pädagogische Provinz› sprach [77].

Geduld, die man üben muß, wird als eine unumgängliche Voraussetzung zur Tätigkeit erwähnt. Mäßigung in allem ist die Maxime, die den Bund regieren soll. Eine auf Maß und Ziel gerichtete Tätigkeit soll gepflegt werden. Deswegen wird die Zeit mit besonderer Sorgfalt behandelt, denn nur so kann man wirklich Wertvolles leisten. Es werden Maßnahmen getroffen, um den Mitgliedern des Bundes andauernd die Bedeutung der Zeit einzuprägen. Dem Staat, in welchem wir leben, ist vor allem eine mutige Obrigkeit notwendig. Diese muß das Prinzip des Zusammenlebens achten, was im übrigen auch die Pflicht jedes einzelnen ist. Das ist das Wesentliche. Nur so kann ein Bund zwischen den Menschen erhalten werden. Aber er muß auf der Basis der Gedankenfreiheit errichtet werden. Deshalb entscheidet nicht der Vorsitzende, wenn die Stimmen gleich sind, sondern das Los. Dies, weil man überzeugt ist, daß es bei verschiedenen Meinungen gleichgültig ist, welche befolgt wird. Hier wird stillschweigend angenommen, daß allen Fortdauer und allgemeiner Nutzen der Gemeinschaft gleich stark am Herzen liegt. Deswegen glaubt man, ohne Zentralregierung und feste Verfassung auszukommen. Eine elastische Regierungsform soll vorherrschen; Gesetze werden zunächst locker angewendet, da ihre Strenge ja doch abstumpft. Es ist ein Versuch, kein abstraktes Staatsgebilde, sondern eine lebendige Gemeinschaft zu schaffen. Ähnlich ist es mit der Rechtsprechung; es handelt sich nicht darum, eine formale Rechtsverfassung niederzulegen, noch wird versucht, unabänderliche Programme für die Regierung aufzustellen. Im Gegenteil, der Gemeinschaftsgeist soll gefördert und aufrechterhalten werden, die Menschen sollen sich ihres gemeinsamen Zieles bewußt sein; keiner darf durch Zwang dem Staat unterworfen werden: Ermahnung, Ermunterung und Überredung soll die Menschen zu Mitgliedern einer Gemeinschaft, einer Gruppe machen, die in der aktiven Tätigkeit ihre gemeinsame Aufgabe findet. Das Wandern verhindert dabei, daß sich die Menschen auf eine einzige Geisteshaltung oder Gesellschaftsordnung festlegen. Nur so besteht die Möglichkeit, die Gemeinschaft lebensfähig zu erhalten und ihr immer neue Kräfte zuzuführen. Auf diese Weise bereitet man sich innerlich auf den Wechsel des gesellschaftlichen Gefüges vor. Dazu muß innere Bereitschaft und echter Zusammenhang mit anderen gepflegt werden. Man darf sich nicht nur auf von außen einwirkende Gesetze verlassen. Denn: «alle Regierungsformen werden mit der Zeit unzulänglich[78].»

Der Wandererbund gilt als Beispiel der am weitesten entwickelten Form gesellschaftlichen Lebens, da seine Mitglieder am ehesten in der Lage sind, sich unabänderlichen Veränderungen anzupassen. Der Wandererbund wird im Roman zum Auswandererbund; denn alles Wandern hat, wie Wilhelm es in seinem Leben erfährt, seine Grenzen. Auswandern zum Zwecke des Ansiedelns ist *eine* Konsequenz. Aber nicht alle können Auswanderer werden. Deshalb wird eine polar entgegengesetzte Handlungsweise in Odoard und seinen Freunden gezeigt. Die Grundhaltung ist anders. Den politischen Gesetzen der alten Welt entsprechend gehören sie einem durch patriarchalische Prinzipien organisierten Staat an. Hier regiert die Obrigkeit, d. h. Odoard und der Minister. Es wird nicht versucht, den Menschen durch geduldige Überredung zu nötigen. Es wird nicht aus-, sondern eingewandert. Wie jener Bund, so besteht auch Odoard darauf, daß alle, die bei seinem Plane, einer anderen Utopie[79], mitwirken, eine befriedigende Aufgabe in diesem Kreise finden. Strenge Forderungen werden an den Menschen gestellt; er muß sich voll und ganz seiner Lebensaufgabe widmen. Denn Odoard sieht, wie Lenardo, den Sinn des Lebens in der Nützlichkeit der Dinge. Diese praktische Weisheit steht der Gesinnung Lenardos nahe, der in seiner Wanderrede sagt: «Wo ich nütze ist mein Vaterland[80].» Die wohl bedeutsamsten Verse des Liedes, das Odoard singen läßt, klingen ähnlich:

Wo wir nützliches bestreiten
Ist der werteste Bereich[81].

Odoard wirkt in einer Welt, in der alles genau eingeteilt und geplant ist, ähnlich wie bei dem Oheim. Aber das Starre, das Unbewegliche in dessen Anschauung fehlt hier. Der Oheim ist, wie Gustav Radbruch es beschrieben hat, ein Gutsherr, der über seinen ausgedehnten Gutsbezirk im Stile eines Selbstherrschers der Aufklärungszeit verfügt, zwar in leutseligem Wohlwollen, aber auch mit den Grillen und Schrullen damaliger Väter und Haustyrannen. Trotz aller Aufgeklärtheit ist er besorgt, alles zu bewahren; er hat keine Absichten, den Veränderungen des Gesellschaftlichen Rechnung zu tragen. So ist er, wie Radbruch mit Recht betont, kein Sozialreformer, sondern ein Philantrop[82], aber nur sehr bedingt, der, wie es die Vertreibung des Pächters beweist, gegen Schuldner nur nachsichtig ist, solange er selbst nichts bedarf. Auch Hersilies Spott über des Onkels Schrullen verrät, daß manches in seinem Bereich durchaus nicht ideal ist, ja, daß Goethe ihn mit ironischer Distanz betrachtet.

In der pädagogischen Provinz wird eine utopische Gesellschaftsordnung geschildert. Das Utopische wird schon dadurch hervorgehoben, daß ihre Bewohner sich durch Kleidung und äußeres Gebaren von der Umwelt unterscheiden. Die Provinz ist angeblich nach bestimmten pädagogischen Prinzipien regiert, aber über ihre Staatsform wird nichts Näheres mitgeteilt. Wir hören nur von einem Obern und den Dreien. Obwohl alles nach festen Prinzipien geordnet zu sein scheint, hat man keineswegs den Eindruck, es herrsche ein unerfreulicher Zwang. Verschiedene Sphären, Instrumentalmusik, Bildhauerei, Malerei, Sprachübungen und Handwerk stehen dem Zögling offen. Doch nie darf ihn die Arbeit isolieren, im Gegenteil, erst durch gemeinsame Arbeit, und vor allem durch gemeinsame Festlichkeiten, wird er zum Mitglied einer tätigen Gemeinschaft. Weil das gesellschaftliche Gleichgewicht durch die drohende Industrialisierung gefährdet erscheint, werden Versuche unternommen, neue Arten des gemeinschaftlichen Lebens zu schaffen. Darauf fußt die pädagogische Provinz, der Auswandererbund und das Rücksiedlungsunternehmen Odoards. Ist es doch Aufgabe des einzelnen, eine sinnvolle Tätigkeit zu finden, der Gemeinschaft zu nützen. Da ihre alten Formen nicht mehr zu genügen scheinen, müssen neue geschaffen werden. Erstarrung und Brüchigkeit im traditionellen Gefüge werden schon in den *Wahlverwandtschaften* sichtbar. Die Aufbauprinzipien der neuen Gesellschaftsform indes werden hier bereits angedeutet. Der einzelne muß lernen, sich als Mitglied der Gemeinschaft und nicht mehr als ein von ihr unabhängiges Wesen zu betrachten. Nur so können Katastrophen vermieden werden. Dem didaktischen Ton der *Wanderjahre* entsprechend, wird zwar auf Krisen im sozialen Bereich angespielt, der Hauptakzent des Werkes liegt aber nicht darauf. Nur für Augenblicke wird der «gesellig-anständige Zustand» verlassen. So verweilen Flavio und Felix nicht lange in Gefahr. Goethe wollte vor allem auf jene Kräfte hinweisen, welche die Stabilität der Gesellschaft zu bewahren vermögen. Durch Betonung ihrer bewahrenden, aufbauenden und wandelbaren Kräfte sollten Bilder geschaffen werden, welche den einzelnen zur Teilnahme am Leben in der Gemeinschaft anspornten. Die Schilderung der Gesellschaft gehört daher zu der didaktischen Anlage des Romans. Politisches Denken wird in Bildern vermittelt. Keine Gesellschaftsordnung wird aber als die ausschließlich richtige beschrieben. Beharren und Auswandern, Veränderung und Rückkehr, alle sind notwendig.

Da Goethe die Vielfalt des gesellschaftlichen Lebens beschreiben wollte, konnte er sich nicht auf eine einzige Erzählform beschränken. Gipfeln die *Lehrjahre* vor allem in der Frage, wie der einzelne Mensch in der Gesellschaft einen tätigen Platz finden könnte, so ist die Fragestellung in den *Wanderjahren:* Wie können sich mehrere Gruppen dem Wandel des gesellschaftlichen Lebens anpassen? Dazu muß der Mensch erzogen werden. Es überrascht nicht, daß Erziehung eine so wichtige Rolle in den *Wanderjahren* spielt.

*

In den *Lehrjahren* war die Bildung Wilhelm Meisters ein Zentralproblem des Romans. Am Ende der *Lehrjahre* ist sein Bildungsgang bestimmt; nicht etwas Vages soll sein Ziel sein, vielmehr die Ausbildung im Rahmen einer bestimmten Tätigkeit. Zwar wird der Tätigkeitskreis bezeichnet, aber über die Art der Ausbildung wird nichts Näheres gesagt, man ist geneigt zu vermuten, daß Wilhelms Tätigkeit derjenigen Lotharios ähnlich sein werde. Erst in den *Wanderjahren* wird Wilhelms Berufsziel festgelegt und die dazu nötige Ausbildung beschrieben. Nur wenigen ist es vergönnt, ihr Ziel vor sich zu sehen, auch Wilhelm erreicht diese Klarheit erst nach gewisser Zeit, als er die Auswirkung der Kindheitserlebnisse auf sein Inneres erkennt. Die meisten treiben im Strome des Lebens dahin. Wilhelm aber

kann sich auf eigene Weise entwickeln. Das bedeutet allerdings, daß er
die festen Lebensverhältnisse verlassen muß, in welche er hineingeboren
war. Er muß ein Wanderer werden. Reifend steigert er seine Fähigkeiten.
Ganz klar läßt sich indes ein Lebensweg nie erkennen. «Die Angelegenheiten unseres Lebens haben einen geheimnisvollen Gang, der sich nicht be-
rechnen läßt[83]». Das Besteck des Wundarztes, das dieser hervorgezogen, als
Wilhelm verwundet im Walde lag, wird zum Sinnbild der Neigung zu
diesem Beruf. Hier wird der Zug seines Herzens, der ihn zu Natalie führt,
mit der Neigung zum Beruf verknüpft. Ebenso ist das Bild des kranken
Königssohnes, das einen unauslöschlichen Eindruck auf ihn machte, ein
Symbol seiner Neigung, andere heilen zu wollen. Äußere Ereignisse bestätigen hier lediglich eine Naturanlage.

Nur diejenigen Bilder können zu Wilhelm sprechen, die ihm gemäß
sind. «Der Mensch versteht nichts als was ihm gemäß ist[84]», behauptet
Jarno. Er glaubt, es sei Pflicht, anderen nur dasjenige zu sagen, was sie
aufnehmen können. «Die Kinder an der Gegenwart festzuhalten, ihnen
eine Benennung, eine Bezeichnung zu überliefern ist das beste, was man
für sie tun kann[85].» Jarno weiß, wie notwendig es ist, die Möglichkeiten
des lernenden Menschen zu beschränken. Er will erreichen, daß etwas
Nützliches geschaffen wird; das kann nur geschehen, wenn der Mensch sich
— ohne Zersplitterung — seiner Natur entgegenbildet. Der Mensch wird
zwar einseitig, aber diese Einseitigkeit ist wertvoll; denn «wenn er [der
Mensch] Eins tut, tut er alles, oder, um weniger paradox zu sein, in dem
Einen, was er recht tut, sieht er das Gleichnis von allem, was recht getan
wird». Zu diesem Zwecke muß der Mensch alle seine Kräfte auf einen
Mittelpunkt konzentrieren, den er an der fruchtbaren Wirkung seiner
Tätigkeit erkennen kann[86]». Der Astronom teilt Wilhelm diese Einsicht
mit: «Darfst du dich in der Mitte dieser ewig lebendigen Ordnung auch
nur denken, sobald sich nicht gleichfalls in dir ein beharrlich Bewegtes um
einen reinen Mittelpunkt kreisend, hervortut? Und selbst wenn es dir
schwer würde, diesen Mittelpunkt in diesem Busen aufzufinden, so würdest
du ihn daran erkennen, daß eine wohlwollende und wohltätige Wirkung
von ihm ausgeht und von ihm Zeugnis gibt[87]». Wilhelm wird versuchen,
diese Ideen im Hinblick auf Felix zu verwirklichen. Will man die bedeutende Rolle, welche die Erziehung im Romane spielt, ermessen, genügt es,
zu bedenken, daß die Pädagogische Provinz, in der Felix mehrere Jahre
lang erzogen wird, sich durchaus im Zentrum des Romans befindet, daß sie
jene zentral postierte Novelle «Der Mann von fünfzig Jahren» einrahmt.

Was sind nun die Ziele der Pädagogik, die in dieser Provinz entwickelt
werden? Es wird kein genaues Bild der Lehrpläne und Methoden entwor-

fen, aber die Grundlinien sind klar umrissen. Nur auserlesene Knaben und
Jünglinge, die sich dann durch Kleider und Gebärden voneinander unterscheiden, werden hier erzogen. Hauptziel der Erziehung: den jungen Menschen einen Sinn für Ehrfurcht einzuflößen. Zu diesem Zwecke hat man
besondere Maßnahmen ergriffen. Gewisse Körperhaltungen und Gebärden
werden den Knaben anerzogen, um sie dazuzubringen, was über ihnen
und in ihnen ist, zu verehren. Ehrfurcht allein läßt ihn zum Menschen
werden; sie unterscheidet ihn von anderen Wesen. Das wesentliche Moment aller Erziehung ist deshalb religiös. Keineswegs dem Menschen mit-
gegeben, geht es über die Natur hinaus und muß ihm anerzogen werden.
Kennzeichnend ist vor allem die Verbindung von Ernst und Spiel. Den
Regeln der Provinz ist aufs strengste zu gehorchen. Die den Schülern gesetzten Aufgaben müssen sorgfältig ausgeführt werden. Nachlässigkeit
wird nicht geduldet. Aufgaben sind individuell abgestuft; jeder hat zu
vollziehen, wofür er am geeignetsten ist. Der Mensch muß etwas Spe-
zifisches entwickeln; Wilhelm wendet sich einer besonderen Kunst zu, derjenigen des Wundarztes. Aber die Erziehung sollte auch den natürlichen
Gaben gemäß sein. Es ist ihr höchster und heiligster Grundsatz, keine Anlage, kein Talent zu mißleiten. Alle Talente werden gefördert, nur der
Schauspieler wird aus der Provinz entfernt, was den Unwillen des Erzählers erregt. Die Strenge der Forderungen wird als berechtigt verteidigt,
weil sie Genie und angeborenes Talent fördern. So wird Mittelmäßigkeit
vermieden, und nur auf diese Weise ist es möglich, große Leistungen hervorzubringen. Es gilt, alle Untersuchungen aufs genaueste und strengste
durchzuführen, die Triebe des Menschen zu zähmen und auf besondere
Aufgaben zu konzentrieren. Es ist bezeichnend, daß Wilhelm bei seiner
Rückkehr in die Provinz Felix beim Zähmen der wilden Pferde antrifft,
einer gewissermaßen rohen Beschäftigung, die indes durch die sie begleitende Sprachübung und -bildung freundlich gemildert wird. Daß diese
Erziehung erfolgreich sei, ist aus dem Bilde, das wir am Ende des Berichtes
von Felix gewinnen, ersichtlich; wir lesen: «Mit dem Wachstum des Knaben, der sich wirklich zum Jüngling heranstreckte, seiner gesunden Haltung,
seinem gewinnend, frei-heitren, um nicht zu sagen, geistreichen Gespräch,
konnte der Vater wohl zufrieden sein[88].» Felix ist innerlich und äußerlich
herangewachsen, er hat sich im vollen Sinne des Wortes entwickelt. Sein
jetziges Wesen — im völligen Gegensatz zu jener anfänglichen Unzufriedenheit in der pädagogischen Provinz — beweist die Richtigkeit dieser Er-
ziehungsmethoden, welche der Natur entsprechen und dadurch den Menschen zum Leben in der Gemeinschaft heranreifen lassen.

*

In der pädagogischen Provinz übt die Religion eine wesentliche erzieherische Aufgabe. Erziehung zur Ehrfurcht ist religiös tendierend, zwar nicht zum Glaubensdogma, sondern zur religiösen Erfahrung hin. Die Lebenshaltung ist indes nur eine der möglichen religiösen Daseinsweisen; auch andere derartige Anschauungen werden beschrieben. St. Joseph ist augenscheinlich noch tief in die religiöse Tradition verflochten. Sein Name deutet es an. Die traditionellen Bilder vom Leben der Heiligen Familie haben auf ihn eine gewaltige Wirkung. Er denkt in der christlichen Vorstellungswelt, lebt in der zum Teil wiederhergestellten Ruine des ehemaligen Klosters. Aber es ist bezeichnend, daß dieses — längst von Abt und Mönchen verlassen — durch den Zimmermann erst wiederhergestellt werden mußte. Die Kapelle wird nicht zum Gottesdienst benutzt, von den religiösen Anschauungen des Zimmermanns erfahren wir keine Einzelheiten. Bei Jarno-Montan finden wir eine ehrfürchtige Verehrung der Natur, die seinem wissenschaftlichen Skeptizismus entspricht, aber keine Zugehörigkeit zu einer bestimmten Religion. In dem aufgeklärten Denken des Oheims scheint für das Religiöse wenig Platz zu sein; er hat von Amerika Toleranz für alle Religionen mitgebracht; auf seinem Besitztum herrscht Religionsfreiheit. Makarie erscheint wie eine Heilige, aber, im Gegensatz zur Stiftsdame in den *Lehrjahren*, hält sie sich weder an ein Dogma noch an eine bestimmte Religion. Weder im Wandererbund noch in Odoards Gemeinschaft der Zurückbleibenden hat eine religiöse Organisation wesentlichen Anteil an der Gestaltung des gesellschaftlichen Lebens. Beide Gemeinschaften sind nicht konfessionell orientiert.

Nur in der pädagogischen Provinz wird eine bestimmte Einstellung zur Religion gefordert. Die Knaben lernen Haltungen: sie sollen verehren, was über, was unter und was neben uns ist; Verehrung als die Grundlage aller Religion. Die Furcht ist den Menschen von Natur aus gemäß. Ehrfurcht aber müssen sie lernen. Religionen, die auf Furcht beruhen, werden sich zu den Religionen, die auf Ehrfurcht beruhen, zur ethnischen, die eine Ablösung von der niedrigen Furcht ist; sie ist auf Ehrfurcht dessen, was über uns ist, gegründet. Sie bekennen sich zur philosophischen Religion, die sich auf Ehrfurcht gründet, die wir vor dem haben, was uns gleich ist. Denn der Philosoph stellt sich in die Mitte, da er alles Höhere zu sich herab und alles Niedere zu sich heraufzieht. Sie bekennen sich zur christlichen Religion, die auf Ehrfurcht dessen, was unter uns ist, gegründet ist; hier werden Niedrigkeit und Armut, Spott und Verachtung, Schmach und Elend, Leiden und Verbrechen nicht als Hindernisse, sondern als das Heilige fördernd verehrt. Nur diese drei zusammen bringen den Menschen zur eigentlichen Religion, zur Ehrfurcht vor sich selbst. Damit wird der Mensch zum Höchsten gelangen, welches er zu erreichen fähig ist; kann sich selbst für das Buch halten, das Gott und Natur hervorgebracht haben; kann auf dieser Höhe verweilen, ohne durch Dünkel und Selbstheit wieder ins Gemeine gezogen zu werden.

Diese Ansicht muß einem Christen, der im traditionellen Dogma aufgewachsen ist — und damit vermutlich den meisten Lesern des Romans bei seinem Erscheinen —, als unorthodox erschienen sein. Wilhelm aber überrascht sie nicht. Goethe kam es anscheinend hier darauf an, einen Sonderfall, das in allen Religionen gemeinsame Element darzustellen. Die Leitenden der pädagogischen Provinz behaupten, die Ehrfurcht sei schon im Credo enthalten, die Einheit, welche sie predigen, drücke somit nur die Einheit der drei göttlichen Personen aus. Ihre Lehre findet Wilhelms Billigung, da er erkennt, wie die gedankliche Verarbeitung der religiösen Probleme — klar und zusammenhängend — ihm Vertrautes und Erprobtes neu vermittelt. Der Unterricht folgt einer natürlichen Entwicklung; dieser hohen Lehre — den Kindern zuerst in sinnlichen Zeichen dargestellt — wird sodann symbolische Bedeutung gegeben, bis endlich die oberste Ehrfurcht vermittelt wird.

Das heißt aber nicht, daß die christliche Religion darüber vergessen werde. Im Gegenteil, ihren hebräischen Ursprüngen wird viel Platz eingeräumt. Die Geschichte des jüdischen Volkes und das Leben Christi werden in Bildern dargestellt: Über das Leiden des letzteren ist jedoch ein Schleier gezogen, denn man hält es für eine «verdammenswürdige Frechheit, jenes Martergerüst und den daran leidenden Heiligen dem Anblick der Sonne auszusetzen, die ihr Angesicht verbarg, als eine zuchtlose Welt ihr dieses Schauspiel aufdrang[89]».

Diese unorthodoxe Religion kann als «Weltfrömmigkeit» bezeichnet werden[90]. Weltfrömmigkeit aber verlangt Tätigkeit und Tüchtigkeit. Nach diesem Gradmesser werden die Menschen beurteilt. Allerdings mag Tätigkeit auch, wie im Falle Makaries, praktisch-geistiger Natur sein. Gemeinschaft der Heiligen ist Gemeinschaft der Tüchtigen, wie es Goethes Briefwort verrät:

«Wie es die Welt jetzt treibt, muß man sich immer und immerfort sagen und wiederholen: daß es tüchtige Menschen gegeben hat und geben wird, und solchen muß man ein schriftlich gutes Wort gönnen und aussprechen und auf dem Papier hinterlassen. Das ist die Gemeinschaft der Heiligen, zu der wir uns bekennen[91].»

Tätigkeit ist zudem die beste Antwort auf das Leiden. In den *Wanderjahren* wird das betont, indem die Leiden Christi geschildert werden. Das

Vertrauen auf die fruchtbare Kraft des Tuns war Goethes Glaube, «jedes unnütze Leiden durch nützliche Tätigkeit zu überwältigen, seine Maxime[92]».

*

Fruchtbare Tätigkeit ist nur dann möglich, wenn man dem entsagt, was bei ihrer Verwirklichung hindern könnte. Das Problem der Entsagung nimmt somit einen zentralen Platz im Roman ein, heißt doch sein zweiter Titel *Die Entsagenden*. Wilhelms Wanderleben mündet in den Bund der Auswanderer, die einen Staat der Entsagenden gründen. Wiederum werden, der Anlage des ganzen Werkes gemäß, nicht nur eine, sondern verschiedene Arten des Entsagens dargestellt, welche unterschiedliche Grade der Vollkommenheit erreichen. Aber die eherne Notwendigkeit des Entsagens wird dem Leser auf eindringlichste Weise durch eine Reihe von Bildern eingeprägt; — Wilhelm muß sich von Natalie auf längere Zeit entfernen — er wird durch das Vorbild des auf ein Handwerk und auf einen bestimmten Lebenswandel beschränkten St. Joseph und durch Jarno-Montan angeregt, sich auf eine besondere Tätigkeit zu beschränken; alle Amerikafahrer entsagen allein durch ihr Auswandern der gewöhnlichen Lebensweise.

«Entsagen» durchzieht — wie «Wandern» — vom Titel her bis zum Ende das Werk wie ein roter Faden. Welcherart ist nun diese Entsagung? Sie ist sicherlich eine religiöse Haltung; und beruht dabei auf einem bestimmten Begriff vom Wesen der Welt[93]. Goethe betont den positiven Aspekt der Entsagung, die Beschränkung des Menschen. Entsagung ist unumgänglich. Sie allein ist die Grundlage der Kultur, denn diese kann nur geschaffen werden, wenn man sich gegenüber den vielzuvielen Möglichkeiten des Lebens auf eine bestimmte Richtung beschränkt. Nur so kann der Mensch zu sich selbst kommen; Entsagung, wie sie im Roman dargestellt wird, entspringt keiner resignierenden Geisteshaltung, die sich vom Dasein abwendet, sondern einer das Leben bejahenden Auffassung. Diese Betonung einer auf geistigen Gewinn gerichteten Tätigkeit, die — als ein zweites Selbst vom Menschen abgelöst — wie ein Spiegel seines Lebens zu wirken vermag, ist ein Gegenstück zur Reflexion; denn: «Handle besonnen ist die praktische Seite von: Erkenne dich selbst[94]». Vor allem aber ist Entsagung auf dem Gebiete des Eros notwendig[95] und heißt hier nicht etwa ein Verwerfen der Leidenschaften. Völlig berechtigt, da sie zum Dasein gehören, dürfen sie doch nicht zerstörend wirken, müssen sich vielmehr in das gesellschaftliche Zusammenleben einordnen. Darin schon besteht die Entsagung.

Das sind ihre Grundzüge, wie sie im Roman dargestellt werden, und zwar in verschiedenen Bildern und Varianten. Nicht alle Charaktere entsagen gleich stark; jeder tut es auf seine Weise, dem eigenen Lebenslauf und seiner Charakteranlagen gemäß. Wilhelm und Natalie entsagen, indem sie sich trennen. Am Anfang des Romans war von einem heiteren und gelassenen Akzeptieren der Entsagung keine Rede gewesen. Erst die Wanderschaft, zu der Wilhelm sich verpflichtet hat, beweist, daß er noch nicht weiß, auf welche Tätigkeit er sich beschränken muß. Alles, was wir wissen, ist: Er muß entsagen. Der Sinn seiner Wanderschaft scheint unergründlich. Das wird uns im Bild des Wanderstabes angedeutet, der in jeder Ecke, in die man ihn stellt, zu grünen vermag [96]. Aber: Wer Wurzeln schlagen will, muß — wie Wilhelm — erst den richtigen Grund und Boden finden. Er erlangt diesen, nachdem er den ihm gemäßen Beruf des Wundarztes gewählt hat. Das bedeutet für ihn eine gewaltige Beschränkung, denn der Wundarzt besaß im damaligen Deutschland kein gesellschaftliches Prestige. Hier wird die Lehre Jarno-Montans verwirklicht, der immer wieder verlangt, man solle sich auf ein bestimmtes Handwerk beschränken. Nur so ist eine Aufgabe sinnvoll zu erfüllen.

Das Positive solcher Entsagung wird durch die rettende Tat am Ende bestätigt. Zunehmender Ernst seiner Persönlichkeit, wachsende Sicherheit im Auftreten nebst der größeren Bedeutung, die seinen Worten zugemessen wird, lassen erkennen, daß Wilhelm gereift ist, verraten, wie solche Entsagung sich auf seinen Charakter ausgewirkt habe. Entsagung ist ein Zeichen der inneren Reife. Keineswegs auf das Alter beschränkt, ist sie diesem angemessener als die Jugend. Andererseits dann nicht unbedingt leichter, denn «Mit den Jahren steigern sich die Prüfungen [97]». Goethe schrieb an Zelter nach dem Tode seines Sohnes:

«Nemo ante obitum beatus ist ein Wort, das in der Weltgeschichte figuriert, aber eigentlich nichts sagen will. Sollte es mit einiger Gründlichkeit ausgesprochen werden, so sollte es heißen, Prüfungen erwarte bis zuletzt [98].»

Wilhelm ist nun ein reifer, aber keineswegs alter Mann. Dasselbe gilt für Jarno-Montan; auch er entsagt, zunächst persönlich, indem er sich von der Gemeinschaft der Menschen entfernt [99]. Diese Entsagung aber ist zu stark, einseitig und deshalb von geringerem Wert; er erlebt im Laufe des Romans eine Entwicklung, die ihn am Ende dazu führt, dem Bunde der Einwanderer beitretend, in Makaries Welt einen Platz zu finden. Er gewinnt Lydiens Liebe, beginnt mit dem Astronomen einen wissenschaftlichen Austausch. Entsagung bewährt sich bei ihm, da er nun ganz bewußt nicht mehr in seiner Einseitigkeit verharrt.

Auch im Leben Lenardos gibt es Züge der Entsagung. Seine Leidenschaft aus Gewissen ist schon eine Art der Entsagung. Er ist bereits auf einer höheren Stufe als Wilhelm[100]: Für ihn, dem die Forderungen Montans nicht mehr gelten, sind sie schon zur Gewohnheit geworden. Was ihn mit Wilhelm verbindet, ist seine Haltung zur Schönen-Guten. Ihre Liebe weilt auf einer Stufe, wo ungestüme, ungezügelte Leidenschaft nicht mehr vorherrscht. Sie erfahren in Ruhe die Prüfungen der Liebe, bevor sie sich binden. Lenardo lernt im Laufe des Romans jene Wahrheit erkennen, die Goethe in seinem Vierzeiler prägnant zusammengefaßt hat:

> *Nichts taugt Ungeduld,*
> *Noch weniger Reue;*
> *Jene vermehrt die Schuld,*
> *Diese schafft neue*[101].

Man begreift dies, wenn man erkennt, wie das vom Gewissen her betonte Handeln Lenardo zunächst zwingt, dem Kreise der Seinen fernzubleiben; er vermag sich einen besonderen Lebensweg auszuwählen, auf welchem er seine technischen Kenntnisse verwenden kann. Deshalb wird er der Führer jenes Auswandererbundes werden, einer Vereinigung, die ebenfalls auf Entsagung gegründet ist.

Ein anderer bedeutender Mann des Romans ist Odoard. Man sieht ihn von zwei Seiten[102]. Einerseits tritt er in der Novelle «Nicht zu weit» auf, wo er als nur teilweise Entsagender geschildert wurde. Eben darum sieht er seinen Lebensgang, seine innere Ruhe gefährdet. Er ist eine grundsätzlich tragische Figur. Andererseits sieht man ihn als Entsagenden, der sich in die Sachlichkeit seiner Aufgabe als Leiter der Rücksiedler retten durfte. Er hat eine Arbeit gefunden und darf, da er sich von weitläufigen Plänen und Problemen seines Gefühlslebens abgewandt hat, jetzt tätig und nützlich wirken.

Auch Natalie erscheint als Entsagende. Wie Wilhelm hat sie sich dem Gebote der Trennung (von ihrem Gatten) unterworfen. Aber ihre Entsagung meint nicht auf immer. Die Bereitwilligkeit zu schweigen, zu dulden, bedeutet nicht, daß sie nicht später zu Wilhelm ins Reich der Auswanderer ziehen wird. Es ist eine Trennung, die zudem Wilhelm, dem Wanderer, ein Arztstudium ermöglicht. Natalie wird in den *Wanderjahren* nur mittelbar geschildert. Aber in der Ferne verspürt man die Macht ihrer Persönlichkeit.

Die bedeutendste unter all diesen ist Makarie. Hier scheint Entsagung nicht als notwendiger Prozeß, sondern als bleibender und vielumfassender Zustand. Sie ist in ihrem physischen Leben behindert — sitzt gelähmt in einem Lehnstuhl —, aber diese durchaus geistige Persönlichkeit kann sich — in Konzentration auf ihr inneres Wesen — durch Entsagung im Kreise ihrer Freunde wirksam und mächtig erweisen. Sie wird zur Heiligen; nicht etwa traditionell religiös, sondern eher im Sinne der Weltfrömmigkeit[103]. Bei ihr erscheint ein vollkommenes Stadium der Entsagung erreicht zu sein. Hier harmonisieren Natur und Pflicht. Was natürlich erscheint, ist zugleich sittlich und hat eine weitreichende Wirkung sowohl auf andere Menschen wie auf die Gemeinschaft.

Makarie stellt eine höhere Form der religiösen Existenz dar als die Stiftsdame. Diese ist zu sehr nach innen gewendet, um auf andere unmittelbar eine große Wirkung üben zu können. Ottilie ist so sehr mit ihrer Leidenschaft beschäftigt, daß sie alle Kräfte dazu braucht, ihr durch Entsagung Herr zu werden. Außerdem ist sie zu jung, schon jene große Reife und Wirkungskraft zu besitzen. Dasselbe gilt für Eugenie in *Die natürliche Tochter*.

Man kann aber keineswegs alle Gestalten des Romans als Entsagende bezeichnen. Es gibt viele, in deren Leben Verzicht nur eine geringe Rolle spielt. Dies gilt vor allem für den Oheim. Zwar weiß er, daß es notwendig ist, Geduld und Rücksicht zu üben, aber von einem Entsagen gegenüber den vielen Möglichkeiten des Daseins, um sich ganz einer ihm gemäßen Tätigkeit zuzuwenden, ist nichts zu verspüren. Er ist kein eigentlich Entsagender; die Idee der Entsagung gehört nicht zur Gedankenwelt der Aufklärung. Erst im neunzehnten Jahrhundert hielt diese Idee — in beschränktem Maße — Einzug in die geistigen Bewegungen der Zeit[104]. Entsagen ist ein bewußt gestalteter Prozeß.

Ob der Sammler auch unter die Entsagenden gezählt werden kann, muß umstritten bleiben. Zwar hat er sein Leben auf eine bestimmte Tätigkeit ausgerichtet; er genießt ihre Früchte, ist mit vielen verbunden und mit vielem vertraut. Er zeigt Wilhelm den Weg in die pädagogische Provinz; wahrt das Geheimnis des Kästchens. Insofern die Sammlertätigkeit als Gegenpol zum Wandern eine fruchtbare Daseinsmöglichkeit darstellt, ist auch er ein Entsagender. Manches in seiner Sammlertätigkeit bleibt, weil erstarrt, nur auf ihn selbst bezogen. An der Weltbewegung hat er keinen Anteil.

Die Idee der Entsagung ist vor allem dem Bereich der Haupterzählung zugeordnet. In den Novellen werden vorwiegend solche Fälle gestaltet, in denen Entsagung nicht glückte oder gar nicht erwogen wird. Dieser Auffassung[105] kann man im großen und ganzen zustimmen, wenn auch die Novelle «St. Joseph der Zweite» ausgenommen werden muß; denn daß man geduldig auf Liebe wartet und in der Nachfolge eines Heiligen in beschränkter Tätigkeit fruchtbar wirken könne, ist ein deutliches Zeichen entsagungsvoller Lebenshaltung. In der Erzählung «Das nußbraune Mädchen» gehört Lenardo zu den Entsagenden, da er seine Ungeduld meistern

lernt; dies geschieht zwar erst, als die Novellenhandlung in die Haupthandlung übergegangen ist. Aber er verrät diese Eigenschaft schon zuvor;
zögert er doch lange, bevor er zurückkehrt und versucht, das nußbraune
Mädchen wiederzusehen. In den anderen Novellen werden eher die Nachteile der Entsagung gestaltet; in milderer Form z. B. in «Der Mann von
fünfzig Jahren». Hier wird geschildert, wie der Major sich in die junge
Hilarie verliebt, nachdem er von ihrer Liebe gehört. Seine Weigerung zu
entsagen führt ihn in unangenehme Lagen. Er setzt sich der Gefahr der
Lächerlichkeit, des Unziemlichen aus, wird in Gefühlsverwirrungen verwickelt, die, da sie ihn dem Sohn entfremden, sein eigenes Gleichgewicht
erschüttern. Die anderen Personen stehen dem Entsagen grundsätzlich
fern. Hilarie erkennt nicht zur rechten Zeit, daß man auf die schwärmerische
Neigung zu einem älteren Mann verzichten müsse. Wo nicht Folgen, gäbe
es doch nur Streit und Schwierigkeit. Flavio — in einer ähnlichen Lage —
versteht nicht, daß er auf seine Neigung zur schönen Witwe verzichten muß
oder sie mindestens nicht so stürmisch verfolgen darf. Seine aufflackernde
Leidenschaft für Hilarie bedroht den Frieden des Hauses. Alle Personen
stehen der Notwendigkeit des Entsagens am Ende der Novelle gegenüber;
darauf wird sie in die Rahmenerzählung verlegt. Am Lago Maggiore
scheint ihre Leidenschaft gedämpft dargestellt. Zurückhaltung ist ihnen
auferlegt, sie werden zu bedingt Entsagenden. Erst im Reiche Makaries
sind sie vereint und ernten die Früchte ihrer Entsagung.

Als wir Hersilie kennenlernen, ist sie noch viel zu mutwillig, um zu
den Entsagenden gehören zu wollen. Dies verrät die Novelle «Die pilgernde Törin», die sie erwählt. Die Wanderschaft dieser Pilgerin geschieht
nicht aus Entsagung, sondern aus Trotz; sie ist reine Torheit[106]. Die Pilgerin entsagt nicht nur den Gefühlen, sie läßt diese so weit absterben, daß
sie bereit ist, anderen Menschen Übles zuzufügen, ganz wie jene beleidigte
Schöne von der Mühle. Ihr aus dem Rahmen fallendes Lied unterstreicht,
wie weit sie von jenem heiteren Ernst, der die Entsagenden kennzeichnet,
entfernt ist. In der schwankhaften Novelle «Die gefährliche Wette» leben
die Menschen in einem anderen geistigen Bereich. Von Raufbold und seinen
Kumpanen war wohl nicht viel Besseres zu erwarten, aber der alte Herr
lebte in seiner Eitelkeit zu sehr an der eigenen Würde, er hatte noch keine
Distanz zu sich selbst; sicherlich: sein plötzlicher Tod, die spätere, ent-
stellende Verwundung des Raufbolds und die Ärgernisse — im Leben des
Sohnes — hätten bei etwas mehr entsagender Reife vermieden werden
können.

In der Novelle «Die neue Melusine» handelt es sich wieder um einen,
der nicht entsagen kann. Es ist — entgegen der üblichen Deutung — die

Ansicht vertreten worden, das Verfehlen des Helden bestünde darin, daß er sich nicht zur «Seligkeit im Kleinen» habe bescheiden können[107]. Aber muß man sich hier auf eine einzige Deutung beschränken? Einerseits ist der Held ein Verschwender, er lebt dahin in Saus und Braus. Doch sollte man nicht vergessen, daß das nie ausgehende Gold wohl unerschöpfliche Lebens- und Liebeskräfte andeutet. Andererseits meint die Beschränkung im kleinen auch Einengung der Persönlichkeit. Zwar hätte er sich fügen und durch Entsagung ein Glück verschaffen können, aber die Bindung an ein unebenbürtiges Wesen dürfte kaum dauerhaftes Glück bedeutet haben. Es hätte ein Zuviel an Entsagung verlangt. Heilige wären vielleicht dazu imstande, nicht aber ein gewöhnlicher Mensch. So mag der Verzicht auf eine immerhin drückende Beschränkung die bessere Lösung sein, selbst wenn sie den Menschen wertvoller Dinge und Gefühle beraubt. Die Novelle stellt jene tragische Problematik dar, in die sich ein Mensch allzuleicht verstricken kann. Für ihn wäre Bescheiden noch keine wahre Entsagung gewesen; für den Prinzgemahl hätte es keine sinnvolle Tätigkeit gegeben.

In der Novelle «Wer ist der Verräter?» stehen die Menschen dem Soll der Entsagung ebenfalls fern, wenn auch Lucidor in voller Ungeduld betont, wie sehr sie ihm nötig sei. Seine Verzweiflung, als er Lucinde sich verloren glaubt, bezeugt, wie unreif er noch ist, wie Entsagung ihm schwerfallen würde.

Die *Wahlverwandtschaften* aber sind offensichtlich derselben Thematik entsprungen. Alle Hauptgestalten dieses Werkes können und wollen zunächst nicht entsagen oder tun es zu spät.

Für die Novelle «Nicht zu weit» gilt ähnliches. Odoard und seine Gattin können ihrer Leidenschaft zunächst nicht entsagen. Bei Odoard geschieht es nur unvollständig. Er findet in der Tätigkeit weder völlige Erfüllung, noch Ausheilung seiner seelischen Wunde. Die Ehe, die er schließt, war deshalb von vornherein gefährdet. Allerdings bot seine Gattin ihm keine Hilfe, denn auch sie — nicht bereit zu entsagen — blieb gesellschaftlichen Zerstreuungen verhaftet.

Entsagung wird in den *Wanderjahren* also auf verschiedene Weise geschildert, wenn sie auch immer derselben Grundhaltung entspringt. In jedem Fall handelt es sich um eine andere Form des Entsagens. Gerade die Variiertheit der ganz verschiedenen Anwendung der Idee beweist, daß sie allgemeingültig ist.

*

Entsagung und Liebe sind eng verknüpft. Letztere ist eine Macht, die geradezu der Entsagung bedarf, da sie ja zunächst einmal mit Gewalt auf ihre

Rechte pocht und «allein Recht zu haben glaubt[108]». Entsagung im Roman ist meist Entsagung auf dem Gebiete der Liebe. In den *Wahlverwandt-schaften* ist sie dominierend; bezüglich der *Wanderjahre* scheint es zunächst, als ob sie in der Haupterzählung eine Nebenrolle spiele und nur in den Novellen das Hauptthema bilde. Dies ist aber nur zutreffend, wenn man nur von der leidenschaftlichen Liebe ausgeht. Betrachtet man sie jedoch als entsagende oder bestätigende Macht, so wird man finden, sie bilde eine Grundlage der Haupterzählung; ohne Natalies liebevolle Zustimmung, ohne den Verzicht auf die Gegenwart Wilhelms wären Wanderschaft und Medizinstudium nicht möglich. Natalies Worte haben ihm, wie er selbst angibt, die nötige Fassung gegeben, sich seiner Aufgabe — als Wanderer — zu unterziehen. Verehrung ist das Gefühl, das er für sie empfindet. Liebe bewegt sich hier auf einer höheren Stufe; sie hat nichts mehr mit Leiden-schaft zu tun. Es ist Liebe ohne Besitz[109].

Die zweite Liebesbeziehung, die fast den ganzen Roman durchzieht, ist diejenige zwischen Felix und Hersilie: ein Wachsen und Verändern, wie es sich im Entstehen einer derartigen Beziehung ergibt. Zunächst erleben wir den ersten Eindruck, den Hersilie auf Felix macht. Feurige Blicke verraten seine Gefühle. Sie dagegen — überrascht und geschmeichelt — sendet ihm die vorzüglichsten Bissen, die er freudig und dankbar empfängt. Ihre Per-sönlichkeit fasziniert den Knaben: Er muß sie unverwandt anschauen und schneidet sich dabei beim Schälen eines Apfels tief in die Finger. In diesem eindrucksvollen Bilde wird das Ungestüme und Unbeherrschte seines Tem-peraments geschildert; die Leidenschaft mit all den Gefahren, die nun ein-mal dazu gehören.

Auch die Wirkung von Felix auf Hersilie ist sichtbar; sieht sie doch sogar in den Äpfeln, über welche hinweg Felix sie anschaut, Rivalen. Sie ist noch sehr distanziert und zunächst keineswegs bereit, ihr Interesse an Felix ernst zu nehmen. Jene Erzählung *Die pilgernde Törin,* die sie Wilhelm überreicht, wirft Licht auf sie, sie glaubt, Vater und Sohn würden sich für sie interessieren; zur gleichen Zeit aber auch, sie könne als Herrin ihrer Gefühle Distanz wahren. Zuerst ist es auch hier Felix, der versucht, ihre Aufmerksamkeit zu erlangen. Es scheint, er habe auf sie keinen tieferen Eindruck gemacht. Aber das ist ein Irrtum, wie der Verlauf der weiteren Handlung erweist. Hersilies Aufmerksamkeit deutet die weitere Entwick-lung an. Man sieht, wie Felix' Liebesbotschaft sie in innere Bedrängnis führt, wie sie, über sich selbst nicht klar, mit ihrer Antwort unzufrieden ist, unwissend, inwieweit sie Felix' Liebe ernst nehmen soll. Solche Verwir-rung der Gefühle trübt, wie sie erkennt, das Urteil. Aus Hersilies Brief ersieht man, daß ihre Liebe durch die Abwesenheit der beiden eher verstärkt als abgeschwächt wird, obwohl inzwischen mehrere Jahre vergangen sind und Felix durch die strenge Schulung der pädagogischen Provinz hindurchgegangen ist. Ob er in dieser Zeit viel an Hersilie dachte, ist nicht klar; wenn man allerdings hört, daß er eifrig schreibe, könnte man annehmen, es handle sich um Briefe an Hersilie. Da nach dem Verlassen der Provinz sein Werben ziemlich eindeutig ist, wird nun Hersilies Unsicherheit in den Vordergrund gestellt. Sie fühlt sich isoliert; es ist ihr, als ob sie in Monologen spräche. Wilhelms Antworten auf ihre Briefe scheinen unbefriedigend, sie nennt sie «parierend, ablehnend[110]». Doch hält sie es für notwendig, ihm den Fund des Schlüssels in dem geheimnisvollen Kästchen mitzuteilen. In eben diesem Brief klingt eine nicht ganz klar formulierte Andeutung mit, als ob ihr Interesse nicht nur dem Sohn, sondern auch dem Vater gelte, eine Andeutung, die durch ihr eigenes Eingeständnis bestätigt wird. Dazu kommt, daß Wilhelms Antworten einem Echo ähnlich ihre Silben aufnehmen, um sie verhallen zu lassen[111]. Was sie von Wilhelm erwartet, ohne es sich einzugestehen, beweist der Gedanke, er solle bei Erhalt der Zeilen sofort zu ihr eilen. Da sie es dann doch nicht zu erwarten scheint, verbirgt sie ihre Enttäuschung zum voraus hinter einem Kompliment, indem sie Wilhelm in einem solchen Falle für den männlichsten aller Männer erklärt, einen, «dem die liebenswürdigste aller Eigenschaften unseres Geschlechts», die Neugierde, völlig abgeht[112]. Es ist auch nicht erstaunlich, daß Hersilie nicht nur an Felix, sondern auch, ohne es sich einzugestehen, an Wilhelm Gefallen gefunden hat, ist sie doch älter als Felix. Sie steht — Alter und Reife entsprechend — zwischen Vater und Sohn. Doch wagt sie es nicht, sich darüber klar zu werden. Sie ruft denn auch in der «mädchenhaften Nachschrift» aus: «Und was das wieder für Umstände sind! Das schiebt sich und verschiebt sich[113]!» Worte wie «schiebt» und «verschiebt sich» charakterisieren das Hin und Her ihrer Gedanken; diese gehen vom Vater zum Sohne und dann wieder zum Vater zurück. «Vater» und «Sohn» in einem Satzteil zusammengeschlossen, stehen vereint vor ihrer Einbildungskraft. Schließlich gipfelt ihre Nachschrift in dem Wort «beide[114]»; sie sieht sie als eine Einheit. Vieles mag bei dieser Doppelneigung unbewußt sein; völlig jedoch nicht. Aber ihr Verhalten wirkt unrealistisch. Man errät es am Kommentar des Erzählers, der den Brief wunderlich nennt, sieht es aber auch an Wilhelms rein sachlicher Aufnahme des Briefes. Er will freundlich, aber ablehnend antworten. Das bedeutet kein Zögern, entspringt eher der Regung seines Taktgefühls[115]. Wilhelm ist zu sehr mit seinen Aufgaben beschäftigt; außerdem zieht kein überzeugendes Gefühl ihn zu Hersilie. In ihrem nächsten Brief ist die innere Erregung weiter gesteigert, da sich nun zum Schlüssel noch das Kästchen gefunden hat, sie öffnet das Kästchen aber nicht. Mit der letzten Kraft der Vernunft hält sie sich zurück, aber ihre inneren Wünsche werden durch allerlei Wunschträume enthüllt. Sie stellt sich vor, Felix und Wilhelm «kämen, kämen bald, wären schon da[116]». Kein Wunder, daß sie sich so wunderlich, so seltsam, so konfus fühlt; Leidenschaften kämpfen in ihr. Ihre Gefühle werden stärker, schließlich wünscht sie sich, die Verlegenheit kläre sich auf, endige sich, wenn sie allerdings auch befürchtet, ihr sollte dabei etwas Schlimmres begegnen[117]. Inwieweit Schlüssel und Kästchen hier als Liebessymbole gelten mögen, muß dahingestellt bleiben; es liegt im Wesen dieser Symbole, daß sie nicht genau festzulegen sind.

Nicht nur Hersilie ist innerlich eregt, auch Felix ist es. Seine Erregung findet andere Formen. Das Ungestüm-Jugendliche zeigt sich in der Eile des Reitens, in der Ungeduld, daß der Huf seines Pferdes beschlagen werde. Er sprengt davon, mit solcher Hast, daß es sogar den gelassenen Amtsmann aus der Fassung bringt. Die Hast beweist, daß das Jugendlich-Überstürzte nicht nur der in sich unklaren und zögernden Hersilie so erscheint, sondern Wirklichkeit ist. Es fehlt ihm an Maß; seine Werbung ist — wie der Versuch, das Kästchen zu öffnen — heftig; ein Parallelfall zu Flavios Werbung um die schöne Witwe. Gewalttätig wie er ist, treibt er Hersilie dazu, daß sie ihn mit unnötiger Härte zurückstößt. Ihre Erregung ist indes um so gewaltiger, da sie Gefühle für Felix hegt; das wird durch die Anhäufung von Verben bezeugt, mit denen sie ihre eigene Reaktion Felix' Ansturm gegenüber beschreibt. Wir lesen: «Ich bedrohte, ich schalt ihn, befahl ihm, nie wieder vor mir zu erscheinen[118].» Weil ihre Erregung so gewaltig ist, wirkt sie sich auch auf Felix aus, der ungestüm die Schlußfolgerungen zieht, ohne Hersilies Gefühle zu verstehen. Er horcht nicht auf ihre innere Stimme, sondern eilt davon, entschlossen, solange durch die Welt zu reiten, bis er umkomme.

Hersilies Verwirrung gipfelt in dem Ausruf, daß beide, Vater und Sohn, nichts als Unheil anrichten. Das Kästchen wird zwar geöffnet, nachdem ein zerbrochener Schlüssel von einem Goldschmied zusammengekittet wird. Hersilie und Felix sind beide Opfer ihrer eigenen Einstellung. Sie haben noch nicht gelernt, man müsse auch in der Liebe entsagen. So reitet Felix ungestüm und verzweifelt davon, während Hersilie, in Unruhe und Verwirrung zurückbleibend, Wilhelm auffordert, Felix zu suchen. Wie der Schlüssel sich letzlich zusammengefügt, so wird auch Felix von seinem Sturz alsbald geheilt. Aber noch bleibt alles in der Schwebe.

Wie in der Haupthandlung, so ist in fast allen Novellen die Liebe diejenige Macht, welche Ton und Gang der Handlung bestimmt. Nur «Die gefährliche Wette» muß hier ausgenommen werden. Verschiedene Stufen

und Arten von Verwicklungen, Bedrohnissen und Lösungen, die sich bei
Liebesbeziehungen ergeben mögen, werden gestaltet. «Wer ist der Verräter?» bietet ohne Zweifel eine fast lustspielartige Darstellung. In meisterhaft aufgebauter, sozusagen glasklarer Struktur wird das Entstehen der
Liebe zwischen Lucidor und Lucinde geschildert. Wieder wird auf das
Thema des Wechselns der Partner in Liebesbeziehungen angespielt. Die
Situation ist auf das heiterste beschrieben, es wird mit viel Ironie über den
rechtschaffenen Lucidor gelächelt, der sich als Rechtsgelehrter erst distanziert, um seine eigene Lage objektiv betrachten zu können. Trotzdem werden Ängste und Möglichkeiten des Tragischen, die in solchen Beziehungen
auftauchen können, angedeutet, wenn auch nur als Momente in einer lustspielartigen Situation. Nichts wird wahrhaft bedrohlich. Lucidors Trauer
über den vermeintlichen Verlust Lucindes ist nur von kurzer Dauer. Die
Leiden werden schnell und glückhaft ausgeglichen, aber seine Verzweiflung überfällt ihn für den Augenblick doch mit großer Gewalt. In «Der
Mann von fünfzig Jahren» wird die Auflösung und Bindung von Liebesbeziehungen innerhalb einer Gruppe von zwei Menschen auf andere, ern-
stere Weise dargestellt. Es handelt sich nicht nur um ein schnell aufgeklär-
tes, künstlich herbeigeführtes Mißverständnis, vielmehr um die auf falscher
Grundlage bestehenden Beziehungen zwischen Menschen verschiedener Art.
Die Entstehung der Neigung des Majors zu Hilarie wie auch die parallele
Neigung seines Sohnes zur schönen Witwe werden in ihren verschiedenen
Schattierungen aufgezeichnet. Die Verjüngungskur des Majors, die Bedenken seiner Schwester, der Baronesse, erregen Zweifel bezüglich der Möglichkeit eines günstigen Ausganges. Das leidenschaftliche Poltern Flavios,
das seinem stürmisch verwirrten Auftreten vorangeht, kündigt die völlige
Änderung seiner Einstellung an. Jene langsam entstehende Leidenschaft
zwischen Flavio und Hilarie wird von einem kaum merklichen Heranwach-
sen bis zu ihrem stürmischen Auflodern geschildert; aber Hilarie ist nicht
bereit, sofort in eine Verbindung mit Flavio einzuwilligen. Ihr sittliches
Verantwortungsbewußtsein ist erwacht; sie handelt und spricht so bestimmt, daß sogar die Baronesse erstaunt vor der Hoheit und Würde des
jungen Mädchens zurücktritt. Aber hier ist das Verhängnis im Gegensatz
zu den *Wahlverwandtschaften* vermeidbar. Ein glückliches Schicksal waltet.
Flavio ist imstande, jene reizvolle Frau zu verlassen, um sich an ein ethisch
und geistig hochstehendes Mädchen zu binden, wobei er wohl durch die
verständnisvolle Haltung seines Vaters, der erkennt, der Jugend müsse ihr
Recht werden, unterstützt wird. Andererseits hilft das Eingreifen Makaries,
deren einsichtsvolle Briefe die Gefühle der schönen Witwe in ethisch-
gesundem Sinne lenken. Dadurch lernt die reizvolle Frau verstehen, welche

Verwirrung sie in der Familie des Majors angerichtet, diese Erkenntnis erlaubt ihr, am Ende, den Major an sich zu binden. Das Geschehen verläuft hier ganz anders als in den *Wahlverwandtschaften*. In der Erzählung ist nicht vom Gegensatz zwischen Gesellschaft und Natur, zwischen Sitte und Trieb die Rede. Es geht um den Widerstreit der seelischen Pflichten und Liebesneigungen. Dieser Widerstreit liegt mehr in den Gefühlen der Menschen als in unwiderruflichen Bindungen. Zwar läßt Hilaries Handeln erkennen, daß auch hier das Ethische die Natur bestimme. Die schöne Witwe lernt dieselbe Auffassung von Makarie, und sie entsagt, wenn auch nur beschränkt. Die Liebe steht also auch im Zentrum dieser Erzählung, sie läßt den Charakter der Personen voll zur Geltung kommen. Hilaries Persönlichkeit aber ist derart: sie muß lieben. Ihre bewundernde, hingebungsvolle Natur verlangt es; indessen fehlt es ihr bei ihrer Wahl an Erfahrung, an Verstand [119]. Erst die Tatsache, daß Flavio seinem Vater ähnlich sieht, sowie seine Erkrankung — welche ihre Sympathie erregt — führen sie auf den richtigen Weg. Die Liebe des Majors zu Hilarie beruht, zum Teil wenigstens, auf Eitelkeit, hauptsächlich aber auch auf einer Sucht nach Ablenkung und Vergnügen, auf der Hoffnung, dem Altern begegnen zu können. Er vergleicht sich sogar kühn mit neubelaubten, sprossenden Frühlingsbäumen.

Die dritte Novelle, in welcher Liebesbeziehungen eine Hauptrolle spielen, ist «Nicht zu weit». In Odoards fragmentarischer Erzählung seines Lebensschicksals handelt es sich wie bei den *Wahlverwandtschaften* um eine Ehe, die durch andere Neigungen der beiden Partner bedroht ist. Aber nur die äußere Situation ist ähnlich; die Gestalten haben grundverschiedene Charaktere, deshalb sind die inneren Verhältnisse anders gelagert. Odoard ist ein Mann, tiefer Gefühle fähig, dessen Handlungen durch seine streng sittliche, besonders für gesellschaftlich-politische Aufgaben aufgeschlossene Natur bestimmt sind. Deshalb hemmt er seine Neigung zu Prinzessin Sophronie, die aus politischen Erwägungen heraus die Braut des Erbprinzen werden soll. Da Sophronie — anscheinend von Odoards Neigung nicht unberührt — sich vorsichtig äußert, wird Odoard in eine schwierige Lage gebracht; man glaubt, er habe sie in einem Gedicht unter dem Namen Aurora allzu leidenschaftlich gefeiert. Durch Odoards Heirat mit der Tochter des Ministers wird dieser Aufruhr zunächst beschwichtigt. Trotzdem lassen seine heimlichen Gegner den Verdacht nicht zur Ruhe kommen. Darauf wird Odoard als Statthalter in eine entfernte Provinz entsandt, wo er zwar eine segensreiche Tätigkeit entfalten kann, ohne sich dabei glücklich zu fühlen. Die Nichtigkeit dieser Ehe wird dadurch bewiesen, daß Odoard stillschweigend einen Hausfreund duldet. Das rücksichts-

lose Benehmen der Gattin, die selbst an ihrem Geburtstag nicht zu Hause
bleibt, erregt Odoards Ungeduld und Ärger derartig, daß er am Ende
auch weggeht. Er begegnet in einem Gasthof zufällig der durchreisenden
Prinzessin. Beide können ihre Gefühle nicht mehr bemeistern, wie es das
Abbrechen der Novelle an dieser Stelle andeutet. Sie werden wohl erkennen
müssen, daß sie nicht zu weit gehen dürfen, was ja auch der Titel besagt. Ähnliches muß auch die Gattin Odoards anläßlich eines Unfalls erkennen, der ihr auf der Rückkehr nach Hause zustößt; sie sieht, daß jener
Hausfreund ihre Freundin Florine liebt und von ihr wiedergeliebt wird.
Doch ihr fehlt es an der nötigen Tiefe, um zur Entsagung zu gelangen.
Ihre Liebe ist zu sehr vom Wunsche nach Zerstreuung bedingt. Hier wirkt
sich Aufgeschlossenheit gegenüber der Bewegung des Lebens negativ aus.
Ihr Dasein bestätigt die Erkenntnis:

> Wer mit dem Leben spielt,
> Kommt nie zurecht;
> Wer sich nicht selbst befiehlt,
> Bleibt immer Knecht[120].

Diese Novelle enthüllt die Nichtigkeit einer nur konventionellen Ehe
oder Liebelei. Zur gleichen Zeit wird aber auch Odoards Haltung positiv
herausgestellt. Er läßt es nicht zum Äußersten kommen, wie groß auch sein
Unmut über die unbefriedigenden Umstände zu Hause sein mag. Er beherrscht sich; kann sodann in seiner verantwortungsvollen Aufgabe Wertvolles leisten.

Die Novelle «Das nußbraune Mädchen» stellt einen seltenen Fall dar:
jene Liebe Lenardos, die man als Leidenschaft aus Gewissen bezeichnen
mag. Auch hier beweist die Liebe ihre Macht. In der Befürchtung Lenardos,
das Mädchen verletzt zu haben, als er ihre Bitte nicht erfüllte, schwingt
doch auch bereits Liebe mit. Allerdings eine Liebe, über welche er sich
nicht im klaren ist. Seine Gefühle bringen ihn dazu, nach der Verlorenen
zu forschen, oder vielmehr nach ihr forschen zu lassen, obwohl ein weniger
empfindsamer Mensch schon längst die Flinte ins Korn geworfen hätte.
Die Liebe verbindet sich bei ihm mit seiner Neigung zu sozialen und technischen Aufgaben; sie führt in die Gebirgsgegend, wo Weber und Spinner
ihre Arbeit ausüben. Lenardos zurückhaltende Werbung ist nicht ohne
Wirkung, besonders da er in Susanne-Nachodine eine ähnlich skrupelhafte
Natur findet. Aber nur durch Makaries Vermittlung und Lenardos Bereitschaft, auch in der Liebe weitgehend Rücksicht und Geduld aufzubringen
— die Gedanken an den verstorbenen Gatten beschäftigen Susanne noch zu
sehr —, kann sein Werben auf günstige Antwort hoffen. Auch hier entwickeln sich wiederum — wie bei Wilhelm — Erkenntnis und Gefühl: Liebe

sei reif, wenn sie auf Entsagen gründet; nur so wird sie tiefere und festere Wurzeln schlagen; einer derartigen Liebe steht diejenige des unreifen, ungestümen Jünglings — als verfehlt — gegenüber. Seine stürmische Werbung um Susanne bildet einen analogen Fall zu Felix' Werben um Hersilie, nur daß hier der freiere, ungebundene Lenardo den Vorrang über den unreifen Knaben erhält. Die Liebe Lenardos ist *nicht* gegen die Natur.

In der Erzählung «Die pilgernde Törin» erfährt man von allerhand möglichen Verirrungen der Liebe; das Werben bei Vater und Sohn beruht auf ungenügender Kenntnis; die Pilgerin will sich in der Tat für das unziemliche Werben des Freundes von der Mühle rächen. Für die Herren von Revanne dürfte all dies nur eine Episode sein, die allerdings in ihrem Leben eine Spanne von zwei Jahren einnimmt. Es gibt hier keine Andeutung, daß ihr Leben dadurch irgendwie aus der Bahn geworfen würde. Anders für die Pilgerin, deren Enttäuschung diesem seltsamen Dasein eine so ganz andere Richtung gegeben hat. Allen drei Gestalten aber mangelt es an Reife und Entsagung. Eine weitere Novelle «Die schöne Melusine» gehört zur selben Gruppe. In diesem Märchen liegt, wie schon gesagt, das Versagen darin, daß der Held sich weigert, in einer Verbindung mit einer geistig oder gesellschaftlich ebenbürtigen Frau Genüge zu finden. Liebe ist auch hier das Zentralthema. Nur mit gewaltiger Anstrengung gelingt es dem jungen Mann am Ende, von ihr gelöst, sich Freiheit und Unabhängigkeit zurückzugewinnen.

Er findet sich in einer beschränkten Lage, in der er das Ideal, das er von sich sieht, nicht mehr erreichen kann. Aber sich retten, die Bande seiner Ehe zerreißen, den Ring, der ihn fesselt, zerfeilen und um diese Erfahrung reicher in den alten Zustand zurückkehren, das vermag er.

In der Welt der *Wanderjahre* greift also die Liebe auch in das Leben des einzelnen ein und ändert es gewaltig; aber es wird ebenfalls geschildert, wie das Individuum durch Entsagung dieser Macht widerstehen kann.

In dem dritten Gedicht jener «Urworte Orphisch», das Goethe »ΡΕΩΣ« «Liebe» genannt hat, hat er dieser Flamme, welche die Lampe des Lebens entzündet, eine scharf profilierte dichterische Form gegeben:

> *Die bleibt nicht aus! — Er stürzt vom Himmel nieder,*
> *Wohin er sich aus alter Öde schwang,*
> *Er schwebt heran auf luftigem Gefieder*
> *Um Stirn und Brust dem Frühlingstag entlang,*
> *Scheint jetzt zu fliehn, vom Fliehen kehrt er wieder,*
> *Da wird ein Wohl im Weh, so süß und bang.*
> *Gar manches Herz verschwebt im Allgemeinen,*
> *Doch widmet sich das edelste dem Einen*[121].

Goethes eigene erläuternde Worte dazu sind der beste Kommentar zu den möglichen Verbindungen und Ergebnissen, die mittels der Liebe entstehen mögen:

«Hierunter ist alles begriffen, was man von der leisesten Neigung bis zur leidenschaftlichsten Raserei nur denken möchte; hier verbinden sich der individuelle Dämon und die verführende Tyche miteinander; der Mensch scheint nur sich zu gehorchen, sein eigenes Wollen walten zu lassen, seinem Triebe zu frönen, und doch sind es Zufälligkeiten, die sich unterschieben, Fremdartiges, was ihn von seinem Wege ablenkt; er glaubt zu erhaschen und wird gefangen; er glaubt gewonnen zu haben und ist schon verloren. Aber auch hier treibt Tyche wieder ihr Spiel, sie lockt den Verirrten zu neuen Labyrinthen, hier ist keine Grenze des Irrens: denn der Weg ist ein Irrtum. Nun kommen wir in Gefahr, uns in der Betrachtung zu verlieren, daß das, was auf das Besonderste angelegt schien, ins Allgemeine verschwebt und zerfließt. Daher will das rasche Eintreten der zwei letzten Zeilen uns einen entscheidenden Wink geben, wie man allein diesem Irrsal entkommen und lebenslängliche Sicherheit gewinnen möge [122].»

Die Triebe, von welchen die Menschen bewegt werden, erscheinen allmächtig. Darauf baut Eros seine Macht, welche, Mann und Frau aneinander kettend, die Richtung ihres Lebensweges vorschreibt. Verschiedene Arten und Möglichkeiten jener Macht werden gestaltet. Der Mensch sucht in einer innigen Gemeinschaft mit einem anderen verbunden zu sein. Dieses Verlangen gerät leicht in Konflikt mit der Persönlichkeit. Um einen Liebesbund einzugehen, muß er zu Geduld, Verständnis und Verzicht bereit sein, d. h. er wird Entsagung walten lassen. Andere, wie Felix und Hersilie, sollen das noch lernen. Diejenigen, denen es nicht gelingt, die Triebe einzudämmen, werden scheitern, wie der Held der «neuen Melusine». Im Märchen wird auf die Tragik nur angespielt, in «Nicht zu weit» bricht die Erzählung ab, bevor das Tragische wirklich geschieht. Hier ist die Fähigkeit des Menschen betont, über die Triebe Herr zu werden. Die Liebe soll durch Entsagen heranreifen, damit sie zu einer unwiderstehlichen Kraft werde.

Die Ehe, die im Roman nicht die bedeutende Rolle spielt, die ihr in den *Wahlverwandtschaften* zugemessen wird, ist eher in den Hintergrund verwiesen. Doch darf man die Bedeutung, die ihr eingeräumt wird, nicht unterschätzen. Wilhelms und Natalies Ehe bildet, wie wir schon sahen, die Grundlage der ganzen Handlung, welche ohne solch entsagende Liebe anders verlaufen müßte.

*

In den *Wanderjahren* wird die Kunst ebenfalls von mehr als einem Gesichtspunkt aus betrachtet. Der Einfluß der Kunst auf das Leben wird zunächst dadurch betont, daß wir der Rolle gewahr werden, welche sie im Leben des Zimmermannes Joseph einnimmt. Es wird aber auch dargestellt, daß das Handwerk — zum Bereich der Kunst gehörig — eine heilsame Wirkung auf den Zimmermann ausüben kann, indem es seinem Leben eine feste Basis gibt. Hier wird die beglückende Kraft geschildert, die vom Handwerk ausstrahlt, wenn es ein einzelner in der ihm gemäßen Umgebung übt. Bei den Spinnern und Webern ist die Atmosphäre trostlos. Dort ist keine Spur von jener Befriedigung zu finden, welche die Restaurierung der Bilder und des Gebäudes der alten Kirche dem Zimmermann gewährt.

Oheim und Sammler besitzen Kunstschätze; auch in der pädagogischen Provinz werden solche aufbewahrt. Ihr Sinn ist: Bewahrung der Tradition. Beim Sammler ist es am ausgeprägtesten der Fall; aber auch der Oheim wünscht, die Vergangenheit für die Gegenwart festzuhalten. Zugleich versucht er, die didaktische Macht der Kunst zu betonen, wie es an den prägnanten Maximen über den Türfeldern erkennbar ist. In der pädagogischen Provinz wird ein weiterer Aspekt der Kunst dargestellt. Einesteils erscheint sie als konservierendes Element in den Gemälden wie in der Galerie, andererseits ist sie ein aktiver Prozeß. Nicht nur das Beispiel, sondern auch die Ausübung der Kunst hat bildenden Wert. Hier ist die Kunst dem Lebensprozeß eingegliedert.

Die Kunst wird in der pädagogischen Provinz nicht nur als etwas Heiliges dargestellt, es wird auch ausgeführt, wie derjenige sie nach festen Regeln meistern lernt, der ihre strengen Forderungen und Gesetze treulich befolgt. Die Menschen erhalten Gelegenheit, eine ihrem Talent gemäße Kunst zu entwickeln. Auf diese Weise kann man sein Glück finden: «Je früher der Mensch gewahr wird daß es ein Handwerk, daß es eine Kunst gibt, die ihn zur geregelten Steigerung seiner natürlichen Anlagen verhelfen, desto glücklicher ist er; was er auch von außen empfange, schadet seiner angeborenen Individualität nichts[123].» In einem Lied, welches — bei dem Fest gemeinsam gesungen — das Wesen der Kunst erhellt, wird ausgesprochen, es sei für den Künstler unumgänglich, in der Einsamkeit zu schaffen, aber dann im Vergleich mit anderen sein Werk zu verbessern:

> *Zu erfinden, zu beschließen*
> *Bleibe Künstler oft allein*
> *Deines Wirkens zu genießen*
> *Eile freudig zum Verein!*
> *Hier zum Ganzen schau', erfahre*
> *Deinen eignen Lebenslauf*
> *Und die Taten mancher Jahre*
> *Gehn dir in dem Nachbar auf[124].*

Dieses trifft auf alle Künste zu. Wie verschieden die Erscheinungsarten sind, so entspringen sie doch ein und demselben Impuls, unterstehen ein und demselben Schaffungsgesetz:

> *Wie Natur im Vielgebilde*
> *Einen Gott nur offenbart*
> *So im weiten Kunstgefilde*
> *Webt ein Sinn der ew'gen Art*
> *Dieser ist der Sinn der Wahrheit*
> *Der sich nur mit Schönem schmückt*
> *Und getrost der höchsten Klarheit*
> *Hellsten Tags entgegenblickt* [125].

Weil die Künstler mit diesem Prozeß vertraut sind, stehen sie von Natur aus dem Wandererbund nahe, wie es Lenardos große Wanderrede bezeugt; denn, wie er sagt: sie sind alle mit der Weltbewegung verflochten; er spricht von Malern, Musikern und Schauspielern.

Die Schauspieler sind indessen die einzigen Künstler, die von der pädagogischen Provinz ausgeschlossen werden. Zöglinge, die dieses Talent von Natur aus besitzen, werden in eine andere Gegend gesandt. Der Erzähler macht sie sogar durch einen herablassenden Vergleich lächerlich. Der Schauspieler wird verbannt, weil er nur existieren kann, wo eine müßige Menge, vielleicht gar ein Pöbel vorhanden ist. Ein solcher darf sich nicht in der pädagogischen Provinz aufhalten. Auch wird der Schauspieler das, was Kunst und Leben bieten, zu seinen flüchtigen Zwecken mißbrauchen. Er erregt bei der Masse erlogene Heiterkeit, ein unwahres, dem Augenblick nicht entsprechendes Gefühl. Deshalb finden die Leiter der Provinz solche Gaukeleien durchaus gefährlich und können sie mit ihrem ernsten Zweck nicht vereinen [126].

Wilhelms Reaktion dieser Auffassung gegenüber läßt erkennen, wie sehr er sich seit seiner Jugendzeit gewandelt hat; seine unbedingte Begeisterung ist verschwunden; er protestiert nicht laut gegen diese kritische Auffassung. Er hört zu, «doch nur mit halber Überzeugung, vielleicht mit einigem Verdruß [127]». Gewiß, er hat sich von der Schauspielkunst völlig abgewandt, ist von ihrem Unwert überzeugt, aber dieser Bruch mit der Vergangenheit hat doch in einem gewissen Maße nur intellektuell stattgefunden. Wie er wirklich fühlt, verrät seine «sentimentale» Anhänglichkeit an jene einstige Begeisterung für das Theater, die ihn zum Widerspruch gegen allzu dogmatisch vorgetragene Auffassungen reizt. Wilhelms kritische Haltung wird hier noch durch die Bemerkung des Redaktors der Bogen gestützt, der die wunderliche Stelle nur mit einigem Unwillen durchgehen läßt. Er ist noch nicht unbedingt überzeugt. Hat er nicht, wie er sagt, «in vielfachem Sinne mehr Leben und Kräfte als billig dem Theater zugewendet[128]»? Und konnte man ihn überzeugen, daß das lediglich ein unverzeihlicher Irrtum, eine fruchtlose Bemühung gewesen? Selbst die pädagogische Provinz kann nur eine Seite des Lebens erfassen; sie muß nicht unbedingt voll und ganz in allen ihren Bestimmungen recht behalten.

Im Vergleich zu den *Lehrjahren* spielt die bildende Kunst hier eine weniger bedeutende Rolle. Nur einige Aphorismen der Spruchsammlungen beleuchten ihre Probleme schärfer. In der Romanhandlung selbst tritt ein einziger Künstler dieser Art, ein Maler auf; er zaubert am Lago Maggiore die Erinnerung an Mignon hervor. Eine episodische Figur, die durch eine heitere, bestimmte Darstellung zwar der Tragik in Mignons Leben Dauer verleiht, aber sie nicht zur lebensbedrohenden Macht werden läßt. Im Gegensatz zu den Ansichten, die in der pädagogischen Provinz vorgetragen werden, hören wir hier, daß Kunst und Natur äußerst verschieden sind. Es wird betont, wieviel man von einem Meister lernen könne[129], aber auch, wie notwendig es in der Kunst sei — mit dem Sinn für das Ganze —, jene Verbindungen zu erkennen, die zum Ganzen führen. Dilettantismus ist verpönt:

«Die Dilettanten, wenn sie das Möglichste getan haben, pflegen zu ihrer Entschuldigung zu sagen, die Arbeit sei noch nicht fertig. Freilich kann sie nie fertig werden, weil sie nie recht angefangen ward. Der Meister stellt sein Werk mit wenigen Strichen als fertig dar, ausgeführt oder nicht, schon ist es vollendet. Der geschickteste Dilettant tastet im Ungewissen, und wie die Ausführung wächst, kommt die Unsicherheit der ersten Anlage immer mehr zum Vorschein. Ganz zuletzt entdeckt sich erst das Verfehlte, das nicht auszugleichen ist, und so kann das Werk freilich nicht fertig werden[130].»

Was für die Künstler gilt, gilt auch für die Wissenschaftler. Über diese wird Wesentliches ausgesagt. Jarno-Montan und der Astronom sind Gelehrte; und Wilhelm widmet sich der Wissenschaft während seiner Ausbildung. Auch bei ihr ist der Sinn für das Ganze unerläßlich; denn «die Theorie ist an und für sich nichts nütze, als insofern sie uns an den Zusammenhang der Erscheinungen glauben macht[131]». Der Künstler, der den menschlichen Körperbau und seine Teile als Hilfe für die Anatomie nachzeichnet und nachbildet, beweist, daß Kunst und Technik mit gegenseitiger Unterstützung sich die Waage halten können, so daß der Künstler nicht sicher sein kann, ohne in ein löbliches Handwerk überzugehen, das Handwerk sich nicht steigern kann, ohne kunstreich zu werden. Durch diesen Meister der Imitation wird dargestellt, wie notwendig und nützlich das rein Handwerkliche sei.

Die Wissenschaften besitzen ebenso strenge Gesetze wie die Kunst. Hier gilt es festzustellen, «ob das was uns von alters her überliefert und von unseren Vorfahren für gültig geachtet worden, auch wirklich gegründet und noch zuverlässig sei, in dem Grade, daß man daraufhin ferner sicher fortbauen möge[132]». Der Prüfstein ist, ob «das Angenommene lebendig, und in das tätige Beschreiben einwirkend und fördernd gewesen und geblieben»: «Im Gegensatz dazu steht die Prüfung des Neuen, wo man zu fragen hat: ob das Angenommene wirklicher Gewinn oder nur modische Übereinstimmung sei[133].»

Doch Wissenschaft ist nur ein Teil des Ganzen. Der Gelehrte darf und muß sich mit dem Seinigen bescheiden. Bei der Wissenschaft besteht also auch die Gefahr, daß sie durch ihre Einseitigkeit, wie alle menschlichen Tätigkeitsformen, isoliert wird. Goethe hat diese Nachteile deutlich geschildert:

«Mir wird, je länger ich lebe, immer verdrießlicher, wenn ich den Menschen sehe, der eigentlich auf seiner höchsten Stelle da ist, um der Natur zu gebieten, um sich und die Seinigen von der gewalttätigen Naturnotwendigkeit zu befreien; wenn ich sehe, wie er aus irgendeinem vorgefaßten falschen Begriff gerade das Gegenteil tut von dem, was er will, und alsdann, weil die Anlage im Ganzen verdorben ist, im Einzelnen kümmerlich herumpfuscht[134].»

Diese Isolierung ist ungenügend. In der Gestalt der Makarie hat Goethe indes einen Menschen geschaffen, der Geist und Liebe, Wissenschaft und Sittlichkeit vereint[135]. Schon der Name ist symbolisch, stammt er doch aus dem Griechischen: μακάριος glückselig. In Makarie vereinigen sich wissenschaftliches Streben und sittliches Handeln. Hier wird erlebt, was Goethe in seiner Gedankenlyrik beschrieben hat:

> Müsset im Naturbetrachten
> Immer eins wie alles achten.
> Nichts ist drinnen, nichts ist draußen.
> Denn was innen das ist außen
> So ergreifet ohne Säumnis
> Heilig öffentlich Geheimnis[136].

Wilhelm ist es vergönnt, in seiner Art dasselbe Wirken zu entfalten und ähnliches zu leisten; denn als Arzt verbindet er Kunst und Wissenschaft[137]. Wie der Bildhauer mit seiner Kunst der Wissenschaft zu Hilfe kommt, vereint ein Arzt Intuition und sachliche Kenntnis. Weil Wilhelm diese Fähigkeiten besitzt, rettet er seinen Sohn und schafft damit sein Meisterstück[138].

*

So vielfältig wie die Themen sind die Lebensstufen[139]. Wird in *Werther* das Dasein vom Standpunkt eines Jünglings, in den *Lehrjahren* eines sich entwickelnden jungen Mannes aus gesehen, so wird es in den *Wahlverwandtschaften* hauptsächlich von den vier Hauptgestalten aus betrachtet; von diesen gehören drei derselben Generation der reifen Menschen an; nur Ottilie nicht. In den *Wanderjahren* ist der Blickpunkt von vornherein anders, denn hier werden fast alle Ereignisse in zweifacher Perspektive gesehen, tritt der gereifte Wilhelm neben den Knaben Felix. Dazu gesellt sich Lenardo, ein heranreifender junger Mann. In den *Wahlverwandtschaften* entwickelt sich Ottilie mehr als die anderen, aber sie kann nicht — wie die Gestalten in den *Wanderjahren* — als repräsentativ für ihre Generation betrachtet werden. Der Unterschied zwischen ihr und den anderen Gestalten ist im wesentlichen nicht durch die Generation, sondern vom Charakter her bestimmt.

Der Konflikt zwischen dem reifen Mann und dem Jüngling wird mehrmals behandelt[140]. In der Novelle «Die pilgernde Törin» kommt er vor; aber die Haltung der Pilgerin verhindert, daß es zu einem offenen Bruch zwischen Vater und Sohn kommt. Anders in der anderen Novelle «Der Mann von fünfzig Jahren». Dort kommt es zu einer Krise, die aber durch das Entsagen des Majors nicht zur Katastrophe wird. In «Die gefährliche Wette» spielt der Gegensatz zwischen den Generationen eine untergeordnete Rolle. Zwar hat der alte Herr ganz andere Begriffe von Würde und Ehre als die mutwillige Jugend, die ihn so sehr kränkt; aber seine Auffassung wird vom Sohn geteilt. Ebensowenig darf man das übermütige Verhalten des Raufbolds als typisch für die Jugend ansehen.

Die bedeutsamsten älteren Gestalten sind der Oheim und Makarie, die gewiß alle wie der Major über fünfzig, wahrscheinlich sogar über sechzig sind. Der Oheim ist ein Mann, der seine guten Eigenschaften und Grillen hat und bei aller Lebendigkeit des Benehmens eine gewisse geistige Starrheit verrät, ihr gegenüber ist Widerspruch nicht zu empfehlen. Seine Lebenshaltung entspricht einer gewissen geistigen Unbeweglichkeit, der man nicht selten bei älteren Herren begegnet. Gerade diese Mängel gehen Makarie ab. Sie besitzt eine geistige Beweglichkeit, die ihre Würde noch erhöht; die Aphorismen aus ihrem Archiv und die Einwirkung ihrer Persönlichkeit auf andere drücken ihre Altersweisheit aus. Durch Lebenserfahrung und Einsicht zum geistigen Mittelpunkt eines ganzen Kreises von Menschen geworden, vermag sie verworrene Lebenspfade zu entwirren. Geistige Stufen fallen zwar nicht unbedingt mit Lebensstufen zusammen, bei ihr aber ist das gewiß der Fall.

Die Gestalten des Romans sind auf ganz verschiedene Art charakterisiert. Sie lassen sich zunächst in die Perspektive der verschiedenen Lebensalter einordnen. Goethe wollte aber keinen psychologischen Roman schaffen, der das Innenleben der Hauptgestalten aufs genaueste charakterisiert. Die Gestalten sind auch weniger von innen gesehen als in den *Lehrjahren,* wo mindestens die Charaktere des Titelhelden und der Stiftsdame ausführlich dargestellt werden. Anders in den *Wanderjahren.* Hier mußten die Charaktere des Titelhelden und mancher anderen Gestalt als gegeben, nicht mehr neu skizziert werden. Es galt, ihren Reife- und Entwicklungsprozeß darzustellen. Aber das ist nur ein Grund; tatsächlich verändert sich Wilhelms und Jarnos Charakter kaum; sie spielen als einzige von den reiferen Personen in den *Lehrjahren* eine wesentliche Rolle. Es sind nicht Wilhelms innere Erlebnisse, auf denen das Schwergewicht liegt, sondern die Begebenheiten, die ihm zustoßen, die Gedanken, welche sie auslösen. Der Roman spielt sich mehr in der gedanklichen als in der empfindsamen Sphäre ab. Wir hören wenig oder nur andeutungsweise von Wilhelms Reaktion auf Hersilies Werben; seine Pläne, Medizin zu studieren, werden uns nicht näher mitgeteilt. Wilhelm ist nicht der einzige, der nun reifer erscheint. Auch Jarno ist es, wenn auch auf andere Art. Skeptiker noch immer, aber er besitzt viel Wissen; er war es, der einst Wilhelm auf Shakespeare aufmerksam gemacht hatte. Aber sein Wissen scheint tiefer, konkreter, objektiver, wissenschaftlicher geworden zu sein. Einsamkeit und die Beschäftigung mit den Urgründen des Lebens wandeln ihn. Die positive Seele seines Wesens überwindet den Skeptizismus, wie schon beim Vorlesen des Lehrbriefes — zweiter Teil — und beim Hinweis auf Shakespeare zum Ausdruck kam. Er ist es, der durch Bild und Symbol auf Ursprung und Sein des Lebens hinweist und zudem weiß, worauf es im Dasein ankommt; er ist mit den wesentlichen Gesetzen durchaus vertraut. Aber nur die Umrisse der Persönlichkeit treten hervor; in sein Innenleben dringt man kaum. Das ist auch nicht viel anders bei den übrigen Gestalten der Rahmenerzählung. Lenardo ist ein entschlossener junger Mann, im praktischen Wirken, ja sogar in der Technik erfahren. Er hat ein differenziertes Innenleben, wie uns die Schuldgefühle — wegen des nußbraunen Mädchens — verraten. Wir erfahren von seinem Bedenken, seinem Zögern, nach Hause zu eilen; dies läßt auf Feinheit des Empfindens schließen, aber auch auf innere Entschiedenheit. Mehr erfahren wir nicht. Als Persönlichkeit wirkt er stark auf andere. Er ist ein Mensch, der zu führen vermag; besitzt Einfühlungsgabe und Klarheit des Blicks, wie seine Beschreibung der Weber und Spinner und die Wanderrede beweisen.

Auch von Odoard würde man aus der Rahmenhandlung so gut wie nichts erfahren; aber in der Erzählung «Nicht zu weit» begegnen wir einem innerlich gespaltenen Menschen, der schwer an seinem Schicksal trägt. Standesbewußtsein und Pflicht bestimmen sein Leben, er wird mit dem Problem seiner lieblosen Ehe — die Erfüllung einer wahren Liebe bleibt ihm versagt — nicht fertig. Nur im Falle von Felix und Hersilie wird ein volleres Bild ihres inneren Lebens geboten. Der ungestüme und ungezähmte Felix — der Leidenschaft noch keineswegs Meister — folgt gerne und rasch seinen Impulsen, wohin sie ihn auch führen mögen. Bei Felix geschieht, im Gegensatz zum Vater, noch vieles unbewußt. Deshalb weiß er noch nicht zu entsagen, denn Verzicht setzt Bewußtsein voraus; und eben dieses war für Goethe wesentliche Vorbedingung des Reifens. So freute er sich für seinen Sohn, als dieser sich auf seiner Italienreise befand, da er bei dieser Reise ausgeprägteres Bewußtsein erwarb[141]. Ähnlich ist auch Fausts Entwicklung ein Prozeß des Bewußtwerdens; die eigene Entwicklung hat Goethe in seinem letzten Brief ähnlich beschrieben[142].

Hersilie ist, wie das Hin und Her ihrer Gefühle zwischen Vater und Sohn beweist, viel komplizierter als Felix. Ist sie sich über ihre Gefühle nicht im klaren, so hat sie doch einen hellen, aufgeschlossenen Blick für die Umwelt (siehe ihre Kritik über den Oheim). Sie verbindet Liebenswürdigkeit und Frische der Erscheinung mit Empfindsamkeit und Intelligenz. Vom Oheim selbst erfahren wir nichts, was seine äußere Tätigkeit angeht. Das entspricht seiner Persönlichkeit; er ist aufs Praktische gerichtet, ein Mann, dem es auf Wirken, nicht auf Empfindungen ankommt. Die egoistischeren Züge seines Charakters — Ursache von Schrullen und Eigenheiten — resultieren aus dem ungünstigen Einfluß der Macht auf den Charakter.

Makaries Wesen ist an der Wirkung auf andere erkennbar. Ihr eigenes Empfinden bleibt uns dabei rätselhaft. Wir hören zwar von jenem eigenartigen Verhältnis zum Sonnensystem, was auf besondere, beinahe übernatürliche Kräfte schließen läßt. Sie besitzt Vornehmheit des Auftretens, die zwar auch andern Gestalten nicht fehlt. Aber bei ihr mischt sich kein Egoismus ein, so kann sie fruchtbar und lösend wirken; sie besitzt Güte, Menschenkenntnis und Einsicht. Ihre Persönlichkeit soll «unerhört» wirken, was aus der Darstellung ihres Wissens und ihrer Tätigkeit hervorgeht. Daher die zentrale Funktion, die sie in der Struktur des Romangeschehens einnimmt. Aus diesem Grunde wird sie zu der einen souveränen Erscheinung des Romans.

Unter den Gestalten der Novellen gibt es mehrere, von deren Innenleben man einiges erfährt; doch hier steht man keineswegs einer so subtilen Analyse gegenüber wie in *Werther* oder den *Wahlverwandtschaften*. Am meisten erfährt man über die Gestalten der umfangreichen Novelle «Der Mann von fünfzig Jahren». Diese Erzählung verweilt trotz der Leidenschaften, die darin vorkommen, fast völlig in heiter-gesellschaftlichen Bereichen. Die Persönlichkeit des Majors ist von galanten Formen geradezu geprägt. Liebenswürdige Gelassenheit, väterliche Milde, Verständnis für andere, sein Geschick in der Unterhaltung zeigen sich wiederholt; etwa in den Gesprächen mit dem Sohn, der schönen Witwe, mit seiner Schwester und mit Hilarie. Der Major ist mehr als ein durchschnittlicher Gutsherr, kennt er doch als Dichter die lateinischen Autoren. Auch ist er mit Sinn fürs Natürliche und Schickliche begabt, wie es seine instinktive Reaktion auf die Nachricht, daß Hilarie ihn liebe, bezeugt. «So Unnatürliches hatte ich ihrem natürlichen Wesen nicht zugetraut[143].» Am Anfang der Novelle befindet er sich in einer Krise; einerseits spürt er sein Altern, andererseits möchte er die jugendliche Lebensweise nicht aufgeben. Sein Wunsch, jünger zu scheinen, läßt ihn nie rücksichtslos oder brutal handeln; im Gegenteil, es beläßt ihn in seinem wohltuenden Verständnis für andere; seine Haltung könnte als Altruismus bezeichnet werden, eine Haltung, die den späteren Verzicht auf Hilarie erleichtert. Der Sohn Flavio — ebenfalls Altruist — ist, wie von der Jugend zu erwarten, viel ungestümer als sein Vater. Gefühle müssen bei ihm unmittelbar in Handlungen umgewandelt werden. Es fehlt ihm an Einsicht in die Feinheiten gesellschaftlichen Benehmens; deswegen kommt es zum völligen Bruch mit der schönen Witwe. Außerdem ist er ein lyrischer Dichter; seine werbenden Verse an Hilarie sind voller Zärtlichkeit. Diese zwar ist ein besonders empfindsamer Mensch, es fehlt ihr aber an Weltkenntnis; eben darum wendet sie ihre Liebe einem älteren Manne zu. Doch besitzt sie Herzenstakt. Sie liebt den Major und findet späterhin Worte, um im Gedicht eine ermunternde Antwort auf Flavios Verse zu geben. Ihre Liebe für Flavio macht sie für die Gefühle des Majors nicht blind. Deshalb vermeidet sie es, diesem zu begegnen, zieht sich auf ihr Zimmer zurück, bis alles geklärt ist. Sie willigt auch nicht in eine sofortige Verbindung ein. Eine stark profilierte Persönlichkeit, der es zwar an Reife, nicht aber an Gefühlsstärke fehlt. Der schönen Witwe dagegen, auch ein Glied dieses Quartetts, gelingt es, jeden Mann für sich zu gewinnen; ihre gesellschaftliche Gewandtheit ist außerordentlich groß. Aber eine derartige Eigenschaft ist auch mit Gefahr verbunden. Die schöne Witwe verrechnet sich, ist unsicher in ihrem Verhalten zu Flavio und reizt ihn mehr, als sie eigentlich beabsichtigt; worauf es zu jener stürmischen Szene kommt. Trotz ihrer Neigung, Männer an sich zu ziehen, ist sie nicht ohne Sitte. Deshalb kann ihre Zuneigung zum Major, die sie zuerst durch die ihr eigene instinktive ausstrahlende Freundlichkeit zum Ausdruck brachte, zu einem gegenseitig befriedigenden Zustand führen.

Die Schöne-Gute wird uns zuerst als Novellengestalt, als nußbraunes Mädchen, vorgestellt. Wir sehen sie indirekt in den Gedanken Lenardos, der sich ihrer — als Bittstellerin — erinnert. Dort wirkt sie zunächst durch die Leidenschaft der Bittenden. Als er sie später wiederfindet, nicht mehr als Novellenfigur, sondern als tätigen Menschen, wirkt sie auf ihn vor allem als gütige, verständige Frau. Die Bezeichnung «Die Schöne-Gute» bezieht sich auf ihren Charakter. Die Erzählung ihres vergangenen Lebens, die Beschreibung der Spinnerinnen wie auch ihre Furcht vor der Zukunft lassen auf ein verständiges, praktisches, aber doch fühlendes Wesen schließen. Auch hier sind nur die Umrisse der Persönlichkeit geschildert. Dasselbe gilt für viele andere Gestalten. Es wäre in der Tat müßig, allen einzeln nachzugehen. Eine genaue Analyse ihres Innenlebens wird nicht gegeben. Es sind allgemeingültige Typen, ohne daß ihnen individuelle Züge fehlten. St. Joseph zwar ist der Urtypus des gläubigen, gemeinnützigen Handwerkers, aber er besitzt auch Ausdauer, Verständnis und Taktgefühl und hat dabei einen Sinn für Tradition, Eigenschaften, die es ihm ermöglichen, um Frau Elisabeth erfolgreich zu werben. Lucidor ist ein empfindsamer, junger Mann, wie es deren viele gibt, aber die Schrullen eines Rechtsgelehrten geben ihm das individuelle Gepräge, wenn er auch bisweilen im Typischen, Lustspielartigen verharrt. Die pilgernde Törin, ein mutwilliges Mädchen, kann immerhin Achtung fordern. Andere Figuren, wie Lenardo, die Herren von Revanne, der Held der Erzählung «Die neue Melusine», die Gestalten in «Die gefährliche Wette» oder Odoards Frau, ihr Liebhaber und dessen Freundin, sind konventionell gezeichnet; trotzdem prägen sie sich dem Leser ein. Was bei diesen Gestalten vor allem auffällt, ist, daß keine von ihnen eigentlich bösartige Züge trägt. Wenn auch einige, wie etwa die Frau Odoards und ihr Liebhaber leer erscheinen, die Helden der Erzählung «Die schöne Melusine» oder die jungen Leute in «Die gefährliche Wette» keine besondere Zielstrebigkeit zeigen, so ist doch keine dieser Gestalten einem bösen und zerstörendem Hang verfallen. Keine ist pathologisch und keine sucht mit Absicht, anderen zu schaden. Das trifft sogar auf den Raufbold und die schöne Pilgerin zu, wenn auch ihr Handeln das Maß des Erlaubten überschreitet. Im ganzen Roman treten vornehmlich gute Menschen auf, die, mit sinnvollen Aufgaben beschäftigt, dem Leben positiv gegenüberstehen und es auf ihre individuelle Weise meistern. Goethe wollte die Aufmerksamkeit auf das fruchtbare Streben, die sinnvolle Betätigung des Menschen lenken, Störungen des Bereiches wurden nur am Rande erwähnt; dem Dämonischen wollte er keinen größeren Raum gewähren, bedrohliche Mächte nur knapp andeuten.

Die *Wanderjahre* — in gewisser Hinsicht Utopie — sind ein Buch, in welchem Goethe eine Welt darstellte, die zwar realistisch, d. h. realisierbar ist, in der aber infolge des Strebens und Wirkens von seiten gutwilliger Menschen die Kräfte des Guten überwiegen. Überall waltet Ordnung und Harmonie. Goethe glaubt an die Möglichkeit einer heiter-sittlichen Gesellschaft, in welcher das Dämonische nicht ohne weiteres einzubrechen vermag[144]. Deshalb schieden die *Wahlverwandtschaften* an dieser Stelle aus; sie wuchsen zu einem unabhängigen Werk heran. Die Gestalten in den *Wanderjahren*: Makarie, Lenardo, St. Joseph, selbst der Oheim und der Sammler wirken bedeutend, weil sie positive Beiträge zum Dasein liefern; nicht etwa, weil sie von dämonischen Elementen beherrscht würden.

Viele Personen der Haupthandlung kommen mit der Zeit zur Einsicht, daß Denken und Handeln sich decken müsse. Wanderer und Entsagende, Wilhelm, Montan, Lenardo haben dies, jeder auf seine Weise, erreicht. Sie haben die Bedingtheit der Menschen erkannt. In ihrem Wissen um die Grenze haben sie ein reifes und klares Bild von der Wirklichkeit gewonnen. Da sie nicht dauernd auf der Stufe dieser Erkenntnis leben, ist vieles noch einseitig. Aber gerade diese Einseitigkeit erlaubt es ihnen auch, sich zu spezialisieren, und ohne Spezialisierung ist keine sinnvolle Tätigkeit und keine dauerhafte Gemeinschaft möglich. Diese Einstellung zur Wirklichkeit gewährt die höchste Befriedigung, legt den Grund zu einer reifen Lebenshaltung; daß es noch andere befriedigende Einstellungen gibt, wird kurz angedeutet, wenn Jarno-Montan von der Frau berichtet, die in einem ähnlichen Verhältnis zur Erde stand wie Makarie zum Sonnensystem. Dies bedeutet, daß ihr Wesen — im Gegensatz zu Makaries zentrifugaler Tendenz — zentripetal orientiert war. Die Auffassung, die ein Mensch von der Wirklichkeit gewinnen kann, ist nicht konstant. Das Dasein kann nie bei Lebzeiten als abgeschlossenes Ganzes übersehen werden, denn es ist immer im Werden. Die Stufe, auf der ein jeder sich befindet, bedingt das Bild, welches man sich von der Wirklichkeit formt. Keines besitzt wohl endgültige Gültigkeit.

Dies trifft auch auf den Erzähler zu. Seine Haltung kann man zwar nur erraten, aber man erfährt doch genug, um zu wissen, daß ihm keine Lebensbedingung der Wirklichkeit voll und ganz angemessen erscheint; fast alle Gestalten werden mehr oder minder mit Ironie behandelt, ja gelegentlich kritisiert. Nur von Makarie wird immer mit Ehrfurcht gesprochen. Der Erzähler indessen darf mit keiner der Personen des Romans gleichgesetzt werden. Seine distanzierte Haltung deutet an, daß er — ohne Standpunkt — keine allein maßgebliche Anschauung von der Wirklichkeit vertritt, sondern entsagend sich hinter den Gestalten verbirgt.

*

Nachdem wir einen Überblick über Sprache und Themen der *Wanderjahre* gewonnen haben, läßt sich nun die Frage, die am Anfang aufgeworfen wurde, eher beantworten. Man muß zugestehen, die *Wanderjahre* seien ein Roman, aber keineswegs im üblichen Sinne. Goethe hat hier versucht, den Rahmen weiter zu spannen. Zunächst wollte er das Leben unter verschiedenen Perspektiven gestalten. Deshalb wurde die Welt nicht von einem einzelnen oder von einer Gruppe von Menschen aus gesehen, eher von einer Vielzahl von Standpunkten aus.

Goethe erschien die Welt als ein kompliziertes Gefüge, eine komplexe Art der Darstellung war dafür erforderlich. Deshalb brachte er im Roman soviele Erzählungen, Aphorismen und Gedichte unter. Dies jedoch nicht willkürlich, es entsprach der Anschauung, daß uns ein derartiges Aggregat wertvolle Perspektiven vermitteln könne. In der später gestrichenen, nur in der Fassung von 1821 gedruckten Zwischenrede betonte er diese Tendenz:

«Und so geben wir daher einige Kapitel, deren Ausführung wohl wünschenswert gewesen, nur in vorübereilender Gestalt, damit der Leser nicht nur fühle, daß hier etwas ermangelt, sondern daß er von dem Mangelnden näher unterrichtet sei und sich dasjenige selbst ausbilde was, teils der Natur des Gegenstandes nach, teils den eintretenden Umständen gemäß, nicht vollkommen ausgebildet oder mit allen Belegen gekräftigt ihm entgegen treten kann[145].»

Diese Bemerkung zeigt, wie wenig Goethe es daran lag, Abgerundetes, Vollendetes zu schaffen; er wollte durch die Vielfalt der Eindrücke und Perspektiven, durch Berichte und Hinweise wirken, so knapp andeutend diese letzteren auch abgefaßt sind. Man erkennt, wie weit sich der Dichter hier vom Standpunkt der klassischen Kunstanschauung entfernt[146]. Organische Gliederung des Kunstwerks, Einheitlichkeit der Darstellung sind nicht mehr die Ziele seines Bestrebens; Goethe hat bewußt die Wirkung des Romans eingeschränkt. Das mag als Nachteil gelten. Dieser Roman muß anders beurteilt werden als die übrigen Romane. Deshalb ist es auch viel schwieriger für die Interpreten, zu einem sicheren Urteil über das Werk zu kommen, dafür aber dürfte die Gestalt des Werkes eher zu bestimmen sein. Sie zeigt, daß Goethe den konventionellen Boden des Erzählens verlassen und mit neuen Möglichkeiten experimentiert hat[147]. Es entsprang und entsprach auch einer souveränen Gleichgültigkeit gegen seine Werke im Alter, wie es uns seine Nachlässigkeit bei der Herausgabe der Wanderjahre bestätigt.

Eine derartige Auffassung gab es vor den *Wanderjahren* vom Wesen des Romans nicht. Goethe erweiterte also hier seine formalen Möglichkeiten, indem er ein symbolisches Werk schuf, das die Romantiker in ihren

Romanen vergebens zu gestalten suchten, ein Werk, in dem sich Prosa und Poesie, Gedankliches und Erzähltes auf verschiedenen Stufen aneinanderreiht und trotz aller Verschiedenheit zu einer Einheit verschmilzt; über diese innere Einheit wird man sich, je tiefer man in das Werk eindringt, desto klarer. Außerdem hat er durch die Verflechtung von Rein-Gedanklichem und Erzähltem, durch die Eingliederung fremden Materials, äußerst gebildete Leser verlangt, ja er hat damit noch eine andere Tendenz vorweggenommen, die den Roman unseres Jahrhunderts kennzeichnet [148].

Auch war es seine Absicht, verschiedene Leser auf verschiedene Weise anzusprechen. Dies bezeugen seine Briefworte an Rochlitz:

«Mit solchem Büchlein aber ist es wie mit dem Leben selbst: es findet sich in dem Komplex des Ganzen Notwendiges und Zufälliges, Vorgesetztes und Angeschlossenes, bald gelungen, bald vereitelt, wodurch es eine Art von Unendlichkeit erhält, die sich in verständige und vernünftige Worte nicht durchaus fassen, noch einschließen läßt ... ‹Handle besonnen› ist die praktische Seite von ‹Erkenne dich selbst›. Beides darf weder als Gesetz noch als Forderung betrachtet werden; es ist aufgestellt wie das Schwarze der Scheibe, das man immer auf dem Korn haben muß, wenn man es auch nicht immer trifft. Die Menschen müssen verständiger und glücklicher sein wenn sie zwischen dem unendlichen Ziel und dem bedingten Zweck den Unterschied zu finden wüßten und sich nach und nach ablauerten, wie weit ihre Mittel denn eigentlich reichen [149].»

Alles ist so angelegt, daß — wie es in den *Lehrjahren* und den *Wahlverwandtschaften* der Fall ist — der Leser zuerst nicht von der Gewalt des Werkes durchaus ergriffen wird, sondern sich von den Teilen ansprechen läßt, die ihm von vornherein am meisten gemäß sind. Wenn er auf diese Weise eine feste Warte gewonnen hat, ist er imstande, tiefer in das Gefüge einzudringen, indem er den Wegen folgt, die einen Teil kunstvoll mit dem anderen verbinden.

Im Hinblick auf diese Fragen ist es also berechtigt, die *Wanderjahre* als Kunstwerk streng von den *Lehrjahren* zu scheiden. Jeder dieser Romane bietet eine besondere, ihm eigene Welt in Form und Gehalt. Man muß zunächst die Unterschiede erkennen. Der enge Zusammenhang der beiden Teile des *Faust*, welcher durch die Vorspiele, besonders durch den Prolog, gegeben ist, besteht hier nicht. Man kann nicht im selben Sinne von einem Roman in zwei Teilen sprechen wie bei *Faust*. Hier wäre der erste Teil ohne den zweiten unvollständig. In den *Wilhelm-Meister*-Romanen könnten die *Lehrjahre* wohl als abgeschlossenes Werk betrachtet werden; die *Wanderjahre* sind dagegen ohne die *Lehrjahre* undenkbar. Es ist bezeichnend, daß Goethe bei *Faust* von Teilen spricht, während er die *Wilhelm-Meister*-Romane durch zwei selbständige Titel unterscheidet.

Von einem einzigen zweiteiligen Roman zu reden, ist durchaus möglich. Es wäre eine Art Überroman, der zwei unabhängige Kunstwerke in sich einschließt. Das Sinnvolle einer solchen Bezeichnung muß indessen bezweifelt werden. Doch sollte man nicht allzu bürokratisch mit der Terminologie umgehen. Unter den nötigen Vorbehalten ist es erlaubt, einen einzigen Roman zu sehen; verständlich aber auch, wenn man von zwei Romanen spricht, von denen der eine als Fortsetzung gelten darf, jeder allerdings aus einer anderen Perspektive heraus konzipiert. Ob Goethe ernsthaft einen dritten Roman, die *Meisterjahre*, erwogen hat, ist sehr zu bezweifeln[150].

Aufschlußreichere Analogien dürften die Trilogien, etwa die Oresteia- oder die Ödipus-Trilogie gewähren. Sie sind als einzelne Dramen zwar unabhängig, aber doch in sich verbunden. Ein Zusammenhang immerhin läßt sich bei den *Wilhelm Meister*-Romanen vor allem durch Bilder und Motive, Personen und Themen erkennen. Die Phänomene: Bild, Spiegel und Wanderer spielen eine bedeutsame und bildhafte Rolle in beiden Werken. Das Motiv des kranken Königssohnes durchzieht sie und entspricht einer sich jeweils wiederholenden Grundsituation: die Stellung der liebenden Frau zwischen zwei Männern, oder, als Spiegelbild, diejenige des liebenden Mannes zwischen zwei Frauen. Zur gleichen Zeit bezieht dieses Motiv sich auch auf Heilung durch Erkenntnis und Liebe, ein anderes Grundthema des Romans. Gestalten aus der Welt des Theaters sind nicht in die *Wanderjahre* aufgenommen worden. Doch hört man von anderen, wenn auch nur flüchtig, wie zum Beispiel vom Abbé, Lothario und Natalie, während Mignon nur in der Erinnerung weiterlebt. Andererseits nehmen doch mehrere Gestalten festen Anteil am Geschehen beider Romane, vor allem Wilhelm, der Held, Jarno, seine geistige Ergänzung, und Felix, sein Sohn. Bei allen dreien steht das Thema der Ausbildung auf verschiedenen Stufen im Zentrum. Daß andere Themen, z. B. Bildung zur Gemeinschaft, ebenfalls in den Vordergrund treten, ist nicht überraschend, da beide Romane sich prinzipiell damit befassen.

Die *Wanderjahre* stellen letztlich ein Werk dar, das sich zwar bei genauerer Betrachtung als äußerst vielseitig und bedeutsam enthüllt; je mehr man sich aber darin vertieft, um so unerschöpflicher erscheint es. Nur die Hauptlinien treten deutlicher hervor. Viele Beziehungen werden nicht klar. Dies gilt vor allem für Aphorismen. Goethe wies darauf hin, als er schrieb: «Einzelnen Gebrauch von den Sprüchen aus Makariens Archiv wünsche nicht vor Heraustritt des Werkes. Am Schluß desselben und im Zusammenhang des Ganzen finden sie erst ihre Deutung, einzeln möchte mancher anstößig sein[151].» Genau erkennbare Beziehungen zwischen den Aphorismen der Spruchsammlungen und den Ereignissen der Romanhandlung sind schwerlich zu erkennen. Die Sprüche sind nicht in das Gewebe der Roman-handlung verflochten, wenn auch jener bekannte Satz «Was aber ist Deine Pflicht? — Die Forderung des Tages[152]» deutlich die Tendenz des frucht-baren und nützlich-praktischen Handelns, das im Roman gefördert wird, ausspricht. Nur einige lassen sich direkt mit Worten und Gesprächen des Werkes in Verbindung bringen. Man denke hier an die Aussprüche über das Regieren und über sozialpolitische Ereignisse. Bei vielen anderen Apho-rismen, wie etwa bei dem bekannten:

«Die Deutschen, und sie nicht allein, haben die Gabe, die Wissenschaften unzugänglich zu machen[153]»,

besteht augenscheinlich kein näherer Zusammenhang mit den Ereignissen des Romangeschehens. Man könnte diesen Satz höchstens im Zusammen-hang mit dem nächsten betrachten, der sich auf die praktische Tätigkeit der Engländer bezieht:

«Der Engländer ist Meister, das Entdeckte gleich zu nutzen, bis es wieder zu neuer Entdeckung und frischer Tat führt. Man frage nun, warum sie uns überall voraus sind[154].»

Dieser Ausspruch kann wieder als Betonung der Bedeutung praktischen Denkens betrachtet werden. Ähnlich geben andere Sprüche Gedanken wie-der, die den künstlerisch gestalteten Ereignissen analog sind[155]. Eine nähere Untersuchung der Sprüche ist hier nicht notwendig. Es ist augen-scheinlich, wie weit die meisten von dem Geschehen entfernt sind, wenn manche auch nur Übersetzungen anderer Denker sind. Sie gehören der-selben geistigen Atmosphäre an, sind Beispiele, an denen die geistige Höhe im Denken der Wanderer und Makaries deutlich wird. Diese Sprüche tragen auch zur Vielfalt des geistigen Erlebnisses bei. Durch sie gewinnt man am Ende ein Bild der regen geistigen Aktivität, wie Wilhelm und Jarno, der Oheim und Makarie, der Sammler und die Leiter der pädagogischen Pro-vinz, Lenardo und Odoard sie — lernend und vorwärtsstrebend — aus-strahlen. Hier wird eine Welt geschildert, welche Gedankenschärfe, Ge-danken- und Gefühlstiefe vereint.

Vieles im Roman wurde absichtlich unklar gelassen, um die symbolische Wirkung zu verstärken. Dies entsprach Goethes Darstellungsart im Alter:

«Ich begreife wohl, daß den Lesern vieles rätselhaft blieb ... Alles ist ja nur symbolisch zu nehmen, und überall steckt noch etwas anderes dahinter. Jede Lösung eines Problems ist ein neues Problem[156].»

Dieses Geschehen ist symbolisch, indem das einzelne Individuum stell-vertretend für das Allgemeine wird: nicht nur in bezug auf die Mythen und die Literatur der Vergangenheit, sondern auch in der Gegenwart selbst. So ist in den *Wanderjahren* das Legendenhafte, wie die Erzählung von St. Joseph, aber auch all das, was einzelne, wie Wilhelm und Lenardo, angeht, als symbolisch zu fassen.

Die *Wanderjahre* — bestehend aus verschiedenen individuellen Elementen — bilden zusammen ein Gewebe, welches eine allgemeine Harmonie des Lebens wohl ahnen läßt. Diese Harmonie teilt sich beim Erkennen des Besonderen mit.

Solche Besonderheiten liefern Beispiele, in welchen wir das erkennen, was, da es außerhalb bleibt, unser eigenes Leben nicht zu bieten vermag. Deswegen lehrt eine gute Erziehung durch Beispiele, denn der Mensch kann sich nicht allein genug sein[157]. Aber in den *Wanderjahren* sind diese Besonderheiten nicht ohne Zusammenhang.

Trotz aller Unerschöpflichkeit des Romans, trotz aller Vielseitigkeit gibt es, wie wir sahen, genug Zusammenhängendes, das dem Werk eine Einheit zu geben vermag. Goethe hat miteinander Verwandtes, Übereinstimmendes darin zusammengebracht:

«Zusammenhang, Ziel und Zweck liegt innerhalb des Büchleins selbst; ist es nicht aus einem Stück, so ist es doch aus einem Sinn; und dies war eben die Aufgabe, mehrere fremdartige äußere Ereignisse dem Gefühle als übereinstimmend entgegenzubringen[158].»

In diesem Sinne lassen sich die Gedichte «Vermächtnis» und «Im ernsten Beinhaus» (auch oft «Gedicht auf Schillers Schädel» genannt) den *Wanderjahren* zuordnen. In «Vermächtnis», das der ersten Spruchsammlung folgt, spricht Goethe von Gesetzen, welche die Welt regieren; außen und innen, Natur und Geist entsprechen einander, wie man es bei Makarie in der höchsten Vollkommenheit sehen kann. Schärfe des Verstandes, Lebendigkeit der Sinne seien zur Bewältigung des Lebens nötig. Denn «was fruchtbar ist, allein ist wahr[159]». Dieser im Gedicht ausgesprochene Grundsatz entspricht der Anschauung des späten Goethe: «Ich habe bemerkt daß ich *den* Gedanken für wahr halte der für mich fruchtbar ist, sich an mein übriges Denken anschließt und zugleich mich fördert[160].» Dieses Prinzip beherrscht Denken und Handeln der Entsagenden in den *Wanderjahren*. Nur wenn man es befolgt, kann Beschränkung wirksam sein:

> *Genieße mäßig Füll' und Segen*
> *Vernunft sei über all zugegen*
> *Wo Leben sich des Lebens freut.*
> *Dann ist Vergangenheit beständig*
> *Das Künftige voraus lebendig*
> *Der Augenblick ist Ewigkeit[161].*

Der Roman gipfelt darin, daß Wilhelm den Sohn rettet; diese Tat stellt zwar nicht den Zenit seines Lebens dar — dieser befand sich am Ende der *Lehrjahre* — sie kann aber als Zenit seines ärztlichen Berufslebens gelten. Die Rettung ist in der Tat sein Meisterstück. In diesem Sinne ist der Augenblick zur Ewigkeit geworden. Diese Heilung ruft die Vergangenheit zurück, sie deutet aber auch auf spätere Heilungen hin. Andere Heiltaten vorwegnehmend, weist sie lebendig in die Zukunft. Es ist eine fruchtbare Handlung, die dadurch Wilhelm als Mitglied der kleinsten Schar, dem Kreis der Wandernden und Heilenden, zugesellt, dann erscheint er, wie er es am Ende des zweiten Buches, kurz vor dem Gedicht, ausspricht, «als ein nützliches, als ein nötiges Glied der Gesellschaft[162]». Die Heilung geschieht nach Gesetzen, d. h. auf naturwissenschaftlicher Basis. So gestaltet sich auch für Felix der Moment zum Ereignis, da er Sohn und Vater mit dem Sein verbindet. Die enge Verbundenheit der Gedankenwelt des Gedichtes mit der Schlußszene des Romans deutet an, wie sehr in der Welt des späten Goethe alles aus einem Geiste heraus gestaltet war.

Das andere Gedicht, «Im ernsten Beinhaus» oder «Terzinen» oder «Gedicht auf Schillers Schädel» benannt, das den Roman beschließt, faßt noch einmal in großartiger Schau den ganzen Weg des Menschen zusammen; ein *memento mori*, aber zum Schluß auch ein *memento vivere*. «Gedenke zu leben und wage es glücklich zu sein», diese Worte des späten Goethe entsprechen der Stimmung, in der das Gedicht ausklingt. Selbst der Anblick toter Dinge muß vom Leben her gedeutet werden; Zeichen, daß selbst die Gebeine, als *«vestigia Dei*, verwirklichte Gedanken des Geistes» sind, «der im Innern der Natur sich schaffend regt. Jeder einzelne Fall zeigt die göttliche Spur, am abgesonderten Teil noch kann der Adept geheime Gesetze ablesen, nach denen alle Organismen entstehen und vergehen[163].» «Der mächtige Schlußakkord des Gedichtes» faßt diese Gedanken zusammen:

> *Was kann der Mensch im Leben mehr gewinnen*
> *Als daß sich Gott-Natur ihm offenbare,*
> *Wie sie das Feste läßt zu Geist verrinnen,*
> *Wie sie das Geisterzeugte fest bewahre*[164].

Diese Verse bilden den überzeugenden Abschluß der *Meister*-Romane, denn Wilhelm, der — als Anatom und Arzt das Wesen der Menschen und der Natur erkundend — seine Kenntnisse praktisch in jener Heiltat verwirklicht, steht hier auf der Höhe aller Einsicht. Gott und Natur als Einheit, das ist es, was Wilhelm beim Besuch der pädagogischen Provinz, aber auch bei Makarie erlebte.

*

Diese beiden Gedichte wie auch die Spruchsammlungen erinnern an die Parallelen zu anderen Goethe-Werken. Ein Vergleich mit größeren Werken des späten Goethe liegt nahe. Es gibt deren drei: *Der West-Östliche Diwan, Dichtung und Wahrheit* und *Faust II.* Zwischen diesen drei Werken und den *Wanderjahren* herrschen enge Beziehungen, da sie alle vom Geist und Stil des späten Goethe geprägt sind. *Der West-Östliche Diwan,* wie die meisten Novellen der *Wanderjahre,* ist ein Buch der Liebe. Auch hier ein Werk, dessen Teile nur lose verknüpft sind, da sie sich gegenseitig «bespiegeln», so daß der Leser den Zusammenhang langsam ergründen muß; aber die Thematik des Gedichtzyklus ist weniger umfassend. Seine Form verlangt ähnliche Präzisierung wie die Romandichtung. — Im üblichen Sinne wird in *Dichtung und Wahrheit* ein Menschenleben innerhalb seiner Epoche dargestellt. Der Berichterstatter mag zwar auf derselben abgeklärten Stufe stehen wie der Erzähler der *Wanderjahre,* aber der Held, der hier beschriebene junge Goethe, ist es nicht. Es ist zweifelhaft, ob man zu seinem eigenen Leben je dieselbe Distanz haben kann, wie gegenüber den selbstgeschaffenen Charakteren. Nur die Fortsetzung der Autographie seiner Jugend, die *Tages- und Jahreshefte* oder *Annalen,* erinnern in ihrer lakonischen Zusammenfassung, in denen viel Bedeutendes dargestellt wird, an manche Teile der *Wanderjahre. Dichtung und Wahrheit* kann dagegen eher mit den *Lehrjahren* verglichen werden. Wenn auch die Unterschiede sehr groß sind, so erreichen doch beide Helden, Wilhelm Meister in den *Lehrjahren* und Goethe in *Dichtung und Wahrheit,* schließlich einen Punkt, an welchem das Leben ihnen vielversprechend erscheint; nur hält Goethes Autobiographie an einem früheren Stadium des Werdeganges an. Trotz aller Verschiedenheiten der beiden Teile ist der Aufbau ähnlich. Beide enthalten mehrere Schichten, welche durch eine lange Entstehungszeit bestimmt sind.

Am nächsten stehen die *Wanderjahre* doch dem *Faust II.* Der ganze *Wilhelm-Meister*-Roman könnte zu *Faust* als komplementär betrachtet werden; beide haben Goethe ein Leben lang begleitet, aber die Gestaltung war jeweils auf andere Sphären und Aspekte konzentriert. In den *Wilhelm-Meister*-Romanen schuf Goethe Werke, in denen gesellschaftliche Institutionen und Bestrebungen geschildert wurden. *Wanderjahre* wie *Faust II,* ein vielschichtiges Weltbild enthüllend, sind beide weitgehend symbolisch; Wucht und Tiefe jedoch erscheinen im Drama gewaltiger. In beiden Werken gewinnen wir Einblick in eine reichhaltige Welt. Die Mühe lohnt sich, den Weg dahin zu betreten. Der Anfang mag nicht immer leicht sein, der Gang meist beschwerlich erscheinen, aber was sich unserem Verständnis erschließt, ist nicht nur Goethes Altersweisheit in didaktischer Aussage,

sondern auch sein Ringen um neue, nicht n
der Klassik angehörende Formen. Hier werden s
fen, Modernes angedeutet, Modernes, dem klassis
mehr genügt[165]*. Die Situationen der *Wanderjahre* —
stehen uns als zwingende Erscheinungen gegenüber. Sie tr
daß die *Wanderjahre* ein Kunstwerk sind, wenn auch von ganz
Form. Die *Wanderjahre* müssen als Kunstwerk gewürdigt werden, u
Kunstwerk sind sie eine bedeutende Erscheinung in der Geschichte d
deutschen Romans.

* Laut Hermann Broch stellen die *Wanderjahre* eine neue Ausdrucksform[166] dar,
wie überhaupt der moderne Roman in seiner «Struktur und Aufgabe[167]» Goetheisch ist.
Broch ist der Ansicht, Goethe habe in diesem Werk «den Grundstein der neuen Dichtung, des neuen Romans»[168] gelegt.

...seiner Dichtung dar. Dieser steht
...g der Dramatik und Lyrik durch-
... anderen Dichter von ähnlichem
...utende Werke schuf. Im Drama, in
...Pionier. Der Vergleich des Romans
...aufschlußreich. Seine Dramen deuten
...traditionelle Form[1]. Auch im Roman
...lich, da er für jedes Werk einen neuen
...der Thematik — er ist die der Thematik
...edesmal durch die besondere Art der Be-
...Gesellschaft bestimmt. Daraus ergibt sich
die ... er im Gegensatz zum Drama vollzieht sich
das Geschehen ... Aspekt von Historie, Legende oder Mythos;
der einzelne wird mit ... blemen, mit dem gesellschaftlichen Leben der
damaligen Zeit konfrontiert. Goethes Romane sind Zeitromane, die nicht
die Epoche, sondern die Versuche eines einzelnen schildern, mit ihr fertig zu
werden. Für solche Fragen hielt Goethe anscheinend die epische Form am
geeignetsten[2]. Dies dürfte ihm aus äußeren und inneren Gründen so erschienen sein: aus äußeren, weil der Roman das größere Lesepublikum besaß und Goethe hoffte, daß eine Thematik, die aus dem «Fragwürdigen»
der Gesellschaft selbst kam, den weitesten Kreisen zugänglich würde. Innere
Gründe gab es zweierlei, erstens persönliche: Der junge Goethe wünschte
sich in jeder dichterischen Gattung zu bewähren; zweitens künstlerische:
Für die Darstellung der besonderen Gesellschaftsprobleme war die epische
Form am geeignetsten. Für die Wiedergabe des Menschen, der, innerlich
vereinsamt, in der Gesellschaft keine Befriedigung finden kann, war die
Form des Briefromans angebracht. Um, in ironischer Distanz von dem
Schicksal des pathologischen Helden, nicht den Boden des Wahrscheinli-
chen zu verlassen, konnte diese Sprechart nicht konsequent durchgeführt,
mußte vielmehr durch einen objektiven Herausgeberbericht ergänzt werden. Die Fülle des Theaterlebens, die Entwicklung eines jungen Mannes zu
schildern, war wiederum die Romanform notwendig; denn nur dann gab es
genügend Breite und zeitlich entsprechende Dauer. Was für die *Sendung*
gilt, trifft auf die *Lehrjahre* in noch erhöhtem Maße zu, da hier die Fülle
der pietistischen Erscheinungswelt und das Bildungsideal Wilhelm Meisters
eingegliedert werden mußten. Mit dem Abwenden von der Praxis der
Klassik erschien das Einfügen eines einzelnen in die Gemeinschaft nicht

mehr ausreichend; da verschiedene Lebensstile als gleichberechtigt nebeneinander zu bestehen hatten, war eine mit vielen Novellen durchflochtene Rahmengeschichte für diese Aufgabe passender. Die Dynamik des Geschehens der *Wahlverwandtschaften*, welche sich durch das Zusammenspiel: Mensch, Natur und Gesellschaft ergab, forderte eine eigene Form, deren strukturelles Gesetz auf Binden und Trennen beruhte.

Die Probleme des gesellschaftlichen Lebens sind auch politischer und sozialer Art. *Werther* ist zwar hauptsächlich die Geschichte eines einzelnen, der an jener absoluten Forderung, die er ans Leben stellt, zerbricht. Es ist aber auch die Geschichte des Menschen, dem die Gesellschaftsordnung die Möglichkeit zur Entfaltung seiner geistigen Anlagen nicht gewährt, weil sie weder seinen Stand noch seine Fähigkeiten würdigt. So wird Werther zum Symbol politischer und sozialer Unzulänglichkeiten; sein Leiden enthüllt zudem die Brüchigkeit aller gesellschaftlichen Ordnung. Die *Lehrjahre* stellen nicht den Weg zur Rebellion gegen die Privilegien des Adels dar, hier wird ganz im Gegensatz zur revolutionären Lösung Frankreichs von 1789 eine utopisch anmutende, gemeinsame Wirkungssphäre von Adel und Bürgertum umrissen. Ein derartiges Wirken fand zwar in Deutschland nicht statt, gestaltete sich aber im politisch glücklicheren England in der Tat erfolgreich. Die *Lehrjahre* weisen also darauf hin, daß, wenn auch die Katastrophe wohl vermeidbar, Krisen nicht zu umgehen seien. In den *Wahlverwandtschaften* sind die gesellschaftlichen Formen erstarrt; eine von der Tradition geheiligte Institution, die Ehe, erweist sich stärker als die Menschen. Es sieht aus, als ob am Ende nur die Wahl zwischen Zusammenbruch der Institution oder Vernichtung der einzelnen bestünde. In den *Wanderjahren* sieht man die Gefahr der gesellschaftlichen Zerrüttung drohen, weil planlose industrielle Expansion bevorsteht. Utopische Lösungen werden vorgeschlagen, welche die Menschen vor gänzlicher «Enthumanisierung» bewahren sollen.

Goethes Romane umspannen jenen Zeitraum, in dem es bereits völlig klar wurde, die feudalistische Gesellschaftsordnung müsse von einer bürgerlichen abgelöst werden. In den *Wilhelm-Meister*-Romanen findet man Möglichkeiten, wie dieser Übergang ohne Gewalt geschehen kann, während in *Werther* und den *Wahlverwandtschaften* der einzelne an der Unbeweglichkeit der Institutionen zerbricht. Während der Rousseau nahestehende Jugendroman nur Kritik an einer veralteten gesellschaftlichen Struktur enthält, wird in den eine Generation später — nach der Französischen Revolution — geschriebenen *Wahlverwandtschaften* die Ehe Eduards und Charlottes — am Ende innerlich ausgehöhlt — nur durch die Entsagung Ottilies vor völliger Zerstörung gerettet.

In den Romanen wechseln didaktische Züge mit deskriptiven. Es gibt darin nicht nur Beschreibung und Analyse der gesellschaftlichen Struktur, sondern auch gewisse Vorbilder zur Bekämpfung der Gefahren, die der gesellschaftlichen Ordnung drohen; denn Mahnungen zu sozialpolitischen Reformen, zum sittlichen Verhalten des einzelnen sind erkennbar. So wachsen diese Romane, die das Schicksal einzelner Menschen schildern, über ihre unmittelbare Aufgabe hinaus und werden zu Sinnbildern gesellschaftlicher Problematik.

Wenn im großen und ganzen bei Darstellung der Begegnung zwischen dem einzelnen und der Gesellschaft in Goethes Romanen der Akzent auf der Reaktion des Individuums lag[3], so war dies sicherlich in des Dichters eigener Problematik begründet. Die autobiographischen Elemente in *Werther* verliehen dem Werk jenen lyrischen Impuls, der eine unerhörte Dynamik auslösen sollte. *Werther* ist Goethe als ein sein Gleichgewicht bedrohendes Werk erschienen; der Gedanke an diese Epoche erschütterte den Autor noch nach vielen Jahren.

«Wer mit XXII den Werther schrieb
Wie will der mit LXXII leben[4]».

Zur Zeit der ersten Niederschrift hatte Goethe noch keineswegs Distanz zu sich selbst erreicht, so daß seine eigenen Probleme noch viel unmittelbarer in seine epische Dichtung transponiert wurden. Auch in der *Sendung* ist das Autobiographische noch wesentlich, wenn es auch langsam zurücktritt. Die *Sendung* war zunächst als eine Art Parodie gegenüber Goethes eigenen künstlerischen Bestrebungen gedacht; vor allem die Jugenderinnerungen an das Puppenspiel deuten es an. In den *Lehrjahren* ist es anders. Wilhelm Meister wird als typischer, empfindsamer Bürgersohn geschildert, der bestrebt ist, in der Gesellschaft einen ihm angemessenen Platz zu finden. Goethes Versuche, die eigene Bildung zu fördern, sich im geistigen Leben zu bewähren, sind zwar von ähnlicher Art, insoweit sie allgemein menschliche Probleme berühren, aber im einzelnen sind die Unterschiede gewaltig. Je mehr sich Goethe selbst als Objekt sehen, je mehr er den Standpunkt erreichen konnte, von dem aus er «alles was begegnet nur historisch betrachten mag[5]», desto weniger autobiographisch wird sein Werk. Die späteren epischen Werke bezeichnen die Entwicklung. *Hermann und Dorothea* enthält überhaupt keine autobiographischen Elemente. In den *Wahlverwandtschaften* ist das «konfessionelle» Element nicht unmittelbar sichtbar. Goethes Worte darüber: «daß darin kein Strich enthalten, der nicht erlebt, aber kein Strich so, wie er erlebt worden[6]», treffen diesen Sachverhalt.

Das Leben von keiner Gestalt in den *Wahlverwandtschaften* kann als Gegenstück zu Goethes Leben betrachtet werden. In den *Wanderjahren* ist es ähnlich. Wilhelms Dasein als Medizinstudent und Arzt unterscheidet sich völlig von demjenigen Goethes. Nur das Ziel seines Arztberufes, der als solcher Wissenschaft und Kunst verbindet, erinnert an Goethe, bei dem als Künstler und Wissenschaftler sich die beiden Disziplinen immer wieder gegenseitig befruchteten.

Die unmittelbare Behandlung eigenen Lebens ist deshalb ausgesprochenen Autobiographien vorbehalten. *Dichtung und Wahrheit, Campagne in Frankreich, Die Belagerung von Mainz, Die italienische Reise* sind erzählende Prosa; keineswegs Romane, sind sie doch immerhin nach Prinzipien der Dichtung angelegt, mögen sie auch autobiographische Wahrheiten behandeln[7]. In der erzählenden Prosa hebt sich deutlich das autobiographische Werk von dem Roman ab; beide schildern den einzelnen in seiner Zeit, aber es geschieht unter verschiedenen Gesichtspunkten. Die Wendung zur Autobiographie ist also eine Wendung zur Objektivität. Sie wurde von einer Tendenz nach komplexer Lebensschau begleitet. Mit jeder Lebensstufe verstärken sich die beiden Tendenzen. In Sprache und Funktion des Erzählens wird diese Entwicklung sichtbar. Die unerhört schwungvolle, rhythmisch lyrische Sprechweise Werthers steht im Konflikt mit der ruhig gemessenen des Erzählers. In den *Lehrjahren* herrscht die letztere vor; nur in den lyrischen Einlagen meldet sich noch eine andere Welt. Letzte Elemente des unausgeglichenen Erzählstils, in der *Sendung* noch vorhanden, wurden bei der Umarbeitung ausgemerzt. In den *Wahlverwandtschaften* sind auch jene lyrischen Anklänge weggefallen; die Sprache ist zwar abgewogen, aber weitaus konzentrierter und symbolischer als in den *Lehrjahren;* auch tritt das Reflektierende und Symbolische stärker hervor; es nimmt sogar in Ottilies Tagebuch einen eigenen Raum ein. Dieser ist in den *Wanderjahren* noch weiter ausgedehnt, aber zugleich werden in komplexer Weltschau viele Stilarten nebeneinandergestellt, welche dann das Reflexive, das Lyrische oder den objektiven Bericht vermitteln. In den *Wahlverwandtschaften* und in den spät verfaßten Kapiteln der *Wanderjahre* ist eine wachsende Tendenz zu konzentriertem Sprechen erkennbar; es gilt, immer mehr zu erfassen, da immer mehr erfaßbar geworden ist.

Diese Tendenzen kommen in der Funktion des Erzählers zum Vorschein. In *Werther* hat der Herausgeber zwar eine wesentliche, kritisch-ironische Funktion, aber sein Sprechen wird völlig von Werthers eigenen Gefühlsausbrüchen und -schilderungen in den Schatten gestellt. In den *Lehrjahren* gibt die ironische Kritik des Erzählers dem Romangeschehen eine eigene geistige Richtung. Alles wird sogleich unter die kritische Lupe genommen. Man sieht das Werk sachlich in betontem Gegensatz zum jungen Wilhelm, und der große Raum, den der Erzähler im Roman im Vergleich etwa zu jenem Herausgeber der Werther-Briefe einnimmt, beweist, wieviel stärker die Tendenz zur Objektivität geworden ist. In den *Wahlverwandtschaften* ist der Erzähler ebenfalls objektiv; er zeigt tiefe Einsicht in die Psychologie des Menschen. Seine Formulierungen allgemeiner Gesetze bezeugen intensivere Objektivität. In den *Wanderjahren* tritt diese Tendenz am stärksten hervor; der Erzähler sieht sich noch in der Rolle des ironischen Kritikers, der die Bogen kritisch sondert, herausgibt und durch eine beinahe wissenschaftliche Art seine Objektivität kundtut. Er weiß, daß sich vieles nur andeutungsweise gestalten läßt; auch, daß deshalb vieles nur in konzentrierter Form oder in einer Reihe sich spiegelnder Bilder dargestellt werden kann.

Die in den Romanen auftretenden Bilder sind meist dieselben; aber die Perspektiven, unter welchen sie erscheinen, und die Thematik, welche sie beleuchten, sind durchaus verschieden. Man sieht dies in der Beziehung der Menschen zur Natur, zur Gesellschaft, zur Liebe, zur Religion, zu Tod und Wirklichkeit.

Mit der Natur ist der Mensch immer eng verbunden. Für Werther spiegelt sie sein inneres Erleben; er ist nicht imstande, den Wechsel der Natur distanziert zu betrachten, sich ihrem Rhythmus hinzugeben. Solange er hofft, sieht er sich eins mit ihr; in der Verzweiflung ihr zutiefst entfremdet, lebt er ohne Hoffnung auf ein neues Werden. Innerhalb der *Lehrjahre* liegt der Akzent weniger auf der Beziehung zwischen den Menschen und der äußeren Natur; im Zuge seiner wissenschaftlichen Erkenntnis werden hier von Goethe morphologische Studien auf das menschliche Leben angewandt. Das bedeutet: Die innere Natur des Menschen in ihrer Beschaffenheit und Entwicklung wird dargestellt, der Gang der natürlichen Gestaltung und Umgestaltung im Werdeprozeß der menschlichen Persönlichkeit hier beschrieben. In den *Wahlverwandtschaften* wird die Natur in einer sehr differenzierten Perspektive gesehen. Ihr Äußeres besitzt symbolische Bedeutung. Es ist seltener der Fall, daß die Gestalten sich mit ihr innerlich verbunden fühlen, eher, daß sie in der Natur dasjenige erfassen, was ihnen darin bedeutungsvoll erscheint. Wesentlich aber ist die innere Natur. Sie ist weniger einem stufenartigen Entwicklungsgang unterworfen, ihre ungeheure Macht wird geschildert. Nicht der biologische Entwicklungsgang — das ist sehr bezeichnend —, sondern die chemischen Gesetze werden zur Illustration herangezogen; denn bei der Bildung ist «sowohl von dem Hervorgebrachten als von dem Hervorgebrachtwerdenden[8]» die Rede. Die Charakteranlagen der Gestalten liegen fest; ihre Entwicklung im Verhältnis zueinander und zur Gesellschaft wird dargestellt[9]. Was diesen natürlichen

Anlagen entgegensteht, kann nicht gedeihen, aber sie allein können auch nicht zu fruchtbarem Wirken führen, da das menschliche Leben nicht nur von Naturgesetzen abhängig ist, sondern es dem Individuum obliegt, die gebändigten Ströme der Natur in die von der Sitte gezogenen Kanäle zu leiten. Diese Problematik ist eine zentrale Frage der *Wanderjahre*. Es wird einerseits dargestellt, wie die Natur fordert, daß wir nur ihren Gesetzen folgen und dort stillhalten, wo sie uns Schranken setzt. Aber wir müssen andererseits lernen, dort zu entsagen, wo Naturtriebe in Konflikt mit den Vorschriften der Gesellschaft geraten. Zwar bildet die Natur die Grundlage alles menschlichen Wirkens, aber sie steht dennoch in dauernden Wechselbeziehungen zu den Forderungen der Gesellschaft. Beide sind nicht konstant; ohne Bewußtsein ihres dauernden Wandels ist es dem Menschen unmöglich, zu einer wirklichen Reife zu gelangen.

Die Darstellung gesellschaftlichen Lebens entwickelt sich auf ähnliche Weise. In *Werther* gefällt es dem Helden, solange er sich glücklich wähnt, daran teilzunehmen; sobald er indes verzweifelt, fühlt er sich der Gesellschaft entfremdet. Er wird alsbald der Hindernisse gewahr, die ihm die veralteten Einrichtungen jenes Standessystems entgegensetzen, das — im Bewußtsein der modernen Zeit nicht mehr gerechtfertigt — ihn beträchtlich an der Entfaltung seines Innenlebens hindert. In den *Lehrjahren* wurden zwar auch gewisse Hindernisse geschildert, die sich dem Bürgerlichen entgegenstellen, aber es besteht doch für ihn die Möglichkeit, seine Bildung zu fördern, in einen Kreis praktisch-tätiger Edelleute aufgenommen zu werden. Die Gesellschaft hier ist unverändert, aber es gelingt Wilhelm, in andere Kreise einzudringen. In den *Wahlverwandtschaften* dagegen bleibt die gesellschaftliche Sphäre dieselbe; das enge Wechselspiel zwischen ihr und der Natur bestimmt das Gewebe der Handlung und zeigt symbolisch eine viel stärkere Einwirkung des Gesellschaftlichen in den Lebensgang des Menschen. Tiefere Schichten der Bedingungen menschlichen Handelns kommen zutage. In den *Wanderjahren* wird dieses enge Zusammenspiel weitergeführt, ohne bedrohliche Züge anzunehmen. Dafür wird aber das gesellschaftliche Leben selbst in der Perspektive eines ständigen Wandels gesehen; der Mensch wird danach beurteilt, ob es ihm gelingt, sich ihm anzupassen. Zugleich wird er aber auch auf Kräfte verwiesen, welche die schlummernden Fähigkeiten hervorrufen.

Menschliche Unzulänglichkeit spiegelt sich in den Mängeln der gesellschaftlichen Ordnung wider. In *Werther* wird die Ordnung vornehmlich vom Standpunkt eines Menschen aus gesehen, der sich weder einfügen kann noch will. Sein Wunsch nach einer vollen Entfaltung seiner Persönlichkeit zwingt ihn zum Versuch, die traditionellen Formen der Gesellschaft zu sprengen. Aber da Werther egozentrisch ist, werden keine Ideen entwickelt, wie man den Konflikt zwischen dem strebenden, empfindsamen Individuum, das sein Eigenleben verwirklichen will, und der Gesellschaft, die ihre Struktur nicht verwandeln will, mildern und dadurch die Katastrophe verhindern kann. In den *Lehrjahren* dagegen hat konstruktives sozialpolitisches Denken Raum gewonnen. Der politischen Krise, welche die aristokratische Feudalherrschaft bedroht, soll durch eine aktive Gruppe von geistig hochstehenden, gebildeten Menschen begegnet werden. In dieser durch geistige Bande und persönliche Freundschaft zusammengehaltenen Gemeinschaft werden Standesunterschiede unwesentlich; denn der Roman endet mit einer Reihe von Heiraten, die vom Standpunkt strenger Standesbegriffe Mesalliancen sind. Diese Gemeinschaft will aber nicht durch aktives Eingreifen in die Tagespolitik wirken, sondern sie will mittelbar durch Hebung des geistigen Niveaus, durch Förderung der Qualität des Denkens und Handelns die Politik beeinflussen. Diese Anschauung ist von dem Glauben an die Ideale des Humanismus getragen. Die Mitglieder dieser Gemeinschaft hoffen, diese Ideale würden sich, wenn auch mit Schwierigkeit, so doch allmählich verwirklichen lassen[10]. Die Parallele mit dem politischen Denken Schillers in den *Ästhetischen Briefen* ist offensichtlich[11].

In den *Wanderjahren* werden diese Gedanken noch voller entwickelt und durch pädagogische Versuche, Menschen zur praktischen Tätigkeit zu bewegen, deutlicher dargelegt. Es wird vorausgesetzt, daß derartig geschulte Menschen von politischen und sozialen Vorurteilen frei sein würden und eine positive Wirkung auf das gesellschaftliche Leben haben könnten, was zum Zusammenhalt der Gesellschaft und zur Stabilität des politischen Gebildes führen sollte. Die *Wahlverwandtschaften* dagegen machen deutlich, welche Gefahren ein Leben, das nicht auf derartige positive Ziele gerichtet ist, für die Gesellschaft bedeuten könnte. So gewinnt das sozialpolitische Denken der beiden *Wilhelm-Meister*-Romane für die damalige Zeit, die Zeit der revolutionären Veränderungen, eine erhöhte Dringlichkeit. In der Form eines Kunstwerkes stehen wir einem Versuch gegenüber, Wege aufzuzeichnen, wie sich die durch den Wandel des gesellschaftlichen Lebens entstandenen politischen Probleme bewältigen ließen.

Bildung und Religion sind Mächte, durch welche diese Bereitschaft zum Wandel am meisten gefördert wird. Für Werther erhebt sich das Problem der Bildung kaum. Er lebt allzu unmittelbar im Gefühl, im Augenblick, als daß er sich bilden könnte. Für Wilhelm aber ist Bildung das Hauptproblem, und sein Weg dorthin führt ihn durch verschiedene Stadien. Wachsende innere Klarheit wird nach außen hin durch Bereitschaft zu praktischem, realistischem Handeln sichtbar. Ein Bildungsprozeß wird somit geschildert.

In den *Wahlverwandtschaften* wandelt sich nur Ottilie — dafür aber um so gewaltiger. Reife, Verinnerlichung und ein Bewußtwerden höchsten Grades kennzeichnen ihre Entwicklung. In den *Wanderjahren* wird Bildung für Wilhelm zur Ausbildung; er gewinnt ein praktisches Berufsziel. In der pädagogischen Provinz wird sie bewußt zu diesem Zwecke gelehrt. Die verschiedenen Religionen werden dort als gleichberechtigt und gleichbedeutend betrachtet. Es wird versucht, das allen Gemeinsame zu ergründen, es wird nicht mehr eine subjektive Anschauung wie in *Werther* dargestellt. Werther ist zwar kein orthodoxer Christ, aber seine Einstellung zur Religion ist völlig vom Stil christlichen Denkens bestimmt. Er vergleicht sich sogar mit dem leidenden Christus; glaubt er doch, die Leiden der Menschheit stellvertretend ertragen zu müssen. In den *Lehrjahren* tritt Wilhelm die christliche Religion als Bildungsmacht im Leben der Stiftsdame entgegen. Ihre religiöse Innerlichkeit ist für seine geistige Entwicklung wesentlich. In den *Wahlverwandtschaften* wird Charlottes und Ottilies Handeln von den Ideen der christlichen Religion über die Ehe bestimmt; die innere Entwicklung und das Ende Ottilies geben den Anlaß zum Entstehen einer Legende; sie habe das Leben einer Heiligen geführt. Christliche Ideen werden zwar zur Wertung herangezogen, aber keiner der Goetheschen Romane ist durchaus christlich orientiert. Die bedeutendste Gestalt der *Wanderjahre*, Makarie, scheint als Persönlichkeit das Fluidum einer Heiligen um sich zu verbreiten. Dabei erfahren wir nichts darüber, ob sie christlich denkt und glaubt. Ihr ganzes Bestreben ist dem Diesseitigen zugewendet.

Religion ist eine der Mächte, die dem Menschen erlaubt, sich — innerlich gefestigt — dem Wechsel des Lebens zu unterwerfen. Ohne sie, als eine der Grundlagen aller Entsagung, erscheint dem späten Goethe jede sinnvolle Tätigkeit unmöglich. Werther vermag nicht zu verzichten. In den *Lehrjahren* wird auch nur angedeutet: Entsagung sei möglich; denn Wilhelm entsagt noch nicht, und selbst von der Stiftsdame kann es kaum gesagt werden. In den *Wahlverwandtschaften* aber wird Leben und Persönlichkeit der Gestalten nach den Maßstäben der Entsagung beurteilt. Besonders wird sie auf dem Gebiete der Liebe gefordert. Möglich indes nur mit zunehmender Reife, denn die Gewalt der Liebe gilt absolut; zum mindesten ist es die für Werther. Sie bestimmt seiner Auffassung nach Wohl und Wehe des Menschen. Der Herausgeber aber deutet an, daß in *Werther* nur eine einseitige Lebensauffassung wirke. In den *Lehrjahren* wiederum erfährt Wilhelm, daß Liebe nur dann dauerhaft sei, wenn sie — mit den geistigen Anlagen und Bedürfnissen der betreffenden Menschen harmonisierend — praktische Tätigkeit gestattet. In den *Wahlverwandtschaften* wird die

Kehrseite dieser Erkenntnis dargestellt. Liebe, welche mit den Forderungen der Gesellschaft und sittlichen Idealen in Konflikt gerät, ist zum Scheitern verurteilt. Auch in den *Wanderjahren* ist Liebe die entscheidende Macht: Nicht mehr einzelne oder eine Gruppe, vielmehr die Liebesbeziehung von Menschen auf verschiedenen Lebensstufen wird geschildert. Liebe wird auch hier als eine der Mächte des Lebens gesehen, welche Menschen aneinander binden, aber auch trennen kann. Ohne sie ist gemeinschaftliches Leben unmöglich, aber sie ist nicht die einzige Macht in dieser Sphäre, wo Sitte, Konvention, Religion ebenfalls wesentlich sind.

Für Werther mündet die Liebe in den Tod, der das gewähren soll, was das Leben versagte. So ist der Tod für ihn Schicksal. Durch den Herausgeber wird indes der Tod in den Lebensprozeß eingeordnet. Dasselbe geschieht in den *Lehrjahren,* während die *Wanderjahre* dem Leben derartig zugewandt sind, daß dem Tod keine Macht eingeräumt ist. Er wird letztlich durch die ärztliche Kunst gebannt. In den *Wahlverwandtschaften* ist es anders. Hier taucht der Gedanke an den Tod immer wieder auf; für ein tragisches Geschehen ist er ein folgerichtiges Ende; aber auch hier dominiert die distanzierte Betrachtungsweise des Erzählers über die persönliche Einstellung der Gestalten.

Romane sind auch Versuche, eine befriedigende Einstellung zur Wirklichkeit zu finden[12]. *Werther* ist noch von dem Zwiespalt zwischen der Wirklichkeitsauffassung des Helden und des Herausgebers geprägt. In den *Lehrjahren* wird ein Weg von der Verworrenheit zur Klarheit beschrieben; ein weiter gespanntes Bild der Wirklichkeit ergibt sich in den *Wahlverwandtschaften*; doch gelingt den Hauptgestalten nicht, eine befriedigende Einstellung zur Wirklichkeit — in ihren Beziehungen zueinander — zu finden. So wird die Katastrophe unvermeidlich. Deshalb erscheint hier Goethes Sicht komplexer als zur Zeit der *Lehrjahre.* Die Kritik des Erzählers an Wilhelm bedeutet eine ziemlich festgegründete Wirklichkeitsanschauung, welche dem Erzähler, aber auch den Gestalten in den *Wahlverwandtschaften* noch abgeht. In den *Wanderjahren* gelingt es höchstens Makarie — und nicht einmal ihr —, diese Lebensstufe zu erreichen. Keine Anschauung aber, sei sie noch so eindrucksvoll und wirklich, kann der Verflochtenheit des Lebens gerecht werden. Alle Anschauungen zusammen machen die Wirklichkeit aus, wenn auch manche umfassender sind als andere. Der Maßstab der nützlichen, praktischen Tätigkeit läßt auch hier, wie schon in den *Wahlverwandtschaften*, den Grad des Wirklichkeitssinnes ermessen.

Die Formen der einzelnen Romane mußten jeweils andere sein, weil die Welt sich Goethe auf verschiedenen Stufen des Lebens verschieden dar-

stellte. Der Stoff war anders, aber auch der Gehalt. Die Sicht des jungen
Dichters war auf den einzelnen, außergewöhnlichen, extremen Fall gerichtet, weil die Intensität der Jugenderfahrung, wo noch Gefühl und Konvention, Erleben und Lebenspraxis miteinander im Streite lagen, eine besondere Konzentration der Darstellung verlangte. Die lange Entstehungszeit
der *Lehrjahre* ist ein Zeichen für Wandlung und Erweiterung des Blickes.
Der Weg vom Sonderfall zum Typischen konnte nicht schnell begangen
werden; er brauchte Zeit. Die Verschiebung der Betrachtung vom einzelnen
zur Gruppe oder gar zu einer Reihe von Gruppen verlangte neue Formen;
etwa: die Geschlossenheit der *Wahlverwandtschaften* mit ihrer intensiven
Konzentration und die offene Form der *Wanderjahre*, worin gewisse Geschehnisse die Verschiedenheit des Lebens bei mehreren Gruppen von Menschen schildern.

In seiner Romandichtung ist Goethe nie stillgestanden. In jedem der
vier Romane hat er neue Vorbilder geschaffen. Die Mitwelt hat es zum
Teil würdigend erkannt, zum Teil ihn aber auch völlig mißverstanden.
Werther, als der große Erfolg, hat viele Imitationen hervorgerufen, aber
nur von wenigen wurde die besondere Form des Werkes verstanden: ein
Briefroman auf höherer Ebene. Das intensive, beinahe tragische Einzel-
schicksal wurde zum Vorbild für spätere Darstellungen ähnlicher Art.

Der Einfluß der *Lehrjahre* dagegen war viel ausgedehnter. Als das gültige Beispiel des deutschen Bildungsromans beherrschten sie die Roman-
produktion der Romantiker. Auch Stifter, Keller, Thomas Mann sind in
ihren großen Werken auf diesen Roman zurückgegangen. Man könnte
dieses epische Genre den Haupttypus des deutschen Romans nennen[13].
Verständnis und Mißverständnis in der Beurteilung standen schon zu Anfang nebeneinander; die Reaktion des Novalis ist ein Beispiel dafür. Zuerst
begeisterte er ihn, betrachtete er ihn als den «reinen Roman[14]», der schwer
übertreffbar sei[15]. Später prägte er dann jenes harte, irreführende Wort,
indem er es «im Grunde ein fatales und albernes Buch ... eigentlich einen
Candide gegen die Poesie gerichtet[16]» nannte.

Mit den beiden Spätromanen verhält es sich anders. Die *Wahlverwandtschaften* wurden als Achtungserfolg gewürdigt; aber keineswegs wurde
ihnen im allgemeinen gebührendes Lob gezollt; viele Kritiker sahen darin
nur einen Angriff auf die Institution der Ehe. Die *Wanderjahre* fanden nie
richtigen Anklang; als seltsames Alterswerk wurden sie beiseitegeschoben.
Diese Entwicklung hatte ihre Gründe. *Werther* und auch noch die *Lehrjahre* sprechen unmittelbar zu einem Leserkreis. Wenn die *Wahlverwandtschaften* und die *Wanderjahre* nicht populär geworden sind, so dürfte sich
Goethe dessen von vornherein bewußt geworden sein. In seiner Jugend,

und wohl auch noch in der Zeit seiner ersten Freundschaft mit Schiller, war er noch darauf bedacht, weite Kreise anzusprechen und hoffte, daß durch bedeutende Beispiele — wie durch das seine und das Schillers — von Weimar aus Kultur gefördert werden könne. Das Mißlingen der gemeinsamen Pläne bewegte ihn tief. Nur wenn Bildung von weiten Kreisen wirklich angeeignet ist, kann eine hohe Kultur entstehen und dauern; denn «viele Gedanken heben sich erst aus der allgemeinen Kultur hervor wie die Blüten aus den grünen Zweigen. Zur Rosenzeit sieht man Rosen überall blühen [17].» Das Eingehen der *Horen* ist für diesen Fehlschlag Symbol; in *Literarischer Sansculottismus* wurde seine Enttäuschung am deutlichsten ausgesprochen. So wurde es ihm immer klarer, daß er nur für wenige schrieb:

«Meine Sachen können nicht popular werden. Wer daran denkt und dafür strebt, ist in einem Irrtum. Sie sind nicht für die Masse geschrieben - nur für einzelne Menschen, die etwas Ähnliches wollen und suchen [18].»

Er mußte von der Zukunft erhoffen, was ihm das literarische Publikum der Mitwelt verweigerte.

«Was man schreibt, widme man der Ferne, der Folge [19].» So konnten zwar *Werther* und die *Lehrjahre* weithin die geistigen Vorstellungen seiner Zeit prägen und für manche Tendenzen sprechen; doch die beiden Spätromane boten nur Vorbild und Anregung für wenige und sind deshalb von weit geringerer Bedeutung in der Geistesgeschichte der Zeit. Aber ihre Wirkung dürfte dafür um so mehr andauern.

Gleichwohl: Goethe schrieb immer in enger Fühlung mit den literarischen Bestrebungen der Zeit. *Werther* ist ohne die Begegnung mit dem englischen sentimentalischen Roman, mit Rousseau und dem Pietismus undenkbar. Auf die *Lehrjahre* haben Wielands *Agathon*, Karl Philipp Moritz' *Anton Reiser*, pietistische Erbauungslektüre, die Aufklärungsliteratur, welche vernünftiges, praktisches Handeln betonte, und Lessings Bemühungen um das deutsche Drama einen merklichen Einfluß gehabt. *Wahlverwandtschaften* und *Wanderjahre* berühren sich mit der Romantik. Die *Wahlverwandtschaften* geben sogar eine Antwort auf die romantische Ethik, indem sie ihre Ansichten über Ehe und Persönlichkeit widerlegen [20]; für Goethe, der «über vieles läßlich dachte», war die Ehe heilig. Die *Wanderjahre* dagegen können als ein symbolisches Werk bezeichnet werden, wie es die Romantiker immer wieder vergebens zu schaffen suchten [21].

Wie betrachtet die literarische Welt Goethes Romane heute? Bei Betrachtung der Dichtung, besonders der Klassiker, ergeben sich ziemliche Divergenzen. Zwischen der Zunft der Literarhistoriker einerseits und dem gebildeten Leser andererseits besteht eine Kluft [22]. Die Zunft schätzt die Werke hoch ein; für das Lesepublikum — oft unter Schul- oder Universitätszwang — sind sie keineswegs eine Lieblingslektüre. Genaue Informationen über die Frage, inwieweit Goethes Romane enthusiastische Leser finden, wären schwerlich zu ermitteln. Jedenfalls soll sich der Literarhistoriker nicht allzusehr durch seine eigenen Interessen täuschen lassen. Mag Goethe zwar für den Germanisten der bedeutendste deutsche Romandichter sein, der beliebteste Romanautor — selbst für den gebildeten deutschen Leser — ist er keineswegs. Dies gilt auch für andere Sprachgebiete. Natürlich wird dies von Werk zu Werk etwas schwanken; die *Lehrjahre* dürften auch zur Zeit bestimmt mehr gelesen werden als die *Wanderjahre*.

Der Literarhistoriker und -interpret mag versucht sein zu glauben, er er könne dies ignorieren. Steht nicht die Goethe-Forschung fest verankert da? Und beweisen nicht die vielen Veröffentlichungen über die einzelnen Romane Goethes, wie gesichert sein Platz im geistigen Leben ist? Für den Literarhistoriker mag die Kluft zwischen Bedeutung und Popularität belanglos sein. Gewiß ist eines: zweifellos besteht jene Kluft. Der Interpret beruft sich auf das Werk und glaubt, in der Deutung allein seine Rechtfertigung zu finden. Aber er darf den Geschmack des Jahrhunderts nicht völlig ignorieren, muß sich also die Frage stellen, ob er nicht nur Sonderbelange als Universitätsgelehrter vertritt. Die Zunft steht immer in Gefahr, Außenseiter zu werden und eines Tages von der Flut allgemeiner Bildungstendenzen weggeschwemmt zu werden. Doch ist diese Frage sehr kompliziert und keineswegs eindeutig zu beantworten. Denn: Was ist geistiges Leben der Zeit? Wie und wo manifestiert es sich? Und wer hat ein Recht, als Sprecher desselben aufzutreten?

> *Was ihr den Geist der Zeiten heißt*
> *Es ist im Grund der Herren eigener Geist,*
> *In dem die Zeiten sich bespiegeln* [23]

Fragen wir nun aber auch, ob der Literarhistoriker und Kritiker nicht die Pflicht hat, seinen eigenen Maßstäben zu folgen. Ja, gewiß, sagen wir vorsichtig, hat er dieses Recht. Trotzdem ist es auch für ihn nötig, den Kontakt mit den gebildeten Lesern nicht zu verlieren, insofern solche überhaupt noch existieren, d.h. wenn die Spezialisierung sie nicht bereits verdrängt hat; dann bestünde leider eine Gefahr der Isolierung, schließlich sogar der Erstarrung. Jenes gebildete Leserpublikum mag sich im Irrtum befinden; der Fachmann kann versuchen, es weiterzubilden, aber der Geschmack der Zeit muß hinwiederum den Interpreten zur Überprüfung seiner Anschauung anregen.

In welchem Verhältnis steht Goethe zum heutigen Publikum? Genaues kann man darüber kaum aussagen. Informationen, wie gesagt, fehlen. Gestehen wir es uns aber nur ein: im Gegensatz zu seinen großen Dramen, die mehr oder weniger einen festen Bestand der deutschen Bühne darstellen, sind seine Romane heute vermutlich mehr klassisches Bildungsgut als Brennpunkte unserer geistigen Aktivität. Sie werden im deutschen Sprachbereich — weil klassisch — gelesen. Außerhalb treten sie, wie der deutsche Roman des achtzehnten und neunzehnten Jahrhunderts überhaupt, hinter den großen französischen, englischen und deutschen Romanwerken zurück. Berechtigt oder nicht? — ist hier die Frage. Was sind die Gründe? Nun: Des öfteren beginnt die Lektüre unter falschen Voraussetzungen. Da man *Werther* vom Stoff her liest, empfindet man ihn als sentimental[24]; man vermißt die Spannung, das unmittelbar Ereignisreiche, sowie den Zusammenhang des Geschehens in den *Lehrjahren*, mehr noch in den *Wanderjahren*. Die *Wahlverwandtschaften* wirken distanziert und fern. Es scheint Somerset Maugham, jenem scharfsinnigen Kenner und Praktiker des modernen Romans, als ob es Goethe an der eigentlichen Gabe des Romandichters, der Sympathie mit dem Leben anderer überhaupt, fehle[25].

Diese kritischen Einwände sind abwegig. Sie gehen oft von zwei falschen Voraussetzungen aus. Erstens fordert Goethes Werk Zeit und Geduld. Außer in seinen Sturm-und-Drang-Produkten ist er kein Dichter, der den Leser beim ersten Anhieb packt. Nur bei wiederholter Lektüre erschließen sich seine Werke. Je tiefer man eindringt, desto reichhaltiger erscheinen sie. In der Tat: An dem Reichtum des Gehalts sollte angesichts seiner Romane kein Zweifel bestehen.

Zweitens verkennt man leicht die historischen Bedingungen. Obwohl von allgemein-menschlicher Bedeutung, sind sie im Gegensatz zu seinen Dramen auch Zeitromane. Dies hat ihre Problematik und ihren Stoff zum Teil bestimmt. So berühren die Wirnisse der „sentimentalischen" Liebe und der gesellschaftlichen Konflikte heute anders als zur Zeit *Werthers*. Wir leben in einem Zeitalter, das im allgemeinen sachlicher fühlt und mindestens seine Gefühle anders ausdrückt. Indessen: Die grundsätzlichen Fragen und Probleme für ein empfindsames Individuum in einer ihm feindlichen Welt bleiben wohl immer dieselben. Die Sentimentalität des späten achtzehnten Jahrhunderts aber mag als begraben gelten. Vielen heutigen Lesern, in einem Zeitalter gesteigerten Bewußtseins und übertriebener Selbstkritik, wird inneres Erleben anders erscheinen. Man abstrahiere von diesen inneren Vorurteilen, sehe das altertümliche Kostüm historisch und lese den Roman von einer psychologischen Warte aus, und sofort wird die Wucht des Leidens, das sich hier vollzieht, auch heute noch starken Eindruck hinterlassen. Wer die verheerende Gewalt der Leidenschaft kennt, wird immer wieder von der einmaligen Form bewegt sein, welche Goethe für die Gefühlstiefen Werthers fand. Wer das Leben in seiner Fülle von einer distanzierten Warte aus beurteilt, wird Liebesleidenschaft und *taedium vitae* zwar einen Platz im Leben einräumen, aber sie nicht für die allein wesentlichen Mächte des Innenlebens halten. Selbst Goethe, in seiner positiven Einstellung zum Leben beispielhaft, verfaßte ein halbes Jahrhundert später die Zeilen:

Zum Bleiben ich, zum Scheiden du erkoren
Gingst du voran — und hast nicht viel verloren [26]!

Daran kann man ermessen, daß er Werthers Erleben für eine fundamentale Möglichkeit innerhalb des menschlichen Seins und Handelns hielt.

Die *Lehrjahre* stellen eine umfassendere Leistung dar. Von ihnen schreibt Somerset Maugham etwas ironisch:

«Ich vermute, wenige Leute in England lesen den Roman heutzutage, falls sie es nicht als Gelehrte oder Studenten müssen. Und ich weiß selbst nicht, warum man ihn eigentlich lesen sollte — zugegeben, es ist amüsant, romantisch und irgendwie realistisch; die Gestalten interessant und ungewöhnlich, voller Leben eindrucksvoll dargestellt; es gibt eine Vielfalt von Szenen, die lebhaft und besonders wert geschildert sind (zwei davon in der besten Lustspieltradition, wie man sie selten bei Goethe findet).

Zugegeben fernerhin: es sind darin lyrische Gedichte, so schön und rührend, wie er sie ja geschrieben, ferner eine Deutung Hamlets, angesichts derer viele bedeutende Gelehrte übereinstimmend betonen, es sei eine subtile Charakter-Analyse des vieldeutigen Dänen, vor allem aber: Das Thema sei von einzigartiger Bedeutung. Wenn bei all diesen Urteilen der Roman im ganzen versagt, so deshalb, weil es Goethe — trotz seines Genies, trotz aller seiner Geisteskräfte — an der besonderen Gabe fehlte, die ihn befähigt hätte, auf dem Gebiete des Romans dasselbe zu leisten, wie es ihm als Lyriker und Dramatiker vergönnt war [27].»

Laut Maugham fehlt es Goethe an Sympathie für seine Gestalten. Wir brauchen dieser Ansicht nicht zuzustimmen, aber es fehlt dem Roman an Spannung, wenn auch die einzelnen Szenen äußerst wirkungsvoll sind. Dieser Mangel an Spannung liegt teilweise an der Weitläufigkeit der Handlung, teilweise an mangelnder Wucht und Gewalt des Geschehens. Im Gegensatz zu *Werther* wird der Leser nicht erschüttert, daran verhindert ihn die Ironie des Erzählers. Darin liegt Stärke und Schwäche zugleich. Es erhebt ihn auf eine höhere, geistige Ebene, der Ebene kritischen Verständnisses. Gestehen wir es: die Verhältnisse — Theaterleben und pietistisch gefärbter innerer Werdegang — besitzen nicht genug Macht, den Leser zu erschüttern. Harfner und Mignon bleiben zu peripherisch, das Leben der Aristokraten ist zu abstrakt, um Spannung und Miterleben —

angesichts ihrer Probleme — hervorzurufen. Vor allem fehlt dem Charakter Wilhelms die innere Dynamik. Trotz aller Liebenswürdigkeit, Empfindsamkeit und Urbanität ist er farblos im Vergleich etwa zu den Helden
Balzacs oder Dostojewskis. Dem historischen Teil fehlt das politische Moment, die soziale Gärung. Diese Mängel — wenn man so will — dürften
manche fähigen Leser abgehalten haben; aber gerade in diesen sogenannten
Mängeln liegt die Stärke des Romans; denn der ruhige, abgeklärte Ton
gibt ein objektives, typisches Bild und zeigt uns, wie der Werdegang eines
empfindsamen Menschen verläuft. Störend wirken mitunter für den heutigen Leser manche Unwahrscheinlichkeiten der Handlung, die im Roman
des achtzehnten Jahrhunderts gang und gäbe waren; aber im Vergleich
zur Reichhaltigkeit des Denkens und der meisterhaften Art, mit welcher
Wilhelms Erleben im weiteren Sinne gehandhabt wird, fallen sie weniger
ins Gewicht. Je tiefer man in den Roman eindringt, desto mehr Zusammenhänge erkennt man. Ein unerschöpfliches Werk, als solches wird es den
Leser immer wieder fesseln. Ein Ende seiner Wirkung auf die deutsche
Literatur, die von der Romantik bis zur Gegenwart reicht, ist noch nicht
abzusehen.

Die *Wahlverwandtschaften* bieten dagegen die Gestaltung eines elementaren Erlebnisses. Auch hier täuscht die distanzierte Art des Erzählens.
Ereignisse und inneres Erleben sind von erschütternder Tragik; es wirkt
die Tiefe der Symbolik, welche bei oberflächlicher Betrachtung zunächst
nicht erkennbar ist. Ja, man kann, wie Somerset Maugham, die Gestalten
für oberflächlich, die Situation künstlich, die Entwicklung der Handlung
absurd und ganze Kapitel, wie die Architekt- oder Luciane-Episoden, für
langweilig halten [28], doch sollte man bereit sein, tiefer zu schürfen. Erst
dann wird man auf die Symbolik aufmerksam werden. Die Gestalten gewinnen an Leben, je mehr man sich in das Werk vertieft; die Entwicklung
der Handlung, die Ereignisse erscheinen immer mehr als Ergebnisse einer
großen Notwendigkeit, so daß die Unerbittlichkeit der Katastrophe jene
geistige Angespanntheit hervorruft, die man sonst von einer großen Tragödie erwartet. Die *Wahlverwandtschaften* müssen als psychologischer
und tragischer Roman gelesen werden, dann überzeugen sie.

Den *Wanderjahren* jedoch geht die strenge Form und unerbittliche Notwendigkeit ab, welche in den *Wahlverwandtschaften* zu finden ist. Das
Werk hat auf Grund seines didaktischen Tones und seines Mangels an
Spannung weniger Wucht und ist deshalb viel getadelt worden. Zweifelsohne ist dies der Grund, warum nur wenige Leser der *Lehrjahre* sich den
Wanderjahren zuwenden. Dieser Tadel ist nicht unberechtigt, wenn man
versucht, das Werk als konventionellen Roman zu nehmen. Liest man es

aber als Experiment, d. h. als Vorläufer eines modernen Werkes — wie etwa der Romane von Proust, Joyce, Musil, Broch —, dann gewinnt es an Interesse. Dies allein jedoch genügt nicht. Es scheint den *Wanderjahren* die innere Folgerichtigkeit moderner Romane zu fehlen. Dem auf Spannung, konkrete Darstellung und Unmittelbarkeit des Erlebens bedachten Leser vermag Goethes Altersroman verhältnismäßig nur wenig zu bieten; wer aber bereit ist, bei mehrmaligem Lesen in die Atmosphäre des Werkes einzudringen, kann viel gewinnen.

Bei allen Romanen wird dem am realistischen, materialistischen und psychologischen Roman des neunzehnten und zwanzigsten Jahrhunderts geschulten Leser manches befremdend anmuten. Goethe jedoch stand vielen Forderungen des Realismus gleichgültig gegenüber; er schrieb in einer Tradition des Roman, die nicht deterministisch war. Man denke hier etwa an die vielen Zufälle — an die psychologisch kaum motivierten Heiraten am Ende der *Lehr-* und *Wanderjahre,* an die biologisch völlig unvertretbare Ähnlichkeit des von Eduard und Charlotte gezeugten Kindes mit Ottilie und dem Hauptmann, an die Verwandtschaften vieler Gestalten, denen Wilhelm unabhängig voneinander begegnet; bedenke ferner, daß Wilhelm seinen Sohn Felix bei Aurelie trifft oder daß die Kunstschätze des Großvaters sich ausgerechnet im Hause des Oheims befinden. Andererseits wirken Turmgesellschaft und pädagogische Provinz durchaus utopisch. All dies kann nur historisch verstanden werden. Man darf keine psychologische oder realistische Folgerichtigkeit im modernen Sinne fordern. Der Roman wurde vielmehr als Unterhaltungsliteratur für alle Schichten des damaligen Publikums geschrieben, welches sich wesentlich von den heutigen Lesern unterscheidet.

Gelingt es aber der Zunft, das literarisch gebildete Publikum auf die Hauptthemen der Goetheschen Romane hinzuweisen, wird der Leser genügend Geduld aufbringen, sie heute erneut mit vertieftem und kritischem Verständnis zu lesen, dann vermögen Goethes Romane immer wieder Wesentliches zu bieten. Da jeder Roman auf einer anderen Lebensstufe des Dichters verfaßt wurde, können sich die Leser demjenigen Roman zuwenden, der ihrer eigenen Position entspricht. Hat der Leser einmal Zugang zu einem der Romane gefunden, so kann er auch an den anderen Interesse gewinnen. Die reife Verschiedenheit, die auf ihre Art in jedem der Werke Bedeutendes, Wahres und Schönes bietet, festigt Goethes Rang auch in dieser Sparte jedem Zweifel gegenüber. Es gibt keinen anderen deutschen Romandichter, der eine derartige Originalität auf allen Gebieten der großen erzählenden Werke entfaltet hätte. Goethe überragt und beherrscht den deutschen Roman. An Gewalt und Würde des Stils, an Intensität und Weite der Thematik, an Tiefe und Genauigkeit der psychologischen Einsicht reichen die deutschen Romandichter seiner Zeit — ob Gellert, Nicolai, Sophie la Roche, J. J. Engel, J. K. Wezel, selbst Wieland oder die Romantiker — nicht an ihn heran; im späteren neunzehnten Jahrhundert ist der Bildungsroman von ihm bestimmt worden. In unserem Jahrhundert ist es nicht viel anders. Man denke an Thomas Mann, den vielleicht vielseitigsten Erzähler des zwanzigsten Jahrhunderts. Hat nicht auch er, wenn auch sehr oft parodistisch, seine Romane und Novellen im Zeichen Goethes geschrieben? Was könnte ein lebendigeres Beispiel seiner dauernden Wirkung sein, als daß er deutschen Schriftstellern des zwanzigsten Jahrhunderts immer wieder als Leitbild vorschwebte? Aber nicht nur im deutschen Raum steht Goethe einzig da. Zwar gibt es andere europäische Romandichter, die an Wucht der Erzählung, an Reichtum der Gestaltung, an Größe und Wirkung der Rezeption ihn übertreffen — man denke an Cervantes, Fielding, Manzoni, George Eliot, Dickens, Balzac, Flaubert, Zola, Dostojewskij, Tolstoj, Joyce, Proust —, an Vielseitigkeit und Originalität der Form und Tiefe des Gehalts kann er sich mit allen messen. Keiner ist im Roman umfassender, im weitesten Sinne universaler. Lyrik und wissenschaftliches Denken wurden der Erzählung dienstbar gemacht. An Intensität des Erlebens stehen *Werther* und die *Wahlverwandtschaften*, an Breite des Lebensbildes die *Wilhelm-Meister*-Romane den anderen großen europäischen Romanen nicht nach. Auch hier haben die Hauptgestalten — wie Werther, Wilhelm Meister, Eduard, Charlotte, Ottilie, der Hauptmann, Jarno, Lenardo, Makarie — nicht die unmittelbare gewaltige Ausstrahlung, wie etwa von Don Quijote und Sancho Pansa, von dem alten Goriot, Grandet, Vautrin oder Rastignac, von Madame Bovary, von Raskolnikow, den Brüdern Karamasow ausgeht. Vielleicht mangelt ihnen jene beinahe mythische Kraft, wie sie Faust und Mephistopheles besitzen. Doch sind sie lebendige und überzeugende Gestalten.

Die Bedenken, die gegen Goethe als Romandichter geäußert werden, fallen letztlich genausowenig wie seine eigenen Vorbehalte über die Unreinheit der Romanform ins Gewicht, wenn man sie mit der gewaltigen, vielfältigen Leistung seines epischen Schaffens vergleicht. In der historischen Perspektive wirken Goethes Romane eher dynamisch als statisch. Ihr Bild wandelt sich von Generation zu Generation; es vermag immer neue Quellen des Interesses zu erschließen. Auch sind sie, wie der Dichter es forderte, dem Wechsel alles Lebendigen unterworfen. So bestätigt das Romanwerk Goethes eine Erfahrung, die er als Wissenschaftler erworben, als Dichter ausgesprochen hat. Auf sein Romanwerk analog der Natur treffen die Verse aus dem Gedicht «Parabase» zu:

Und es ist das ewig Eine
Das sich vielfach offenbart;
Klein das Große, groß das Kleine,
Alles nach der eigenen Art.
Immer wechselnd, fest sich haltend;
Nah und fern, und fern und nah.
So gestaltend, umgestaltend —
Zum Erstaunen bin ich da[29].

ANMERKUNGEN

Zitate sind aus der Weimarer Sophienausgabe von Goethes Werken (zitiert als W. A.), Weimar, 1887 ff. oder aus der Hamburger Ausgabe (zitiert als H. A.), Hamburg, 1949 ff. Die Rechtschreibung der Weimarer Ausgabe wurde modernisiert.

Die folgenden Abkürzungen sind benutzt worden:

Dt. Vj. *Deutsche Vierteljahresschrift für Literaturwissenschaft und Geistesgeschichte.*
PEGS *Publications of the English Goethe Society, N. S.*
PMLA *Publications of the Modern Language Association of America.*

MOTTO
[1] H. A. 8, S. 460, No. 1.

VORWORT
[1] ROBERT RIEMANN, *Goethes Romantechnik*, Leipzig, 1902.
[2] KARL R. POPPER, *Logik der Forschung*, Wien, 1935; vgl. auch *The Logic of Scientific Discovery*, London, 1956.
[3] EMIL STAIGER, *Goethe*, 3 Bd., Zürich, 1952—1959.
[4] W. A. II, 11, S. 58.
[5] ERICH TRUNZ, H. A., 1, S. 591: «Er wollte dem Verständnis Hilfen geben. Er begrenzt sich dabei auf das Inhaltliche und greift sachlich und fest zu.» Trunz fügt dann mit Recht hinzu: «Doch damit ist nicht gesagt, daß der heutige Interpret ihm methodisch darin gleichzukommen versuchen müsse.» Meine eigenen Interpretationsversuche erheben natürlich keineswegs den Anspruch, Goethes Methode nachzuahmen.
[6] H. A., Bd. 6, 7, 8, 14.
[7] *Goedecke*, 3. Auflage, IV, 2—5, S. 3, besonders S. 163 ff, 388 ff., 413 ff.
[8] HANS PYRITZ, *Goethe-Bibliographie*, Heidelberg, 1955 ff.

EINLEITUNG
[1] Vgl. E. A. BLACKALL, *The Emergence of German as a Literary Language*, Cambridge, 1958, S. 482 ff.
[2] SCHILLER, *Über die ästhetische Erziehung des Menschen in einer Reihe von Briefen*, 22. Brief: «Darin also besteht das eigentliche Kunstgeheimnis des Meisters, daß er den Stoff durch die Form vertilgt.»
[3] PERCY LUBBOCK, *The Craft of Fiction*, London, 1921, S. 273. «The book vanishes as we lay hands on it. Every word we say of it every phrase ... is loose, approximate, a little more or a little less than the truth. We do not exactly hit the mark; or if we do, we cannot be sure of it ... there are times when a critic of literature feels that if only there were a single tangible, measurable fact about a book — if it could be weighed like a statue, say, or measured like a picture — it would be a support in a world of shadows.»
[4] E. M. FORSTER, *Aspects of the Novel*, London, 1949, Pocket Edition, s. 27. (Übersetzt als *Ansichten des Romans*, Berlin-Frankfurt/Main, 1949.) «Yes — oh dear yes — the novel tells a story. That is the fundamental aspect without which it could not exist. That is the highest factor common to all novels, and I wish that it was not so, that it could be something different — melody, or perception of the truth, not this low atavistic form.»
[5] Vgl. zu diesem Thema H. S. REISS, *Franz Kafka, eine Betrachtung seines Werkes*, 2. Auflage, Heidelberg, 1956, besonders s. 29 f.

DIE LEIDEN DES JUNGEN WERTHERS

[1] E. L. STAHL (ed.) *Goethe's Die Leiden des jungen Werthers*, Oxford, 1942, S. V.

[2] W. A. I, 28, S. 221.

[3] W. A. I, 28, S. 224.

[4] Ich denke hier vor allem an die Arbeiten von HANS GOSE, *Goethes «Werther»*, Bausteine zur Geschichte der Literatur, 18, Halle, 1921.
ERNST FEISE, «Goethes Werther als nervöser Charakter», *The Germanic Review I*, New York, 1926, wiederholt in *Xenion. Themes, Formes and Ideas in German Literature*, Baltimore, Maryland, 1950;
ERICH TRUNZ, *Goethes Werke*, H. A., 6, Hamburg, 1951, S. 536 ff.;
EMIL STAIGER, *Goethe*, I, Zürich, 1952, S. 147 ff.;
GERHARD STORZ — Der Roman «Die Leiden des jungen Werthers» in *Goethe-Vigilien*, Stuttgart, 1953, S. 42 ff.;
H. E. HASS, «Werther Studie» in *Gestaltungsprobleme der Dichtung*, hrsg. von R. Alewyn, H. E. Hass, C. Heselhaus, Bonn, 1957, S. 83 ff.;
siehe auch H. S. REISS, «Die Leiden des jungen Werthers, a reconsideration», *The Modern Language Quarterly*, XX, Seattle, 1959.

[5] Vgl. GERTRUD RIESS, *Die beiden Fassungen von Goethes Die Leiden des jungen Werthers*, Breslau, 1924, S. 10, die betont, daß die Wirkung des Romans ein wichtiger Faktor bei der Umarbeitung war.

[6] An die Weygandische Buchhandlung, 3. Juli 1824.

[7] W. A. IV, 38, S. 356.

[8] An J. C. Kestner, 2. Mai 1783.

[9] KARL VIËTOR, *Der junge Goethe*, München, 1950, S. 148.

[10] Vgl. ERICH SCHMITT, *Richardson, Rousseau und Goethe*, Jena, 1875, der die Hauptunterschiede zwischen den drei Dichtern behandelt, aber sich hauptsächlich thematischen Fragen zuwendet.

[11] Vgl. G. STORZ, a. a. O. S. 22.

[12] Vgl. K. VIËTOR, a. a. O. S. 148.

[13] Vgl. G. STORZ, a. a. O. S. 23, der von der Situation des Ich-Erzählers spricht. Storz geht sogar so weit, diese Bezeichnung Briefroman für unpassend zu halten. Er nennt es einen Tagebuchroman. Obwohl Storz gewiß recht hat, wenn er die tagebuchartigen Züge betont, würde ich doch den Roman eher einen Briefroman nennen. Schließlich sind es Briefe, selbst wenn Werther beim Abfassen dieser Briefe mehr an sich als an den Empfänger denkt.

[14] EMIL STAIGER, a. a. O. I, S. 150.

[15] G. STORZ, a. a. O. S. 29.

[16] E. M. BUTLER, «The element of Time in Goethes *Werther* and Kafkas *Prozess*», *German Life and Letters*, N.S. XII, 4, Oxford 1959, S. 250, schreibt: «So that the overriding impression is of an action taking place during a period of eight months — from the beginning of May to the end of December, from an intoxicating spring and glorious summer through a particularly sad and Ossianic autumn to a cold and cruel winter; whereas in reality, as Goethe was at pains to indicate by dates, the period covered is eigtheen months.»

[17] Dies bemerkt man z. B. beim Übersetzen. WILLIAM ROSE, der eine vorzügliche englische Übersetzung des Romans verfaßt hat *(The Sorrows of Young Werther*, London, 1929), erwähnte mir gegenüber die Schwierigkeiten, adäquate Übersetzungen für dieses Wort, dessen schillernde Bedeutung nicht durch ein einziges Wort erfaßt werden kann, zu finden.

[18] W. A. I, 19, S. 5.

[19] Vgl. H. E. HASS, a. a. O. S. 107. «Die Exklamation ‹Bester Freund, was ist das Herz des Menschen› deutet auf das offenbare Geheimnis hin, das die ganze Werther-Ge-

schichte als ein großes Exemplum von allgemeiner Bedeutsamkeit sinnbildhaft vor-
führt: die geheimnisvolle, außervernünftige Macht des menschlichen Herzens, das sich
aus den eigenen Wesenstiefen sein Schicksal zubereitet. In diesem Ausruf Werthers
ist schon gezeigt, was dann wieder und wieder geschehen wird bis zum Ende des
Romans: daß Werther von seinen subjektiven Erfahrungen und Empfindungen auf
das allgemeine Wesen des Menschen reflektiert, daß sich das Selbstbewußtsein, oder
besser die Selbstempfindung seines Ich immer in der Weite des menschlichen Seins
überhaupt versteht.»

[20] W. A. I, 19, S. 6.

[21] W. A. I, 19, S. 6.

[22] W. A. I, 19, S. 6. Vgl. hierzu H. E. HASS, a. a. O., S. 111: «indem Werther das Sachliche kurz abtut, bekennt er, daß er vom Sachlichen nicht mehr schreiben mag, womit
er also gleich seiner Empfindung wieder nachgibt, um dann um so schwelgerischer
von seinen Herzenseindrücken zu reden».
Vgl. auch HILDEGARD EMMEL, *Weltklage und Bild der Welt bei Goethe*, Weimar, 1957,
S. 30, die darlegt: Werther sucht die Gegenstände sich zu unterwerfen und ist nicht
bereit, sich dem Wechselspiel zwischen der Innen- und Außenwelt auszusetzen. Sie
weist auf eine einleuchtende Parallele zu Goethes Einleitung *Zur Morphologie* hin.
«Wenn der zur lebhaften Beobachtung aufgeforderte Mensch mit der Natur einen
Kampf zu bestehen anfängt, so fühlt er zuerst einen ungeheueren Trieb, die Gegenstände sich zu unterwerfen. Es dauert aber nicht lange, so dringen sie dergestalt gewaltig auf ihn ein, daß er wohl fühlt wie sehr er Ursache hat auch ihre Macht
anzuerkennen und ihre Einwirkung zu verehren. Kaum überzeugt er sich von diesem
wechselseitigen Einfluß, so wird er ein doppelt Unendliches gewahr, an den Gegenständen die Mannigfaltigkeit des Seins und Werdens und der sich lebendig durch-
kreuzenden Verhältnisse, an sich selbst aber die Möglichkeit einer unendlichen Ausbildung, indem er seine Empfänglichkeit sowohl als sein Urteil immer zu neuen
Formen des Aufnehmens und Gegenwirkens geschickt macht.» (W. A., II, 6, S. 5.)
HILDEGARD EMMEL fügt dann noch hinzu (a. a. O. S. 31): «Werther fehlt das Wissen um den *wechselseitigen Einfluß* ... um das Geben und Nehmen im Verhältnis
von Mensch und Natur, und *die Möglichkeit einer unendlichen Ausbildung* durch *die
Gegenstände.*»

[23] W. A. I, 19, S. 6 f.

[24] Vgl. H. E. HASS, a. a. O., S. 113.

[25] W. A. I, 19, S. 7.

[26] W. A. I, 19. S. 7.

[27] W. A. I, 19, S. 8.

[28] W. A. I, 19, S. 9.

[29] W. A. I, 19, S. 10.

[30] W. A. I, 19, S. 12.

[31] Vgl. L. A. WILLOUGHBY, «The image of the ‹Wanderer› and the ‹Hut› in Goethe's
Poetry», *Études Germaniques*, VI, Lyon-Paris, 1951.

[32] W. A. I, 19, S. 20.

[33] W. A. I, 19, S. 21.

[34] W. A. I, 19, S. 23.

[35] Vgl. E. A. BLACKALL, a. a. O., S. 410 ff. Für eine ausführlichere Würdigung Wielands
vgl. das maßgebliche Buch: FRIEDRICH SENGLE, *Wieland*, Stuttgart, 1949.

[36] W. A. I, 19, S. 141.

[37] W. A. I, 19, S. 175.

[38] W. A. I, 19, S. 181 f.

[39] W. A. I, 19, S. 5.

[40] W. A. I, 19, S. 5.

[41] W. A. I, 19, S. 5.   [42] W. A. I, 19, S. 5.   [43] W. A. I, 19, S. 5.
[44] W. A. I, 19, S. 10.   [45] W. A. I, 19, S. 10.   [46] W. A. I, 19, S. 10.
[47] W. A. I, 19, S. 10.   [48] W. A. I, 19, S. 10.   [49] W. A. I, 19, S. 10.
[50] W. A. I, 19, S. 160.
[51] EMIL STAIGER, «Goethes Begriff des Klassischen. Ein Satz aus der Winckelmannschrift», Schweizer Monatshefte, XXXVII, Zürich, 1957, S. 203.
[52] W. A. I, 19, S. 8.   [53] W. A. I, 19, S. 8.   [54] W. A. I, 19, S. 8.
[55] G. STORZ, a. a. O., S. 32.
[56] W. A. I, 19, S. 8.
[57] EMIL STAIGER, «Goethes Begriff des Klassischen», a. a. O.; EMIL STAIGER, Goethe, II, a. a. O., passim.
[58] W. A. I, 19, S. 42.
[59] W. A. I, 19, S. 42.
[60] W. A. I, 19, S. 43.
[61] W. A. I, 19, S. 30.
[62] Vgl. ERICH TRUNZ, H. A., 6, S. 550, der darauf hinweist, daß Werthers Briefe reich an verschiedenen Klängen sind.
[63] W. A. I, 19, S. 111.
[64] Vgl. ERICH TRUNZ, H. A., 6, S. 551, der von dem Rhythmus in der Brieffolge spricht, «die zwischen idyllischen Bildern und zehrender Verzweiflung wechselt, doch aus den idyllischen Bildern werden düstere Bilder und zugleich wird die Schilderung der Außenwelt immer geringer, so daß am Ende nur das Ich mit seiner verzweifelten Innenwelt übrigbleibt».
[65] ERICH TRUNZ hat die Bedeutung dieses Wortes schon in seinem wertvollen Kommentar hervorgehoben. Vgl. H. A., 6, S. 564.
[66] W. A. I, 19, S. 38.
[67] W. A. I, 19, S. 14.
[68] W. A. I, 19, S. 16.
[69] W. A. I, 19, S. 61.
[70] Vgl. STUART PRATT ATKINS, der in seinem scharfsinnigen Aufsatz «J. G. Lavater und Goethe: Problems of the Psychology and Theology in Die Leiden des jungen Werthers» PMLA, LXIII, 1948, S. 520–576, diesen Aspekt erörtert.
[71] W. A. I, 19, S. 71.
[72] W. A. I, 19, S. 158.
[73] W. A. I, 19, S. 68.
[74] W. A. I, 19, S. 151.
[75] W. A. I, 19, S. 106.
[76] Vgl. L. A. WILLOUGHBY, «The image of the Horse and Charioteer in Goethe's Poetry», PEGS, XVII, Cardiff, 1946.
[77] W. A. I, 19, S. 104.
[78] W. A. I, 19, S. 164.
[79] Wie AUGUST LANGEN, Der Wortschatz des deutschen Pietismus, Tübingen, 1954, S. 463, darlegt, gehören diese Worte der pietistischen Terminologie an.
[80] W. A. I, 19, S. 38.
[81] Vgl. E. TRUNZ, H. A. 6., S. 553, vgl. auch H. A. 1, S. 422 ff.
[82] W. A. I, 19, S. 75.
[83] W. A. I, 19, S. 76.
[84] W. A. I, 19, S. 77.
[85] W. A. I, 19, S. 128.
[86] W. A. I, 19, S. 129.
[87] W. A. I, 19, S. 48 ff.
[88] Vgl. ERICH TRUNZ, H. A., 6., S. 578 ff.

[89] W. A. I, 19, S. 130.

[90] W. A. I, 19, S. 130.

[91] W. A. I, 19, S. 133.

[92] Vgl. ERNST FEISE, *Xenion*, a. a. O., S. 2 ff.

[93] HERBERT SCHÖFFLER, «Die Leiden des jungen Werther. Ihr geistesgeschichtlicher Hintergrund» in *Deutscher Geist im 18. Jahrhundert*, Göttingen, 1956, S. 172. Schöfflers Ausführungen sind äußerst scharfsinnig, ich kann aber hier nicht mit ihm übereinstimmen, wenn er annimmt, daß die Natur, das All für Werther Gott wird. Und ob Werthers Denken und Glauben gänzlich auf Diesseits ausgerichtet sind, wie Schöffler annimmt, muß bezweifelt werden, obwohl er gewiß recht hat, daß Werthers Leiden ursprünglich ganz diesseitigen Charakter haben.

[94] ERICH TRUNZ, a. a. O., S. 578 ff.

[95] W. A. I, 19, S. 61.

[96] W. A. I, 19, S. 61.

[97] W. A. I, 19, S. 23.

[98] W. A. I, 19, S. 189.

[99] W. A. I, 19, S. 38.

[100] Vgl. MAX DIEZ, «The Principle of the Dominant Metaphor in Goethe's Werther», *PMLA*, LI, 1936, der in seiner Auffassung allerdings zu weit geht; denn keineswegs beziehen sich alle die Worte und Ausdrücke, die er erwähnt, auf die Krankheitswelt, noch läßt sich die Verschlimmerung der Krankheit statistisch erfassen, wie er glaubt.

[101] W. A. I, 19, S. 71.

[102] W. A. I, 19, S. 69.

[103] W. A. I, 4, S. 162.

[104] E. M. BUTLER, a. a. O., S. 255, zählt ihn wie auch Josef K. zu den «promising young men».

[105] W. A. I, 19, S. 15.

[106] LIONEL TRILLING, *The Liberal Imagination*, London, 1951, S. 209.

[107] An C. F. ZELTER, 26. März 1816.

[108] W. A. I, 19, S. 141.

[109] Vgl. HERMANN BÖSCHENSTEIN, *Deutsche Gefühlskultur*, Bern, 1954, S. 248. Er vertritt eine ähnliche, wenn auch nicht identische Ansicht. Er schreibt: «es ist, als ob zwei Federn am Werk gewesen wären, eine vom Herzen, eine vom Verstand gehalten. Der Briefstil, mit nur einem Briefschreiber, war allerdings dazu angetan, die Vielstimmigkeit zu verdecken; sie erklingt aber in den Briefen, keineswegs etwa bloß in den paar Anmerkungen eines fingierten Herausgebers.
E. L. STAHL, a. a. O., S. XXV, in seinen vorzüglichen Ausführungen zum Roman unterscheidet scharf zwischen der «lyrischen subjektiven» Darstellung Werthers und der «epischen objektiven» Darstellung des Herausgebers, ein Unterschied, der für ihn ein wesentliches Moment des Werkes ausmacht.

[110] Vgl. E. A. BLACKALL, a. a. O., der in *Werther* einen Höhepunkt der deutschen Prosa des 18. Jahrhunderts sieht, in dem mehrere Wege der Prosa zusammentreffen.

[111] Vgl. G. RIESS, a. a. O.

[112] Vgl. KARL VIËTOR, a. a. O.

[113] Vgl. H. A., 6, S. 527.

[114] Vgl. FRIEDRICH GUNDOLF, *Goethe*, Berlin, 1915, S. 169 f.
WILLIAM ROSE hat in *From Goethe to Byron, The Development of Weltschmerz in German Literature*, London, 1924, S. 24, mit Recht diese Auffassung berichtigt.

[115] Vgl. STUART PRATT ATKINS, *The Testament of Werther in Poetry and Drama*, Cambridge, Mass., 1949.

[116] Ich verdanke diese Beobachtung ELISABETH M. WILKINSON.

[117] Ich verdanke diesen Hinweis FRITZ MARTINI.

[118] Vgl. Victor Lange, «The Language of the Poet Goethe: 1772–1774», *Wächter und Hüter, Festschrift für Hermann J. Weigand*, New Haven, Conn. 1957.

[119] An C. F. Zelter, 26. März 1816.

[120] Vgl. J. W. v. Appel, *Werther und seine Zeit*, 4. Auflage, Oldenburg, 1896.

[121] Man darf nicht vergessen, daß damals die Dichtung noch weitgehend unter ethischen Perspektiven beurteilt wurde.

[122] Vgl. Barker Fairley, *A Study of Goethe*, Oxford, 1948, der diesen Aspekt besonders unterstreicht.

[123] W. A. I, 37, S. 314.

[124] W. A. I, 28, S. 209.

[125] Vgl. Mathijs Jolles, *Goethes Kunstanschauung*, Bern, 1957, S. 182.

[126] Ich verdanke dieses Argument der vortrefflichen Analyse von Mathijs Jolles, a. a. O., S. 175–182, der Goethes Betrachtungen über den Gestaltungsprozeß des Romans in *Dichtung und Wahrheit* analysierte. Goethes Ausführungen, die eher auf seinen Erfahrungen als auf einer genauen Wiedergabe der Tatsache beruhen, lassen sich in allgemein-gültige Prinzipien über die Beziehung zwischen Form und Stoff fassen. Jolles' Worte geben Goethes Ansichten zur Frage des Briefromans mustergültig wieder. Er schreibt (S. 181):
«Die Briefromanform entspricht also, ganz dem Vorsatz gemäß, auch dem darzustellenden Problem, dem vom Ekel am Leben ergriffenen, einsamen Menschen. Während aber Goethes Anlage selbst die Einsamkeit zum geselligen Gespräch umformt, was einem Austausch von Mitteilungen oder, wie er sagt, einem Briefwechsel entsprechen würde, verlangt das dargestellte Problem einen Schreiber, der die Wirklichkeit nicht packen kann, der den Freund nicht zum Spiegel macht, sondern sich aus der geselligen Verbundenheit mit anderen Seelenergüssen seiner Briefe zurückzieht. Eine gesunde Anlage, sich zu andern zu formen und sich mit ihnen in ein Ganzes zu stimmen, die Welt als ein ‹Du› anzusehen, mit dem man sich unterhält und ein Gespräch führt, diese dichterische Veranlagung ergreift einen Gegenstand, der als ihre negative, krankhafte Gegenform anzusehen ist, die Goethe wahrscheinlich als Möglichkeit in sich selber spürte, die Absonderung und hypochondrische Vereinsamung, wo ein Gespräch nicht mehr stattfindet. Die Natur und das gesellige Leben in ihrer ganzen endlosen und sinnlosen Vergänglichkeit liegen dann als Gegenstand, der nicht ergriffen werden kann, vor dem außenstehenden und ausgestoßenen Betrachter.»

[127] Vgl. Ernst Feise, a. a. O., der diese Bezeichnung geprägt hat.

[128] Vgl. H. S. Reiss (ed.), *The Political Thought of the German Romantics*, Oxford, 1955, S. 6.

[129] Vgl. Hans Gose, a. a. O., der dies behauptet, eine Ansicht, die ich nicht teilen kann.

[130] Vgl. Martin Lauterbach, *Das Verhältnis der zweiten zur ersten Ausgabe von Werthers Leiden*, Straßburg, 1910, S. 111:
«Dagegen hat der Dichter in der Handlung des Romans Gelegenheit genommen, durch Einschaltung zweier Briefe hervorzuheben und zu betonen, daß das Verhältnis Lottes zu Werther ein jede Intimität ausschließendes, lediglich auf herzliche Freundschaft, geistige Gemeinschaft und innige Anteilnahme beruhendes gewesen sei.» — oder William Rose, *Men, Myths and Movements in German Literature*, London, 1931, S. 154:
«Lotte's attitude to Werther becomes more objective. There is no longer room for the reader to believe that she returns his love and no suggestion that she is unhappy in her marriage. Albert therefore appears in a more favourable light.»

[131] W. A. I, 19, S. 72.

[132] Werthers Deutung wurde von vielen Forschern akzeptiert, wenn auch mindestens ein Forscher, Barker Fairley in *Goethe as Revealed in His Poetry*, London, 1932, S. 47, eine andere Ansicht vertrat.

[133] W. A. I, 19, S. 148.
[134] W. A. I, 19, S. 106.
[135] Vgl. LEONARD FORSTER, «Werther's reading of *Emilia Galotti*», *PEGS*, XXVII, Leeds, 1958.
[136] EMIL STAIGER, *Goethe* I, a. a. O., *passim*.

WILHELM MEISTERS LEHRJAHRE

[1] Vgl. H. M. WOLFF, *Goethes Weg zur Humanität*, Bern, 1951, S. 20 ff., der 1773 als Anfangsdatum nennt. Seine Ausführungen sind zwar scharfsinnig, aber überzeugen nicht.

[2] Vgl. ECKEHARD CATHOLY, «Karl Philipp Moritz, Ein Beitrag zur Theaterromantik der Goethe-Zeit», *Euphorion*, XLV, Marburg-Lahn, 1950.

[3] Vgl. R. PASCAL, *The German Sturm und Drang*, Manchester, 1953, besonders S. 133 f. für eine Betrachtung der Rolle des Genies.

[4] Vgl. A. FRIES, *Stilistische Beobachtungen zu Goethes Wilhelm Meister*. Berliner Beiträge zur Germanischen und Romanischen Philologie, 44, Berlin, 1912.

[5] Vgl. E. L. STAHL, *Die religiöse und die humanitäts-philosophische Bildungsidee und die Entstehung des deutschen Bildungsromans im 18. Jahrhundert*, Sprache und Dichtung, 56, Bern, 1934, S. 156 ff.

[6] W. A. I, 21, S. 42.
[7] W. A. I, 51, S. 123.
[8] W. A. I, 51, S. 124.
[9] W. A. I, 21, S. 130.
[10] W. A. I, 21, S. 129.
[11] W. A. I, 51, S. 123.

[12] GÜNTHER MÜLLER, *Gestaltung-Umgestaltung in Wilhelm Meisters Lehrjahren*, Halle, 1948. Vgl. auch dazu Günther Müllers Selbstrezension dieses Buches in «Die Goethe-Forschung seit 1945», *Dt. Vj.*, XXVI, Stuttgart, 1952, S. 394 f.

[13] W. A. I, 21, S. 291; W. A. I, 23, S. 124.

[14] Diese Ansicht war im 19. Jahrhundert weit verbreitet, vgl. z. B. W. SCHERERS maßgebliche *Geschichte der deutschen Literatur*, 16. Auflage, Berlin, 1927, S. 566, als typisches Beispiel dieser Ansicht.

[15] An Goethe, 2. Juli 1796.
FRIEDRICH SCHLEGEL, «Über Goethes Meister», *Athenäum*, Bd. I, St. 2, Berlin, 1798, S. 178.

[16] Vgl. v. O. H. OLZIEN, *Der Satzbau in Wilhelm Meisters Lehrjahre*, Von deutscher Poeterey, 14, Leipzig, 1933.

[17] Vgl. A. FRIES, a. a. O.
[18] Vgl. A. FRIES, a. a. O., S. 410 ff.
[19] Vgl. E. A. BLACKALL, a. o. O. S. 410 ff.

[20] Vgl. O. SEIDLIN, «Zur Mignon-Ballade», *Euphorion*, XLV, Marburg-Lahn, 1950, S. 86. «Was hier (Mignon-Ballade) geschieht, ist der Einbruch einer wesensmäßig fremden Welt in das realistische Gefüge des Berichts.» Seidlin bezieht sich aber nur auf dieses Gedicht und schließt die anderen Gedichte aus.
H. MEYER in «Mignons Italienlied und das Wesen der Verseinlage in Wilhelm Meister», *Euphorion*, XLVI, Heidelberg, 1952, S. 165 f. schreibt «Die Lieder Mignons und des Harfners dagegen transzendieren die erzählerische Ebene. Von ihnen wird suggeriert, daß sie nur winzige Teilchen einer ungeheuren Welt des Gesanges darstellen, die in ihrer Gesamtheit geheimnisvoll unsichtbar bleibt und nur an wenigen Punkten in den Roman hineinleuchtet.»

[21] Vgl. E. STAIGER, *Goethe*, a. a. O., *passim*.

[22] Vgl. H. S. Reiss, «On some Images in *Wilhelm Meisters Lehrjahren*», *PEGS*, XX, 1951, S. 111 ff.

[23] W. A. I, 21, S. 3; vgl. auch Arthur Henkel, «Versuch über den ‹Wilhelm Meister›», *Ruperto-Carola*, XIV, Heidelberg, 1962, S. 60, für eine Analyse des Phänomens der Theaterwelt.

[24] W. A. I, 21, S. 47.

[25] W. A. I, 21, S. 93.

[26] W. A. I, 21, S. 192.

[27] W. A. I, 23, S. 160.

[28] W. A. I, 21, S. 233.

[29] W. A. I, 23, S. 200 f.

[30] W. A. I, 23, S. 250.

[31] W. A. I, 23, S. 317.

[32] W. A. I, 21, S. 107.

[33] W. A. I, 23, S. 200.

[34] Vgl. Emil Staiger, *Die Zeit als Einbildungskraft des Dichters*, Zürich, 1939.

[35] Vgl. L. A. Willoughby, «The Cross-Fertilisation of Literature and Life in the light of Goethe's Theory of ‹Wiederspiegelung›», *Comparative Literature*, I, Eugene, Oregon, 1949.

[36] W. A. I, 21, S. 87.

[37] W. A. I, 23, S. 142.

[38] Vgl. L. A. Willoughby, «The Image of the Horse and Charioteer in Goethe's Poetry», a. a. O., S. 51.

[39] W. A. I, 21, S. 204.

[40] W. A. I, 23, S. 179.

[41] W. A. I, 21, S. 46.

[42] W. A. I, 21, S. 206.

[43] W. A. I, 21, S. 5.

[44] W. A. I, 21, S. 64.

[45] W. A. I, 23, S. 137.

[46] W. A. I, 21, S. 291.

[47] W. A. I, 21, S. 291.

[48] W. A. I, 22, S. 305.

[49] W. A. I, 23, S. 244.

[50] W. A. I, 23, S. 310.

[51] An Goethe, 2. Juli 1796: «Ich gestehe, daß ich bis jetzt zwar die *Stetigkeit*, aber noch nicht die *Einheit* recht gefaßt habe, obwohl ich keinen Augenblick zweifle, daß ich auch über diese noch völlige Klarheit erhalten werde, wenn bei Produkten dieser Art die Stetigkeit nicht schon mehr als die halbe Einheit ist.»

[52] Am ausführlichsten bei Max Wundt, *Wilhelm Meister und die Entwicklung des modernen Lebensideales*, Berlin & Leipzig, 1913, dargestellt.

[53] Vgl. H. Baumhof, *Die Funktion des Erzählers in Goethes Wilhelm Meisters Lehrjahren*, Heidelberg (Maschinenschrift - unveröffentlicht), 1958 (Diss. 1959). Vgl. auch A. Henkel, a. a. O., S. 60.

[54] W. A. I, 21, S. 6.

[55] W. A. I, 21, S. 12.

[56] W. A. I, 21. S. 85.

[57] W. A. I, 21, S. 117.

[58] W. A. I, 21, S. 47.

[59] W. A. I, 21, S. 45.

[60] W. A. I, 21, S. 46.

[61] W. A. I, 22, S. 155; dieses Wort «glücklich» wird oft in ironischem Sinne gebraucht und deutet dann auf einen Zustand unklaren Denkens hin.

[62] W. A. I, 23, S. 216.

[63] W. A. I, 22, S. 120.

[64] W. A. I, 22, S. 128.

[65] W. A. I, 22, S. 173.

[66] Vgl. MICHAEL OAKESHOTT, «Rational Conduct», Rationalism in Politics and other Essays, London, 1962.

[67] W. A. I, 23, S. 220.

[68] W. A. I, 22, S. 57.

[69] Vgl. A. HENKEL, a. a. O., S. 62: «Zugleich wird der pedantische Ernst des Bildungsromans ausgeglichen. Das geschieht auch in jener merklichen Präsenz des Erzählers, der in Einschüben, Wendungen an den Leser und Urteilen, mit denen er das Handeln seiner Gestalten begleitet, das Bewußtsein der Fiktion, der Erzähltheit des Erzählten wachhält.»

[70] W. A. I, 21, S. 91.

[71] W. A. I, 21, S. 51.

[72] W. A. I, 22, S. 144.

[73] W. A. I, 23, S. 132.

[74] W. A. I, 23, S. 132.

[75] W. A. I, 23, S. 133.

[76] W. A. I, 21, S. 285.

[77] W. A. I, 22, S. 143.

[78] W. A. I, 22, S. 143.

[79] W. A. I, 22, S. 144.

[80] W. A. I, 21, S. 57.

[81] W. A. I, 21, S. 51.

[82] Zu F. v. MÜLLER, 17. September 1823.

[83] W. A. I, 22, S. 150.

[84] W. A. I, 22, S. 149.

[85] W. A. I, 21, S. 247.

[86] W. A. I, 20, S. 247.

[87] W. A. I, 21, S. 252.

[88] W. A. I, 21, S. 291.

[89] W. A. I, 23, S. 6.

[90] W. A. I, 23, S. 6.

[91] W. A. I, 23, S. 42 f.

[92] Vgl. HERMANN MEYER, «Kennst Du das Haus? Eine Studie zu Goethes Palladio-Erlebnis», Euphorion, XLVII, Heidelberg, 1953, S. 285.

[93] Italienische Reise zum 19. 9. 1786 (W. A. I, 30, S. 77).

[94] W. A. III, I, S. 214. In der Italienischen Reise heißt es «dessen erborgtes Dasein uns bezaubert». (W. A. I, 30, S. 77.)

[95] W. A. I, 23, S. 161.

[96] W. A. I, 23, S. 198.

[97] W. A. I, 23, S. 198.

[98] W. A. I, 21, S. 20.

[99] W. A. I, 21, S. 34.

[100] W. A. I, 21, S. 36.

[101] W. A. I, 21, S. 42.

[102] W. A. I, 21, S. 42.

[103] W. A. I, 21, S. 43.

[104] W. A. I, 21, S. 41.

[105] W. A. I, 21, S. 41.

[106] W. A. I, 21, S. 47.

[107] W. A. I, 21, S. 138.

[108] W. A. I, 21, S. 311.

[109] W. A. I, 23, S. 25.

[110] W. A. I, 23, S. 26.

[111] W. A. I, 23, S. 25.

[112] W. A. I, 22, S. 76.

[113] Vgl. FRIEDRICH GUNDOLF, *Shakespeare und der deutsche Geist*, Berlin, 1911, S. 317.

[114] Vgl. WILLIAM S. DIAMOND, «Wilhelm Meister's Interpretation of Hamlet», *Modern Philology*, XXIII, Chicago, 1926-1927, S. 89 ff.

[115] An Goethe, 3. Juli 1796.

[116] Vgl. JÜRGEN RAUSCH, «Lebensstufen in Goethes ‹Wilhelm Meister›», *Dt. Vj.*, XX, Stuttgart, 1942, S. 65 ff. Rausch betrachtet die *Lehrjahre* und die *Wanderjahre* von diesem Standpunkt aus.

[117] W. A. I, 22, S. 76.

[118] An Goethe, 2. Juli 1796: «Es steht da wie ein schönes Planetensystem, alles gehört zusammen, und nur die italienischen Figuren knüpfen wie Kometengestalten, und auch so schauerlich wie diese, das System an ein entferntes und größeres an.»

[119] Vgl. MAX WUNDT, a. a. O.
Vgl. auch MELITTA GERHARD, *Der deutsche Entwicklungsroman bis zu Goethes ‹Wilhelm Meister›*, *Dt. Vj.*, Buchreihe 9, Halle/Saale, 1926.

[120] Vgl. KURT MAY, « ‹Wilhelm Meisters Lehrjahre›, ein Bildungsroman?», *Dt. Vj.*, XXXI, Stuttgart, 1957, S. 36.

[121] E. L. STAHL, a. a. O., S. 11.

[122] Vgl. E. L. STAHL, ebenda, S. 155.

[123] Vgl. KURT MAY, a. a. O., S. 37.

[124] Vgl. MAX WUNDT, a. a. O.

[125] W. A. I, 22, S. 149.

[126] Vgl. LESSING, *Hamburgische Dramaturgie*, 100—104. Stück.

[127] W. A. I, 23, S. 214.

[128] W. A. I, 23, S. 216.

[129] W. A. I, 23, S. 13.

[130] An Goethe, 8. Juli 1796.

[131] W. A. I, 23, S. 216.

[132] W. A. I, 21, S. 81.

[133] W. A. I, 22, S. 327.

[134] Vgl. ELISABETH M. WILKINSON, «Form and Content in the Aesthetics of German Classicism», *Stil- und Formprobleme in der Literatur*, (hrsg. Paul Böckmann), Heidelberg, 1959.

[135] Vgl. W. H. BRUFORD, «Goethe's Wilhelm Meister as a picture and a criticism of society», *PEGS*, IX, Cardiff, 1933, für eine Schilderung der verschiedenen Gesellschaftssphären im Roman.

[136] Vgl. W. WITTICH, «Der soziale Gehalt von Goethes Roman ‹Wilhelm Meisters Lehrjahre› », *Hauptprobleme der Soziologie, Erinnerungsgabe für Max Weber*, II, München und Leipzig, 1923, hebt diesen Aspekt hervor.

[137] Vgl. EMIL STAIGER, *Goethe*, II, a. a. O., S. 128 ff. für diese Anschauung.

[138] GÜNTHER MÜLLER, *Gestaltung — Umgestaltung*, a. a. O. und derselbe, «Goetheforschung seit 1945», a. a. O., S. 395. «Die erhoffte Befreiung des ‹inkalkulabelsten› Wunderwerkes aus den sichtlich zu engen Maschen der Schiller-Gundolfschen Bestimmungen ist diesem Aufsatz jedoch noch nicht gelungen.»

[139] W. A. II, 11, S. 22 ff.

[140] W. A. II, 8, S. 16.

[141] An Goethe, 3. Juli 1796.

[142] An Goethe, 8. Juli 1796. [143] An Goethe, 8. Juli 1796. [144] An Goethe, 8. Juli 1796.

[145] Zu Eckermann, 23. März 1829.

«Sie haben Recht, er war so [voreilend] wie alle Menschen, die zu sehr von der Idee ausgehen. Auch hatte er keine Ruhe und konnte nie fertig werden, wie Sie aus den Briefen über den Wilhelm Meister sehen, den er bald so und bald anders haben will. Ich hatte nur immer zu tun, daß ich feststand und sah, wie ich meine Sachen von solchen Einflüssen freihielt und schützte.»

[146] An Schiller, 9. Juli 1796. [147] An Schiller, 9. Juli 1796.

[148] An Goethe, 21. April 1797.

[149] Vgl. WALTER MÜLLER-SEIDEL, Versehen und Erkennen, eine Kleist-Studie, Köln-Graz, 1961, S. 78 f.

[150] H. A., 12, S. 471, No. 752.

[151] Zu Eckermann, 11. Juni 1825.

[152] Vgl. M. JOLLES, a. a. O., S. 232.

[153] FRIEDRICH SCHLEGEL, Athenäum-Fragmente 1798, No. 216.

[154] M. JOLLES, a. a. O., S. 253.

[155] An Schiller, 30. Oktober 1797.

[156] An J. F. Rochlitz, 29. März 1801.

[157] LESSING, Hamburgische Dramaturgie, 100—104. Stück.

[158] Tages- und Jahreshefte 1807 (W. A. I, 36, S. 28).

DIE WAHLVERWANDTSCHAFTEN

[1] E. L. STAHL, «Die Wahlverwandtschaften», PEGS, XV, Cardiff, 1946, S. 88 f. nennt es einen dramatischen Roman (a dramatic novel) indem er sich auf die Terminologie von Edwin Muir (The Structure of the Novel, London, 1938, S. 57), beruft.

[2] Vgl. PERCY LUBBOCK, a. a. O. als maßgebliche Untersuchung über die Beziehung zwischen Dialog und Erzählung im Roman.

[3] Vgl. H. A. 12, S. 471, No. 752.

[4] Die folgenden Allgemeinplätze, die bezeichnende Beispiele darstellen, werden nicht nur vom Erzähler, sondern auch von anderen Gestalten — von Eduard, von Charlotte, vom Hauptmann und vom Grafen formuliert:

«Die Männer denken mehr auf das Einzelne, auf das Gegenwärtige, und das mit Recht, weil sie zu tun, zu wirken berufen sind; die Weiber hingegen mehr auf das was im Leben zusammenhängt, und das mit gleichem Rechte, weil ihr Schicksal, das Schicksal ihrer Familien an diesen Zusammenhang geknüpft ist, und auch gerade dieses Zusammenhängende von ihnen gefordert wird.» (W. A. I, 20, S. 8.)

«Das Bewußtsein ... ist keine hinlängliche Waffe, ja manchmal eine gefährliche für den, der sie führt.» (W. A. I, 20, S. 12.)

«Daß die Ansichten der Menschen viel zu mannigfaltig sind, als daß sie selbst durch die vernünftigsten Vorstellungen, auf Einen Punkt versammelt werden könnten.» W. A. I, 20, S. 33.)

«Wie hoch jede wahre Neigung zu schätzen sei, in einer Welt wo Gleichgültigkeit und Abneigung eigentlich recht zu Hause sind.» (W. A. I, 20, S. 40.)

«Trenne alles was eigentlich Geschäft ist vom Leben. Das Geschäft verlangt Ernst und Strenge, das Leben Willkür; das Geschäft die reinste Folge, dem Leben tut eine Inkonsequenz oft Not, ja sie ist liebenswürdig und erheiternd. (W. A. I, 20, S. 41.)

«An allen Naturwesen, die wir gewahr werden, bemerken wir zuerst, daß sie einen Bezug auf sich selbst haben. (W. A. I, 20, S. 48.)

«Gelegenheit macht Verhältnisse wie sie Diebe macht.» (W. A. I, 20, S. 53.)

«Schönheit ist überall ein gar willkommener Gast.» (W. A. I, 20, S. 65.)

«Es ist mit den Geschäften wie mit dem Tanze: Personen, die gleichen Schritt halten, müssen sich unentbehrlich werden; ein wechselseitiges Wohlwollen muß notwendig daraus entspringen.» (W. A. I, 20, S. 76.)

«Überhaupt nimmt die gewöhnliche Lebensweise einer Familie, die aus den gegebenen Personen und aus notwendigen Umständen entspringt, auch wohl eine außerordentliche Neigung, eine werdende Leidenschaft, in sich wie ein Gefäß auf, und es kann eine ziemliche Zeit vergehen, ehe dieses neue Ingrediens eine merkliche Gärung verursacht und schäumend über den Rand schwillt.» (W. A. I, 20, S. 80.)

«So wie Menschen, die einander von Natur geneigt sind, doch besser zusammenhalten, wenn das Gesetz sie verkittet, so werden auch Steine, deren Form schon zusammenpaßt, noch besser durch diese bindenden Kräfte vereinigt.» (W. A. I, 20, S. 97.)

«Aber wie jeder, der eine Übeltat begangen, fürchten muß, daß ungeachtet alles Abwehrens, sie dennoch ans Licht kommen werde, so muß derjenige erwarten, der insgeheim das Gute getan, daß auch dieses wider seinen Willen an den Tag komme.» (W. A. I, 20, S. 98 f.)

«Daß nichts gefährlicher sei, als ein allzufreies Gespräch, das einen strafbaren oder halbstrafbaren Zustand als einen gewöhnlichen, gemeinen, ja löblichen behandelt; und dahin gehört doch gewiß alles, was die eheliche Verbindung antastet.» (W. A. I, 20, S. 113.)

«Verheiratete Frauen, wenn sie sich auch untereinander nicht lieben, stehen doch stillschweigend miteinander, besonders gegen junge Menschen im Bündnis.» (W. A. I, 20, S. 120.)

«Und doch läßt sich die Gegenwart ihr ungeheures Recht nicht rauben.» (W. A. I, 20, S. 131.)

«Denn so ist die Liebe beschaffen, daß sie allein Rechte zu haben glaubt und alle anderen Rechte vor ihr verschwinden.» (W. A. I, 20, S. 133.)

«Der Haß ist parteiisch, aber die Liebe ist es noch mehr.» (W. A. I, 20, S. 145.)

«Das Äußerste liegt der Leidenschaft zu allernächst.» (W. A. I, 20, S. 167.)

«Wir vermissen nur ungern gering scheinende Gewohnheiten, aber schmerzlich empfinden wir erst ein solches Entbehren in bedeutenden Fällen.» (W. A. I, 20, S. 173.)

«Glücklicherweise kann der Mensch nur einen gewissen Grad des Unglücks fassen; was darüber hinausgeht, vernichtet ihn oder läßt ihn gleichgültig. Es gibt Lagen, in denen Furcht und Hoffnung Eins werden, sich einander wechselseitig aufheben und in eine dunkle Fühllosigkeit verlieren.» (W. A. I, 20, S. 226.)

«Jede Anziehung ist wechselseitig.» (W. A. I, 20, S. 287.)

«Es gibt wenig Menschen, die sich mit dem Nächstvergangenen zu beschäftigen wissen. Entweder das Gegenwärtige hält uns mit Gewalt an sich, oder wir verlieren uns in die Vergangenheit und suchen das völlig Verlorene, wie es nur möglich sein will, wieder hervorzurufen und herzustellen.» (W. A. I, 20, S. 294.)

«Die Pflanze gleicht den eigensinnigen Menschen, von denen man alles erhalten kann, wenn man sie nach ihrer Art behandelt.» (W. A. I, 20, S. 305.)

«Junge Frauenzimmer sehen sich bescheiden vielleicht nach diesem oder jenem Jüngling um, mit stiller Prüfung, ob sie ihn wohl als Gatten wünschten; wer aber für eine Tochter oder einen weiblichen Zögling zu sorgen hat, schaut in einem weitern Kreis umher.» (W. A. I, 20, S. 312.)

«Ist doch das Leben nur auf Gewinn und Verlust berechnet.» (W. A. I, 20, S. 313.)

«Selbst bei vielen Mitteln sind wir immer nur halb und halb zu Hause, besonders auf dem Lande, wo uns manches Gewohnte der Stadt fehlt.» (W. A. I, 20, S. 318.)

«Der Lord ahnte nicht, wie tief durch seine Betrachtungen die Freundinnen getroffen wurden. Und wie kommt nicht jeder in diese Gefahr, der eine allgemeine Betrachtung

selbst in einer Gesellschaft, deren Verhältnisse ihm sonst bekannt sind, ausspricht.»
(W. A. I, 20, S. 319.)

«Wer in einem gewissen Alter frühere Jugendwünsche und Hoffnungen realisieren
will, betrügt sich immer; denn jedes Jahrzehnt des Menschen hat sein eigenes Glück,
seine eigenen Hoffnungen und Aussichten.» (W. A. I, 20, S. 346.)

«Das höchste Unglück wie das höchste Glück verändert die Ansicht aller Gegenstände.» (W. A. I, 20, S. 363.)

«Wenn sich in einem glücklichen friedlichen Zusammenleben Verwandte, Freunde.
Hausgenossen, mehr als nötig und billig ist, von dem unterhalten, was geschieht
oder geschehen soll, wenn sie sich einander ihre Vorsätze, Unternehmungen, Beschäftigungen wiederholt mitteilen und, ohne gerade wechselseitigen Rat anzunehmen, doch immer das ganze Leben ratschlagend behandeln, so findet man dagegen in
wichtigen Momenten, eben da, wo es scheinen sollte, der Mensch bedürfe fremden
Beistandes, fremder Bestätigung am allermeisten, daß sich die Einzelnen auf sich
selbst zurückziehen, jedes für sich einander die einzelnen Mittel verbirgt, nur erst der
Ausgang, die Zwecke, das Erreichte wieder zum Gemeingut werden.» (W. A. I, 20,
S. 372.)

«In der Entfernung von dem geliebten Gegenstande scheinen wir, je lebhafter unsere
Neigung ist, desto mehr Herr von uns selbst zu werden, indem wir die ganze Gewalt
der Leidenschaft, wie sie sich nach außen erstreckte, nach innen wenden; aber wie
bald, wie geschwind sind wir aus diesem Irrtum gerissen, wenn dasjenige, was wir
entbehren zu können glaubten, auf einmal wieder als unentbehrlich vor unsern
Augen steht.» (W. A. I, 20, S. 379.)

«Die Hoffnung ein altes Glück wiederherzustellen, flammt immer einmal wieder in
dem Menschen auf.» (W. A. I, 20, S. 383.)

«Was einem Menschen gewöhnlich begegnet, wiederholt sich mehr, als man glaubt,
weil seine Natur hiezu die nächste Bestimmung gibt. Charakter, Individualität, Neigung, Richtung, Örtlichkeit, Umgebungen und Gewohnheiten bilden zusammen ein
Ganzes, in welchem jeder Mensch wie in einem Elemente, in einer Atmosphäre
schwimmt, worin es ihm allein bequem und behaglich ist.» (W. A. I, 20, S. 397.)

«Der Mensch tut recht gern das Gute, das Zweckmäßige, wenn er nur dazu kommen
kann; er tut es, damit er was zu tun hat, und sinnt darüber nicht weiter nach als
über alberne Streiche, die er aus Müßiggang und langer Weile vornimmt.» (W. A. I,
20, S. 403.)

«Jedes Bündnis dessen wirkliche Befriedigung versagt ist, nötigt zum Glauben.»
(W. A. I, 20, S. 413.)

[5] W. A. I, 20, S. 196.

[6] W. A. I, 20, S. 199.

[7] W. A. I, 20, S. 3.

[8] W. A. I, 20, S. 22.

[9] W. A. I, 20, S. 23.

[10] W. A. I, 20, S. 14.

[11] W. A. I, 20, S. 28.

[12] W. A. I, 20, S. 28.

[13] W. A. I, 20, S. 196.

[14] W. A. I, 20, S. 212.

[15] W. A. I, 20, S. 416.

[16] W. A. I, 20, S. 416.

[17] PAUL STÖCKLEIN, «Stil und Sinn in Die Wahlverwandschaften», *Wege zum späten
Goethe*, Hamburg, 1949, S. 13.

[18] Ich kann mich der Ansicht von KURT MAY nicht anschließen, der von einem «zweiten
Typus, einem Sprachstil zweiter Art» spricht. Es erscheint mir, daß diese Satzgrup-

pen eben Variationen, allerdings bezeichnende Variationen innerhalb desselben Sprachstils darstellen. Vgl. KURT MAY, «Die Wahlverwandtschaften als tragischer Roman», *Form und Bedeutung, Interpretationen zur Deutschen Dichtung des 18. und 19. Jahrhunderts*, Stuttgart, 1958, S. 110 f.

[19] H. A. 12, S. 367 f., No. 2.

[20] H. G. BARNES, «Ambiguity in Die Wahlverwandtschaften», *The Era of Goethe, Essays presented to James Boyd*, Oxford, 1959, S. 5 ff., erwähnt auch das Bild der Neigung.

[21] Vgl. L. A. WILLOUGHBY, «The image of the ‹Wanderer› and the ‹Hut› in Goethe's Poetry», a. a. O.

[22] L. A. WILLOUGHBY, ebenda, S. 218, das Schloß «representing the façade of marriage».

[23] W. A. I, 20, S. 5.

[24] W. A. I, 20, S. 120.

[25] H. G. GEERDTS, *Goethes Wahlverwandtschaften*, Weimar, 1958, S. 39 f. Vgl. auch Goethes Bemerkung über die Gartenliebhaberei: «Die Gartenliebhaberei geht auf etwas endloses hinaus ...Sie verewigt die herrschende Unart der Zeit, im Aesthetischen unbedingt und gesetzlos sein zu wollen und willkürlich zu phantasieren, indem sie sich nicht, wie wohl andere Künste korrigieren und in Zucht halten läßt.» (W. A. I, 47, S. 310.)

[26] PAUL STÖCKLEIN, a. a. O., S. 8.

[27] F. J. STOPP, «‹Ein wahrer Narziss›, Reflections on the Eduard-Ottilie Relationship in Goethe's *Wahlverwandtschaften*», PEGS, XXIX, Leeds, 1960, S. 72 f., dessen Ausführungen sehr einsichtsvoll sind. Eduard glaubt vergebens in seinem Haus Geborgenheit zu finden, ein Wunschtraum, der nicht dauern kann. Die Ruhe, die er und Charlotte sich wünschen, kann nur eine Pause sein (Hildegard Emmel, a. a. O., S. 274).

[28] F. J. STOPP, ebenda, S. 59.

[29] W. A. I, 20, S. 22.

[30] W. A. I, 20, S. 359.

[31] Vgl. THEODOR LOCKEMANN, «Der Tod in Goethes Wahlverwandtschaften», *Jahrbuch der Goethe-Gesellschaft*, XIX, Weimar, 1933, S. 37 ff., für eine gründliche Untersuchung dieses Themas.

[32] Vgl. BENNO V. WIESE, H. A. 6, 678; TH. LOCKEMANN, a. a. O., S. 46.

[33] F. J. STOPP, a. a. O., S. 78 f.

[34] W. A. I, 20, S. 310.

[35] TH. LOCKEMANN, a. a. O., S. 54.

[36] W. A. I, 20, S. 345.

[37] FRIEDRICH HEBBEL, «Vorwort zu ‹Maria Magdalena›», *Sämtliche Werke*, (hrsg. R. M. Werner), 11, Berlin, 1904, S. 42.

[38] Vgl. z. B. B. v. WIESE, a. a. O., S. 660, «Die Ehe Eduards mit Charlotte, deren Spätherbststimmung das Ursprüngliche längst abhanden gekommen ist und in der sich die Menschen allzu stilisiert, allzu uneigentlich bewegen.»

[39] W. A. I, 20, S. 64. [40] W. A. I, 20, S. 133. [41] W. A. I, 20, S. 81.

[42] Vgl. J. HAVUCK, «Psychoanalytisches aus und über Goethes Wahlverwandtschaften», *Imago*, I, Wien, 1913, S. 508 ff.

Vgl. ferner EMIL STAIGER, *Goethe*, II, S. 494.

«Es sei nur daran erinnert, wie angstvoll-herzlich Eduard Ottilie bittet, das Medaillon mit dem Bildnis ihres Vaters von der Brust zu entfernen. Das Argument, das er sich selbst zurechtgelegt hat, ist absurd. Sein Genius aber weiß, daß sich der Weg zum Herzen nur öffnet, wenn er den Vater entfernt. Ottilie weiß es gleichfalls, ohne es sich verständlich gemacht zu haben. Sie läßt ihm das Kleinod aus und gibt damit sich selber hin.»

[43] W. A. I, 20, S. 87.

[44] W. A. I, 20, S. 145. [45] W. A. I, 20, S. 289. [46] W. A. I, 20, S. 311.

[47] W. A. I, 20, S. 213. [48] W. A. I, 20, S. 249. [49] W. A. I, 36, S. 391.

[50] Vgl. HEINRICH TH. RÖTSCHER, «Die ‹Wahlverwandtschaften› von Goethe in ihrer weltgeschichtlichen Bedeutung», *Abhandlungen zur Philosophie der Kunst*, 2. Abt., Berlin, 1838, S. 1 ff., vertrat vor allem diese Auffassung.

[51] Vgl. KURT MAY, «Goethes Wahlverwandtschaften als tragischer Roman», *Jahrbuch des freien deutschen Hochstifts*, Frankfurt/Main, 1936–40.

[52] Vgl. EDITH AULHORN, «Der Aufbau von Goethes Wahlverwandtschaften», *Zeitschrift für den Deutschen Unterricht*, XXXII, Leipzig und Berlin, 1918, S. 351.

[53] Vgl. MICHAEL OAKESHOTT, «Rational Conduct», a. a. O., für eine Kritik des Irrglaubens, man könne allgemeingültige rationale Prinzipien aufs Leben anwenden, ohne die nötige Lebenserfahrung zu besitzen.

[54] W. A. I, 20, S. 107. Zu Eckermann, 30. März 1824: «Der selige Reinhard in Dresden wunderte sich oft über mich, daß ich in Bezug auf die Ehe so strenge Grundsätze habe, während ich doch in allen übrigen Dingen so läßlich denke.»

[55] W. A. I, 20, S. 370.

[56] Vgl. KURT MAY, ebenda, S. 146, «In der Tatsache, daß das Ideal nur im Märchen erfüllt erscheinen kann, liegt eine schwere ernste soziale, sozialgeschichtliche Kritik an den Lebensverhältnissen der Goethezeit, die der Roman spiegelt.»

[57] Vgl. EMIL STAIGER, «Goethes Begriff des Klassischen, ein Satz aus der Winkelmannsschrift», a. a. O. und derselbe, *Goethe*, II, a. a. O., S. 221 ff.

[58] Vgl. K. MAY, ebenda, S. 146.

[59] H. G. GEERDTS, a. a. O., S. 50.

[60] Vgl. W. H. BRUFORD, *Germany in the Eighteenth Century*, Cambridge, 1935, kennzeichnet diese Lage ausführlich.

[61] An Windischmann, 28. Dezember 1812.

[62] W. A. I, 20, S. 51.

[63] K. MAY, ebenda.

[64] Vgl. GRETE SCHAEDER, *Gott und Welt*, Hameln, 1947, S. 301 f.

[65] W. A. I, 20, S. 12.

[66] Vgl. H. G. GRÄF, *Goethe über seine Dichtungen*, I, Frankfurt/Main, 1902, S. 453. «Für dieses eine Wort [Unterhaltend ... sie hat ja den Mund noch nicht aufgetan (W. A. I, 20, S. 65.)] würde ich, wenn ich der Herzog von Weimar wäre, Goethe ein Rittergut schenken.»

[67] W. A. I, 20, S. 47 ff.

[68] PAUL STÖCKLEIN, «Stil und Geist der Wahlverwandtschaften», *Zeitschrift für Deutsche Philologie*, LXXI, Berlin, 1953, S. 53 ff.

[69] Vgl. F. J. STOPP, a. a. O., S. 89 f.

[70] W. A. I, 20, S. 80.

[71] W. A. I, 20, S. 397.

[72] W. A. I, 20, S. 212.

[73] Vgl. B. v. WIESE, a. a. O., S. 667; ferner PAUL HANKAMER, *Spiel der Mächte, Ein Kapitel aus Goethes Leben und Goethes Welt*, Tübingen und Stuttgart, 1948, passim.

[74] Zu Sulpiz Boisserée (Auf der Fahrt von Karlsruhe nach Heidelberg), 5. Oktober 1815.

[75] W. A. I, 20, S. 213.

[76] W. A. I, 20, S. 213.

[77] W. A. I, 20, S. 215.

[78] W. A. I, 20, S. 224.

[79] Vgl. H. G. BARNES, «Bildhafte Darstellung in den ‹Wahlverwandtschaften›», *Dt. Vj.* XXX, Stuttgart, 1956, S. 47.

[80] W. A. I, 20, S. 237.

[81] W. A. I, 20, S. 239.

[82] W. A. I, 20, S. 239.

[83] W. A. I, 20, S. 241.

[84] W. A. I, 20, S. 241.

[85] W. A. I, 20, S. 241.

[86] E. STAIGER, a. a. O., II, S. 491, hält Ottilie für einen Menschen, der zuerst den Unterschied zwischen Gut und Böse noch gar nicht erkannt hat und dem erst später die Augen aufgetan werden.

[87] W. A. I, 20, S. 260. [88] W. A. I, 20, S. 260. [89] W. A. I, 20, S. 262.

[90] W. A. I, 20, S. 262. [91] W. A. I, 20, S. 262. [92] W. A. I, 20, S. 291.

[93] W. A. I, 20, S. 292. [94] W. A. I, 20, S. 292. [95] W. A. I, 20, S. 293.

[96] W. A. I, 20, S. 293. [97] W. A. I, 20, S. 293. [98] W. A. I, 20, S. 310.

[99] W. A. I, 20, S. 311. [100] W. A. I, 20, S. 263. [101] W. A. I, 20, S. 239.

[102] W. A. I, 20, S. 189.

[103] HILDEGARD EMMEL, a. a. O., S. 301.

[104] H. G. BARNES hat (Dt. Vj., a. a. O., S. 54 ff.) diese positive Seite ihres Charakters überzeugend dargestellt und so die vorher geläufige negative Deutung widerlegt.

[105] H. G. BARNES, ebenda, S. 67 ff.

[106] H. G. BARNES, ebenda, S. 55 ff., hat dies überzeugend ausgeführt.

[107] OSKAR WALZEL, Goethes Werke, 13, Festausgabe, Leipzig, 1926, S. 23. «Kein Kenner von Goethes Kunstanschauung wird glauben, daß Goethe an lebenden Bildern wirkliche Freude empfunden habe. Viel zu scharf sonderte Goethe zwischen Wirklichkeit und Kunst.»
H. G. BARNES, Dt. Vj., a. a. O., S. 41, vertritt dieselbe Ansicht und zitiert Walzel.

[108] H. G. BARNES, ebenda, S. 52.

[109] An Karl Friedrich von Reinhard, 21. Februar 1810.

[110] RUDOLF ABEKEN, «Über Goethes Wahlverwandtschaften», Morgenblatt für gebildete Stände, am 22., 23. und 24. Januar 1810, mitgeteilt von H. G. Gräf, a. a. O., I, 1, S. 438 ff.

[111] K. W. F. SOLGER, «Über die Wahlverwandtschaften», mitgeteilt von H. G. Gräf, ebenda, I, 1, S. 474 f.

[112] WALTER BENJAMIN, «Goethes Wahlverwandtschaften» in Schriften, I, Frankfurt/Main, 1955, S. 112 ff.

[113] Das gilt besonders für KARL VIËTOR, Goethe, Bern, 1949; KURT MAY, a. a. O.; B. v. WIESE, a. a. O.

[114] B. v. WIESE, a. a. O., S. 661.

[115] ANDRÈ FRANÇOIS-PONCET, Les Affinités Électives de Goethe, Essai de commentaire critique, Paris, 1910, übersetzt als Goethes Wahlverwandtschaften, Mainz, 1951. Weitere Hinweise beziehen sich auf die deutsche Ausgabe, vgl. dieselbe S. 45 ff.
In der Forschung über die Wahlverwandtschaften gibt es viele Charakteranalysen. Von allen diesen Untersuchungen bleibt die André François-Poncets, obwohl mehr als ein halbes Jahrhundert seit ihrem Erscheinen vergangen ist, die maßgebende. Seinen Darlegungen kann man noch immer in den großen Zügen zustimmen, wenn man auch in den Einzelheiten andere Auffassungen vertreten möchte. Meine Ausführungen sind deshalb zum großen Teil den Analysen in seinem Buch verpflichtet.

[116] A. FRANÇOIS-PONCET, a. a. O., S. 48.

[117] Zu Eckermann, 21. Januar 1827.

[118] Vgl. KARL VIËTOR, Goethe, a. a. O., S. 210.

[119] A. FRANÇOIS-PONCET, a. a. O., S. 52, der ihn im Gegensatz zu Werther für einen «oberflächlichen Menschen» hält, dessen «Horizont durch die engen Grenzen des eigenen Ichs beschränkt sind». Ob man nun dieser Bezeichnung «oberflächlich» zustimmen kann, soll dahingestellt bleiben, denn was sein Empfinden anbetrifft, so ist Eduard alles andere als oberflächlich.

[120] Vgl. A. FRANÇOIS PONCET, ebenda, S. 55.
[121] Vgl. A. FRANÇOIS PONCET, ebenda, S. 55.
[122] Vgl. A. FRANÇOIS PONCET, ebenda, S. 57.
[123] Für E. L. STAHL, «Die Wahlverwandtschaften», a. a. O., S. 86 f., ist Ottilie eine tragische Gestalt, die Schillers Auffassung vom Tragischen verkörpert. Sie erzielt Erhabenheit der Fassung und Erhabenheit der Handlung, nach ebenda, S. 65.
[124] A. FRANÇOIS-PONCET, ebenda, S. 65.
[125] A. FRANÇOIS-PONCET, a. a. O., S. 69, «die Intensität ihres seelischen Erlebnisses, die Empfindsamkeit und der Reichtum ihres Gemüts lassen sie mit der Natur enger verbunden sein als andere Menschen.»
[126] Rezension von Johanna Schopenhauers Gabriele, W. A. I, 41, II, S. 6.
[127] An C. F. Zelter, 25. Januar 1830.
[128] Zu Eckermann, 21. Juli 1827.
[129] W. A. I, 42, S. 7.
[130] Vgl. B. v. WIESE, a. a. O., S. 669 f.
[131] Zu Sulpiz Boisserée, 5. Oktober 1815.
[132] P. STÖCKLEIN, Wege zum späten Goethe, a. a. O., S. 13.
[133] W. A. I, 20, S. 131.
[134] W. A. I, 47, S. 310.
[135] F. J. STOPP, a. a. O., S. 56.
[136] E. STAIGER, Goethe, a. a. O., II, S. 520 ff.
[137] Zu Eckermann, 6. Mai 1827.
[138] Aus den Tag- und Jahresheften, 1809, Weimar, Dezember, 1822 oder Januar 1823, W. A. I, 36, S. 43 f.
[139] Vgl. H. M. WOLFF, Goethe in der Periode der Wahlverwandtschaften, Bern, 1952, und Goethes Novelle «Die Wahlverwandtschaften». Ein Rekonstruktionsversuch, Bern, 1955.
[140] W. A. I, 2, S. 3.
[141] W. A. I, 29, S. 176 f.; vgl. auch WALTER MUSCHG, ««Goethes Glaube an das Dämonische», Dt. Vj., XXXII, Stuttgart, 1958.
[142] An J. S. Zauper, 7. September 1821.
[143] Varnhagen von Ense, Tagebuch vom 28. Juni 1843.
[144] Tagebuch vom 28. August 1808.
[145] W. A. I, 41, S. 34.
[146] W. A. II, 11, S. 11.
[147] Ich verdanke die Erkenntnis dieser Beziehung GRETE SCHAEDER, a. a. O., S. 294.
[148] Tagebuch vom 25. Mai 1807.
[149] An K. F. v. Reinhard, 21. Februar 1810.
[150] Zu Riemer, 24. März 1807; vgl. ELISABETH M. WILKINSON, «Tasso — ein gesteigerter Werther, in the light of Goethe's Principle of Steigerung», The Modern Language Review, XLIV, Cambridge, 1949, zum Fragenkomplex dieses Wortes. (Übersetzt als «‹Tasso — ein gesteigerter Werther› im Licht von Goethes Prinzip der Steigerung», Goethe, N. F. des Jahrbuches der Goethe-Gesellschaft, XIII, Weimar, 1951, S. 28 ff.)
[151] W. A. I, 1, S. 283 f.
[152] Vgl. MARTIN SOMMERFELD, «Goethes Wahlverwandtschaften im 20. Jahrhundert», Goethe in Umwelt und Folgezeit, Gesammelte Studien, Leiden, 1935.
[153] W. A. I, 49, S. 142.
[154] F. GUNDOLF, Goethe, a. a. O., S. 554 ff.
[155] H. A. 12, S. 467, No. 19.

WILHELM MEISTERS WANDERJAHRE

[1] An Sulpiz Boisserée, 30. Dezember 1826.

[2] An F. v. Rochlitz, 28. Juli 1829.

[3] An F. v. Rochlitz, 28. Juli 1829.

[4] An Sulpiz Boisserée, 2. September 1829.

[5] Zu F. v. Müller, 18. Februar 1830.

[6] An C. F. Zelter, 24. Mai 1827.

[7] An C. F. Zelter, 5. Juni 1829.

[8] W. A. I, 25, II, 1; vgl. auch Brief an W. Reichel, 9. Januar 1829, in dem es heißt, daß «jene Worte» (ein Roman von Goethe) auf Reichels Vorschlag «hier überflüssig und wegzustreichen» sind.

[9] E. STAIGER, Goethe, III, a. a. O., S. 29; vgl. EBERHARD SARTER, *Zur Technik von Wilhelm Meisters Wanderjahren*, Bonner Forschungen, N. F. 7, Berlin, 1914, S. VII ff., für eine Übersicht über die Sekundärliteratur von 1914 und H. J. SCHRIMPF, *Das Weltbild des späten Goethe*, Stuttgart, 1956, S. 10 ff., zur Sekundärliteratur der neueren Zeit.

[10] Vgl. L. GEIGER, «Goethe und Pustkuchen», in J. F. W. PUSTKUCHEN *Wilhelm Meisters Wanderjahre*, Neudruck, I, Berlin, 1913, S. 27. «Die öffentlichen Beurteilungen des Romans (Goethes Wanderjahre von 1821) sind im ganzen lau, wirkliche Lobpreisungen finden sich selten.»

[11] E. STAIGER, *Goethe*, III, a. a. O., S. 131.

[12] J. F. W. PUSTKUCHEN, *Wilhelm Meisters Wanderjahre*, Quedlinburg und Leipzig, 1821.

[13] FERDINAND GREGOROVIUS, *Goethes Wilhelm Meister in seinen socialistischen Elementen entwickelt*, 2. Auflage, Schwäbisch Hall, 1855.

GUSTAV RADBRUCH, «Wilhelm Meisters sozialpolitische Sendung», *Logos*, VIII, Tübingen, 1919, S. 152 ff.; derselbe, «Wilhelm Meisters sozialistische Sendung» in *Gestalten und Gedanken*, Leipzig, 1944, S. 93 ff.

[14] Vgl. MAX WUNDT, a. a. O.

[15] Eigentlich hat sich die Neuorientierung der Forschung erst mit ERICH TRUNZ' Kommentar zu den Wanderjahren im 8. Band der Hamburger Ausgabe durchgesetzt.

[16] Sicherlich hat die allmähliche Wendung in der Literaturwissenschaft zur Stilanalyse viel dazu beigetragen, daß Forscher wie E. TRUNZ, (H. A., 8, S. 579 ff., Hamburg 1950), DELI FISCHER-HARTMANN (*Goethes Altersroman. Studien über die innere Einheit von Wilhelm Meisters Wanderjahren*, Halle, 1941), R. LISSAU (*Wilhelm Meisters Wanderjahre, a critical re-examination and re-valuation*, unpublished Diss. for the degree of M. A., University of London, 1943), ERNST FRIEDRICH VON MONROY («Zur Form der Novelle in Wilhelm Meisters Wanderjahren, *Germanisch-Romanische Monatsschrift*, XXXI, Heidelberg, 1943), ANDRÉ GILG (*Wilhelm Meisters Wanderjahre und ihre Symbole*, Zürich, 1954); W. EMRICH, («Das Problem der Symbolinterpretation im Hinblick auf Goethes ‹Wanderjahre›», *Dt. Vj.*, XXVI, Stuttgart, 1952); H. J. SCHRIMPF (a. a. O.), den Roman in einer ganz anderen Perspektive sahen.

[17] H. M. WAIDSON, «Death by water, – or the Childhood of Wilhelm Meister», *The Modern Language Review*, LVI, Cambridge, 1961.

[18] FRIEDRICH MAURER, *Die Sprache Goethes im Rahmen seiner menschlichen und künstlerischen Entwicklung*, Erlanger Universitätsreden, Erlangen, 1932.

P. KNAUTH, *Goethes Sprache und Stil im Alter*, Leipzig, 1898, für eine genauere Untersuchung von Goethes Altersprache, besonders S. 77 f.

Vgl. KURT BIMLER, *Die erste und zweite Fassung von Goethe's ‹Wanderjahren›*, Beuthen, 1907, der die Häufigkeit dieser Satzkonstruktionsart betont. Ernst Lewy in *Zur Sprache des alten Goethe*, Berlin, 1913, S. 15, spricht von der «Neigung zu partizipialen Perioden» in der Prosa des späten Goethe.

[19] W. A. I, 24, S. 69.

[20] W. A. I, 25, I, S. 131 f.

[21] W. A. I, 24, S. 316.

[22] E. STAIGER, *Goethe*, III, a. a. O. S. 148.

[23] W. A. I, 24, S. 318.

[24] W. A. I, 24, S. 320 f.

[25] W. A. I, 24, S. 321 f.

[26] W. A. I, 25, I, S. 280.

[27] W. A. I, 25, I, S. 281.

[23] W. A. I, 25, I, S. 281.

[29] W. A. I, 25, I, S. 281.

[30] Vgl. ELISABETH M. WILKINSON, «The Poet as Thinker: On the varying modes of Goethe's Thought», *German Studies presented to Leonard Ashley Willoughby*, Oxford, 1952, für eine maßgebliche Analyse von Goethes philosophischer Sprache.

[31] W. A. I, 25, I, S. 276.

[32] R. LISSAU, a. a. O.

[33] Vgl. auch die Briefe an W. Reichel, 4. März 1829 und 19. März 1829; ferner die Diskussion zwischen A. R. HOHLFELD, «Zur Frage einer Fortsetzung von Wilhelm Meisters Wanderjahren», und KARL VIËTOR, «Zur Frage einer Fortsetzung von Wilhelm Meisters Wanderjahren», *PMLA*, LX, 1945, «Goethes Gedicht auf Schillers Schädel», *Geist und Form*, Bern, 1952.

[34] Vgl. H. S. REISS, «Zum Bild und Symbol in Wilhelm Meisters Wanderjahren», *Studium Generale*, VI, Berlin-Göttingen-Heidelberg, 1953, für eine ausführlichere Darstellung dieses Fragenkomplexes.

[35] Vgl. L. A. WILLOUGHBY, «The Cross-Fertilization of Literature and Life in the Light of Goethe's Theory of ‹Wiederspiegelung› », a. a. O.

[36] W. A. I, 24, S. 94.

[37] W. A. I, 24, S. 140 f.

[38] W. A. I, 24, S. 347.

[39] H. A., 8, S. 486, No. 179.

[40] Vgl. L. A. WILLOUGHBY, «The image of the ‹Wanderer› and the ‹Hut›, a. a. O., S. 207.

[41] W. A. I, 24, S. 6.

[42] W. EMRICH, a. a. O. hat die Bedeutung dieses Bildes untersucht und es sogar als den Schlüssel des Romans bezeichnet. Man kann die Bedeutung dieses Symboles erkennen, ohne sich der etwas extrem formulierten Auffassung Emrichs voll und ganz anzuschließen.

[43] Vgl. BARKER FAIRLEY, *Goethe's Faust. Six Essays*, Oxford, 1953, S. 74. «What emerges clearly in all three cases [einer Ohnmacht], ist that in some sense a shift of consciousness is involved; the poem moves from one plane to another.»

[44] Vgl. L. A. WILLOUGHBY, «The image of the Horse and Charioteer in Goethe's Poetry», a. a. O.

[45] W. A. I, 25, I, S. 3.

[46] An K. J. L. Iken, 27. September 1827.

[47] W. A. I, 24, S. 37.

[48] W. A. I, 24, S. 72.

[49] EUGEN WOLFF, «Die ursprüngliche Gestalt von Wilhelm Meisters Wanderjahren», *Goethe-Jahrbuch*, XXXIV, Frankfurt/Main, 1913, S. 169.

[50] W. A. I, 18, S. 190.

[51] H. A. 8, S. 486, No. 182.

[52] W. A. I, 24, S. 6.

[53] W. A. I, 24, S. 51.

[54] W. A. I, 24, S. 56.

[55] W. A. I, 24, S. 325; B. v. WIESE, «Der Mann von funfzig Jahren», *Die Deutsche No-*

velle von Goethe bis Kafka, II, Düsseldorf, 1962, hat die Ironie des Erzählers in dieser Novelle eingehend gewürdigt. Ich konnte diesen subtilen Aufsatz leider erst nach der Drucklegung meiner Arbeit zur Kenntnis nehmen.

[56] W. A. I, 25, I, S. 264.

[57] W. A. I, 24, S. 261.

[58] W. A. I, 24, S. 334.

[59] E. TRUNZ, H. A. 8, S. 607.

[60] W. A. I, 24, S. 9.

[61] W. A. I, 3, S. 105.

[62] H. A. 8, S. 283, No. 5.

[63] W. A. I, 24, S. 193.

[64] W. A. I, 25, I, S. 214.

[65] An C. F. Zelter, 13. August 1831.

[66] W. A. 25, I, S. 39.

[67] W. A. I, 25, I, S. 30.

[68] W. A. I, 24, S. 227.

[69] W. A. I, 24, S. 35 f.

[70] An C. F. Zelter, 13. August 1831.

[71] An C. W. Göttling, 17. Januar 1829.

[72] Vgl. FRIEDRICH BERTHEAU, *Goethe und seine Beziehungen zur schweizerischen Baumwollindustrie nebst dem Nachweis, daß unter Frau Susanna der Fabrikantenfrau in Wilhelm Meisters Wanderjahren Frau Barbara Schulthess von Zürich zu verstehen ist.* Wetzikon, 1888.

[73] W. A. I, 25, I, S. 249.

[74] W. A. I, 25, I, S. 101.

[75] Vgl. E. TRUNZ, H. A. 8, a. a. O. S. 650 f.

[76] W. A. I, 24, S. 215.

[77] Zu Riemer, 1823 (Goethe, *Werke*, Artemis-Gedenkausgabe, 23, Zürich, 1950, S. 292).

[78] Zu Riemer, 20. Februar 1828.

[79] Vgl. E. TRUNZ, H. A. 8, a. a. O. S. 702 f.

[80] W. A. 25, I, S. 181.

[81] W. A. 25, I, S. 223.

[82] G. RADBRUCH, «Wilhelm Meisters sozialistische Sendung», a. a. O., S. 100 ff.

[83] W. A. I, 25, I, S. 56 f.

[84] W. A. I, 24, S. 43.

[85] W. A. I, 24, S. 43.

[86] W. A. I, 24, S. 151.

[87] W. A. I, 24, S. 181.

[88] W. A. I, 25, I, S. 2.

[89] W. A. I, 24, S. 255.

[90] Vgl. E. TRUNZ, H. A. 8, S. 595, auch W. A. I, 24, S. 378.

[91] An C. F. Zelter, 18. Juni 1831.

[92] Eckermann an Thomas Carlyle, 6. Dezember 1830 (W. A. IV, 48, S. 32).

[93] ARTHUR HENKEL hat in seinem feinsinnigen und gediegenen Werk *Entsagung, Eine Studie zu Goethes Altersroman*, Hermea, Germanistische Forschungen, N. F. 3, Tübingen, 1954, die Grundlagen dieses Fragenkomplexes aufs sorgfältigste herausgearbeitet.

[94] An J. F. Rochlitz, 23. November 1829.

[95] A. HENKEL, *Entsagung* a. a. O., S. 132. «Der eigentliche Raum des Entsagens ist der des Eros.»

[96] W. A. I, 24, S. 55 f.

[97] H. A. 12, S. 542, No. 1330.

[98] An C. F. Zelter, 21. November 1830.

[99] Vgl. A. Henkel, *Entsagung* a. a. O., S. 42 ff.

[100] Vgl. A. Henkels subtile Analyse der Stellung Lenardos im Roman, ebenda, S. 51 ff.

[101] W. A. I, 2, S. 249.

[102] Vgl. A. Henkel, *Entsagung* a. a. O., S. 58, «Die Gestalt dieses Mannes ... erhält ihren Umriß aus doppeltem Blickwinkel».

[103] Vgl. E. Trunz, H. A. 8, S. 595.

[104] Vgl. A. Henkel, *Entsagung* a. a. O., S. 48. «So ist er kein Entsagender im eigentlichen Sinne. Auch ist Entsagen im Roman vorwiegend als das Gesetz des neuen Jahrhunderts gefaßt.»

[105] Vgl. E. Trunz, H. A. 8, S. 600.

[106] A. Henkel, *Entsagung* a. a. O., S. 82. Henkel nennt ihre Art des Entsagens «einen defizienten Modus des rechten und gelösten».

[107] A. Henkel, ebenda, S. 91. Vgl. auch W. Benjamin a. a. O., S. 107.

[108] W. A. I, 20, S. 133.

[109] A. Henkel, *Entsagung* a. a. O. S. 31.

[110] W. A. I, 25, S. 77.

[111] W. A. I, 25, I, S. 76.

[112] W. A. I, 25, I, S. 77.

[113] W. A. I, 25, I, S. 81.

[114] W. A. I, 25, I, S. 81.

[115] Christoph Schweitzer, «Wilhelm Meister und das Bild vom kranken Königssohn», *PMLA*, LXXII, 1957, S. 431. «Wilhelm weiß von der Liebe seines Sohnes zu Hersilie und trotzdem bringt er es nicht über sich, dieser ein ‹klares Nein› zu geben. Hersiliens Briefe deuten darauf hin, daß Wilhelm einen längeren Kampf mit sich selbst geführt haben muß.»

[116] W. A. I, 25, I, S. 168.

[117] W. A. I, 25, I, S. 168.

[118] W. A. I, 25, I, S. 294.

[119] Vgl. E. Trunz, H. A. 8, S. 664.

[120] W. A. I, 5, I, S. 106.

[121] W. A. I, 41, S. 218.

[122] W. A. I, 41, 218 f.

[123] An Wilhelm von Humboldt, 17. März 1832.

[124] W. A. I, 25, I, S. 17.

[125] W. A. I, 25, I, S. 18.

[126] W. A. I, 25, I, S. 20.

[127] W. A. I, 25, I, S. 21.

[128] W. A. I, 25, I, S. 22.

[129] H. A. 8, S. 284, No. 8.

[130] H. A. 8, S. 284, No. 7.

[131] H. A. 8, S. 296, No. 90.

[132] W. A. I, 25, I, S. 269 f.

[133] W. A. I, 5, I, S. 270.

[134] H. A. 8, S. 283, No. 5.

[135] Eduard Spranger, «Die sittliche Astrologie der Makarie in Wilhelm Meisters Wanderjahren», *Goethes Weltanschauung*, Wiesbaden, 1949, S. 197 f.

[136] «Epirrhema», W. A. I, 3, S. 88.

[137] Die Anregung zu dieser Auffassung verdanke ich Elisabeth M. Wilkinson.

[138] C. Schweitzer, a. a. O., S. 432.

[139] Eduard Spranger, «Goethe über die menschlichen Lebensalter», a. a. O., S. 88 ff.

[140] Schweitzer (a. a. O.) betont dies auch. Seiner Ansicht nach ist Wilhelm in den *Lehrjahren* mit der Figur des Antiochus auf dem Gemälde des Andrea Celesti vom kran-

ken Königssohn, das sich heute noch in der Gemäldegalerie zu Kassel befindet, zu identifizieren. Dieser junge Mann erhält in der Legende später die geliebte Stratonie (Natalie). Der Wilhelm der *Wanderjahre* dagegen entspricht der Figur des Vaters Selenko und derjenigen des Arztes. Doch ist eigentlich die Lage auf dem Gemälde anders als in den Romanen. Die Beziehung des jungen Königssohnes Antiochus und der Stratonie entspricht derjenigen Wilhelms und Nataliens nicht, denn Wilhelm steht nicht zwischen zwei Frauen in den *Lehrjahren*. Dasselbe gilt für die *Wanderjahre*. Hersilie ist hier in Wilhelm verliebt, während er sein Interesse an ihr, wenn es überhaupt besteht, taktvoll verhüllt. Wilhelm will vor allem Hersilies Gefühle schonen. Seine Haltung ist korrekt. Er dürfte sich über die Situation im klaren sein, während bei Hersilie sich die Gemütsbewegung im Unterbewußtsein abspielt. In der im Gemälde dargestellten Legende liegt der Akzent auf der Liebe des Königssohnes zu seiner Stiefmutter Stratonie; aber es wird angenommen, daß auch der Vater Stratonie liebt, aber aus Rücksicht auf seinen kranken Sohn dieser Liebe entsagt. Schweitzers Ausführungen sind sehr wertvoll; es steht aber zu bezweifeln, ob es möglich ist, zwei Figuren des Bildes, d. h. den Arzt und den Vater in einer Romangestalt (Wilhelm) zu sehen.

[141] An C. F. Zelter, 8. Juli 1830. «Der große Vorteil für ihn und für uns wird daraus entstehen, daß er sich selbst gewahr wird, daß er erfährt, was an ihm ist, was in unseren einfach-beschränkten Verhältnissen nicht zur Klarheit kommen konnte.»

[142] BARKER FAIRLEY, «Goethe'» Last Letter», *Toronto University Quarterly*, XXVII, Toronto, 1957.

[143] W. A. I, 24, S. 263.

[144] Hier kann ich August Raabes Ansicht nicht teilen. («Das Dämonische in den Wanderjahren», *Vierteljahresschrift der Goethegesellschaft*, I, Weimar, 1936, S. 119 ff.) Im Gegensatz zu Raabe erscheint es mir, daß diese Elemente keineswegs im Vordergrund, sondern nur im Hintergrund stehen. Obwohl natürlich Wilhelm und Lenardo wie auch die andern Führer der Auswanderergesellschaft, die Leiter der pädagogischen Provinz, Odoard und Makarie, ihr Handeln vom Wissen um das Dämonische aus bestimmen.

[145] W. A. I, 25, II, S. 109.

[146] E. STAIGER, Goethe, III, a. a. O., S. 139.
Für Staiger liegt der Zusammenhalt der Romane nicht im Werke selbst: Die Einheit — jenseits des Romans — ist vom Leser zu supplieren. Der Sinn ist in Goethe geborgen, in einer Welt, in der alles aufeinander bezogen ist. «In der Welt des alten Goethe ist alles so beziehungsreich, daß völlig stumpfe Einzelheiten von vornherein ausgeschlossen sind.» (Ebenda, S. 137.) Allerdings bedeutet das nicht, daß Staiger die *Wanderjahre* nicht als Kunstwerk gelten lassen will.

[147] CLAUDE DAVID, «Goethes ‹Wanderjahre› als symbolische Dichtung», *Sinn und Form*, VIII, Berlin, 1956. VICTOR LANGE, «Goethe's Craft of Fiction», *PEGS*, XXII, Cardiff, 1953, S. 60.

[148] Schon in den Wahlverwandtschaften hat Goethe mit der traditionellen Romanform ein wenig mehr experimentiert als in seinen beiden früheren Werken. Man ersieht es vor allem an der Beziehung der beiden früheren Teile aneinander, an der Konzentration auf verschiedene Gestalten, am Einführen ihres Tagebuchs. Wegen der Lebendigkeit der Darstellung erscheint der Durchbruch in *Werther* gewaltiger, besonders wenn man das Werk mit einem anderen Briefroman vergleicht. Auch die *Lehrjahre* hatten eine Form, die Wieland schon in *Agathon* entwickelte, eine Form, die auf einen Lebensroman wie Henry Fieldings *Tom Jones* zurückging, wenn nicht auf *Don Quijote*.

[149] An J. F. Rochlitz, 23. November 1829.

[150] Vgl. KARL VIËTOR, «Zur Frage von einer Fortsetzung von Goethes Wilhelm Meisters

Wanderjahren», a. a. O.; A. R. HOHLFELD, a. a. O., FRANZ H. MAUTNER, ERNST FEISE, KARL VIËTOR, «Ist fortzusetzen» *PMLA*, LIX, 1944, S. 1156 ff.

[151] An W. Reichel, 2. Mai 1829.

[152] H. A. 8, S. 283, No. 3.

[153] H. A. 8, S. 305, No. 150.

[154] H. A. 8, S. 305, No. 151.

[155] WILHELM FLITNER, («Aus Makariens Archiv. Ein Beispiel Goethescher Spruchkomposition», *Goethe-Kalender auf das Jahr 1943*, XXXVI, Leipzig, 1943, S. 116 ff.) sucht, vielleicht nicht immer überzeugend, die Zusammenhänge zwischen den einzelnen Aphorismen oder Aphorismenreihen darzulegen. Es gelingt ihm aber die Beziehungen zwischen einzelnen Aphorismen und Gedanken, die in der Haupthandlung oder den Novellen gestaltet werden, hervorzuheben. Er beschreibt die Sachlage treffend: «Es wird eine Gesellschaft geschildert, die sich zu bilden sucht und ihre Erfahrungen selber formuliert. Die Spruchreihen spielen im Roman mit. Sie charakterisieren bestimmte Personen und ihren Kreis, verdeutlichen anderseits auch die Gedanken des Dichters, die dem Roman zugrunde liegen.» (S. 123.) Vgl. zu demselben Problem E. TRUNZ, H. A. 8, S. 681 ff. und 717 ff., der allerdings meint, die Spruchsammlungen seien nicht so sorgfältig angeordnet.

[156] Zu F. v. Müller, 8. Juni 1821.

[157] Vgl. An C. F. Zelter, 23. Februar 1832. «Was ist denn auch der Mensch an sich selbst und durch sich selbst? Wie er Augen und Ohren auftut, kann er Gegenstand, Beispiel, Überlieferung nicht vermeiden; daran bildet er sich ...»

[158] An J. S. Zauper, 7. September 1821.

[159] W. A. I, 3, S. 83.

[160] An C. F. Zelter, 31. Dezember 1829.

[161] W. A. I, 3, I, S. 83.

[162] W. A. I, 25, I, S. 60.

[163] KARL VIËTOR, *Geist und Form*, a. a. O., S. 200.

[164] W. A. I, 3, S. 94.

[165] Vgl. C. DAVID, a. a. O.; WALTER HÖLLERER, *Zwischen Klassik und Moderne*, Stuttgart, 1958; WALTER KILLY, *Wandlungen des lyrischen Bildes*, Göttingen, 1956.

[166] HERMANN BROCH, «James Joyce und die Gegenwart», *Essays I*, Zürich, 1955, S. 206.

[167] HERMANN BROCH, «Das Weltbild des Romans», *ebenda*, S. 237.

[168] HERMANN BROCH, «James Joyce und die Gegenwart», *ebenda*, S. 206.

ZUSAMMENFASSUNG

[1] R. PEACOCK, «Goethe's version of poetic drama», *PEGS*, XVI, Cardiff, 1947, S. 51. «Goethe's plays, on the other hand, deliberately abandon orthodox standards because they have a new poetic purpose.»

[2] Vgl. V. LANGE, «Goethe's Craft of Fiction», a. a. O., der diesen Aspekt einsichtsvoll behandelt.

[3] E. L. STAHL, «Goethe as Novelist», *Essays on Goethe*, hrsg. von William Rose, London, 1949, S. 70.

[4] W. A. I, 3, S. 271.

[5] An Adolph Müllner, 6. April 1818.

[6] Zu Eckermann, 17. Februar 1830.

[7] Vgl. ALFRED G. STEER, *Goethe's Social Philosophy as revealed* in *Campagne in Frankreich* and *Belagerung von Mainz*, University of North Carolina Studies in Germanic Languages, and Literature, 15 Chapel Hill, 1955, der diesen Aspekt besonders hervorhebt.

[8] W. A. II, 6, I, S. 9.

[9] Vgl. E. L. STAHL, «Goethe as Novelist», a. a. O., S. 67 f., der diesen Aspekt treffend beschreibt.

[10] Vgl. GEORG LUKÁCS, «Wilhelm Meisters Lehrjahre», *Goethe und seine Zeit*, Bern, 1947, S. 40 f.

[11] Vgl. L. A. WILLOUGHBY, «Schiller on Man's Education to Freedom through Knowledge», *Germanic Review*, XXIX, New York, 1954; H. S. REISS, «The Concept of the Aesthetic State in the Work of Schiller and Novalis», *PEGS*, XXVI, Leeds, 1957.

[12] LIONEL TRILLING, a. a. O., S. 209.

[13] Vgl. R. PASCAL, *The German Novel*, Manchester, 1956, für eine feinsinnige Studie über die Hauptlinien des deutschen Romans.

[14] NOVALIS, *Werke*, Heidelberg, 1943, III, S. 272.

[15] Ebenda, S. 275.

[16] Ebenda, S. 278.

[17] H. A. 8, S. 486, No. 176.

[18] Zu Eckermann, 11. Oktober 1828.

[19] H. A., 12, S. 512, No. 1035.

[20] Vgl. OSKAR WALZEL, «Goethes ‹Wahlverwandtschaften› im Rahmen ihrer Zeit», *Goethe-Jahrbuch*, XXVII, Weimar, 1906, S. 166 f.

[21] Vgl. C. DAVID, a. a. O., S. 126 ff.

[22] F. SENGLE, «Zur Einheit von Literaturgeschichte und Literaturkritik», *Dt. Vj.*, XXXIV, Stuttgart, 1960.

[23] *Faust*, Verse 577–79.

[24] LEONHARD FORSTER, «Goethe und das heutige England», *Euphorion*, XLV, Heidelberg, 1950, S. 36; (zitiert A. J, P. TAYLOR, *The New Statesman and Nation*, London, 1949).

[25] W. SOMERSET MAUGHAM, «Three Novels of a Poet», *Points of View*, London, 1958, S. 2.

[26] W. A. I, 3, S. 19.

[27] W. SOMERSET MAUGHAM, a. a. O., S. 2.
«I suppose few people in England read it now, unless for scholastic reasons they are obliged to, and I don't know why any one should — except that it is lively and amusing, both romantic and realistic; except that the characters are curious and unusual, very much alive and presented with vigour; except that there are scenes of great variety, vivid and admirably described, and at least two of high comedy, a rarity in Goethe's works; except that interspersed in it are lyrics as beautiful and touching as any that he ever wrote; except that there is a disquisition on Hamlet which many eminent critics have agreed is a subtle analysis of the Dane's ambiguous character; and above all, except that its theme is of singular interest. If, with all these merits, the novel on the whole is a failure, it is because Goethe, for all his genius, for all his intellectual powers, for all his knowledge of life, lacked the specific gift which would have made him a great novelist as well as a great poet.»

[28] W. S. MAUGHAM, a. a. O., S. 48.

[29] W. A. I, 3, S. 84.

NAMENREGISTER

(der im Text angeführten Personen)

INHALT